Émile Richebourg

JEAN LOUP

PROLOGUE

UN CRIME MYSTÉRIEUX

I

Aujourd'hui, grâce aux grandes lignes de nos chemins de fer et à leurs nombreux embranchements qui sillonnent la France de l'est à l'ouest et du nord au midi, il n'existe plus, pour ainsi dire, de grandes distances, et toutes les communications sont devenues faciles entre les villes et les communes et hameaux les plus reculés.

Il n'en était pas ainsi, il y a seulement une vingtaine d'années. Alors, dans chaque département, beaucoup de localités éloignées des chefs-lieux et n'ayant pas même un service de voitures publiques, se trouvaient presque complètement isolées.

Le petit village de Blaincourt était une de ces communes déshéritées.

Blaincourt se trouve dans cette partie du département des Vosges si pittoresque, si accidentée, qui touche à l'Alsace-Lorraine.

Après les douloureux événements de 1870-1871, quand fut fait le tracé de la nouvelle frontière, Blaincourt est resté à la France.

Quelle immense satisfaction pour les habitants !

Tous en fête, hommes, femmes, vieillards et enfants, ils manifestèrent leur joie par ce cri mille fois répété : « Vive la France ! »

Certes, tous les Français aiment la patrie : ils le prouvent quand il faut verser son sang pour la défendre ; mais c'est surtout dans l'Est que les populations sont animées d'un ardent et généreux patriotisme.

Malgré les belles collines verdoyantes, que dominent de hautes crêtes, sur lesquelles se dressent de gigantesques sapins, et les panoramas splendides qu'on découvre des hauteurs ; malgré le vieux château féodal, forteresse du moyen âge, qui fit plus d'une fois reculer les Allemands ; malgré ses bois ombreux et sa magnifique vallée pleine de fraîcheur, au milieu de laquelle courent, en serpentant, les eaux rapides du Frou ; malgré les sites superbes, grandioses, et les paysages ravissants qu'on rencontre là, comme dans toute la région vosgienne, Blaincourt, caché, perdu dans l'échelonnement des montagnes, est aujourd'hui encore un pays à peu près inconnu.

On y voit rarement passer un étranger. Jamais le touriste, qui parcourt les Vosges, un bâton à la main, ne songe à s'éloigner de la grande route pour aller voir la chute du Frou, qui, sans être comparable à celle du Niagara, n'en est pas moins une chose fort curieuse.

Le Frou a sa source au flanc de la montagne. L'eau sort en bouillonnant, mais très limpide, d'une fente qui s'est faite à la base d'une énorme roche de granit ; elle descend en bondissant sur des degrés, sorte de crans inégaux entaillés dans la pierre noire et luisante, formant ainsi une cascade jusqu'au plateau inférieur où elle a creusé une sorte de petit lac.

Là, sans aucun doute, une et peut-être plusieurs sources nouvelles jaillissent, invisibles, des entrailles de la terre, car le volume d'eau de la cascade se trouve considérablement augmenté quand, s'échappant du lac, le Frou tombe tout à coup, de six mètres de hauteur, dans un deuxième petit lac, très profond, qu'on appelle le trou de la Fée.

Les eaux continuent à descendre, endiguées naturellement par des blocs de rochers, jusqu'à l'entrée de la vallée où une écluse les reçoit.

Alors moins bruyant, plus calme, le Frou baigne les terres basses du château, fait tourner les roues du moulin de Blaincourt et va ensuite répandre la fraîcheur et la fertilité dans la vallée.

Néanmoins le Frou est un ruisseau terrible et constamment redoutable. À l'époque des pluies, lors de la fonte des neiges et presque toujours après un orage, grossi subitement par tous les ravins de la montagne, il devient un torrent impétueux et mugissant. Jaune, furieux, écumant, il saute par dessus ses digues, déborde de tous les côtés, et en un instant tout le pays est inondé.

En l'année 1854, un matin du mois de novembre, deux hommes se promenaient de long en large devant le bureau de poste de la petite ville de Varnejols. Le jour commençait seulement à venir ; mais déjà la grande fenêtre garnie de barreaux de fer du bureau de poste était éclairée ; le receveur était occupé, sans doute, en attendant le courrier de Remiremont, à préparer le paquet des lettres destinées au canton de Verzéville, trouvées la veille, à la dernière levée, dans les boîtes aux lettres de la ville.

Cinq heures sonnèrent.

Les deux hommes dont nous venons de parler s'arrêtèrent au milieu de la rue.

— Cinq heures, dit l'un, le plus âgé, qui paraissait être le maître de l'autre ; si l'on t'a bien renseigné, le courrier ne tardera pas à arriver.

— Il est toujours ici, m'a-t-on dit, à cinq heures, cinq heures vingt, au plus tard.

— Cette satanée pluie qui a tombé une partie de la nuit a singulièrement rafraîchi le temps. Brrr, je commence à sentir qu'il fait un froid du diable.

— Et moi donc, j'ai les pieds à la glace.

— J'ai été bien inspiré en faisant emplette de ces épais cache-nez de laine.

— Sans compter qu'ils complètent parfaitement notre costume de paysan du pays. Rien n'y manque : gros souliers ferrés, culotte dans de hautes guêtres bouclées jusqu'aux genoux, veste ronde de droguet sous la blouse bleue, chemise de toile de ménage, chapeau de feutre gris à larges bords... Hé, hé, vous n'avez même pas oublié le gourdin de cornouiller, qui nous fait ressembler à deux maquignons revenant de la foire.

— Il faut cela.

— Aussi je défie bien le plus malin, le plus rusé des Lorrains de ne pas voir en nous deux bons paysans des Vosges.

— Ah ! il me semble que j'entends un bruit de grelots et le roulement d'une voiture.

— Vous ne vous trompez pas ; c'est le courrier qui arrive au grand trot.

— Pourvu qu'il amène ceux que nous attendons.

— Pourquoi ne les amènerait-il pas ?

— Est-ce que je sais ? La jeune femme enceinte a pu se trouver indisposée ; le courrier pouvait ne pas avoir de place pour eux.

— Bah ! les voyageurs sont rares en ce moment. Si, comme vous en êtes presque certain, ils sont arrivés à Remiremont entre minuit et une heure, ils ont sûrement pris le courrier, puisque c'est l'unique moyen de se rendre à Blaincourt par la voiture de Verzéville, qui vient prendre chaque jour les dépêches à Varnejols.

– Attendons, je saurai dans un instant si le diable est toujours de mes amis.

– Vous n'avez jamais raté une bonne affaire, maître, répliqua l'autre : vous réussissez dans toutes vos entreprises ; ah ! vous êtes l'homme le plus étonnant qu'il y ait au monde ! Tous ceux à qui vous commandez vous obéissent sans murmurer. Ils sont les esclaves de votre puissante volonté, car ils ont confiance en votre génie ; nous vous sommes fidèles, dévoués, nous vous aimons, nous vous admirons ; pour vous, maître, tous, l'un après l'autre, nous nous ferions hacher en morceaux.

L'œil du maître eut un éclair d'orgueil.

– Allez, continua l'autre en riant, le diable et tous ses diablotins sont trop heureux de vous servir pour ne pas être à vos ordres aujourd'hui comme toujours.

– Nous verrons cela. La voiture de Verzéville n'a bien que trois places ?

– Et une quatrième à côté du courrier, sur le siège.

– C'est parfait !

– Le véhicule n'est pas commode du tout ; c'est une espèce de cabriolet fermé devant par des panneaux vitrés, qui se relèvent et s'attachent sous la capote avec des courroies. Dans ce pays, pas de luxe pour les voyageurs ; on ne se préoccupe guère de leur agrément.

– Qu'importe, l'essentiel est qu'on puisse causer.

– De mon côté, je ferai jaser le courrier ; soyez tranquille, il n'entendra rien.

– Ah ! çà, mais il n'arrive pas ce courrier ! Je n'entends plus ni le roulement de la voiture, ni la sonnerie de grelots.

– Parce que, avant d'entrer dans la ville, il y a une montée ; en ce moment, les chevaux marchent au pas.

– C'est juste.

– Tenez, ils ont grimpé la côte ; ils entrent dans la ville.

Maintenant, en effet, on entendait distinctement le bruit des sabots des chevaux frappant le pavé.

– Et voici la voiture de Verzéville.

Deux haridelles, traînant le véhicule annoncé, tournaient à l'angle d'une rue ; elles avancèrent au pas et vinrent s'arrêter devant le bureau de poste.

Le courrier arrivait.

– Hé, Lucot ! cria-t-il à son camarade, en sautant à bas de son siège, j'ai deux voyageurs pour toi.

– Bon ! fit l'autre.

Les deux hommes déguisés en paysans échangèrent un regard expressif.

Le receveur et son commis étaient sortis du bureau pour recevoir les sacs de dépêches que le courrier tirait du coffre de sa voiture.

L'opération fut vite terminée.

– Est-ce ici que nous descendons ? demanda une voix d'homme, qui sortait de l'intérieur de la voiture.

– Oui, monsieur, c'est ici, répondit le courrier, qui, ayant livré ses dépêches, s'empressa d'ouvrir la portière.

Un homme de taille moyenne, brun, au visage bronzé par le soleil, et paraissant avoir quarante ans, mit pied à terre, puis tendit la main à une jeune femme pour l'aider à descendre.

Cette jeune femme, qui ne devait pas avoir plus de vingt ou vingt-deux ans, était dans un état de grossesse avancé. Elle avait la taille, le corps et un peu les manières d'une fillette de quatorze ans, et elle paraissait frêle comme un enfant. Ses mouvements étaient pleins de grâce. Elle était jolie, on aurait pu dire même qu'elle était belle, tant les formes de sa mignonne personne étaient parfaites. Mais c'était une beauté d'un type original, étrange.

À la voir seulement, on reconnaissait qu'elle n'appartenait à aucune des races de l'Europe. Toutefois, il eût été difficile de deviner dans laquelle des quatre autres parties du monde elle était née.

Par suite, sans doute, de la fatigue du voyage et en raison de sa position, sa figure, d'un dessin très pur, était pâle ; mais cette pâleur, en adoucissant les tons chauds de son teint d'ambre, faisait ressortir vigoureusement le carmin de ses lèvres et donnait un éclat singulier à ses grands yeux noirs, doux, caressants, langoureux, d'une expression indéfinissable.

Dès qu'elle fut descendue de voiture, son compagnon l'enveloppa d'un regard plein de tendresse et de sollicitude. Puis tenant toujours la petite main gantée qu'il pressait doucement :

– Ma chère Zélima, comment te trouves-tu ? lui demanda-t-il dans une langue inconnue.

Elle attacha sur lui ses beaux yeux qui brillaient comme des diamants.

– Bien, oui, bien, répondit-elle.

– Ma Zélima est vaillante, je le sais ; mais, malgré ce jour de repos que nous avons pris, ce long voyage t'a horriblement fatiguée, je le vois, et je crains que tes forces ne finissent par trahir ton courage.

– Non, non.

Il secoua la tête.

– Vois-tu, reprit-il, j'aurais dû ne pas t'écouter ; oui, j'aurais bien fait de te laisser à Paris.

– À Paris, toute seule ! répliqua-t-elle vivement. Oh ! je me serais trop ennuyée et à ton retour tu m'aurais trouvée morte !

– Enfant !... fit-il en la caressant du regard.

– Non, non, continua-t-elle, je ne peux pas me séparer de toi, je veux être près de toi toujours, toujours.

– Écoute, Zélima, nous avons encore trois heures de voiture et ensuite nous devrons marcher pendant une demi-heure, une heure peut-être, pour arriver au village de Blaincourt...

– Je suis forte.

– Mais tu es fatiguée ; si tu le veux, nous resterons ici jusqu'à demain matin ; Je ne sais ce que j'éprouve ; je suis inquiet, tourmenté, c'est comme le pressentiment d'un accident ou d'un malheur qui te menace.

– Non, répondit-elle en souriant, allons où tu veux, où tu dois aller : comme toi j'ai hâte d'arriver et déjà je voudrais savoir...

Un long soupir acheva sa phrase.

– Nous saurons, ma chère Zélima, il le faut. N'est-ce pas uniquement pour savoir ce qu'est devenue ta chère protectrice, ta seconde mère, la femme que tu aimes le plus au monde, que nous nous sommes enfin décidés à quitter ton beau pays de fleurs, de parfums et de soleil pour venir en France ?

» Je dois tout ce que je possède, toi d'abord, ma chérie, et ma petite fortune à monsieur le marquis, qui a été lui aussi, mon protecteur, mon ami. Hélas ! il n'est plus ; le bâtiment qui le ramenait en France a fait naufrage ; lui, passager, et trente pauvres marins ont été ensevelis sous les vagues furieuses de l'Océan.

» Mais sa femme, son enfant, où sont-ils ? Pour les retrouver, je ne reculerai devant aucun sacrifice. J'ai déjà cherché, je cherche encore. Je ne me lasserai point, je chercherai jusqu'à ce qu'on m'ait appris ce qu'est devenue ta protectrice, la femme de mon ancien maître et son enfant. Il faudra bien, à la fin, que nous sachions quelque chose. Le plus léger renseignement peut me mettre sur leur trace. C'est dans l'espoir que notre voyage ne sera pas inutile que nous nous rendons à Blaincourt où, j'en ai acquis la certitude, Mme la marquise a habité pendant quelques années ; c'est là peut-être, au château de Blaincourt, qu'elle a mis son enfant au monde.

– Chère et bonne Lucy ! Pauvre amie ! murmura la jeune femme.

Puis à haute voix, avec animation :

– Non, continua-t-elle, elle n'est pas morte... Il me semble que j'entends en moi une voix céleste qui me crie qu'elle existe, mais qu'elle est malheureuse et qu'elle nous attend pour la sauver ! Oh ! la retrouver, la revoir, et sentir comme autrefois ses lèvres sur mon front ! Va, je ne me sens plus fatiguée du tout et je ne crains pas de manquer de force... Manquer de force, moi, quand j'ai constamment cette pensée que ma chère Lucy souffre, qu'elle m'appelle et m'attend ! Non, non. Allons vite à Blaincourt.

– Ainsi tu ne désires pas l'arrêter ici pour te reposer ?

— Non, ce serait encore un retard. Si Lucy est malheureuse, si c'est nous qu'elle attend pour la secourir, nous n'avons pas le droit de perdre une journée, pas même une heure.

À quelques pas de distance, les deux hommes, qui avaient emprunté pour la circonstance le costume de paysan des Vosges, examinaient avec une curiosité avide la jeune femme et son compagnon.

En même temps, ils écoutaient la conversation. Peine inutile. Le plus âgé, celui que l'autre appelait « maître », éprouvait un secret dépit de ne point connaître la langue que parlaient les deux étrangers. Il aurait certainement donné beaucoup pour savoir ce qu'ils disaient.

C'était un homme trapu, dont la tête énorme, aplatie au sommet et atteinte d'une calvitie précoce, semblait collée sur ses larges épaules carrées. Ses grosses lèvres rouges, qui émergeaient sous un long nez busqué, indiquaient la sensualité ; mais sa passion dominante était l'amour de l'argent ; il avait la soif de l'or. Ses yeux petits, ronds, jaunes et clignotants, enfoncés sous les arcades sourcilières, dénonçaient l'homme astucieux. Du reste, toute sa physionomie exprimait la finesse et la ruse. La flamme de son regard était sinistre.

Ce laid personnage, qu'il était difficile de regarder en face sans avoir la chair de poule, s'appelait Blaireau.

L'individu qui l'accompagnait, un bandit à sa solde, se nommait Princet.

Blaireau est depuis longtemps connu de nos lecteurs (voir l'Enfant du Faubourg et Deux mères. Blaireau joue un rôle très important dans ces deux romans).

Il avait alors trente-quatre ou trente-cinq ans. Il habitait à Paris, rue du Roi-de-Sicile, où il était censé diriger un cabinet d'affaires ; mais il travaillait dans l'ombre, ne s'occupant guère que d'affaires malpropres et ténébreuses. Il s'était fait une spécialité de l'exploitation des passions humaines. Et comme, malheureusement, les passions et les vices des hommes sont nombreux, il ne manquait pas de clients. Du reste, il n'était pas difficile : il était entièrement à la disposition de quiconque le payait bien.

Né avec le génie du mal, très ambitieux et plein d'audace, cet homme ne pouvait être autre chose qu'un grand scélérat.

Il voulait avoir des millions !

10/599

Capable de tout, ne reculant devant rien pour arriver à sa fortune, Blaireau devait commettre toutes les infamies, tous les crimes qui lui ont valu sa triste célébrité.

"

Le courrier de Verzéville avait reçu et enfermé ses dépêches dans le coffre de son cabriolet fermant à clef.

Le jour était venu. Quelques têtes, lourdes encore des vapeurs du sommeil, apparaissaient aux fenêtres des maisons et les boutiquiers commençaient à ouvrir leurs portes et leurs volets.

Après avoir jeté un dernier coup d'œil sur son attelage, Lucot cria d'une voix enrouée :

– Je suis prêt, nous partons.

Aussitôt les quatre voyageurs s'approchèrent de la voiture.

– Est-ce que madame est avec vous ? demanda Lucot au compagnon de la jeune femme.

– Vous le voyez bien, répondit l l'inconnu, qui parlait purement le français.

– C'est votre épouse ?

– Oui, c'est ma femme.

– Diable, diable, fit Lucot en se grattant l'oreille.

– Eh bien ?

– Voilà : c'est que je n'ai que trois places d'intérieur et une quatrième à côté de moi. Comme ces deux messieurs ont retenu deux places d'intérieur, il n'en reste plus qu'une pour votre épouse.

L'inconnu laissa voir sa vive contrariété.

– Si ça ne vous fait rien de ne pas être à côté de votre épouse, continua Lucot, tout peut s'arranger, vous grimperez sur mon siège. Que voulez-vous ? À la guerre comme à la guerre !

Comme si elle eût compris, la jeune femme se serra contre son mari avec un mouvement d'effroi.

Celui-ci ne paraissait nullement satisfait de la proposition. Il était facile de voir qu'il ne pouvait se décider à laisser sa femme en compagnie de deux hommes qu'il ne connaissait point.

Alors, Princet, qui se tenait un peu à l'écart, s'avança sur un signe que lui fit Blaireau.

– Par exemple, dit-il, ça ne serait pas à faire que monsieur soit obligé de voyager séparé de madame son épouse. Non, pas de ça, je tranche la difficulté.

» Mon bon monsieur, continua-t-il en s'adressant à l'inconnu, je vous cède ma place sous la capote et je m'installe à côté du courrier. Le temps menace de se remettre à la pluie, mais ça ne fait rien, je ne crains pas d'être mouillé, ma peau y est habituée.

L'inconnu se confondit en remerciements.

– Laissez donc, l'interrompit Princet, c'est pas la peine. Quoique paysan, on sait vivre ; faut toujours avoir des égards pour la plus belle moitié du genre humain.

La chose arrangée ainsi que le voulait Blaireau, on prit place dans le cabriolet, le mari entre sa femme et Blaireau. Lucot monta sur son siège dont Princet avait déjà pris la moitié.

Deux coups de fouet cinglèrent les flancs des chevaux poussifs qui, après plusieurs mouvements de tête, lesquels exprimaient toute autre chose que l'allégresse, se décidèrent à partir au petit trot.

Un instant après on sortait de Varnejols, et, par un chemin de traverse où l'eau des averses de la nuit coulait dans les ornières, on gagna la route de Verzéville.

Aiguillonnés de temps à autre par la mèche du fouet, les jambes des chevaux semblèrent se déraidir et ils prirent une allure un peu plus vive.

Son chapeau enfoncé sur ses yeux et le bas de sa figure enfoui dans son cache-nez, Blaireau restait silencieux, et, tout en réfléchissant, observait du coin de l'œil son compagnon de voyage.

— Madame est-elle bien à son aise ? demanda-t-il tout à coup ; ces voitures sont si étroites, si peu commodes... Serrez-vous contre moi, monsieur, ne craignez pas de me gêner, ajouta-t-il en se faisant petit dans son coin.

— Vous êtes bien bon, monsieur ; merci, répondit le jeune homme.

Et il se rapprocha du voyageur complaisant pour laisser à sa compagne une plus large place. La glace était rompue. On allait pouvoir causer.

— À d'autres ! fit Blaireau après un assez long silence ; maintenant voilà le vent qui souffle dans la capote comme s'il y cherchait les ailes d'un moulin à vent... Et la pluie qui s'en mêle !... Quel chien de temps ! Dans nos pays montagneux, en cette saison, il faut s'attendre à cela tous les jours.

Une pluie fine et froide commençait en effet à tomber ; fouettée par le vent, elle crépitait sur le cuir de la capote.

La jeune femme s'enveloppait en se serrant frileusement dans son tartan de laine.

— Oh ! il ne faut pas que votre dame prenne froid, monsieur, continua Blaireau d'une voix empressée et pleine d'intérêt ; si vous le voulez bien, nous fermerons.

— Comment ? demanda l'inconnu qui n'avait probablement pas encore remarqué les panneaux vitrés attachés au-dessus de sa tête.

— La chose n'est pas difficile, vous allez voir.

Et Blaireau se mit en devoir de détacher les panneaux, qu'il fit tomber sur une rainure faite dans la barre de bois du tablier.

Un sourire gracieux de la jeune femme le remercia.

— Vous êtes mille fois trop bon, monsieur, dit le mari.

Il ajouta :

— Voilà un système de fermeture fort ingénieux, que je ne connaissais point.

– Oh ! tout à fait primitif, dit Blaireau. Maintenant me voilà tranquille et vous aussi, n'est-ce pas ? Votre dame ne sentira plus ni le vent, ni la pluie. Vilain temps pour voyager, monsieur ; mais voilà, il faut travailler, les affaires...

Après une pause :

– Est-ce que vous êtes de nos pays ?

– Non, monsieur, et je ne connais pas du tout la Lorraine, où je viens pour la première fois.

– Monsieur arrive de loin ?

– Oui, de loin, de très loin.

– Mais vous êtes Français, pas vrai ? Je reconnais cela à votre parler.

– Oui, je suis né en France, pas bien loin de Paris ; mais j'étais jeune encore quand j'ai quitté les bords de la Seine pour aller au delà des mers.

– Ah ! comme cela doit vous sembler bon de revoir la patrie ?

– Oui, c'est une joie réelle ; seulement elle est mélangée de tristesse et d'amertume.

– Je comprends, je comprends... la mort a fait des siennes : vous ne retrouvez pas en France tous ceux que vous y avez laissés. Que voulez-vous, c'est comme ça en ce monde, chacun a ses peines. Allez-vous plus loin que Verzéville ?

– Un peu plus loin, à Blaincourt.

– Tiens, tiens, à Blaincourt ; c'est mon pays.

– Ah ! vous êtes de Blaincourt ?

– J'y suis né. C'est un assez joli petit village, bâti à l'entrée d'une gorge de la montagne ; mais triste, triste... Pas de mouvement, pas de vie, un pays mort, quoi !

– Il y a un château ?

– Un vieux château ou plutôt ce qu'il en reste. Blaincourt est si éloigné que le propriétaire du vieux manoir n'y vient jamais ; il le laisse tomber en ruines.

– Alors, il n'est pas habité ?

– Si, par le gardien, un vieux bonhomme. En voilà un qui sait des choses... Mais c'est une espèce de sauvage, une brute... Impossible de lui arracher une parole.

L'inconnu avait tressailli.

– On peut le voir ? demanda-t-il.

– Heu, heu, pas facilement. C'est un sauvage, je vous l'ai dit ; on dirait que les autres hommes lui font peur. Il y a quelques années, il s'est passé quelque chose de terrible au château. Quoi ? On a fait beaucoup de suppositions ; dans nos villages, comme partout, d'ailleurs, on est curieux, on jase, on clabaude ; mais on n'a rien su de positif. C'est resté dans l'ombre, un mystère ! Le vieux sait tout, lui ; mais il est muet comme une carpe. Entre nous, je crois qu'il a d'excellentes raisons pour garder le silence. Très méfiant, il vit seul, comme un ours, et il ne parle à personne, probablement parce qu'il n'aime pas à être questionné. Pourtant ce sauvage est reconnaissant, il se souvient d'un service que je lui ai rendu autrefois ; grâce à cela, il cause volontiers un instant avec moi et je suis sûr qu'il ferait pour moi ce qu'il refuserait net à un autre.

» Mais tout cela ne vous intéresse guère, monsieur. C'est pour dire quelque chose, cela fait trouver le temps moins long. Chez qui allez-vous, à Blaincourt ? Un proche parent, sans doute ?

– Non, répondit l'inconnu comme sortant d'un rêve, je ne connais personne à Blaincourt.

– Bien, bien, une affaire !

– Oui, une affaire.

Après être resté un moment silencieux, l'inconnu reprit :

– Mon Dieu, je n'ai aucune raison de vous le cacher, je vais à Blaincourt avec l'espoir d'y trouver certains renseignements.

– En ce cas, monsieur, si je puis vous être utile...

– Peut-être.

– Disposez de moi. Je serais heureux de pouvoir vous donner les renseignements que vous désirez.

L'inconnu n'avait aucune raison de douter des bonnes intentions de ce brave paysan si plein de complaisance, si rond dans ses manières. N'était-ce pas un heureux hasard qui le lui avait fait rencontrer ? Pourquoi, d'ailleurs, aurait-il soupçonné un ennemi ? Plus on est dirigé par la pensée du bien, moins on est disposé à admettre l'idée du mal chez les autres.

– Monsieur, dit-il, tout à l'heure, sans vous en douter, en me parlant du vieux gardien du château de Blaincourt, vous m'avez vivement intéressé.

– Ah ! fit Blaireau, jouant admirablement l'étonnement.

– Je vous ai écouté avec une grande attention, et ces paroles : « Il s'est passé quelque chose de terrible au château » m'ont causé une émotion violente.

– S'il en est ainsi, je regrette... je suis désolé...

– Non, car je vous remercie de m'avoir dit cela. Ce sont vos paroles qui m'encouragent à accepter l'offre que vous venez de me faire. Peut-être, en effet, allez-vous pouvoir me renseigner.

– Si ça m'est possible, je ne demande pas mieux.

– Il y a cinq ou six ans, une jeune femme demeurait au château de Blaincourt.

– Parfaitement ! Une toute jeune femme, vingt ou vingt-deux ans à peine, étrangère, anglaise ou américaine ou d'une autre nation, je ne sais pas... Belle comme une déesse, par exemple ; la peau d'une blancheur de lait, de grands yeux noirs et des cheveux d'ébène.

– C'est bien cela. Vous l'avez vue ?

– Oui, une fois, par hasard : un jour que j'avais été appelé au château, je ne me rappelle plus pourquoi, je l'ai rencontrée dans une allée du jardin.

– Vous lui avez parlé ?

– Je n'ai pas osé prendre cette permission ; je l'ai seulement saluée. Elle s'est vite jetée dans une autre allée et s'est éloignée rapidement.

– Eh bien, monsieur, vous l'avez déjà compris, sans doute, c'est au sujet de cette jeune femme que je vais à Blaincourt. Elle n'est plus au château ?

– Elle n'y est plus.

– Sait-on où elle est allée, enfin ce qu'elle est devenue ?

– Là-dessus, monsieur, je ne peux pas vous renseigner, et personne, à Blaincourt, n'est mieux instruit que moi.

L'inconnu baissa tristement la tête.

Après être resté un moment silencieux, il reprit :

– Le vieux gardien du château sait peut-être, lui.

– Oui, peut-être. Comme je vous l'ai dit, le père Grappier – c'est ainsi qu'on l'appelle, – sait bien des choses.

– Il y a longtemps qu'il est au château ?

– Des années.

– Y était-il avant l'arrivée de la jeune femme ?

– Oui.

– Alors, il doit savoir...

– Je pense comme vous, monsieur, le père Grappier doit savoir.

– Quand vous avez parlé tout à l'heure d'un événement terrible, qui s'est passé au château, vous faisiez allusion à quelque chose concernant la jeune femme ?

– C'est vrai.

– Je vous en prie, monsieur, dites-moi...

– Oh ! des racontages.

– N'importe, je tiens à savoir...

– On a fait des suppositions, on a bâti des histoires plus ou moins absurdes, en fin de compte on n'a rien su du tout de vrai. Pour vous être agréable je vous raconterais volontiers ce qu'on dit ou plutôt ce qu'on disait à l'époque dans le pays, car depuis longtemps déjà tout cela est oublié ; seulement...

– Eh bien ?

Blaireau se pencha vers l'inconnu, et lui dit tout bas à l'oreille.

– Seulement, devant madame, je ne peux pas...

– Oh ! vous pouvez parler sans crainte, ma femme ne connaît pas la langue française.

– Oh ! alors, c'est différent ; voyez-vous, j'avais peur de l'effrayer.

– C'est donc, en effet, bien terrible ? fit le jeune homme devenant très pâle.

– Ce qu'on racontait, monsieur ; car je ne vous garantis point que ce que je vais vous dire soit la vérité.

– C'est convenu. Je vous écoute.

– La jeune femme en question appartenait ou appartient, si, comme il y a lieu de le supposer, elle existe encore, à une famille étrangère des plus honorables et immensément riche. Des gens disent que son père est un banquier ou un grand armateur ; d'autres, prétendent être mieux renseignés, affirment que c'est un prince ou un duc.

» Or, il paraît que la demoiselle, oubliant le respect qu'elle devait à sa famille, à sa haute situation, devint éperdument éprise d'un domestique de son père, une sorte de palefrenier, un homme de rien, quoi.

L'inconnu eut un léger haussement d'épaules et un sourire singulier courut sur ses lèvres...

Blaireau continua :

– Grande colère, grand désespoir, désolation des parents quand ils découvrirent le pot aux roses ; car, enfin, la honte de leur malheureuse fille rejaillissait sur eux. Que faire ? Autant que possible sauver l'honneur, cacher la honte, à tout prix éviter le scandale. L'éloignement de la demoiselle fut décidé. On l'amena en France. Mais on ne tarda pas à faire une nouvelle découverte : c'était le bouquet. La demoiselle se trouvait dans une position intéressante.

L'inconnu ne put s'empêcher de tressaillir.

– Complications nouvelles, poursuivit Blaireau ; il fallait absolument l'isoler du monde, la cacher à tous les yeux, la séquestrer en quelque sorte. Dans ce but, on chercha un endroit. En France, aussi bien que partout ailleurs, avec de l'argent on a et l'on trouve tout ce qu'on veut. Le vieux manoir de Blaincourt fut loué et on y amena la demoiselle avec une autre femme, une domestique pour la servir.

» La voilà bel et bien emprisonnée, car il lui était seulement permis de se promener dans les jardins. Excepté moi, monsieur, je crois bien qu'aucun autre habitant de Blaincourt ne peut se flatter de l'avoir vue.

» Vrai, la pauvrette ne devait guère s'amuser ; on peut même supposer qu'elle s'ennuyait à mourir. Mais voici le plus triste de la chose : était-ce l'ennui, l'horreur de son isolement, le regret de ce qu'elle avait fait, le remords, la douleur de sa honte ou n'importe quelle autre chose ? Je ne sais. Toujours est-il – et ça doit être vrai – que sa tête déménagea, elle devint folle.

– Oh ! exclama l'inconnu.

– Oui, monsieur, folle !

– Et l'on n'a rien fait pour la guérir ?

– Je ne peux pas vous dire si l'on a fait ceci ou cela ; quand c'est une maladie incurable...

– Mais on guérit la folie.

– C'est possible.

– Veuillez continuer, monsieur : si étrange que soit votre récit, il m'intéresse énormément.

– Donc, la pauvre demoiselle perdit la raison. Enfin le moment fatal arriva ; elle mit au monde un enfant.

– Un petit garçon ou une petite fille ?

– Ça, monsieur, on n'en sait rien.

– Comment, sa naissance n'a-t-elle pas été déclarée ? Après avoir séquestré la pauvre mère, aurait-on fait disparaître son enfant !

– Attendez, vous allez voir : Quelques instants après la naissance de l'enfant, la mère, qu'on avait malheureusement laissée seule un moment, fut prise tout à coup d'un accès de folie furieuse ; elle s'élança hors du lit, saisit son enfant par ses petites jambes nues, l'enleva de son berceau et, s'en servant comme d'un marteau ou d'une massue pour frapper sur une table, elle lui broya la tête.

Le jeune homme laissa échapper un cri d'horreur.

– Mais c'est impossible, une pareille chose ne peut pas arriver ! s'écria-t-il.

– Aussi ai-je eu soin de vous prévenir que je n'affirmais rien ; je vous raconte ce que j'ai entendu dire, voilà tout. Quoi qu'il en soit, on est convaincu dans le pays que quelque chose d'effroyable s'est passé au château. On n'endort pas la curiosité des gens ; voyez-vous, si bien que soient cachées les choses qu'on veut tenir secrètes, il y a toujours des rumeurs qu'on saisit comme au vol dans un souffle de vent qui passe. Mais, je vous le répète, la vérité est restée ensevelie dans l'ombre du mystère.

– Enfin, certains bruits ont couru : la justice a dû faire une enquête ?

– La justice ? elle n'a rien fait du tout ; elle ne s'est même pas dérangée.

– Il me semble pourtant...

– Peut-être a-t-elle cru devoir fermer ses yeux et boucher ses oreilles. Les gens riches sont puissants, monsieur.

– Oui. Mais les lois françaises sont égales pour tous.

– C'est probablement ce qu'ont voulu ceux qui les ont faites ; il reste à examiner si dans leur application l'égalité existe. À tous les degrés de l'échelle, il y a la faveur, monsieur, la faveur... une plaie administrative et gouvernementale. Tout pour ceux-ci, rien pour ceux-là. Bref, on a étouffé l'affaire...

– Mais l'enfant, monsieur, l'enfant ?

– On a prétendu que la jeune femme n'était pas enceinte et que, par conséquent, il n'y avait pas eu accouchement.

– Ainsi, on a fait disparaître l'enfant !

– Pardon, monsieur, mais si, réellement, la demoiselle n'était pas enceinte...

– Je suis sûr du contraire.

– Oh ! alors, si vous êtes sûr...

– Il y a du vrai et du faux dans ce que vous avez bien voulu me raconter, monsieur, je laisse de côté les suppositions, les on dit, mais je ne doute plus : oui, je suis convaincu qu'on a séquestré la mère afin de pouvoir faire disparaître son enfant.

– Ma foi, je ne dis pas non, fit Blaireau.

Et un éclair rapide sillonna son regard.

III

Il y eut un moment de silence.

– Voulez-vous que je vous dise, monsieur ? reprit Blaireau.

– Dites.

– Eh bien, je crois que vous connaissez beaucoup mieux que moi l'histoire, de la demoiselle.

– D'abord, monsieur, la jeune femme que vous avez vue au château de Blaincourt n'était pas une demoiselle, c'était une veuve.

– Ah !

– Mariée depuis dix-huit mois, elle venait de perdre son mari, mort en mer.

– Ainsi, tout ce qu'on a raconté ?

– Pure invention, monsieur.

– La folie aussi ?

– Cela, malheureusement, peut être vrai.

– Mais pourquoi aurait-on séquestré cette jeune veuve ?

– Je vous l'ai dit : pour faire disparaître l'enfant.

– Je vous avoue franchement que je ne comprends pas. Pourquoi faire disparaître l'enfant ? Dans quel but ?

– Dans quel but ? Pour s'emparer de sa fortune, plusieurs millions.

– Diable, diable ! fit Blaireau.

– On n'a reculé devant rien ; avant la naissance de l'orphelin l'œuvre de spoliation était accomplie. Mais je suis en France ; je m'adresserai aux tribunaux, je dénoncerai les infamies, les crimes, les victimes seront vengées !

Blaireau eut un mauvais sourire, pendant qu'un pli sombre se creusait sur son front.

– On a prétendu – première infamie – continua l'inconnu, que la jeune femme n'était pas mariée, qu'elle n'était que la maîtresse de son mari... Ah ! il me sera facile de prouver qu'on a menti !

– Il suffit d'un acte de mariage.

– Je l'ai, cet acte, ainsi que plusieurs autres papiers non moins importants.

– Permettez-moi de vous dire, monsieur, qu'il est peut-être imprudent de voyager avec des documents aussi précieux.

L'inconnu ébaucha un sourire.

– Rassurez-vous, monsieur, dit-il, je n'ai pas sur moi ces précieux papiers. Pour ne pas m'exposer à les perdre et dans la crainte qu'ils ne me soient dérobés, je les ai prudemment laissés à Paris.

– C'est bon à savoir, pensa Blaireau.

Il reprit à haute voix :

– Comment se fait-il que vous ne vous soyez pas déjà adressé à la justice ?

– Certaines considérations m'ont jusqu'à présent empêché d'agir. À côté du coupable il y a des innocents... Et puis, avant tout, je voudrais retrouver la jeune femme et savoir si son enfant existe.

– Oui, je comprends cela.

Après un court silence, l'inconnu reprit :

– Il faut absolument que je vois le vieux gardien du château.

– C'est mon avis, monsieur.

– Et que j'obtienne de lui...

– Tous les renseignements que lui seul à Blaincourt peut vous donner, acheva Blaireau.

– Tout sauvage qu'il est, j'espère qu'il m'écoutera.

– Oh ! pour vous écouter, il vous écoutera ; mais vous répondra-t-il ?

– Ainsi vous croyez...

– Je vous l'ai dit, lui délier la langue est une grosse grosse affaire.

– Même en le menaçant ?

– Oh ! alors, si vous employez ce moyen, il sera tout à fait muet. Qu'est-ce que ça peut lui faire, vos menaces ?

» Domestique, il a servi, il sert ses maîtres ; si ceux-ci sont des criminels, cela ne le regarde pas, il s'en lave les mains. Menacer, mauvaise chose, monsieur. Souvenez-vous de ce proverbe : « C'est avec du miel et non avec du vinaigre qu'on prend les mouches. »

– Vous qui le connaissez, monsieur, que me conseillez-vous ?

Après avoir eu l'air de réfléchir un instant, Blaireau répondit :

– Vous êtes en présence d'une difficulté réelle et ce serait fâcheux que vous ayez fait un voyage inutile. Mais puisque, avec le désir de vous être agréable, je me suis mis à votre disposition, je veux vous aider autant que je pourrai.

– Oh ! monsieur...

– Inutile de me remercier : n'est-ce pas un devoir de se rendre service les uns aux autres ? Le père Grappier est un serviteur fidèle et il possède une grande qualité : la discrétion ; mais il n'est pas sans défaut ; sans être positivement un ivrogne, il aime à boire ; comme tous les autres hommes, il a son côté faible. Il n'a pas toujours dans son bahut l'eau-de-vie, le kirsch et les autres liqueurs fortes qu'il adore, parce que l'argent lui manque souvent pour en acheter. Eh bien, je crois que le seul moyen de le faire parler est de lui offrir quelques pièces d'or.

– Vous avez raison, monsieur, je lui mettrai deux ou trois cents francs dans la main.

– C'est bien ; mais il faut prendre garde de l'effaroucher ; voyez-vous, je connais le bonhomme, il est capable d'accepter votre argent et de vous répondre ensuite : « je ne sais rien, je ne sais pas de quoi vous me parlez. » Il est bon qu'il soit prévenu d'abord. Donc, voici ce que je peux faire pour vous : le voir et le préparer à vous recevoir. Cela vous convient-il ?

– Mais je suis enchanté, monsieur !

– Eh bien, c'est dit ; ce soir même je ferai une visite au père Grappier. Je le sonderai, je verrai dans quelles dispositions il se trouve, et si, comme il faut l'espérer, il ne se montre pas trop récalcitrant, je vous avertirai aussitôt. Où vous trouverai-je ?

– Je ne sais pas encore.

– Vous avez probablement l'intention de demander une chambre à l'auberge ?

– Je ne puis aller que dans une auberge.

– C'est juste, puisque vous ne connaissez personne à Blaincourt. Alors, comme il n'y a qu'une seule auberge dans le village, sur la petite place, en face de la fontaine, je vous trouverai facilement. À propos, vous ne m'avez pas dit votre nom.

Le jeune homme tira un portefeuille de sa poche et l'ouvrit.

Blaireau, qui regardait avidement, vit des billets de banque et pas d'autres papiers.

– Parfait, pensa-t-il.

– Tiens, tiens, fit le jeune homme, je n'ai pas une seule carte de visite, je les ai oubliées. Je me nomme Charles Chevry, monsieur.

– Et moi, Jules Cornefer, monsieur Charles Chevry. Ah ! nous approchons de Verzéville, et heureusement, pour le reste du chemin que nous avons à faire à pied, la pluie ne tombe plus.

– Combien mettrons-nous de temps pour aller de Verzéville à Blaincourt ?

– Trois petits quarts d'heure à peine, en prenant à travers la sapinière un chemin que je connais.

– Ce chemin ne sera peut-être pas facile, pour ma femme.

– Rassurez-vous, on n'a qu'une pente douce à monter, et comme on marche sur un terrain solide, nous aurons les pieds comme sur du macadam, malgré les averses de la nuit et de la matinée.

Dix minutes après on arrivait à Verzéville. Il était près de dix heures. Les voyageurs mirent pied à terre et payèrent le prix de leur place. Cela fait, Charles Chevry prit sa valise, offrit son autre bras à sa femme, et tous deux suivirent Blaireau, qui allait leur servir de guide.

Princet avait disparu. Il se dirigeait vers Blaincourt par un autre chemin.

Comme l'avait annoncé Blaireau, le chemin à travers la sapinière, lavé par les averses, était en bon état et assez facile. On arriva en vue de Blaincourt sans que la jeune femme se sentît trop fatiguée.

Un peu plus loin, à cinquante pas des premières maisons, Blaireau s'arrêta.

– Monsieur Chevry, dit-il, c'est ici que je vous quitte. Vous n'avez qu'à suivre la rue qui s'ouvre devant vous ; vous arriverez sur la petite place et tout de suite vous verrez le bouchon de l'auberge, un sapin jaune qui se balance au vent. Je n'oublierai pas ma promesse, tantôt je verrai notre homme, et ce soir sûrement vous aurez de mes nouvelles.

Les deux hommes se serrèrent la main, puis, ayant salué la jeune femme, Blaireau s'éloigna. Mais, après avoir fait quelques pas, il se retourna et revint précipitamment vers les deux voyageurs.

– J'ai oublié de vous donner un conseil, que je crois bon, monsieur Chevry, dit-il ; les aubergistes sont généralement curieux ; vous ferez bien, à mon avis, de ne point parler de l'affaire qui vous amène à Blaincourt.

– Oui, votre conseil est bon, je le suivrai.

– Au revoir, à bientôt !

Cette fois, Blaireau s'éloigna rapidement et disparut derrière une haie. Quelques minutes plus tard, on aurait pu le voir se glisser le long du mur du parc du château, puis s'arrêter, tirer une clef de sa poche, ouvrir une porte et pénétrer furtivement dans le parc.

Charles Cherry et sa femme arrivèrent à l'auberge. Immédiatement ils demandèrent une chambre, Zélima ayant, avant tout, besoin de se reposer. Grand empressement de l'aubergiste et de sa femme, qui seraient volontiers restés en extase devant la belle voyageuse ; ils la dévoraient des yeux, stupéfiés, hébétés d'admiration.

Cependant la femme prit la valise et conduisit les voyageurs dans sa propre chambre. Il y en avait bien deux autres ; mais l'une, la plus jolie, était déjà occupée par un monsieur d'un certain âge, décoré, un ancien militaire, sans doute, qui devait passer la journée et la nuit à Blaincourt : quant à l'autre, elle n'était pas convenable ; on ne pouvait vraiment l'offrir à monsieur et à madame ; elle en ferait la sienne pendant tout le temps que les voyageurs resteraient à Blaincourt.

— Trois voyageurs ! répétait constamment la bonne femme.

Elle n'en revenait pas ; toutes ses chambres occupées !

Depuis plus de quinze ans qu'elle était aubergiste, c'était la première fois qu'elle voyait une chose pareille... Trois voyageurs ! c'était invraisemblable, fantastique, elle avait de la peine à le croire.

Le mari partageait l'ébahissement de sa femme. Pour tous deux cette aubaine, qui semblait leur tomber du ciel, comme un jour la manne céleste dans le désert, était un événement miraculeux, un tel prodige que, dans leur jubilation folle, et contrairement à l'habitude, à ce qui appartient à la nature de l'aubergiste, ils ne songèrent pas à adresser la plus insignifiante question à Charles Cherry. Ils ne lui demandèrent même pas comment il s'appelait et d'où il venait.

Il est vrai que, de son côté, se souvenant du conseil de son compagnon de voyage, le jeune homme se montrait peu communicatif.

Cependant, quand la femme remonta dans la chambre vers midi, portant le dîner des voyageurs, M. Cherry lui demanda si elle connaissait un homme du pays appelé Cornefer.

Certes, il ne soupçonnait point l'individu, qui lui avait obligeamment promis son concours, d'être capable de le tromper ; mais il éprouvait comme le besoin de savoir à quel homme il avait affaire.

– Ils sont deux Cornefer à Blaincourt, monsieur, répondit l'aubergiste, le père et le fils. Est-ce du père que vous me parlez ?

– Quel âge a-t-il, le père ?

– Une soixantaine d'années.

– Alors c'est le fils que j'ai rencontré ce matin.

– M. Jules Cornefer.

– Oui. Quel homme est-ce ?

– Un garçon fort aimable, tout à fait bon enfant.

– Obligeant ?

– Très obligeant, monsieur, et toujours prêt à rendre service.

– Quel métier fait-il ?

– Il achète des grains chez les cultivateurs de Blaincourt et des environs pour les vendre ensuite sur le marché de Remiremont ; il va même jusqu'à Épinal.

– C'est bien cela, pensa Charles Chevry.

Et tout haut :

– Je vous remercie, madame, dit-il, en accompagnant ses paroles d'un sourire gracieux.

Il était satisfait. D'après ce que l'aubergiste venait de lui dire, il pouvait avoir une entière confiance en M. Jules Cornefer.

– Tu es content, lui dit sa femme, qui semblait lire ses pensées dans son regard.

– Oui, répondit-il, je suis content, car j'ai bon espoir. Nous ne serons pas venus ici pour rien, nous apprendrons quelque chose. À la fin nous finirons par mettre un peu de lumière dans les ténèbres.

Ils se mirent à table et mangèrent de bon appétit.

Vers deux heures, Zélima avoua à son mari qu'elle était très fatiguée ; elle sentait dans tous ses membres une grande lassitude ; elle tombait de sommeil. Charles l'obligea à se mettre au lit. À peine couchée, ses yeux se fermèrent.

Pendant un instant, assis dans un fauteuil, près du lit, le jeune homme la regarda dormir, puis sa tête se renversa en arrière et, à son tour, il s'endormit profondément.

La nuit était venue, une nuit qui s'annonçait comme devant être une nuit noire ; pas de lune, pas une étoile ; sous le ciel des nuages épais, sombres, qui roulaient les uns sur les autres, chassés par le vent qui soufflait avec violence. Soudain on frappa à la porte de la chambre.

Charles Chevry se réveilla en sursaut et se frotta les yeux.

On frappa de nouveau : toc, toc.

Le jeune homme se dressa sur ses jambes et alla ouvrir.

– C'est moi, monsieur, dit Marie-Rose, la femme de l'aubergiste.

– Parlez à voix basse, ma femme dort.

Mais Zélima venait aussi de se réveiller.

– Charles, qu'est-ce donc ? demanda-t-elle.

– Je ne sais pas encore.

– Monsieur, c'est un papier qu'on vient d'apporter pour vous de la part de M. Jules Cornefer.

– Bien, bien, merci, dit Charles Chevry, prenant le papier des mains de Marie-Rose.

Il s'approcha de Zélima, qui s'était soulevée sur le lit, et prononça quelques paroles dans la langue que connaissait la jeune femme. Pendant ce temps, Marie-Rose alluma une bougie.

– Est-ce que la personne qui a apporté ce billet attend en bas ? demanda Charles Chevry.

– Non, monsieur ; le jeune homme s'en est allé aussitôt, il paraissait très pressé. Faudra-t-il bientôt vous servir votre souper ?

– Quand nous voudrons manger je vous appellerai.

L'aubergiste se retira.

Charles Chevry, très ému, s'approcha de la bougie.

– Tiens, fit-il, il n'y a pas de suscription sur l'enveloppe : M. Jules Cornefer ne s'est pas rappelé mon nom. Il ouvrit la lettre et lut :

» J'ai eu raison de notre homme ; la somme que je lui ai offerte de votre part a produit l'effet que j'attendais. Bref, c'était difficile, mais l'affaire est faite. Rendez-vous est pris pour cette nuit entre onze heures et minuit. Je vous expliquerai pourquoi l'entrevue ne peut pas être remise à demain.

» Après onze heures, sortez sans bruit de l'auberge, cela vous sera facile, la porte n'étant fermée que par un verrou. Je vous attendrai sur la place, près de la fontaine.

» N'oubliez pas le conseil que je vous ai donné. Silence et mystère ! À ce soir !

Au bas de ces lignes d'une écriture grosse, tremblée, qu'avec un peu d'attention on aurait facilement reconnue contrefaite, et dont nous avons cru devoir corriger les fautes d'orthographe, s'étalait, au milieu d'un superbe parafe, le nom de Jules Cornefer.

Les yeux fixés sur la lettre, Charles Chevry resta un instant pensif.

– Singulière heure pour un rendez-vous ! murmura-t-il.

Puis après un nouveau silence :

– Enfin, il y a une raison qu'il me fera connaître.

– Eh bien ? fit Zélima qui, depuis un moment, l'interrogeait du regard.

Il revint près d'elle et lui fit la traduction de la lettre.

– Au milieu de la nuit ! s'écria-t-elle, pourquoi, pourquoi ?

– Je l'ignore. Mais il y a une cause.

– Charles, je n'aime pas cela.

– J'aurais certainement préféré une heure autre que celle-là.

– Alors tu iras ?

– Il le faut.

Zélima resta silencieuse, les yeux baissés.

– Il s'agit de Mme la marquise et de son enfant, reprit Charles Chevry ; rien ne doit me coûter dans l'accomplissement du devoir que je me suis imposé ; et puis, ma chère Zélima, tu me l'as dit toi-même, nous n'avons pas le droit de perdre une journée, pas même une heure.

– C'est vrai, Charles, j'ai dit cela.

– Eh bien, voilà pourquoi, si étrange que me paraisse l'heure choisie, j'irai cette nuit trouver l'homme du château en qui j'ai mis tout mon espoir.

– C'est bien, mon Charles, je ne dis plus rien.

– Maintenant, si tu le veux, nous souperons.

– Je n'ai pas faim ; mais je mangerai un peu pour te tenir compagnie.

– Inutile de te lever, je vais approcher la table près du lit.

– Comme tu voudras.

Marie-Rose appelée monta le souper des voyageurs.

IV

Onze heures sonnèrent à l'horloge de la paroisse. Au loin on entendait le hurlement d'un chien de garde. Depuis plus d'une heure l'aubergiste et sa femme dormaient. Dans la chambre voisine, le troisième voyageur, l'homme décoré, dont la dame Marie-Rose avait parlé à Charles Cherry, dormait aussi ; les deux chambres n'étant séparées que par une mince cloison, on l'entendait ronfler.

Zélima, assise sur le lit, avait ses jolis bras demi nus, estompés d'un fin duvet, autour du cou de son mari prêt à partir.

— Charles, tu ne seras pas longtemps, tu me le promets ?

— Je reviendrai près de toi le plus vite possible.

— Je ne dormirai pas.

— Il faut dormir, au contraire ; comme cela tu ne t'apercevras point de la longueur de mon absence.

— Non, j'ai là, dans ma tête, trop de choses ; je ne dormirai pas, Charles ; mon Charles, prends garde qu'il ne t'arrive rien.

— Enfant, que veux-tu qu'il m'arrive ?

— Je ne sais pas, mais je suis inquiète.

— Calme-toi, ma chérie, chasse ton inquiétude, sois gaie ; à mon retour, je t'apporterai une bonne nouvelle.

— Charles, pourquoi donc ce vilain chien hurle-t-il ainsi ?

— Je l'ignore. On l'a probablement mis à l'attache et il n'est pas content.

— Ses cris sont lugubres.

— Allons, ne fais pas attention à cela. Onze heures sont sonnées, je te quitte.

– Tu m'as promis de revenir bientôt.

– Oui.

– Tu sais que je ne dormirai pas.

– Si, si, il faut dormir.

– Non ; je veux, quand tu reviendras, entendre ton pas dans la rue.

– Enfant, enfant !

– Charles, embrasse-moi encore.

Il y eut un nouvel échange de baisers. Puis, échappant à l'étreinte de sa femme, le jeune homme prit une deuxième bougie allumée, ouvrit et referma doucement la porte et descendit sans bruit au rez-de-chaussée.

Blaireau avait été parfaitement renseigné, car, ainsi qu'il l'avait indiqué, la porte de l'auberge, ouvrant sur la petite place, n'était fermée que par un verrou s'enfonçant dans la pierre.

Charles Cherry tira le verrou, qui grinça dans ses anneaux de fer, puis posa son bougeoir sur une table, souffla la bougie et sortit. Il marcha vers la fontaine. Aussitôt un homme se dressa dans l'ombre et vint à lui. C'était Blaireau.

– C'est l'heure, dit-il à voix basse ; venez.

Les rues étaient désertes ; pas une lumière aux fenêtres des maisons. Blaincourt dormait.

Le miaulement d'un chat sur un toit, là-bas le hurlement du chien, les sifflements de la tempête et le tic-tac du moulin accompagné du bruit de l'eau dans les roues hydrauliques, semblable à un grondement de tonnerre, troublaient seuls le silence de la nuit.

Les deux promeneurs nocturnes arrivèrent au bord du Frou.

– Nous pourrions traverser la rivière sur ce pont de pierre, dit Blaireau, ne prenant plus la précaution de parler tout bas, mais nous ferions à peine cinquante pas de l'autre côté, car nous serions arrêtés par les eaux. Les pluies de la nuit dernière ont amené une crue, la rivière a débordé au dessous du moulin et toute cette partie du val est inondée.

– Il y a un autre chemin ?

– Certainement.

– Où ?

– Plus haut que le moulin. Par ici, monsieur, nous allons suivre le bord de l'eau. Du reste, ce n'est guère plus long en passant par le moulin.

– La nuit est bien noire.

– C'est vrai ; un peu de lune ne serait pas à dédaigner. Mais, maintenant, vos yeux doivent être habitués à l'obscurité.

– Oui, je commence à y voir un peu mieux que tout à l'heure. Je vous remercie mille fois, monsieur, de la peine que vous avez prise, du mal que vous vous donnez pour moi, qui vous suis inconnu ; je me demande comment je pourrai reconnaître...

– Allons donc ! ne parlons point de ça.

– C'est un grand dérangement que je vous cause, surtout à pareille heure.

– Ne fallait-il pas achever ce que j'ai commencé ?

– Oh ! je me souviendrai de votre extrême obligeance. Vous plaît-il de me dire pourquoi le gardien du château a choisi cette heure de la nuit pour une visite ?

– C'est bien simple. Parce qu'il part demain matin, à la première heure. Il va voir, en Suisse, un de ses frères, qui est, paraît-il, gravement malade. Il restera peut-être absent une quinzaine de jours. Il serait parti depuis trois ou quatre jours s'il avait eu l'argent nécessaire pour son voyage. Inutile de vous dire que la petite somme que vous devez lui donner a été pour beaucoup dans le bon accueil qu'il m'a fait ; aussi est-il tout prêt à répondre à vos questions.

Un instant après les deux hommes passaient devant le moulin : ils firent encore une vingtaine de pas et s'arrêtèrent.

Blaireau promena son regard autour de lui comme s'il eût voulu percer l'obscurité ; puis, faisant cette réflexion qu'à cette heure de la nuit il n'avait à redouter aucun espionnage, un sourire singulier fit grimacer ses grosses lèvres.

— Monsieur Charles Chevry, dit-il, c'est ici, sur cette passerelle, que vous allez traverser la rivière.

— Est-ce que vous ne venez pas avec moi ? demanda vivement le jeune homme.

— Non.

— Pourquoi ?

— Ça déplairait au bonhomme.

— Pourtant...

— Il m'a fait comprendre que je ne devais pas vous accompagner.

— Mais je ne connais pas le chemin qui mène au château.

— Le vieux vous conduira ; il doit venir vous attendre tout près d'ici, à l'une des portes du parc, avec une lanterne, et il vous ramènera.

— Ah !

— Attendons un instant.

Presque aussitôt, une lumière apparut à une distance de quarante ou cinquante mètres.

— Enfin, voilà votre homme, dit Blaireau ; c'est le moment de nous quitter.

Charles Chevry eut un moment d'hésitation.

— Si vous désirez que je vous attende, ajouta Blaireau, j'entrerai au moulin et vous me retrouverez là.

— Non, non, merci, monsieur, je ne veux pas trop abuser de votre complaisance. À bientôt !

— À bientôt ! répondit Blaireau.

Résolument, n'hésitant plus, Charles Chevry s'élança sur la passerelle.

Cette passerelle, sorte de pont rustique, n'ayant qu'un seul garde-fou, était faite avec des planches clouées sur deux poutres de sapin, lesquelles s'appuyaient, aux deux extrémités, sur des pilastres de maçonnerie.

– Oh ! fit tout à coup Cherry, arrivant à peu près au milieu de la passerelle, et jetant son buste en arrière.

Il venait de voir une masse noire étendue sur la passerelle et lui barrant le chemin.

Avant qu'il ait eu le temps de reconnaître si cette chose qui se mouvait, se dressait était un homme ou un animal quelconque, il reçut en pleine figure et dans les yeux une poignée de sable fin.

Complètement aveuglé, il poussa un cri de douleur et d'épouvante, et lâcha le garde-fou pour porter ses deux mains à ses yeux. Aussitôt, deux poignets solides le saisirent par une jambe. Le malheureux n'eut pas même la possibilité de se défendre ; il chancela, perdit l'équilibre et tomba dans le Frou en jetant un cri rauque, horrible, qui se perdit dans le bruit de la chute des eaux.

Cependant, il revint à la surface et il jeta désespérément ses mains autour de lui, comme s'il eût eu l'espoir de saisir un objet quelconque qui pût le sauver. Mais rien, rien que le flot qui se brisait contre lui, furieux de rencontrer un obstacle.

Il savait nager ; malheureusement, gêné dans ses mouvements par son vêtement d'hiver, qui offrait à l'eau, en même temps, une plus forte prise, il fit vainement des efforts suprêmes pour remonter le courant rapide qui l'entraînait vers les roues du moulin.

Il comprit qu'il était perdu ; on l'avait attiré dans un guet-apens ; on venait de l'assassiner lâchement.

– Ma pauvre femme ! ma pauvre femme ! pensa-t-il. ô mon Dieu ! ô mon Dieu !

Ce moment fut horrible !

Il se soutenait encore ; mais ses forces étaient épuisées ; il ne pouvait plus lutter contre la force du tirant d'eau ; il descendait vers les roues fatales.

Tout à coup il se sentit pris dans un tourbillon.

Il poussa un dernier cri, appel suprême que lui arrachait l'espoir d'être entendu.

L'eau l'avait enveloppé dans son tourbillonnement ; elle le fit tournoyer avec elle l'espace d'une seconde, ouvrant le gouffre, puis il enfonça et disparut.

Alors l'homme qui était resté couché en travers de la passerelle et qui avait suivi des yeux l'épouvantable scène, se dressa sur ses jambes et s'empressa de gagner le bord de la rivière où Blaireau l'attendait.

— C'est fini, dit-il d'une voix sourde.

— Noyé ?

— Oui.

— En es-tu bien sûr ?

Princet haussa les épaules.

— Comme je l'avais prévu, dit-il, il est tombé dans l'entonnoir, qui l'a englouti, et maintenant il passe sous une des roues du moulin.

Blaireau resta un moment silencieux, puis d'une voix sombre il murmura :

— Cet homme nous gênait, il devait mourir ! Le danger dont il nous menaçait n'existe plus !

» Maintenant, reprit-il, nous n'avons plus rien à faire ici ; partons.

Les deux misérables se perdirent dans la nuit.

De l'autre côté du cours d'eau la lumière avait subitement disparu.

V

Le lendemain, à la pointe du jour, un homme de Blaincourt se rendait au moulin en suivant le bord du la rivière. Il avait ses deux mains dans les poches de son pantalon pour les garantir du froid, et, tout en marchant d'un pas pressé, il sifflait l'air d'une vieille contredanse.

De temps à autre il jetait les yeux sur le Frou dont l'eau baissait presque à vue d'œil.

Tout à coup, à quarante ou cinquante mètres environ en aval du moulin, un objet dont il ne distinguait pas parfaitement la forme, frappa son regard.

— Tiens, c'est drôle, murmura-t-il, on dirait que c'est un homme qui est là, couché dans le sable.

Afin de se rendre compte de l'importance de sa découverte, il s'avança en marchant à petits pas sur le limon dans lequel ses pieds s'enfonçaient. Arrivé près de la chose qu'il avait prise d'abord pour un paquet quelconque, il poussa un « oh ! » étranglé.

C'était bien un être humain, un homme qui était étendu là, sur le vendre. Il voyait ses jambes, ses bras, une de ses mains gantée et le derrière de sa tête presque entièrement enterrée dans le sable.

— Oh ! oh ! fit-il encore, pendant qu'un frisson courait dans tous ses membres et que ses cheveux se hérissaient sur sa tête.

Cependant il se baissa et toucha la main de l'homme. Elle était glacée, raide. Son courage n'alla pas plus loin. Il se redressa pâle, les yeux hagards, secoué par un tremblement convulsif et se mit à fuir avec épouvante. Il ne pensait plus qu'il avait affaire au moulin ; il courait comme s'il eût été mordu au talon par une tarentule.

La pensée lui vint que son devoir était de prévenir le maire et il continua sa course folle en se dirigeant vers la demeure du magistrat municipal. À tous ceux qu'il rencontrait sur son chemin, il criait :

— Un homme noyé au trou du moulin !

En un instant ces lugubres paroles se répandirent dans la commune comme le feu sur une traînée de poudre. Les habitants quittaient leur travail, sortaient de leurs maisons et couraient affolés, criant et gesticulant vers l'endroit où avait été trouvé le cadavre.

Plus de soixante personnes étaient déjà là, lorsque le maire arriva tout essoufflé, escorté de son adjoint et du garde-champêtre.

Le noyé était toujours dans la même position, car personne n'avait encore osé y toucher. Toutefois, à l'examen seul de son vêtement, on avait acquis la certitude qu'il était étranger à la commune. Cela avait un peu calmé l'agitation des habitants, qui avaient pu craindre, d'abord, que le noyé ne fût un parent ou un ami.

Le maire put constater facilement que, selon toutes les probabilités, l'homme était tombé dans le Frou la veille ou dans la nuit, et qu'après avoir été entraîné par le courant, puis ballotté, le flot l'avait jeté sur la rive où l'eau en se retirant l'avait laissé.

Pour tout le monde, jusque-là, ce grand malheur était attribué à un accident.

Sur l'invitation du maire, deux hommes soulevèrent le cadavre et le transportèrent un peu plus loin, sur la terre ferme, où ils le couchèrent sur le dos.

Alors on lui lava la figure et on enleva, autant qu'on le put, le limon qui souillait ses vêtements.

Il avait sur le visage plusieurs meurtrissures et égratignures. Cela n'avait rien de surprenant, le corps pouvait avoir été roulé sur des pierres anguleuses et s'être accroché à des racines d'arbres qui bordent la rivière. Les déchirures qu'on voyait à son vêtement s'expliquaient de la même manière. On remarqua ensuite qu'il avait un bras cassé.

– Ah ! le malheureux ! s'écria une femme, il est passé sous les roues du moulin !

– Je crois que la mère Rigaut ne se trompe pas, dit le maire.

– jardine, reprit la femme, enchantée de l'approbation de M. le maire, on voit bien que c'est une roue du moulin qui lui a écorché la figure comme ça.

– Allons, dit le maire, approchez tous et regardez.

Aussitôt le cercle formé autour du cadavre s'élargit, et ceux, qui se trouvaient derrière les autres purent à leur tour contempler les traits du noyé.

– Eh bien, quelqu'un le reconnaît-il ? demanda le maire.

On se regarda, on s'interrogea du regard ; mais personne ne répondit.

– Inconnu ! murmura le maire.

– Il a peut-être des papiers sur lui, dit le garde champêtre.

– Oui, peut-être ; voyez.

Le garde se mit en devoir de fouiller les poches du mort. Il trouva d'abord un mouchoir blanc, qui ne portait aucune marque, un petit couteau nécessaire à manche d'écailles, puis un porte-monnaie contenant quelques pièces d'argent ; enfin d'une dernière poche il sortit un portefeuille de maroquin vert, qu'il tendit au maire.

Celui-ci l'ouvrit, et y trouva, pliés en deux, cinq ou six billets de banque de cent francs, collés les uns aux autres, mais aucun autre papier.

Le maire secoua la tête, laissant voir son désappointement.

– Rien, dit-il, rien qui puisse nous aider à établir son identité.

La somme trouvée sur le noyé écartait l'hypothèse d'un crime et semblait confirmer que l'inconnu était tombé dans la rivière par accident.

Cependant on ne pouvait pas laisser le cadavre au bord de l'eau.

– Nous allons transporter le mort dans une salle de la mairie, dit le maire après avoir consulté l'adjoint et le garde-champêtre.

On alla au moulin prendre une civière : on la couvrit de paille et sur la paille ou coucha le cadavre. Deux paysans robustes se mirent dans les brancards et on se mit en marche.

* * * * *

Zélima était restée, longtemps après le départ de son mari, assise sur le lit ; puis, fatiguée, elle avait laissé tomber sa tête sur l'oreiller ; mais il lui avait été impossible de s'endormir. Aussitôt qu'elle fermait les yeux et que sa pensée flottante s'enfonçait dans le vague, le cauchemar la faisait sursauter ; tout son corps frémissait et de grosses gouttes de sueur perlaient sur son front.

Elle entendit sonner minuit, puis une heure, puis successivement toutes les heures.

— Mon Dieu, pourquoi donc reste-t-il si longtemps ? se disait-elle chaque fois que l'heure nouvelle envoyait ses vibrations à ses oreilles.

Trois ou quatre fois elle se leva. Elle faisait le tour de la chambre et ouvrait la fenêtre qu'elle refermait vite après avoir plongé son regard au dehors, car le vent qui soufflait du nord était glacial.

À mesure que le temps s'écoulait, son inquiétude augmentait, elle était en proie à une angoisse horrible, elle sentait en elle des tressaillements douloureux. Elle avait peur. Elle ne s'expliquait pas bien pourquoi, mais il lui semblait qu'un épouvantable malheur planait sur elle.

Vers trois heures, le chien se remit à hurler. Or, Zélima était superstitieuse ; elle s'imaginait que les plaintes, que les gémissements de l'animal s'adressaient à elle. Quand, à l'est, une lueur blanche annonça l'approche du jour, elle se leva et s'habilla très vite. Tout était encore silencieux dans la maison. Elle était dans un état d'agitation et d'exaltation impossible à décrire. Elle avait envie de pleurer, elle ne pleura pas, pourtant ; mais elle avait des sanglots arrêtés dans la gorge.

Elle sentit qu'elle avait froid et s'aperçut qu'elle grelottait. Il y avait encore du bois près de la cheminée : elle alluma du feu. Mais elle ne pouvait tenir en place ; elle allait constamment de la cheminée à la porte, puis à la fenêtre et de la fenêtre à la porte, tendant anxieusement l'oreille à celle-ci, regardant en soupirant à travers les vitres de l'autre. Elle pouvait voir, maintenant, il faisait jour.

À six heures elle entendit du bruit au rez-de-chaussée. L'aubergiste et sa femme venaient de se lever. Elle était à bout de patience, elle se sentait mourir d'inquiétude ; elle s'élança hors de la chambre et descendit. Dans la salle, elle trouva dame Marie-Rose. Celle-ci faillit tomber à la renverse à l'apparition de la jeune femme.

— Déjà levée ! s'écria-t-elle.

Mais, aussitôt, voyant le visage décomposé de la jeune femme et son air effaré :

– Ah ! Seigneur Dieu, fit-elle effrayée, en laissant tomber son balai, que s'est-il donc passé ? Qu'avez-vous ?

Zélima comprit très bien que Marie-Rose l'interrogeait ; mais, ne pouvant lui répondre autrement, elle éclata en sanglots.

De plus en plus effrayée, Marie-Rose lui prit les mains, la força à s'asseoir et se mit à la caresser, comme on caresse un enfant, en lui disant toutes sortes de douces paroles.

Zélima se calma un peu, et, par ses gestes accompagnés de regards expressifs, elle parvint à faire comprendre à l'aubergiste que son mari était sorti dans la nuit et qu'il n'était pas rentré.

– Ah ! mon Dieu, mais pourquoi... pourquoi ? Où est-il allé ? Il faisait noir comme dans un four !... Pourvu qu'il ne lui soit rien arrivé... Et moi qui ai grondé mon homme parce que je croyais qu'il avait oublié hier au soir de pousser le verrou. Maintenant je comprends pourquoi la porte était ouverte.

Zélima continuait de sangloter, tenant sa tête dans ses mains.

À ce moment des clameurs se firent entendre et plusieurs personnes traversèrent la place en courant.

– Hein, qu'est-ce donc ? fit Marie-Rose ; est-ce qu'il y a le feu par là ?

Zélima avait bondi sur ses jambes comme mue par un ressort.

La porte s'ouvrit, et l'aubergiste, venant du dehors, entra brusquement, tout bouleversé.

– Femme, femme ! cria-t-il.

– Eh bien ? l'interrogea-t-elle.

– Un grand malheur !...

– Quel malheur ?

– On vient de trouver un homme noyé au trou du moulin.

Marie-Rose pâlit affreusement, car elle pensa aussitôt que le noyé pouvait être le mari de Zélima.

– Bienheureuse sainte Anne, ayez pitié de nous ! dit-elle en joignant les mains.

Puis, courant à son mari, elle lui dit rapidement :

– Notre voyageur, le mari de cette pauvre petite, est sorti dans la nuit et n'est pas entré, si c'était lui, mon Dieu !... Vite, vite, cours, mon homme, va voir et reviens tout de suite.

L'aubergiste s'élança hors de la maison et partit en courant.

Aussitôt Zélima se dressa devant Marie-Rose, lui saisit les bras sur lesquels ses doigts se crispèrent, et le regard enflammé, fiévreux, parlant sa langue, elle l'interrogea impérieusement. Elle demandait :

– Pourquoi ces cris ? ces femmes et ces hommes qui courent épouvantés ? Que vous a dit votre mari ? Que se passe-t-il ?

Marie-Rose comprit sans doute, car elle répondit :

– Je ne sais rien encore, je vous jure que je ne sais rien ; mon homme est allé voir, il ne sera pas longtemps à revenir. Attendons, attendons... Je vous en prie, calmez-vous, remettez-vous ; il faut être raisonnable.

Elle voyait la jeune femme prête à avoir une crise nerveuse.

– Mon Dieu, mon Dieu, reprit-elle très effrayée, si seulement elle me comprenait, je pourrais lui causer gentiment, et je parviendrais peut-être à la rassurer, à la consoler. Bien sûr elle va se trouver mal ; qu'est-ce qu'il faut que je fasse ?... Et tout à l'heure, si c'est lui... Oh ! sainte Anne, bienheureuse sainte Anne, préservez-nous !

L'idée lui vint de faire remonter la jeune femme dans sa chambre. En lui parlant doucement, d'une voix caressante, elle essaya de l'entraîner vers l'escalier. Mais Zélima, devinant son intention, lui résista ; puis la repoussant brusquement, avec une sorte de fureur, elle sortit de la maison et marcha rapidement jusqu'à la fontaine... Là, ses jambes fléchirent et elle fut forcée de s'asseoir sur une borne.

Ses beaux cheveux noirs s'étaient dénoués et tombaient en longues tresses sur ses épaules.

Marie-Rose s'était empressée de la rejoindre et se tenait près d'elle, prête à la secourir et à lui donner des soins.

L'aubergiste, envoyé par sa femme, s'était dirigé rapidement vers le moulin ; il n'alla pas jusqu'à la rivière ; à l'entrée du village il rencontra le convoi. Il écarta brusquement les personnes qui marchaient à côté de la civière et ses yeux tombèrent sur le visage du mort.

— Malheur, malheur ! s'écria-t-il aussitôt, c'est lui !

Les porteurs s'arrêtèrent et le maire s'approcha de l'aubergiste.

— Est-ce que vous reconnaissez ce cadavre ? lui demanda-t-il.

— Hélas ! oui, monsieur le maire ; c'est un voyageur qui est arrivé hier à Blaincourt avec sa femme et qui est venu loger chez nous. Ah ! j'en suis sûr, on l'a jeté dans le Frou après l'avoir volé !...

— C'est très grave, ce que vous dites là, Claude Royer, prenez garde !

— Est-ce que vous croyez, par hasard, que ce malheureux s'est suicidé ?

— Je ne dis pas cela, mais il a pu tomber dans la rivière.

Claude Royer secoua énergiquement la tête.

— Monsieur le maire, répliqua-t-il avec conviction, il y a là un crime.

— Nous avons trouvé sur lui ce porte-monnaie et ce portefeuille qui contient des billets de banque ; il n'a donc pas été volé.

— Ça, c'est vrai, monsieur le maire ; pourtant...

— Vous tenez à votre idée.

— C'est-à-dire, monsieur le maire, que je ne sais plus que penser. Mais voyons, pourquoi est-il sorti la nuit, laissant toute seule sa jeune femme, qui est bien la plus mignonne, la plus adorable créature qu'il y ait au monde ? Par exemple, on ne me fera jamais croire que c'était pour se jeter dans la rivière. Non, il ne s'est pas suicidé.

– Ce que vous venez de dire, Royer, nous permet au moins de le supposer.

– Monsieur le maire, voulez-vous que je vous dise ? Eh bien, tout ça n'est pas clair du tout. Mais il faudra bien qu'on sache... Hier soir, à la nuit, on lui a apporté une lettre...

– Eh bien, cette lettre ?

– M'a été remise par un jeune homme qui n'est pas de Blaincourt, car il m'est inconnu.

– Ah ! fit le maire, devenu soucieux. Et vous supposez ? interrogea-t-il.

– Que le malheureux voyageur a été attiré dans un guet-apens.

– Pas pour le voler !

– Qui dit, monsieur le maire, que ce n'était pas une vengeance ?

Le front du maire s'assombrit davantage.

– Vous tenez absolument à votre idée, dit-il d'une voix qui trahissait son émotion ; selon vous il y a eu crime.

– Eh bien, oui, monsieur le maire, répondit Claude Royer avec force, et rien ne m'ôtera ça de la cervelle.

– C'est bien, il y aura une enquête et on découvrira la vérité.

Après avoir échangé quelques paroles avec l'adjoint, le maire dit à l'aubergiste :

– Puisque la femme du noyé se trouve chez vous c'est là que nous allons le transporter.

– Comme vous voudrez, répondit Royer, sans songer à ce qui pourrait arriver lorsque la jeune femme se trouverait en présence du cadavre de son mari.

Les porteurs, qui avaient saisi l'occasion de se reposer un instant, reprirent la civière et, lentement, on s'achemina vers l'auberge.

Quand la foule, maintenant émue, recueillie, ne faisant plus entendre aucun cri, déboucha sur la place, on vit, près de la fontaine, une femme échevelée se débattant entre les bras d'une autre femme qui voulait la retenir.

Mais Zélima parvint à échapper à l'étreinte de Marie-Rose et elle s'élança comme une folle, les cheveux au vent, à la rencontre du convoi.

— C'est sa femme ! cria Claude Royer.

Tout le monde se sentit frissonner.

Plusieurs femmes se précipitèrent pour arrêter la malheureuse ; mais avant qu'elles aient eu le temps de la saisir, Zélima fendit la foule et se trouva devant la civière.

Aussitôt, de sa gorge serrée s'échappa un cri rauque, qui ressemblait à un râle ; ses traits se contractèrent horriblement et ses yeux fixes s'ouvrirent d'une manière effrayante ; elle parut grandir, son corps et ses membres se raidirent en craquant, et elle tomba en arrière, comme un bloc, les bras en croix.

VI

Le corps du noyé avait été couché sur un lit de sangles préparé à la hâte dans une des salles de l'auberge. Deux hommes désignés par le maire le gardaient.

La jeune femme avait été enlevée inanimée, puis portée sur son lit. Marie-Rose et deux autres femmes étaient à son chevet lui prodiguant toutes sortes de soins sans parvenir à la rappeler à la vie.

Après avoir donné quelques ordres, le maire s'était rendu à la maison commune et s'était mis, aussitôt, à écrire une assez longue lettre au juge de paix du canton pour l'informer des faits et le prier de venir immédiatement à Blaincourt afin de commencer une enquête. Il allait cacheter sa lettre lorsqu'on frappa à la porte de son cabinet.

– Entrez, dit-il.

La porte s'ouvrit, un homme entra. Cet homme, que le maire voyait pour la première fois, pouvait avoir cinquante-cinq ans. Grand, plein de force et de santé, il avait l'attitude et les allures d'un ancien militaire ; sa figure martiale, ses longues moustaches grises et le ruban rouge qu'il portait à sa boutonnière, indiquaient qu'il avait eu un grade dans l'armée.

Les deux hommes se saluèrent.

– Je vous demande une minute, monsieur, dit le maire, en indiquant un siège au visiteur, une lettre pressée, qu'on attend.

– C'est précisément au sujet de cette lettre que je viens vous trouver, monsieur le maire.

Celui-ci, regarda l'étranger avec surprise.

– Vous allez l'expédier à Verzéville par un exprès ?

– Oui, monsieur, l'homme est là.

– Eh bien ! monsieur le maire, je vous prie de vouloir bien ajouter ceci à votre lettre : « Prière d'amener un médecin que l'état de la femme du noyé réclame impérieusement. »

– Est-ce qu'on craint pour sa vie ?

– La malheureuse a été frappée comme d'un coup de foudre ; on peut tout redouter ; malgré les soins qu'on lui donne, elle est toujours étendue sur son lit, raide, glacée, comme morte.

Le maire ajouta rapidement un post-scriptum à sa lettre, puis il la cacheta, la remit au messager qui attendait à la porte, prêt à partir. Cela fait, il rentra dans le cabinet, et l'étranger reprit la parole, en disant :

– Monsieur le maire, vous pourriez vous étonner de l'intérêt extraordinaire que je porte à cette pauvre jeune femme : eh bien, je suis le premier à ne pas comprendre pourquoi je m'intéresse si vivement, pour ne pas dire d'une façon si étrange, à une personne qui m'est tout à fait inconnue. Je l'ai vue une seule fois, il y a un peu plus d'une heure, quand elle est tombée foudroyée sur la place devant le cadavre de son mari.

» Sans doute, son immense malheur est de ceux qui provoquent toutes les sympathies.

– Certes ! approuva le maire.

– Mais ce que j'éprouve pour cette malheureuse est plus que de la sympathie ; c'est un sentiment presque paternel. Il faut donc reconnaître qu'il y a des impressions, manifestations subites de l'âme, auxquelles on ne peut échapper, qu'il faut subir.

Le maire acquiesça par un mouvement de tête.

– Monsieur le maire, continua l'étranger, je me nomme Jacques Vaillant ; je suis un ancien capitaine de dragons en retraite et je demeure à six lieues d'ici, au village de Mareille, qui est l'endroit où je suis né.

– Nous sommes compatriotes, monsieur, dit le maire en tendant la main à l'ancien militaire.

– Tous deux Lorrains et enfants des Vosges, monsieur le maire. Revenant d'un assez long voyage que je viens de faire en Alsace, du côté du Rhin, j'ai voulu revoir Blaincourt où je suis venu dans mon enfance avec ma mère. Un souvenir !

J'ai couché à l'auberge, chez Claude Royer, dans la chambre voisine de celle que l'aubergiste avait mise à la disposition de la jeune femme et de son mari. Je devais partir ce matin, ayant hâte de rentrer chez moi ; car je suis marié, et après une absence de trois semaines ma femme attend mon retour avec impatience. Eh bien, malgré cela, je reste ; je ne puis m'éloigner avant d'être complètement rassuré sur le sort de la pauvre veuve ; je désire savoir aussi quel sera le résultat de l'enquête.

— Quelle est votre opinion sur ce douloureux événement ?

— Je n'ose me prononcer ; il faut laisser à la justice le soin d'éclaircir cette affaire. Vous avez bien fait, monsieur le maire, d'appeler immédiatement le juge de paix ; mais je suis convaincu que celui-ci, à son tour, s'empressera de faire venir le procureur impérial et un juge d'instruction.

— Alors, vous aussi, Vous croyez...

— Je viens de vous le dire, monsieur le maire, je n'ose pas me prononcer. Nous sommes en présence de trois hypothèses, de ces trois questions : Est-il tombé dans la rivière par accident ? S'y est-il jeté volontairement ? Y a-t-il été précipité par des mains homicides ?

— Claude Royer a parlé d'une lettre qu'il a reçue hier soir, laquelle a été apportée par un inconnu ; qu'est-elle devenue, cette lettre ?

— Je vous l'apporte, monsieur le maire, la voilà. Elle a été trouvée sur la cheminée, dans un vase où, après l'avoir lue, le malheureux l'avait jetée.

Le maire déplia le papier et aussitôt la signature lui sauta aux yeux.

— Jules Cornefer ! exclama-t-il, faisant un bond sur son siège ; mais c'est impossible ! il n'y a pas de plus honnête homme à Blaincourt que Jules Cornefer. Bon, serviable, d'une probité reconnue, tout le monde l'aime et l'estime !

— Lisez la lettre, monsieur le maire, sans vous préoccuper de la signature.

Le magistrat municipal lut rapidement.

— Eh bien ? fit Jacques Vaillant.

— Je commence à croire que Royer a raison. Oui, cette lettre prouve que le malheureux a été attiré dans un guet-apens ; et elle est signée Jules Cornefer !

– Oui, mais cette signature même est la preuve de l'innocence de Jules Cornefer. Est-ce qu'il aurait livré ainsi son nom à la justice s'il était coupable ?

– C'est juste, fit le maire.

– Soyez certain que le misérable, qui a écrit cette lettre, aurait pu la signer de n'importe quel autre nom ; il connaît le nom de Jules Cornefer et il s'en est servi. Je ne suppose même pas qu'il ait eu l'intention de compromettre un honnête homme. Non, non, il n'a pas été assez stupide pour penser qu'il égarerait avec ce nom les recherches de la justice. Examinez l'écriture, monsieur le maire ; n'est-elle pas contrefaite ? Et ces grossières fautes d'orthographe ? On devine qu'elles ont été faites exprès.

– Oui, c'est vrai. Ainsi ce malheureux voyageur a été attiré dans un guet-apens, et un ou plusieurs misérables l'ont précipité dans le Frou. Pourquoi ? Ils ne l'ont pas volé... Ah ! comme le dit Royer, une vengeance, une lâche vengeance ! Et, jusqu'à présent, nous ne savons ni qui il est, ni d'où il venait.

– Malheureusement.

– Et nous ne pouvons pas espérer être renseignés par sa femme qui, paraît-il, ne connaît pas le français.

– Peut-être trouvera-t-on quelques papiers.

– Ce serait à souhaiter ; mais je n'y compte point. Des papiers se placent toujours dans un portefeuille ; si le malheureux avait eu seulement un passeport, un certificat, je l'aurais trouvé dans son portefeuille. Ah ! il est fâcheux, bien fâcheux que Claude Royer n'ait pas rempli près du voyageur les formalités auxquelles sont astreints tous les aubergistes. Il y a un règlement de police, on n'y pense pas ou bien l'on ne veut pas s'y soumettre ; et voilà ce qui arrive.

– Vous avez parfaitement raison, monsieur le maire, et je puis vous dire que, dans le voyage que je viens de faire, on ne m'a pas demandé une seule fois de faire les déclarations exigées par le règlement de police dont vous parlez.

– Et cependant cela coûte bien peu d'écrire ou de faire écrire sur un registre les nom et prénoms d'un voyageur, son âge, sa profession, le lieu de sa naissance et l'endroit de sa demeure.

Les deux hommes n'avaient plus rien à se dire.

L'ancien militaire se leva, salua le maire et se retira.

Un peu avant dix heures le juge de paix et le médecin arrivèrent. Deux gendarmes à cheval escortaient la voiture de ces messieurs. Ils mirent pied à terre devant l'auberge, et pendant que le médecin, conduit par Royer, montait dans la chambre de Zélima, le juge de paix, suivi des gendarmes, se dirigea vers la maison commune où le maire l'attendait, assisté de son adjoint et de deux membres du conseil municipal.

Quand le juge de paix entra, l'un de ces derniers, un vieillard à la tête blanche comme neige, qui tenait entre ses doigts la lettre portant une fausse signature, paraissait en proie à une grande agitation.

C'était le père de Jules Cornefer.

Ayant pris place dans un fauteuil, le juge de paix invita le maire à compléter le rapport contenu dans la dépêche qu'il lui avait adressée.

Pour toute réponse le maire prit la lettre des mains de M. Cornefer et la tendit au juge de paix.

Celui-ci lut lentement, les sourcils froncés, le front plissé. Arrivé à la signature, il ne put s'empêcher de hausser les épaules.

— Grave affaire, messieurs, dit-il, après être resté un moment silencieux, affaire excessivement grave et hors de ma compétence ; il va falloir prévenir le parquet. Toutefois, avant de dénoncer les faits au ministère public, il est de notre devoir de procéder à une enquête, afin de recueillir tous les renseignements possibles. Avez-vous interrogé Jules Cornefer ?

— Mon fils n'est pas à Blaincourt, monsieur le juge de paix ; il est absent depuis deux jours.

— C'est regrettable.

— Est-ce que M. le juge de paix peut croire... balbutia le vieillard.

— Rassurez-vous, monsieur Cornefer, je connais assez l'écriture et la signature de votre fils pour être sûr que ce n'est point lui qui a écrit cela ; je regrette qu'il soit absent parce que, peut-être, il aurait pu nous mettre sur la piste de l'individu qui a eu l'audace de se servir de son nom.

— Mon fils, vous le savez, est très connu dans tout le pays vosgien.

– Et vous ignorez toujours le nom du mort ? reprit le juge de paix, s'adressant au maire.

– Toujours, monsieur le juge de paix. Comme je vous le dis dans ma lettre, il n'a point donné son nom à l'aubergiste, qui a eu, lui, le tort de ne pas le demander. La lettre que vous venez de lire, apportée à l'auberge hier soir par un inconnu, comme l'a déclaré Royer, était sous l'enveloppe que voilà ; et vous voyez, elle ne porte pas de nom.

Le juge de paix hocha la tête.

– Tout cela est bien singulier, murmura-t-il.

Après un court silence il reprit :

– Voyageant avec une femme, la sienne, paraît-il, ce voyageur devait avoir au moins une malle contenant des effets, du linge.

– Seulement une toute petite valise en osier.

– L'a-t-on ouverte ?

– Non, monsieur le juge de paix ; j'ai cru ne devoir rien faire avant votre arrivée.

– Soit. Mais nous verrons tout à l'heure ce qu'il y a dans la valise : nous ferons de nouveau l'inspection des vêtements du noyé ; si son mouchoir n'est pas marqué, sa chemise l'est peut-être. Il est impossible qu'il n'ait pas causé avec l'aubergiste ou avec sa femme ; il est important de savoir ce qu'il a dit.

Après une pause, le juge de paix continua :

– Il n'y a pas à en douter, cet homme a été victime d'un abominable complot. Il ressort de cette lettre, dont on s'est servi pour attirer le voyageur, la nuit, au bord de la rivière, que le crime était prémédité, et son exécution préparée d'avance. On croirait presque que la victime s'entendait avec ses meurtriers. Ah ! ceux-ci – car je suppose qu'ils étaient plusieurs pour commettre le crime – ne sont pas des malfaiteurs ordinaires. Les misérables ont bien pris leurs précautions pour dépister les recherches de la justice.

» Cette affaire me paraît, en effet, singulièrement mystérieuse. Voyez, le voyageur ne dit pas son nom à l'aubergiste, il ne porte sur lui aucun papier, il laisse ignorer d'où il vient, où il va ; il ne parle point de ce qui l'amène à Blaincourt ; on lui fait remettre une lettre qu'il attend évidemment, et cette lettre, qui le fait tomber dans un guet-apens, cette lettre est dans une enveloppe sur laquelle on n'a pas même écrit son nom ; ce n'est pas tout : sa femme, qui pourrait seule éclairer la justice, donner de précieux renseignements et peut-être livrer les noms des criminels, sa femme ne connaît pas la langue française. En vérité, il faut convenir que tout cela est bien étrange. Ou il y a là une inconcevable fatalité, ou il faut y voir quelques-unes des précautions prises par les assassins pour échapper à la justice et au châtiment.

» Ma conviction est faite, messieurs, poursuivit le juge de paix, il y a un mystère dans la mort de cet homme. Il faut espérer que la justice en déchirera le voile ; mais, pour qu'elle y parvienne, il faut qu'elle sache qui est la victime ; son nom seul peut la mettre sur la trace des coupables.

VII

Pendant plus de trois heures Zélima était restée étendue sur le lit, inerte, raide. On aurait pu croire qu'elle avait cessé de vivre.

La désolation était autour d'elle. Allait-elle donc mourir ?

Un certain nombre de personnes restaient devant l'auberge ; ces personnes donnaient des nouvelles de la jeune femme à ceux qui, à chaque instant, venaient en demander, car la population, très émue, s'intéressait vivement à la jeune femme inconnue. Son malheur était si grand, si épouvantable !... C'était une pitié sympathique, profonde, qu'elle avait inspirée à tout le monde.

Quand le médecin entra dans la chambre, il y avait quinze ou vingt minutes environ que Zélima était sortie de sa léthargie. Par quelques mouvements, d'abord, elle avait rassuré Marie Rose et les autres femmes qui étaient près d'elle ; car pendant tout le temps écoulé elles avaient eu l'horrible crainte de ne pas la voir revenir à la vie.

Après avoir remué les bras, la jeune femme eut plusieurs tressaillements successifs, sortes de crispations nerveuses, puis ses yeux s'ouvrirent largement et prirent peu à peu un éclat fiévreux. Mais les paupières restaient immobiles et le regard fixe ; pas un mouvement des prunelles. Cependant les principaux organes reprenaient leur fonctionnement : elle respirait, son corps et ses membres n'avaient plus la même rigidité ; elle était moins froide ; un peu de rose, se montrant sur ses lèvres et ses joues, annonçait que la circulation du sang commençait à se rétablir. Toutefois, sa bouche restait muette : pas une plainte, pas un gémissement, pas un cri ; aucun son ne sortait de sa gorge. Rien ne venait indiquer qu'elle eût repris connaissance.

En voyant paraître le médecin, les femmes éprouvèrent aussitôt un immense soulagement. La malade leur ayant été confiée, le médecin leur enlevait une sorte de responsabilité qui, jusque-là, avait pesé sur elles comme un poids énorme.

Le médecin, amené par le juge de paix, était, en même temps qu'un vieux praticien, un homme d'un grand savoir. Depuis quarante ans qu'il exerçait dans le pays, il avait rendu de très grands services aux populations ; il était très estimé, très aimé et tout le monde avait en sa science la plus entière confiance.

Maintes fois, d'ailleurs, il avait donné des preuves de sa valeur ; on ne comptait plus le nombre des moribonds sauvés par lui dans des cas désespérés.

Le docteur Cornevin était une célébrité départementale. Dans des cas particuliers on l'appelait de fort loin, soit pour une consultation, soit pour donner lui-même des soins à un malade.

Le docteur Cornevin s'approcha du lit de Zélima et resta un instant immobile, les yeux fixés sur le visage de la jeune femme, comme s'il s'oubliait à la contempler. Mais aux mouvements de sa physionomie, à l'expression de son regard, au froncement de ses épais sourcils, on aurait pu deviner la tristesse de ses pensées.

Cependant, ayant tiré de sa poche un instrument d'acier, il le fit passer sur les yeux de la jeune femme, les touchant presque. Le regard resta fixe, comme si l'organe de la vue eût été paralysé. Du bout du doigt il toucha légèrement les paupières ; elles n'eurent pas un frémissement, elles étaient raidies sous l'os frontal.

– Hum, hum ! fit le docteur.

Il se redressa et lentement sa tête s'inclina sur sa poitrine.

Quelques minutes s'écoulèrent au milieu d'un profond silence.

À la fin, Marie-Rose, dévorée d'inquiétude et perdant patience, s'approcha du médecin.

– Eh bien, monsieur Cornevin, lui demanda-t-elle, que pensez-vous ?

Arraché à sa méditation, le docteur hocha la tête.

– J'observe, j'examine, j'attends, murmura-t-il ; je suis en présence d'un phénomène singulier ; la situation de cette jeune femme est grave, très grave.

– Alors vous croyez qu'elle va mourir ?

– Je ne veux pas dire cela. Il y a eu au cerveau un ébranlement terrible, qui me paraît avoir amené la paralysie de plusieurs organes.

– Je comprends, dit Marie-Rose en pleurant, vous n'avez pas d'espoir.

Après un court silence, le docteur reprit :

– Elle respire ; tant qu'elle aura un souffle de vie, il faut espérer.

Alors il donna différents ordres, demandant diverses choses qu'on s'empressa de lui apporter.

Il s'inclina au chevet de la malade et employa successivement les moyens les plus énergiques pour rendre la sensibilité aux organes. Il y réussit en partie. Mais, vers midi, une complication inattendue vint aggraver la situation : La jeune femme fut prise par les douleurs de l'enfantement. Elle poussait de longs gémissements, des plaintes sourdes, et se tordait sur sa couche dans d'horribles convulsions.

– N'ayant pas été prévenu, le docteur n'avait pas apporté les instruments de chirurgie qui pouvaient lui être nécessaires.

Il se fit donner une feuille de papier sur laquelle il écrivit rapidement quelques lignes.

– Qu'on porte ceci immédiatement au juge de paix, dit-il ; un gendarme montera à cheval, ira chez moi prendre ce que je demande et reviendra aussitôt.

On courut à la mairie et de là chez le maire où le juge de paix déjeunait. Mais celui-ci n'avait plus ses gendarmes ; il avait renvoyé l'un à Verzéville et fait partir le second dans une autre direction, afin que, le jour même, toutes les brigades de gendarmerie de l'arrondissement prévenues, elles puissent se mettre à la recherche des assassins. Heureusement le maire avait un cheval à l'écurie. Faute de selle, un domestique lui attacha une couverture sur le dos au moyen d'une sangle, l'enfourcha et partit au galop. À une heure et demie il était de retour.

– Enfin ! s'écria le docteur, qui attendait avec impatience et dans une angoisse inexprimable.

Une heure après, Zélima mettait au monde une petite fille.

Marie-Rose la reçut dans ses bras.

– Seigneur Dieu, est-elle petite ! exclama-t-elle ; mais comme elle est mignonne, comme elle est gentille ; Ah ! pourvu qu'elle vive !

– Elle vivra, répondit le docteur, et c'est bien un miracle.

– Maintenant, monsieur Cornevin, c'est sa maman qu'il faut sauver.

Le docteur garda un morne silence. Deux grosses larmes roulaient dans ses yeux.

Il pensait, le bon docteur, aux terribles fatalités de la vie, à la destinée qui attendait cette frêle créature qui venait de naître pour ainsi dire entre deux cercueils ; car il ne se faisait aucune illusion ; il voyait que la jeune mère était perdue ; il savait que sa science, que toutes les ressources de son art ne pouvaient lutter, cette fois, contre la mort.

La malade était retombée dans son immobilité : elle était étendue de nouveau comme une masse inerte. Nul n'aurait pu dire si elle avait eu conscience de ce qui venait de se passer, si quelque chose en elle lui avait fait sentir sa maternité. Elle avait toujours les pupilles dilatées, mais la lumière de ses yeux s'était éteinte. Maintenant, sa respiration seule indiquait qu'elle vivait encore.

Sa figure livide avec des tons jaunes, ses lèvres décolorées, ses narines serrées, ses grands yeux ouverts, sans regard, et l'aspect général de son corps, tout semblait appartenir à un cadavre.

– Dès demain, Marie-Rose, il faudra une nourrice à cette enfant, dit le docteur.

– Il ne me sera pas difficile de la trouver.

– Tant mieux !

– La mère Rigaud, notre voisine, se dispose à sevrer son petit garçon.

– C'est juste, Marie-Rose ; le petit, si j'ai bonne mémoire, aura bientôt un an.

– À Noël, monsieur Cornevin.

– Eh bien, ma brave Marie-Rose, j'approuve votre choix : Angélique Rigaud sera une excellente nourrice. Il faudra la voir ce soir.

– Tout à l'heure, monsieur Cornevin.

– Si elle consent, dès ce soir nous lui confierons l'enfant.

– Mais la mère, monsieur Cornevin, la mère ?

– C'est du haut du ciel qu'elle veillera sur la pauvre créature, répondit tristement le docteur.

– Oh ! oh ! perdue ! soupira Marie-Rose.

Le docteur Cornevin ne s'était pas trompé. À quatre heures, Zélima rendit le dernier soupir.

À deux pas du lit de mort, le nouveau-né dormait dans un grand panier dont on avait fait provisoirement un berceau.

Le docteur, très ému, ferma les yeux de la morte et se retira silencieusement.

Marie-Rose alluma un cierge et mit dans un vase, qu'elle plaça sur la table de nuit, de l'eau bénite et une petite branche de buis également bénit.

Quelques minutes après le départ du médecin, une femme entra sans bruit dans la chambre. Elle s'approcha du lit en faisant le signe de la croix, puis elle prit le rameau vert et fit tomber quelques gouttes d'eau bénite sur le corps, en disant tout bas le premier verset du *De profundis*.

Cela fait, elle tendit la main à Marie-Rose, qui avait les yeux rouges.

– Quel malheur ! murmura-t-elle ; c'est épouvantable !

Marie-Rose poussa un long soupir et montra le panier à Angélique. Celle-ci avança, et, pendant quelques secondes, les yeux humides, elle regarda la tête de l'enfant. Ensuite elle prit le panier et l'emporta.

Le juge de paix n'avait pas perdu son temps ; il avait poussé son enquête aussi loin que possible. Certes, ce n'était pas sa faute s'il n'avait pas obtenu tout ce qu'il désirait.

À peu près certain que l'homme inconnu avait été jeté dans la rivière plus haut que le moulin, il fit appeler le meunier et ses deux garçons Tous trois avaient passé la nuit ; mais ils déclarèrent n'avoir rien vu et rien entendu. Cela s'expliquait par le bruit de l'eau et des machines en mouvement.

Claude Royer fut également entendu. Mais nous savons qu'il ne pouvait fournir aucun autre renseignement que ceux qu'il avait précédemment donnés.

Sa femme, appelée à son tour, avait apporté un commencement de clarté, en racontant sa courte conversation avec le voyageur, qui l'interrogeait au sujet de Jules Cornefer. Elle était convaincue que l'homme et la femme venaient de Verzéville, où ils avaient été amenés par le courrier de Varnejols. C'était donc entre Verzéville et Blaincourt, ou peut-être même dans la voiture du courrier, que le voyageur avait rencontré Jules Cornefer ou l'individu qui avait pris son nom.

Ceci obligeait le juge de paix à interroger le courrier de Verzéville. C'est après la déposition de Marie-Rose qu'il avait fait partir les gendarmes ; celui qu'il avait renvoyé à Verzéville devait aller trouver le courrier pour le prier de se rendre immédiatement à la mairie de Blaincourt.

Instruit de la chose grave qui le faisait appeler, le courrier ne perdit pas une minute. Quand il arriva à Blaincourt, le juge de paix et le maire ayant déjeuné étaient revenus à la mairie.

– La nuit dernière un crime a été commis à Blaincourt, dit le juge de paix au courrier ; un voyageur, dont jusqu'à présent nous ne savons pas le nom, a été jeté dans la rivière. Est-ce vous qui avez amené hier matin ce voyageur et sa jeune femme à Verzéville ?

– Une jeune femme enceinte ?

– Parfaitement.

– C'est moi, monsieur le juge de paix.

– D'où venaient-ils ?

– Probablement de Remiremont, car ils sont descendus de la voiture du courrier de Varnejols pour monter dans la mienne.

– Vous n'aviez que ces deux voyageurs ?

– Et deux autres, deux hommes, monsieur le juge de paix.

– Ah !

– Ils avaient retenu leurs places d'avance ; mais l'un d'eux a cédé sa place au voyageur, qui était avec son épouse, et s'est placé à côté de moi sur mon siège.

– Ces deux hommes venaient-ils aussi de Remiremont ?

– Je ne sais pas : ils étaient à Varnéjols longtemps avant l'arrivée du courrier.

– Ils étaient ensemble ?

– Ils n'en avaient pas l'air ; mais j'ai bien vu tout de même qu'ils se connaissaient.

– Ensemble ou séparément, ces deux hommes prennent-ils quelquefois votre voiture ?

– Jamais, monsieur le juge de paix ; je les ai vus hier pour la première fois.

– Alors, vous ne les connaissez pas ?

– Je ne les connais pas.

– Les avez-vous revus hier, dans la nuit ou ce matin ?

– Je ne les ai pas revus, monsieur le juge de paix.

– Écoutez, mon garçon, nous avons plusieurs raisons, non pas seulement de supposer, mais de croire que ces individus sont les auteurs du crime.

– Ah ! les brigands ! exclama Lucot avec un mouvement de fureur.

– Il paraît évident que les deux misérables attendaient leur victime à Varnéjols. Quand ils sont descendus de votre voiture à Verzéville, avez-vous vu la direction qu'ils ont prise ?

– Je n'ai pas fait bien attention et je ne saurais dire de quel côté s'en est allé celui qui était près de moi. Quant à l'autre, c'est différent ; il a pris avec le monsieur et la dame le chemin de Blaincourt ; ils ont dû passer par la sapinière. J'ai même remarqué que les voyageurs avaient fait connaissance en voiture, car ils paraissaient être au mieux ensemble.

Le juge de paix et le maire échangèrent un regard rapide.

– Maintenant, mon garçon, reprit le magistrat, donnez-moi aussi exactement que possible le signalement des deux hommes.

– Je n'ai pas bien vu leurs figures ; ils avaient des chapeaux de feutre gris à larges bords, un long cache-nez de laine enroulé autour du cou, des blouses bleues à peu près pareilles à la mienne, et de grandes guêtres de cuir bouclées jusque sous les genoux. Il m'a semblé que c'étaient deux maquignons.

– Les misérables s'étaient déguisés, pensa le juge de paix.

– Avez-vous autre chose à me dire ? demanda-t-il à Lucot.

– Non, monsieur le juge de paix.

– Alors, mon garçon, je vous remercie ; vous pouvez retourner à Verzéville.

On avait fait apporter à la mairie la valise de Charles Cherry et, on en avait fait l'inventaire. On y avait trouvé deux billets de banque de cinq cents francs et, dans une petite bourse de soie verte, douze pièces d'or de vingt francs, puis du linge non marqué ; mais pas un seul papier qui aurait pu donner un renseignement, fournir un indice quelconque.

Le mystère restait impénétrable.

Quel avait été le mobile du crime ?

Comment le découvrir, si l'on ne parvenait pas à savoir le nom de la victime ?

Ce nom était la clef de tout.

C'est avec ce nom que la justice pouvait diriger ses recherches, et, remontant aux causes, dissiper les ténèbres et enfin mettre la main sur les meurtriers.

À la fin de cette laborieuse journée, le juge de paix était fort découragé ; il voyait les nombreuses et insurmontables difficultés qui allaient se dresser devant la justice.

Sa mission, à lui, était terminée. Il avait averti le parquet. Le procureur impérial ou un substitut et un juge d'instruction allaient arriver à Blaincourt dans la nuit ou au plus tard le lendemain, matin.

VIII

En sortant de l'auberge, après avoir fermé les yeux de la morte, le docteur Cornevin était entré chez Angélique Rigaud, lui avait fait plusieurs recommandations au sujet de l'enfant dont elle voulait bien être la nourrice, puis il était venu retrouver le juge de paix à la mairie. Il était alors quatre heures et demie.

Tous deux n'avaient plus rien à faire à Blaincourt.

Le médecin avait donné des ordres pour que sa voiture fût amenée devant la mairie. Elle allait arriver.

Ces messieurs s'étaient levés et se disposaient à prendre congé du maire lorsque la haute stature de Jacques Vaillant parut dans l'encadrement de la porte de la salle restée ouverte.

Le maire s'avança vers lui et lui serra cordialement la main. Puis, le faisant entrer :

– Monsieur le juge de paix, monsieur Cornevin, dit – il, je vous présente M. Jacques Vaillant de Mareille, ancien capitaine de dragons.

On se salua.

– Messieurs, dit l'ancien militaire, je vois que vous êtes prêts à partir ; j'arrive un peu tard ; mais vous m'excuserez et me pardonnerez, j'espère, de vous retenir un moment.

– Nous ne sommes pas absolument pressés, le docteur et moi, de quitter Blaincourt, répondit le juge de paix ; veuillez vous asseoir, monsieur. Auriez-vous à faire quelque révélation ?

– Non, malheureusement, monsieur le juge de paix, car, comme vous, je voudrais que la lumière se fît sur cette mystérieuse affaire. Je me suis permis de venir vous trouver, messieurs, pour vous adresser une demande.

– Parlez, monsieur, répliqua le juge de paix, de quoi s'agit-il ?

— M. le maire de Blaincourt vient de vous dire qui je suis. J'aurai bientôt cinquante-cinq ans et je suis né à Mareille où je demeure depuis que j'ai pris ma retraite. Je n'ai pas de fortune : une maison, un jardin et un champ que je cultive moi-même, voilà tout ce que je possède : mais ma femme et moi, nous avons des goûts simples ; nous ne sommes pas exigeants, nous savons nous contenter de peu. Ma pension nous suffît largement, nous pouvons même faire de petites économies.

» Fils d'un pauvre manœuvre de Mareille, le tirage au sort me fit soldat ; je partis conscrit. Mon temps fait, je restai au régiment ; j'avais pris goût à l'état militaire ; d'ailleurs j'avais de nombreux amis au régiment, même parmi les officiers, et plus tard, quand le drapeau blanc disparut, j'aimai les belles couleurs de notre drapeau national. Quand je me suis marié, il y a dix-huit ans. j'étais sous-lieutenant.

» Que vous dirai-je encore, messieurs ? Ma femme et moi nous aurions voulu avoir un enfant, fille ou garçon, un petit être à aimer, à adorer, il n'est pas venu, et nous devons renoncer à cette joie qui nous a été refusée. De là des regrets, des tristesses. À mesure qu'on vieillit, on voit mieux son isolement.

» Une pauvre petite créature vient de naître de parents inconnus ; à coté de son berceau, il y a deux tombes ouvertes ! Pauvre petite !

— Oui, pauvre petite !... répétèrent les autres.

— Eh bien, messieurs, voici ce que je viens vous demander : Donnez-la moi.

Le maire et le juge de paix se regardèrent.

— Oui, continua Jacques Vaillant d'une voix vibrante d'émotion, je vous demande de me confier la pauvre petite orpheline ; je l'élèverai, je veillerai sur elle et je vous promets qu'elle ne manquera jamais de rien.

» Elle grandira entre ma femme et moi, je serai son père, ma femme sera sa mère ; nous l'aimerons comme si elle était notre fille. Elle n'a pas de nom, je lui donnerai le mien aussitôt que la loi me permettra de l'adopter.

— Cher monsieur, répondit le juge de paix, vos nobles sentiments méritent d'abord nos félicitations ; la demande que vous faites vous honore et nous montre les belles qualités de votre cœur. Mais ni monsieur le maire, ni moi n'avons encore le droit de disposer de l'orpheline.

» Demain, dans quelques jours ses parents peuvent ne plus être des inconnus ; sa famille retrouvée peut la réclamer.

— J'ai pensé à cela, monsieur ; aussi ma demande n'est-elle que conditionnelle.

— Monsieur le maire et moi nous prenons acte de votre offre généreuse.

— L'enfant a déjà été confié à une femme de Blaincourt, qui a consenti à être sa nourrice, dit le médecin.

— Je le sais, répliqua le capitaine. J'ai vu tout à l'heure Angélique Rigaud, je l'ai prévenue de la démarche que je viens de faire près de vous, et déjà il est convenu entre nous que c'est moi qui paierai les mois de nourrice, si ma demande est acceptée.

— C'est bien, dit le juge de paix ; nous saurons dans quelques jours si l'orpheline a une famille ou si elle est seule au monde ; alors M. le maire de Blaincourt vous répondra.

— J'attendrai la réponse de M. le maire.

— Je crois pouvoir vous dire que l'enfant n'est pas tout à fait pauvre : ses malheureux parents lui ont laissé un petit héritage.

— Je sais cela, monsieur le juge de paix, quelques billets de cent francs trouvés dans le portefeuille.

— Plus deux autres billets de banque de cinq cent francs chaque et deux cent quarante francs en or trouvés dans cette valise. Au total dix huit cent quatre vingt douze francs soixante centimes, dont on peut disposer pour l'enfant.

— Somme à laquelle je me garderai bien de toucher, si la pauvre petite m'est confiée.

— Cependant...

— Cette petite somme est le noyau d'une dot, monsieur le juge de paix. En plaçant cet argent et en capitalisant les intérêts chaque année, on peut, au bout d'un certain temps, doubler et tripler la somme.

Le juge de paix sourit.

— Votre observation est juste, répondit-il.

Depuis un instant la carriole du médecin attendait devant la porte de la mairie.

Le maire et Jacques Vaillant accompagnèrent le docteur Cornevin et le juge de paix jusqu'à la voiture. On se tendit une dernière fois la main, puis le cheval du docteur partit comme un trait.

Alors un homme, qui venait d'écouter ce que disaient une vingtaine de personnes rassemblées devant la mairie, s'éloigna en hochant la tête.

— Ils ne savent rien, ils ne sauront rien, se disait-il : le juge de paix aurait fait aussi bien de rester tranquillement chez lui, dans sa chambre, les pieds sur les chenets de sa cheminée. Moi seul aurais pu lui dire comment l'homme a été jeté dans la rivière... Je n'étais pas loin de là ; il faisait noir, très noir, mais j'ai vu tout de même, car j'ai de bons yeux. Mais était-il assez bête, ce voyageur, pour venir se jeter ainsi dans la gueule du loup.

» J'ai bien fait de me taire ; je n'ai pas besoin de me créer des ennuis en fourrant mon nez dans des affaires qui ne me regardent point. La justice est la justice et moi je ne suis qu'un pauvre homme ; c'est à la justice de faire son métier : qu'elle cherche !

» C'est égal, pour ma satisfaction, à moi, je voudrais bien savoir quel était le troisième individu qui assistait de loin à la noyade avec une lanterne. À mon temps perdu il faudra que je fasse aussi, de mon côté, une petite enquête.

Le personnage qui parlait et raisonnait ainsi, sans se douter, probablement, qu'il était profondément égoïste et que sa manière de voir était tout à fait condamnable, était un petit vieux d'une soixantaine d'années. Il avait été autrefois un cultivateur aisé. Malheureusement il eut un jour la folie de la richesse : croyant arriver vite à la fortune, il se lança dans diverses spéculations aussi mauvaises les unes que les autres, dont le résultat final fut sa ruine complète. Par surcroît de malheur, ses deux fils ayant mal tourné quittèrent le pays et sa femme mourut de chagrin.

Sur un coin de terre que ses créanciers avaient dédaigné lorsqu'ils s'étaient emparés de son bien, il avait construit lui-même une baraque avec du bois et de la terre. C'est là qu'il habitait. Pendant quelques années il avait travaillé chez les autres, puis il avait changé de métier et était devenu gardeur de chèvres.

Parmi les quarante ou cinquante chèvres qu'il menait brouter l'herbe de la montagne, deux lui appartenaient. Avec ce qu'on lui donnait chaque mois par tête de bête qu'il gardait, le lait et les chevreaux de ses chèvres qu'il vendait, il parvenait à vivre tant bien que mal, sans avoir recours, trop souvent, à la charité de ses concitoyens.

Il se nommait Monot ; mais, depuis qu'il s'était fait gardeur de chèvres, on l'avait surnommé la Bique ; ce sobriquet lui était définitivement resté et on ne l'appelait plus autrement que le père La Bique.

Mais laissons ce bonhomme, que nous reverrons peut-être un jour, et revenons au maire et à Jacques Vaillant.

Quand la voiture du médecin eut disparu à leurs yeux, le maire passa familièrement son bras sous celui de l'ancien dragon. Déjà ces deux hommes, qui ne se connaissaient pas la veille, étaient amis.

— C'est bien, cher monsieur, c'est très bien ce que vous voulez faire, dit le maire.

— Je suis heureux que vous m'approuviez. Voyez-vous, c'est une volonté supérieure à la mienne – je n'ose pas dire Dieu – qui m'a conduit à Blaincourt ; car, enfin, pourquoi y suis-je venu ? Je n'avais rien, absolument rien à y faire. La providence a ses vues ; elle m'a désigné pour remplir la mission que je sollicitais tout à l'heure.

— Et que vous aurez, car vous en êtes digne.

— Alors vous croyez...

— Je crois, et le juge de paix pense comme moi, qu'on ne découvrira rien.

— Je le crois également.

— Le vif intérêt que vous portiez à la jeune femme inconnue s'est donc immédiatement, après sa mort, reporté sur son enfant ?

— Oui, aussitôt. Je ne puis me rendre compte de ce qui se passe en moi depuis ce matin ; je vous l'ai dit, tout ce que je ressens, tout ce que j'éprouve est étrange. Ainsi, quand j'ai appris la naissance de l'enfant, j'ai tressailli de joie dans tout mon être, puis un peu plus tard, quand ce mot : « elle est morte ! » a retenti à mes oreilles, je fus frappé comme d'un coup de massue et je sentis quelque chose qui se déchirait en moi. Certes, je ne suis pas halluciné et je n'ai perdu aucune de mes facultés morales ; eh bien, le croiriez-vous, il m'a semblé que c'était ma fille que je venais de perdre, et que mon devoir, maintenant, était de consacrer le reste de mes jours à son enfant, de devenir son protecteur, de lui rendre en affection, en caresses, en dévouement, ce que la mort venait de lui enlever.

— J'arriverai à croire comme vous, mon cher capitaine, qu'il faut voir dans ceci et dans votre présence à Blaincourt une manifestation de la volonté divine. Est-ce que vous partez ce soir ?

— Non, car il est un peu tard ; mais je pense quitter Blaincourt demain matin de bonne heure. Je vais me mettre en quête de quelqu'un, ici ou à Verzé-ville, pour me conduire à Mareille.

— Ne cherchez pas ; d'ailleurs vous trouveriez difficilement. Je mets ma voiture et un de mes chevaux à votre disposition ; demain mon domestique vous conduira à Mareille.

— Pardon, mais je...

— Eh, capitaine, interrompit le maire, ce serait mal à vous de m'ôter le plaisir de vous obliger.

— Je n'ai plus rien à objecter.

— À la bonne heure. Maintenant que vous n'avez plus le souci de vous pro-curer une voiture, avez-vous autre chose à faire ce soir ?

— Absolument rien.

— En ce cas, je vous emmène souper chez moi. Je vous présenterai à ma femme à qui j'ai parlé de vous tantôt, et elle et mes enfants seront enchantés de faire votre connaissance.

Et le maire entraîna l'ancien dragon, qui se laissa emmener.

IX

Huit jours se sont écoulés depuis les faits que nous venons de raconter.

Il y avait eu enquête sur enquête ; mais, malgré toute la peine qu'ils s'étaient donnée, les représentants de la justice, n'avaient rien pu savoir. Chaque fois qu'on avait cru tenir un fil conducteur, il s'était rompu brusquement.

Le procureur impérial et un juge d'instruction s'étaient transportés à Blaincourt. Jules Cornefer, de retour de son voyage, avait comparu devant eux ; on ne le soupçonnait pas d'être complice du crime ; mais on espérait qu'il pourrait fournir de précieux renseignements.

Certes, le jeune homme n'était pas content de jouer ainsi, à son insu, un rôle dans cette ténébreuse affaire, et, même devant le ministère public, il ne s'était pas gêné pour laisser voir son indignation et sa colère.

– Évidemment, avait-il répondu, les deux scélérats, me connaissent ou tout au moins mon nom puisqu'ils s'en sont servis. Mais qui sont-ils ? Je connais des milliers de personnes dans l'arrondissement. J'ai beau chercher, me creuser la tête, je ne trouve pas.

Jules Cornefer n'avait pas eu de peine à prouver que, dans la nuit du crime, il était à Remiremont, à l'hôtel de l'Écu, où il descendait habituellement.

Toutefois, le procureur impérial et le juge d'instruction lui avaient fait subir un assez long interrogatoire.

Avant de quitter Blaincourt, ces messieurs avaient vu la victime, puis la jeune femme et l'enfant, deux autres victimes, par contre coup, des deux misérables, qui paraissaient devoir échapper à la justice.

Cependant les brigades de gendarmes étaient lancées dans toutes les directions ; on rencontrait des gendarmes partout, dans les villages, les hameaux, les bois, sur toutes les routes, sur tous les chemins. Ils arrêtèrent bien quelques vagabonds ; mais point les deux individus dont le courrier de Verzéville avait donné le signalement.

Blaireau et Princet avaient su prendre leurs précautions ; ils étaient rentrés à Paris tranquillement, sans avoir été inquiétés.

Le lendemain de la visite des magistrats du parquet à Blaincourt, avait eu lieu le double enterrement. Le maire, assisté du juge de paix et du docteur Cornevin, conduisait le deuil. Tous les habitants de la commune et plusieurs centaines de personnes accourues des villages voisins suivirent les deux cercueils jusqu'au cimetière. Là, devant les deux fosses creusées à côté l'une de l'autre, le maire prononça quelques paroles émues, qui impressionnèrent vivement l'assistance.

Il parla de l'enfant, de l'innocente petite créature que le malheur avait frappée coup sur coup, avant et à l'heure de sa naissance.

— Mais la providence veille sur les pauvres petits orphelins ! s'écria-t-il. L'enfant ne sera pas sans famille, l'orpheline n'est pas abandonnée ; elle ne sera pas privée de tendresse et d'affection ; elle a déjà retrouvé un père et une mère !... Et vous, pauvres victimes de la méchanceté des hommes, que vos âmes soient consolées !

Sur le registre des décès de la commune, on avait écrit deux actes ; les nom et prénoms avaient été remplacés par ces mots : inconnu, inconnue.

# # # # #

Un matin, entre dix et onze heures, une voiture de maître s'arrêta devant l'hôtel du Havre, à Paris. Un homme bien vêtu, à la dernière mode, mit pied à terre. C'était Blaireau. Pour la circonstance, il avait cru devoir orner la boutonnière de sa redingote du ruban rouge de la Légion d'honneur.

Il entra hardiment dans la loge du concierge.

— Je désire parler au maître de l'hôtel, dit-il à ce dernier.

L'homme sortit de sa loge, et, montrant une porte :

— Le patron est là, dans son bureau, répondit-il ; vous pouvez entrer.

Blaireau alla à la porte indiquée, tourna le bouton et pénétra dans le bureau. Le propriétaire de l'hôtel quitta aussitôt son travail et se leva pour saluer le visiteur qui, à en juger par sa mise, sa tenue et sa décoration, devait être un homme considérable.

Blaireau s'aperçut avec satisfaction qu'il avait produit tout l'effet qu'il désirait.

— Monsieur, dit-il, c'est ici, chez vous, que sont descendus, il y a trois semaines environ, deux voyageurs venant d'Angleterre, M. Charles Chevry et sa femme.

— Parfaitement, monsieur.

— M. Charles Chevry est mon ami.

— Vous venez sans doute pour le voir ? Mais lui et sa dame sont absents : ils ne sont pas à Paris ; je suis même un peu étonné qu'ils ne soient pas déjà de retour. En partant M. Chevry m'a dit qu'il reviendrait dans trois ou quatre jours, et, si je ne me trompe, c'est aujourd'hui le dixième jour.

— Oui, je sais cela. En effet, mon ami a quitté Paris, pensant y revenir au bout de quelques jours, puisqu'il n'a emporté qu'un peu de linge dans une petite valise de voyage ; mais, par suite d'une cause tout à fait imprévue, il a été obligé de changer ses dispositions ; Charles Chevry est retourné en Angleterre.

— Ah !

— Et des mois se passeront avant que j'aie le plaisir de le revoir à Paris.

— Je vous avoue, monsieur, que je suis surpris, très surpris.

— Comme je l'ai été moi-même. Que voulez-vous ? cela arrive souvent dans la vie. On n'est jamais sûr la veille de ce qu'on fera le lendemain. L'imprévu, la chose inattendue est toujours là pour mettre obstacle à nos désirs. Enfin, monsieur, je viens vous trouver de la part de M. Charles Chevry pour vous payer, d'abord, ce qu'il vous doit et vous prier ensuite de me remettre les objets divers qu'il a laissés à l'hôtel et qu'il me charge de lui expédier à Londres.

Le maître de l'hôtel regarda fixement Blaireau, ayant l'air embarrassé. Avait-il un soupçon ? Peut-être.

— Monsieur veut-il avoir l'obligeance de me dire son nom ?

— Certainement, répondit Blaireau avec aplomb ; je me nomme Théophile Lemoine. Du reste, voici ma carte, ajouta-t-il en tirant un carnet de sa poche où il prit un carré de papier qu'il remit au maître d'hôtel.

Celui-ci lut :

THÉOPHILE LEMOINE
Ingénieur des mines
92, rue Saint Dominique-Saint Germain

Il parut soulagé. Pourtant il tournait la carte entre ses doigts, regardant de nouveau le soi-disant ingénieur des mines d'une façon singulière.

Blaireau devina qu'il avait sur les lèvres une question qu'il hésitait à adresser.

Mais Blaireau n'était pas un fourbe ordinaire ; il ne s'embarquait jamais dans une aventure sans avoir pris dix précautions au lieu d'une ; ayant tout prévu, même le cas où le maître de l'hôtel demanderait à faire lui-même l'expédition des objets à Charles Chevry, il était prêt à répondre à tout.

— Maintenant, reprit-il, je dois vous dire que mon ami m'a écrit...

— Ah ! vous avez une lettre de M. Chevry ? dit l'autre vivement.

— Que j'ai reçue ce matin même ; c'est dans cette lettre qu'il me prie de venir vous trouver. Mais voyons, voyons donc, continua-t-il, ayant l'air de chercher dans ses poches, je dois pourtant l'avoir sur moi. Ah ! la voilà ; je ne me rappelais pas l'avoir mise dans la poche de mon pantalon. Voyez, monsieur, voyez.

Il y avait sur l'enveloppe le timbre d'affranchissement rose oblitéré, représentant la reine Victoria, puis le timbre de la poste au milieu duquel ressortait, en grosses lettres carrées, le mot : London. Enfin la lettre était bien adressée à M. Théophile Lemoine, ingénieur des mines, 92, rue Saint Dominique.

Le propriétaire de l'hôtel ne pouvait plus avoir le moindre doute. Assurément, il croyait à la parfaite honorabilité de M. Théophile Lemoine ; mais gardien fidèle des choses qui lui avaient été confiées, il ne trouvait pas inutile de prendre certaines précautions afin de mettre à couvert sa responsabilité.

La lettre au bas de laquelle on lisait cette signature : Charles Chevry, était datée de Londres, 17 novembre.

Avait-elle été réellement expédiée de Londres ou écrite à Paris et glissée dans une enveloppe venant de la capitale des Îles Britanniques ? Nous ne saurions le dire. Mais Blaireau avait des correspondants à Londres comme dans les

72/599

autres villes principales de l'Europe. D'ailleurs, quand il voulait quelque chose, le misérable savait tourner ou passer par dessus toutes les difficultés.

Le maître de l'hôtel lut la lettre lentement, sans se presser. Heureusement pour Blaireau, il ne connaissait pas l'écriture de Charles Chervy.

— C'est singulier, fit-il.

Blaireau, malgré son audace, ne put s'empêcher de tressaillir.

— Et quoi donc ? interrogea-t-il.

— M. Charles Chervy ne vous dit point, dans sa lettre, qu'au moment de partir il m'a remis la clef de sûreté du secrétaire où il a serré ses papiers qui ont, paraît-il, une très grande importance.

Ignorant le fait, Blaireau n'avait point pu prévoir que cette observation lui serait faite. Cependant il ne se troubla point.

— Mon ami aura oublié de me parler de cela, répondit-il avec un calme qui n'appartenait qu'à lui, ou plutôt il n'a pas jugé nécessaire de me faire connaître ce détail, puisque c'est à vous-même qu'il me dit de m'adresser.

— C'est juste, monsieur. Maintenant, si vous le voulez, nous allons monter dans l'appartement.

— Que je vous solde d'abord votre note.

— Soit.

Le propriétaire de l'hôtel s'assit devant son bureau, ouvrit un livre, prit une feuille de papier à en-tête imprimé, aligna un certain nombre de chiffres, fit l'addition et présenta la note, qui se montait à deux cent soixante francs.

Blaireau mit sur le bureau quatorze pièces de vingt francs, en disant d'un ton superbe :

— Un louis pour le garçon.

Il plia la note et la mit dans sa poche.

Le maître prit la clef du secrétaire dans un tiroir de son bureau, appela un de ses garçons et on monta dans le logement de Charles Chevry, qui se composait de deux chambres et d'un cabinet.

— L'appartement n'a pas été ouvert depuis le départ de M. Chevry, dit le propriétaire, tout ce qui appartient à monsieur et à madame est là, tel qu'ils l'ont laissé.

— Je n'en doute nullement, répondit Blaireau.

Dans la première chambre il y avait une malle de cuir de grande dimension, bourrée de linge et d'effets d'habillement. Dans la seconde, où se trouvait le secrétaire, deux sacs de voyage étaient placés sur une table. L'un était rempli de menus objets de toilette, l'autre était vide. Celui-ci avait évidemment contenu les papiers serrés dans le secrétaire.

Le maître de l'hôtel ouvrit le meuble ; aussitôt les yeux de Blaireau étincelèrent.

Les papiers étaient réunis en deux rouleaux, soigneusement enveloppés dans des feuilles de parchemin. Ils devaient être, en effet, très importants, très précieux, puisque Blaireau était là uniquement pour s'en emparer.

Sur une autre tablette du meuble se trouvaient plusieurs écrins renfermant des bijoux de prix : bracelets, broches, boucles d'oreilles, bagues, et enfin une superbe parure de diamants et rubis.

Sous les yeux de son maître et de Blaireau, le garçon de l'hôtel mit le tout, papiers et écrins, dans le sac de voyage.

— Si vous le désirez, monsieur, dit alors le propriétaire, je ferai porter cela à votre domicile.

— Oh ! je ne veux pas vous donner cette peine ; j'ai une voiture à votre porte ; la malle tiendra aisément à côté du cocher, et je prendrai avec moi les deux sacs de voyage.

— J'aurais pu aussi faire l'envoi moi-même à M. Charles Chevry.

— Sans aucun doute, répliqua Blaireau, toujours avec son calme imperturbable ; j'avais pensé d'abord à vous prier de vous charger de ce soin ; mais j'ai trouvé, pour faire parvenir tout cela à mon ami, un moyen plus sûr que par le chemin de fer et les messageries.

Le maître de l'hôtel s'inclina. Il n'avait plus rien à dire.

Le garçon, aidé du patron, mit la malle sur ses épaules et descendit suivi de près par Blaireau, qui avait pris les deux sacs de voyage.

Au bas de l'escalier le propriétaire se ravisa, et il pria Blaireau de vouloir bien le suivre dans son bureau.

— Est-ce que nous avons oublié quelque chose ? demanda le maître coquin, en appelant sur ses lèvres son plus gracieux sourire.

— Oui, monsieur, une toute petite formalité.

— Ah ! de quoi s'agit-il ?

— De me donner une décharge, c'est-à-dire un reçu des objets que je viens de vous remettre.

— Mais c'est trop juste, monsieur, c'est trop juste.

Et s'asseyant devant le bureau :

— Dictez-moi, je vous prie.

Et sous la dictée du propriétaire il écrivit et signa hardiment : Théophile Lemoine, ingénieur des mines.

Un instant après la voiture de Blaireau filait à grande vitesse.

Le tour était joué.

— Maintenant, se disait le misérable en serrant contre lui le sac de voyage renfermant les papiers et les bijoux, la police peut chercher tant qu'elle voudra dans les Vosges, à Paris, au diable, si le cœur lui en dit, elle ne trouvera rien. Les morts sont muets... Quant à l'enfant... ce n'est pas l'enfant qui parlera.

Tout à coup, chose étrange, comme s'il eût encore une conscience, ce misérable souillé de crimes crut entendre une voix mystérieuse qui lui criait :

— Les morts auront un vengeur !

PREMIÈRE PARTIE

L'ENFANT DU MALHEUR

I

L'AMOUR TIMIDE

On était à la fin de juin. La matinée était belle. Le gai soleil répandait sa lumière chaude, éblouissante, traversait de ses rayons le papillotement des feuillages verts, piquait de paillettes lumineuses la verdure de l'herbe et des plantes perlées encore de la rosée abondante de la nuit.

C'était le moment de la fenaison. La brise éparpillait dans l'air tiède les senteurs odorantes de l'herbe et des fleurs fanées. De tous les côtés, dans la prairie, les faux luisaient, reflétant et renvoyant au loin les rayons de soleil.

Devant les faucheurs, l'herbe droite et drue, émaillée de toutes les fleurs du pré ; derrière eux s'alignaient les andins serrés, épais. Des femmes et des jeunes filles, en jupons courts, laissant voir les bas rayés collés sur les mollets, portant la camisole légère, large, flottant sur les hanches, à peine serrée par la jupe, et coiffées de chapeaux de paille, à larges bords, flexibles, ornés d'un ruban rose ou vert, ou bleu, commençaient à apparaître avec les fourches et les râteaux.

Tout ce monde était joyeux et semblait en fête. Un bruit de chansons se mêlait à celui des pierres à aiguiser mordant le tranchant des faux.

Sous un berceau, où la vigne vierge, la clématite, le chèvrefeuille et le jasmin entrelaçaient leurs rameaux grimpants, une jeune fille assise, dans une pose gracieuse, la tête inclinée sur l'épaule, travaillait à un ouvrage de tapisserie.

Le berceau avait été placé au fond du jardin ; un carré de terre de mille mètres environ, clos d'une charmille touffue, taillée avec un soin minutieux. Son entrée faisait face à l'habitation, une maison petite, mais blanche, coquette, égayée par ses volets verts et les rideaux blancs à grandes fleurs enguirlandées, qui tombaient derrière les vitres des hautes fenêtres. Et puis elle était entourée de massifs épais de lauriers, de végélias, de troènes à grappes, au-dessus desquels s'élevaient des lilas, mêlant leurs feuilles vertes à celles des érables, des fusains et des cornouillers panachés.

Entre la maison et le mur bordant la rue, on avait laissé un espace de quelques mètres carrés. Au milieu, on avait creusé un petit bassin, dont l'eau était constamment renouvelée, grâce à un jet qui la lançait à plus de trois mètres de hauteur. Quatre corbeilles de fleurs agrémentaient ce parterre et le devant de l'habitation. Des espaliers à palmettes cachaient la nudité d'un mur de clôture dans lequel s'ouvrait une porte peinte en vert, entre deux pilastres, sur l'entablement desquels étaient posés deux vases de fonte, forme Médicis.

Sous le berceau, du côté opposé à son entrée, on avait ménagé une ouverture carrée afin d'avoir vue sur la rivière, qui traçait ses méandres à deux cents mètres de distance, et au delà sur les escarpements de la montagne aux crêtes boisées, qui, faisant le fond du tableau, comme une toile de décors, bornaient complètement l'horizon.

De temps à autre, s'arrêtant dans son travail, la jeune fille levait les yeux. Alors son regard courait rapide sur les larges plates-bandes garnies de fleurs en plein épanouissement.

Rêveuse, une nuance de tristesse répandue sur son visage, elle paraissait s'oublier à suivre le vol capricieux des insectes, à écouter les bourdonnements, les susurrements et les bruits d'ailes, comme s'il y avait dans tout cela une voix mystérieuse parlant à son âme ou répondant à sa pensée.

Cette jeune fille était bien la plus gracieuse, la plus adorable créature qu'on pût voir. Elle n'avait pas encore seize ans. Elle était petite plutôt que grande et sa taille mince et élancée avait la souplesse et la flexibilité d'un jonc ; mais si elle conservait encore l'apparence d'un enfant, sa poitrine développée, le galbe de ses belles épaules, toutes ses formes délicatement arrondies révélaient la femme faite.

Sa tête charmante, qui avait des mouvements d'une grâce incomparable, était ornée d'une magnifique chevelure d'un beau noir luisant avec des reflets bleuâtres. Ses longues nattes enroulées en torsades attachées avec goût, encadraient superbement sa ravissante figure d'un dessin très pur, aux traits fins et délicats, faisant ressortir le charme étrange de sa beauté idéale. De longs cils soyeux, voile tombant sous les paupières, adoucissaient l'éclat de ses grands yeux noirs, éteignaient la flamme brûlante du regard, regard qui, tout en étant doux et caressant, avait quelque chose de ferme, de fier et de superbe qui indiquait que cette enfant si gracieuse, si suave, si mignonne, ne manquait ni d'énergie ni de volonté.

Il y avait en elle beaucoup de la créole. On pouvait, à son teint, la prendre pour une Vénitienne ; mais si elle avait les yeux d'une Mauresque, son regard était celui d'une Espagnole.

Elle avait les oreilles petites, finement attachées, le front haut, les arcs des sourcils bien marqués, le nez joli, les joues rondes, grassouillettes, encore un peu poupines. Sa bouche était petite et ses lèvres, bien bordées, d'un rose vif, entre le rouge et le rose. Ses dents, d'un émail immaculé, d'une blancheur de lait, fines, admirablement rangées, avaient la transparence des belles perles d'Orient.

Ses mains ni grasses ni maigres, aux doigts effilés, aux ongles roses, étaient élégantes et ses petits pieds faisaient penser à ceux de mademoiselle Cendrillon.

Ajoutez à cela une voix douce, au timbre mélodieux, de la bonté, une grande sensibilité, beaucoup de modestie, un air réservé, digne, peut-être un peu grave pour son âge.

Un pli au coin de ses lèvres, les inflexions de sa voix, le ton de sa parole et certains gonflements des narines accusaient, de même que l'éclair de son regard, une volonté, un caractère, une nature énergique, ardente et passionnée.

Son humeur toujours égale était mise au diapason de sa bonté ; cependant elle avait le rire difficile, comme si elle eût porté dans son cœur un deuil éternel. Mais de même qu'elle n'était jamais d'une grande gaieté, on ne la voyait jamais prise par une grande tristesse.

Souvent, recueillie, sa pensée, empruntant les ailes du rêve, s'envolait vers des lointains ténébreux. Allait-elle, alors, évoquer des souvenirs dans les limbes du passé ? Ou bien s'élançait-elle à travers les brumes de l'avenir afin de tâcher de surprendre quelques-uns de ses secrets ?

Soudain, elle eut un léger tressaillement et son front se couvrit d'une teinte de pourpre qui, en même temps, estompa ses joues.

Un jeune homme venait de se montrer au bout de l'allée, à l'entrée du jardin.

Comme l'indiquaient son costume, son teint hâlé et ses mains larges, brunies par le soleil, c'était un paysan, un humble travailleur des champs ; mais ce paysan était un grand garçon de vingt et un ans, bien découplé, plein de santé et solide comme s'il eût été taillé dans le granit, en somme un beau garçon.

Dès l'abord, sa figure expressive, bien ouverte, son regard intelligent et franc inspiraient la sympathie.

Il y avait en lui une certaine distinction qui contrastait avec son vêtement rustique ; mais celui-ci douait l'homme de quelque chose de poétique qui donnait à sa mâle beauté un cachet tout particulier.

La jeune fille avait ramené ses yeux, sur sa broderie et s'était vite remise à travailler. Elle voulait avoir l'air d'être surprise. Une petite ruse féminine. Mais lui ne s'y serait pas trompé s'il avait eu le regard assez hardi pour remarquer la rougeur de son front.

Il avançait lentement, avec hésitation, comme, un homme qui craint d'être mal accueilli. Enfin il arriva devant le berceau.

— Bonjour, mademoiselle Jeanne, dit-il d'une voix qui trahissait son émotion.

Elle eut un petit cri d'oiseau effarouché.

— Ah ! c'est vous, Jacques, fit-elle ; bonjour mon ami.

Elle se rangea un peu pour lui faire une place à côté d'elle sur le banc.

Mais comme s'il n'eût pas compris, il restait immobile, embarrassé, à l'entrée du berceau.

— Jacques, reprit-elle en le regardant et avec un doux sourire, je vous ai fait une place sur le banc, venez donc la prendre.

Il obéit. Il était devenu rouge comme un coquelicot.

— Ainsi, dit-il, vous n'êtes pas mécontente que je sois venu jusqu'ici ?

— Pourquoi serais-je mécontente, Jacques ?

— Je ne sais, balbutia-t-il, j'avais peur de vous contrarier ; mais vous êtes si bonne ! Je vois bien, maintenant, que vous ne m'en voulez pas.

Elle cessa de travailler et leva ses grands beaux yeux sur lui.

— Jacques, est-ce que je vous ai quelquefois mal reçu ? demanda-t-elle.

— Non, jamais.

— Eh bien, alors ?

— Oui, vous avez raison, je suis ridicule et je mériterais... Pourquoi suis-je ainsi ? Je ne peux pas me l'expliquer. J'ai beau me raisonner, me gronder, me dire que je suis stupide, rien n'y fait. Quand je vous vois, même de loin, j'éprouve une émotion... Si je m'approche de vous, si je vous parle, je me mets à trembler. Il me semble que je fais mal, que ce que je vais vous dire va vous offenser.

Jeanne baissa les yeux et rougit de nouveau.

— Je ne comprends pas cela, répliqua-t-elle d'une voix un peu troublée. Vous oubliez donc, Jacques, que vous êtes le filleul de mon père, mon ami, un peu mon frère ?

— Oh ! non, je ne l'oublie pas, sans cela je ne viendrais pas ici.

— Pourquoi ?

— Je n'oserais pas.

— Voyons, Jacques, est-ce que je vous fais peur ?

— Ce n'est pas ça. Ah ! tenez, c'est drôle, c'est bête d'être ainsi ! Et c'est seulement près de vous, car je ne suis pas de même avec les autres. Comment vous expliquer !... C'est une crainte qui est en moi, qu'il m'est impossible de surmonter, la crainte de vous déplaire. Oh ! vous déplaire, moi ! Je préférerais la mort. Et pourtant mon respect et tout ce qu'il y a pour vous dans mon cœur me disent que je ne peux rien faire et rien dire qui puisse vous être désagréable. Est-ce que j'ai une mauvaise pensée, est-ce que les paroles qui viennent sur mes lèvres ne sont pas inspirées par mon cœur et mon âme ? Ah ! mademoiselle Jeanne, si j'osais vous exprimer tout ce que j'éprouve, tout ce que je ressens...

» Mais non, continua Jacques, je ne peux pas, ma crainte est là, toujours là pour m'arrêter : après tout elle est ma sauvegarde, car je vous le dis, mademoiselle Jeanne, et vous pouvez me croire, si vous aviez pour moi un regard de dédain et de colère ou seulement une parole sévère, je verrais immédiatement s'enfuir loin de moi tout ce qui fait le bonheur de l'existence, tout ce qui en est la beauté : je ne pourrais plus vivre, je voudrais mourir.

— Jacques, répondit-elle sans lever les yeux, rassurez-vous, je n'aurai jamais pour vous un regard de dédain ou une parole sévère. J'ai l'âme reconnaissante et je me souviens du temps qui, d'ailleurs, n'est pas bien loin de nous, où vous étiez mon petit protecteur. Oui, Jacques, je pense souvent aux jours de notre enfance.

» Nous avons été élevés l'un près de l'autre, pour ainsi dire ensemble : nous avons grandi : mais j'étais encore toute petite que déjà vous étiez grand, presque un homme. C'est alors que j'ai commencé à sentir votre protection, la douceur et tout ce qu'il y a de bon dans une affection sincère, dévouée. Vous souvenez-vous, Jacques ? Quand au retour de la promenade je me trouvais fatiguée, vous me portiez dans vos bras pour reposer mes petites jambes ; quand j'avais un petit chagrin, une petite peine, effrayé, vous accouriez vers moi ; vous essuyiez mes larmes et vous me consoliez.

— Puis vos bras mignons serrés autour de mon cou, vous m'embrassiez.

— Mon affection d'enfant répondait à la vôtre.

— Mais vous avez grandi.

— C'est vrai ; mais je n'ai pas changé.

— Oh ! que si.

— Comment cela ?

— Vous êtes devenue la plus gracieuse, la plus belle et la meilleure de toutes les jeunes filles. Mon parrain vous avait mise au pensionnat, on vous instruisait, vous appreniez vite et bien. Chaque année, vous étiez toujours la première et vous reveniez les bras chargés de couronnes. Moi, je ne vous disais rien ; mais, allez, j'étais bien heureux. Enfin, vous avez quitté tout à fait le pensionnat, il y a six mois, et quand vous êtes revenue...

— Jacques, mon ami d'enfance, ne m'a plus appelée Jeanne tout court, mais mademoiselle Jeanne.

— C'est que vous n'étiez plus la même.

Elle secoua la tête en souriant.

— Ce n'est pas moi, Jacques, mais vous qui ayez changé.

Il la regarda tout ahuri.

— Moi, moi ! balbutia-t-il.

— Voyons, pourquoi, depuis mon retour, ne m'appelez-vous pas simplement Jeanne comme autrefois ?

— C'est un reproche que vous me faites ?

– Oui.

– Eh bien, je craignais...

– Je sais, je sais, interrompit-elle avec un accent doucement railleur, la crainte qui est là, toujours là, qui vous fait trembler quand vous vous approchez de moi, qui retient les paroles sur vos lèvres.

Puis changeant de ton :

– Jacques, reprit-elle, vous ne devriez pas manquer ainsi de courage. Il y a des choses qu'on peut dire à une jeune fille sans l'offenser, sans lui déplaire, sans rien ôter du respect qu'on a pour elle. Jacques, je sais ce que vous valez et quel cœur est le vôtre ; je sais aussi d'où vient votre timidité, votre crainte, et pourquoi les paroles que vous voudriez prononcer expirent sur vos lèvres. Est-ce que je n'ai pas un peu deviné ce qu'il y a dans votre cœur, dans votre pensée ?

– Oh ! Jeanne, Jeanne ! exclama-t-il.

– Parlez, Jacques, parlez.

– Quoi ! vous me permettez, vous m'autorisez... Mais non, la crainte me revient, je... je ne peux pas.

Le pauvre timide tremblait comme un enfant peureux ; il avait le front couvert de sueur et de grosses larmes roulaient dans ses yeux.

La jeune fille l'enveloppa de son regard.

– Pourtant, Jacques, dit-elle de sa plus douce voix, ce n'est pas à moi à dire, la première, que sans nous en douter, notre affection réciproque s'est changée peu à peu en un autre sentiment. Conséquence de notre intimité d'autrefois, cela devait être...

– Jeanne, Jeanne, mais vous m'aimez donc ?

– Je vous ai toujours aimé, répondit-elle simplement, le front irradié.

– Et moi, Jeanne, c'est parce que je vous aime plus que tout au monde, parce que je vous adore, que vous êtes pour moi une divinité, que je n'osais plus vous parler, que j'osais à peine vous regarder !

— Et maintenant, vous osez.

— La crainte a disparu ; votre doux regard fait passer en moi je ne sais quelle force nouvelle. Ah ! je ne suis plus le même ! Tout est lumière, tout rayonne ; il me semble que ce jardin est un coin du paradis, il me semble que le monde, l'univers m'appartient. Jeanne, je vous aime ! je vous aime !

Son émotion était trop forte : il se mit à sangloter.

Elle aussi pleurait silencieusement ; de belles larmes, précieuses comme des perles fines, coulaient sur ses joues.

Il s'était agenouillé devant elle, il avait pris ses mains, il les couvrait de baisers, il embrassait ses genoux.

— Elle m'aime, elle m'aime, je suis aimé ! disait-il dans une sorte de délire ; pour moi un pareil bonheur... Je serai digne de vous, ma Jeanne adorée ; vous verrez, vous verrez, pour vous rien ne me coûtera. C'est votre bonheur qu'il me faut. Mon cœur, mon âme, ma vie tout vous appartient ! Mon Dieu, mais ferai-je assez pour vous ? pourrai-je jamais vous prouver toute la force, toute la grandeur de mon amour ?

— Pourquoi pas ? répondit derrière eux une voix inconnue.

Les deux amoureux se levèrent brusquement, elle, effrayée, lui, un éclair dans le regard. Un homme, un vieillard couvert de haillons, venait de se dresser derrière la haie, encadrant sa figure ridée, son crâne chauve et sa longue barbe blanche inculte dans l'ouverture du berceau.

— Pourquoi êtes-vous là ? l'apostropha Jacques d'un ton courroucé.

— Par hasard, mon jeune ami, répondit le vieillard ; j'avais les jambes lasses et les pieds meurtris, car mes vieux souliers sont troués en plusieurs endroits ; pour me reposer j'ai choisi cette place où l'herbe est haute et je m'y suis étendu à l'ombre de la haie.

— Pour nous écouter !

— Non, certes, car j'étais là bien avant que la demoiselle vînt s'asseoir sur ce banc.

— Soit, mais vous avez entendu.

– Ma foi, oui, mon garçon, et j'ai même trouvé votre petite conversation très intéressante. Allons, allons, faut pas en vouloir au pauvre vieux s'il a encore de bonnes oreilles et de bons yeux pour voir que vous êtes un beau garçon et la demoiselle une jolie fille, il ne lui reste absolument que ça, maintenant que les jambes ne vont plus. D'ailleurs, qu'est-ce que ça fait que j'aie entendu ? Ce n'est pas moi, le père La Bique, le pauvre vieux mendiant de Blaincourt, qui voudrais faire du mal à la demoiselle. Lui faire du mal, moi, à cette chère petite ! Ah ! mais non, au contraire. Roucoulez à votre aise, mes gentils tourtereaux, et soyez tranquilles, le père La Bique n'est pas un bavard, il sait garder pour lui seul ce qu'il voit et ce qu'il entend. Allons donc, est-ce qu'on a besoin de raconter à d'autres ce qui ne les regarde point ? À revoir, mes enfants, à revoir.

– Attendez, monsieur, dit Jeanne.

– Oh ! comme tout le monde vous pouvez m'appeler père La Bique.

La jeune fille s'était approchée de la charmille.

– Je ne suis pas riche, dit-elle, d'un ton gracieux et avec un sourire qui étaient à eux seuls une aumône ; mais, tenez, voici pour vous acheter une paire de souliers.

Et, allongeant le bras au dessus de la haie, elle tendit au vieux une pièce de cinq francs.

Celui-ci prit la pièce d'argent et retint un instant la main sur laquelle il appuya ses lèvres.

– Merci bien, mademoiselle, dit-il, en la saluant de la tête ; que le bon Dieu vous le rende en joie et en bonheur.

Il mit son chapeau sur sa tête, jeta sa besace sur ses épaules et s'éloigna clopin-clopant, en s'appuyant sur son bâton d'érable...

– Bonne et belle, murmura-t-il ; plus belle encore que sa mère !

II

L'ANCIEN DRAGON

– Jacques, connaissez-vous ce pauvre homme ? demanda la jeune fille.

– Oui, Jeanne, je le connais ; je l'ai vu plusieurs fois déjà. Il vient à Mareille deux ou trois fois chaque année. On dit qu'il n'a pas toujours été pauvre, que c'était autrefois un riche cultivateur. Le malheur est venu, et maintenant, devenu vieux, ne pouvant plus travailler, il est obligé de mendier.

– C'est bien triste.

– Oui, Jeanne, bien triste. Il serait à souhaiter qu'il y eût partout en France des hospices pour recueillir les vieillards qui, comme le père La Bique, n'ont personne autre que des étrangers pour leur venir en aide.

– Est-ce que ce singulier nom, La Bique, est son véritable nom ?

– C'est un sobriquet.

– Pourquoi le lui a-t-on donné ?

– Je l'ignore, Jeanne. Le pauvre vieux vous intéresse ?

– Beaucoup, Jacques ; ce qu'il nous a dit m'a impressionnée ; à un moment, avez-vous remarqué comme il était ému, et puis la façon dont il me regardait ?

– En effet, Jeanne, il ne vous quittait pas des yeux.

– On aurait cru qu'il avait quelque chose à me dire.

– Quelle idée !

– Je me trompe sans doute. Et il est de Blaincourt, Jacques ?

– Oui, Jeanne, de Blaincourt.

La jeune fille laissa échapper un soupir et sa tête s'inclina sur sa poitrine.

— Jeanne, reprit le jeune homme au bout d'un instant, vous pensez à votre mère.

— Oui, Jacques, je pense à ma mère qui, elle aussi, demeurait à Blaincourt et que je n'ai pas connue, puisqu'elle est morte en me mettant au monde. C'est souvent, bien souvent, que je pense à elle. Comme je l'aurais aimée, comme je l'aimerais si je l'avais encore ?

» Je ne sais rien de ma mère, Jacques, rien, pas même son nom. Quand je questionne mon père au sujet de celle qui n'est plus, il me répond d'une manière évasive ou bien embarrassé, troublé, il me prend dans ses bras, me presse contre son cœur et me ferme la bouche avec ses baisers ; et toujours, toujours il devient triste et je vois des larmes dans ses yeux. On ne me dit pas tout : Jacques, je sens, je devine qu'on me cache quelque chose. Mais qu'a donc fait ma mère pour qu'on redoute de me parler d'elle ?

» Le vieux mendiant l'a connue... quand je le reverrai, je l'interrogerai. Mais je veux éloigner ma pensée des choses qui l'assombrissent. Jacques, c'est pour voir mon père que vous êtes venu ce matin ?

— Oui, Jeanne. Je suis entré dans la maison, j'ai appelé ; personne ne me répondant, j'ai pensé que vous étiez tous deux au jardin ; je vous ai vue seule, Jeanne, et ne voulant pas m'en aller sans vous dire bonjour, je suis venu jusqu'ici. Ah ! je ne savais pas quelle joie infinie m'y attendait.

— Mon père est allé faire, avec Fidèle, une petite promenade au bord de la rivière, mais il ne tardera pas à rentrer.

Le jeune homme s'attrista subitement.

— Vous me rappelez à la réalité, Jeanne, dit-il. Vous savez que pour entrer au dixième régiment de dragons où mon parrain a commandé un escadron, j'ai dû demander à devancer l'appel. Et bien, j'ai reçu hier soir ma feuille de route. Je suis venu pour le dire au capitaine et lui faire en même temps, ainsi qu'à vous, Jeanne, mes adieux.

La jeune fille avait pâli.

— Quand donc partez-vous ? demanda-t-elle d'une voix altérée.

— Demain.

Elle eut une sorte de tressaillement nerveux ; mais par un effort de volonté elle maîtrisa son émotion.

— C'est un peu précipité, dit-elle : mais il le faut, le devoir passe avant tout. Vous êtes soldat, Jacques, vous appartenez à la patrie ; vous avez un noble cœur, vous êtes digne de la servir. Si un jour la France était attaquée, vous compteriez parmi ses plus braves défenseurs. Partez, Jacques, ajouta-t-elle en lui tendant la main, partez, Jeanne vous attendra.

— Merci, Jeanne, ma Jeanne adorée, merci ! Ah ! maintenant, je ne quitterai pas Mareille en désespéré. Les horizons sont vastes et beaux et l'avenir est à moi, à nous, Jeanne, à nous ! C'est long, sept ans, mais qu'importe ; les années s'écouleront vite, car je verrai briller l'étoile du bonheur qui m'attend au retour !

— Et puis vous vous direz : Jeanne pense à moi, Jeanne ne serait pas contente si je me laissais aller à l'ennui, au découragement.

À ce moment, le jappement joyeux d'un chien se fit entendre.

— C'est la voix de Fidèle, dit Jeanne, voici mon père.

— Jeanne, j'ai une nouvelle crainte.

— Laquelle ?

— Si le capitaine me défendait de penser à vous ?

— Rassurez-vous, répondit-elle avec un doux sourire, mon père sait depuis longtemps que vous m'aimez et que je vous aime.

La haute stature de Jacques Vaillant apparut au bout du jardin.

Près de seize ans écoulés ne l'avaient point changé ; il ne paraissait pas qu'il eût vieilli. Il conservait la force, la santé, sa belle prestance, et se tenait toujours droit comme un i. Seulement quelques cheveux blancs de plus et sa moustache militaire plus grisonnante.

Les jeunes gens sortirent vivement du berceau pour aller à sa rencontre ; mais en chemin, il fallut répondre, d'abord, aux caresses de Fidèle qui, par ses gambades, ses bonds, ses petits cris, sa queue frétillante, témoignait à sa manière la joie qu'il éprouvait de revoir sa jeune maîtresse, et Jacques, l'ami de la maison.

Fidèle tenait de l'épagneul par son poil ; il n'était pas de forte taille, mais il était courageux, vaillant. Métissé de Pyrame et de Barbet, il avait la gentillesse, la vivacité, les allures du premier, l'intelligence, la bonté, le dévouement de l'autre ; sous tous les rapports il méritait de porter le nom de Fidèle.

— Ah ! c'est toi, Jacques, dit le capitaine, tendant au jeune homme sa main largement ouverte ; vraiment, c'est une surprise pour moi de te voir ici, tenant, en mon absence, compagnie à ma Jeanne.

La jeune fille s'approcha, présenta son front et reçut le baiser du vieux soldat.

— Cher père, dit-elle, Jacques est venu ce matin parce qu'il a une communication importante à vous faire, ne vous trouvant pas, il n'a pas voulu se retirer sans me dire bonjour.

— S'il eût fait autrement il aurait manqué à son devoir. Bonjour, c'est bien ; est-ce tout ce qu'il t'a dit ?

— Non, mon père, Jacques m'a dit aussi qu'il m'aimait.

— Comment, il a osé ?

— Il a osé, mon père.

— Et que lui as-tu répondu ?

— Que je l'aimais aussi.

— Tout comme cela, sans façon ? À la bonne heure, voilà ce qu'on peut appeler une redoute enlevée à la baïonnette. Ah ! ah ! mon gaillard, continua gaiement Jacques Vaillant, c'est ainsi que tu caches ton jeu... Voyez-vous ça, pendant que je me promène tranquillement, regardant couler l'eau et nager le poisson, Jacques Grandin, mon coquin de filleul, s'en vient ici, en tapinois, faire des siennes ! Fidèle, qu'est-ce que tu dis de cela, toi ?

— Ouah, ouah, ouah !

Et pour montrer qu'il approuvait la chose, Fidèle se mit à sauter de nouveau, cherchant successivement à toucher du bout de son museau ou avec sa langue la figure de Jeanne et celle de Jacques.

— Jacques, reprit le capitaine, tu déjeunes avec nous ?

— Certainement, répondit Jeanne, je mettrai son couvert. Je vous quitte, car Gertrude doit être arrivée.

— Va, ma fille, va donner les ordres à la femme de ménage.

Jeanne marcha rapidement vers la maison. Fidèle la suivit.

— Maintenant, Jacques, à nous deux. Allons nous asseoir sur un banc, et nous causerons en attendant le déjeuner.

Ils allèrent se placer à l'ombre d'un sumac.

— Voyons, qu'as-tu à me dire ? demanda Jacques Vaillant.

— J'ai reçu ma feuille de route.

— Bien.

— Et je pars demain.

— Ce soir, j'écrirai deux lettres que je te remettrai, pour te recommander au colonel et au major, que je connais ; je puis même dire que le major est un de mes meilleurs amis. Si tu te conduis bien, Jacques, comme j'en suis certain d'avance, tu reviendras avec un grade.

» Ainsi, il a fallu ton départ pour te délier la langue.

— Si Jeanne ne m'avait pas aidé... beaucoup, je n'aurais pas osé lui dire...

— Cela prouve, mon garçon, que tu l'aimes réellement, comme elle mérite d'être aimée. Quand j'ai découvert, il y a déjà quelque temps de cela, quelle était la nature de tes sentiments pour Jeanne, je fus d'abord effrayé, je l'avoue ; car Jeanne pouvait ne pas t'aimer, et dans ce cas tu te préparais une grande douleur. Je me dis que si tu n'avais rien à espérer, il était encore temps de te guérir, en t'enlevant d'un seul coup tout espoir. Pour savoir à quoi m'en tenir, j'interrogeai adroitement Jeanne. Elle comprit que je cherchais à voir dans son cœur. Alors, avec cette franchise nette que nous lui connaissons et qui est une de ses belles qualités, elle me dit : « Jacques m'aime, je le sais ; il ne me l'a pas dit encore ; mais à sa manière d'être vis-à-vis de moi, je l'ai compris comme vous l'avez compris vous-même. En ce moment, dans l'intérêt de votre filleul, dans le mien, vous voulez savoir si Jacques me plaît, s'il m'est agréable d'être aimée de lui. Eh bien, je vous réponds : oui, Jacques me plaît, il m'est agréable d'être aimée de lui, et le jour où il me fera l'aveu de son amour, heureuse, je mettrai ma main dans la sienne. »

» C'était clair, cela, n'est-ce pas ? Comme tu vois, elle n'y allait pas par quatre chemins. J'éprouvai une grande satisfaction ; j'étais rassuré, plus d'inquiétude ; je n'avais plus qu'une chose à faire : laisser aller les choses. Et si c'est aujourd'hui seulement que vous avez échangé vos premières paroles d'amour, ce n'est pas ma faute, c'est la tienne.

— Mon bonheur n'en est pas moins grand.

— Sans doute. Mais demain arrivera : séparation, éloignement. Il y aura ici des larmes versées ; mais je suis là, je la consolerai. D'ailleurs, Jeanne est forte, courageuse ; il y a dans sa petite tête une volonté ferme, virile, qui manque à beaucoup d'hommes. Le temps passe vite, les sept années s'écouleront ; tu auras acquis l'expérience, tu te seras fait. Jeanne, de son côté, sera devenue tout à fait femme. À ton retour je vous marierai, car je compte bien être encore de ce monde.

— Je l'espère bien aussi, parrain. D'ailleurs, ajouta-t-il en souriant, vous n'avez pas le droit de mourir.

— C'est vrai, mon garçon ; pour Jeanne, pour toi, pour certaines choses qui me restent à faire, il faut que je vive encore. Malheureusement, Jacques, nul n'est entièrement maître de sa destinée ; je puis m'en aller tout d'un coup, sans m'y attendre, sans avoir entendu la mort crier : « gare ! » Si cela arrivait, le fiancé de Jeanne, son futur mari, deviendrait immédiatement son protecteur.

» À ce sujet, Jacques, et comme on ne sait pas ce qui peut arriver, j'ai quelque chose à te dire.

— Parlez, capitaine ; vos paroles seront respectueusement écoutées.

— Comme tu le sais, Jacques, depuis bientôt cinq ans, immédiatement après la mort de ta marraine, ma bonne et brave Catherine, Jeanne est devenue tout à fait ma fille par un acte d'adoption. Par cet acte, je lui ai transmis mon nom et elle se nomme Jeanne Honorine Vaillant.

» Jeanne sait qu'elle est née à Blaincourt et que sa mère est morte en lui donnant le jour ; mais elle ne sait que cela ; je lui ai toujours caché la vérité.

— Elle s'en plaignait tout à l'heure, en me parlant de sa mère.

— Oh ! il y a longtemps qu'elle a compris qu'un mystère entoure sa naissance. Que de fois elle m'a interrogé à ce sujet ! Mais j'ai toujours cru que je faisais bien de garder le silence, et je suis resté inébranlable dans ma résolution. Tu verras tout à l'heure si j'ai eu tort ou raison de ne point lui dire dans quelles circonstances et à la suite de quel événement elle est venue au monde. À toi, Jacques, je ne cacherai rien, parce qu'il est nécessaire que tu saches tout.

» Il n'y a pas bien loin de Mareille à Blaincourt ; eh bien, je me suis arrangé de telle façon, j'ai su prendre de telles précautions que les gens d'ici n'en savent pas davantage que Jeanne. Aussi n'ai-je pas à redouter qu'une langue indiscrète ou malveillante vienne troubler la tranquillité de mon enfant.

» Ah ! dame, on bavarda et on en dit de toutes les couleurs, quand, un beau jour, on me vit revenir à Mareille, portant la petite Jeanne dans mes bras. Elle était déjà grandelette, elle jasait comme une nichée de chardonnerets et courait comme un petit lièvre.

» On chercha, on se mit l'esprit à la torture pour deviner, on plaida le faux pour savoir le vrai ; mais les curieux en furent pour leurs frais. On alla jusqu'à raconter que Jeanne était l'enfant d'une pauvre fille, que je l'avais eue, autrefois, étant soldat, d'une femme quelconque que j'avais abandonnée. Je laissai dire. Dans tous les pays il y a des mauvaises langues.

» Maintenant, Jacques, écoute.

Et l'ancien dragon raconta ce qui s'était passé à Blaincourt dans la journée du 8 novembre 1854.

Quand il eut achevé son récit, il regarda fixement le jeune homme, qui l'avait écouté en frémissant, et avec la plus grande attention.

— Eh bien, Jacques, devais-je dire cela à Jeanne ?

— Oh ! non, répondit vivement le jeune homme, car c'eût été détruire toutes les joies de sa jeunesse.

— Je le savais, et c'est pour cela que j'ai gardé le silence. Jacques, je suis heureux de ton approbation. Oui, le plus longtemps possible, si ce n'est toujours, Jeanne doit ignorer que son père, victime d'une lâche vengeance, a été frappé par des assassins, et que la vue du cadavre de son mari a tué sa mère.

– A-t-on mis la main sur les meurtriers, est-on parvenu à savoir le nom de la victime ? demanda Jacques.

– Les magistrats ont fait ce qu'ils ont pu, la police a cherché partout. Rien. Tout est resté enseveli dans l'ombre du mystère.

– Pauvre Jeanne !

– Jeanne n'a rien à regretter, puisqu'elle ne sait rien ; elle n'avait pas de nom, elle était sans famille ; je lui ai donné une famille et un nom.

– Et, capitaine, vous l'avez aimée, vous l'aimez autant, plus peut-être que si elle était véritablement votre fille.

– Je l'avais promis, Jacques, mais il y avait dans le cœur de Catherine et dans le mien quelque chose qui valait mieux que la promesse.

» Je laissai Jeanne pendant deux ans et huit mois chez sa nourrice. J'avais mon idée. Le tragique événement avait eu un grand retentissement dans la contrée et l'on parlait partout de la pauvre jeune femme qui était morte un instant après avoir mis son enfant au monde. Je crus donc devoir attendre que tout cela fût un peu oublié. J'avais eu une bonne inspiration, puisque quand j'amenai la petite à Mareille, personne ne se douta que c'était l'orpheline de Blaincourt.

» Comme je te l'ai dit, elle était déjà grande et forte, et gentille comme un chérubin ; enfin elle a donné et au delà tout ce qu'elle promettait en grâce, en beauté, en intelligence, en qualités du cœur.

» Tu sais ce que la défunte et moi avons été pour elle ; rien ne lui a manqué, ni les soins, ni l'affection, ni les caresses, ni le dévouement ; elle était notre idole. Comme on le dit à Mareille, nous avons été réellement ses père et mère. Tout cela, Jacques, elle nous l'a rendu par sa reconnaissance, son attachement, sa tendresse filiale, par les mille satisfactions, par toute les joies et tout le bonheur qu'elle nous a donnés.

» L'adoption complète est venue à son temps et Jeanne est bien ma fille, ma fille adorée. Naturellement, elle sera mon héritière ; mais je lui laisserai peu de chose, quand je voudrais pouvoir lui donner une fortune.

– On peut être parfaitement heureux sans la richesse, capitaine ; je ne suis pas paresseux et j'ai de bons bras ; je travaillerai pour Jeanne.

— Je sais bien qu'avec toi, mon garçon, ma fille ne manquera jamais de rien. Je continue : Ce jardin, la maison et son mobilier, la pièce de terre à côté, et avec cela cinq ou six mille francs, voilà toute ce que je possède. Mon épargne est modeste, comme tu vois ; c'est tout ce que j'ai pu mettre de côté, et pas facilement, je t'assure. Cependant ta marraine était économe et avait comme Jeanne, qui la remplace aujourd'hui, beaucoup d'ordre ; nous avons toujours vécu simplement, ne dépensant absolument que le strict nécessaire. Mais nous avons voulu que l'enfant eût toutes les petites choses qui font le bonheur de l'enfance, et puis, plus tard, nous l'avons fait instruire. Cela nous a coûté. En dehors de l'instruction ordinaire qu'on donne aux jeunes filles, elle a appris la musique, le dessein, à peindre. Cela n'était peut-être pas bien utile ; mais que veux-tu, mon garçon, on a ses faiblesses !

» Autre chose maintenant : Je t'ai dit qu'on avait trouvé dans le portefeuille du noyé et dans la valise des voyageurs une somme de dix-huit cent quatre-vingt-douze francs. Cette somme, qui appartenait à l'enfant, m'a été remise par le maire de Blaincourt. J'avais le droit de m'en servir pour combler le déficit de mon petit budget, occasionné par un surcroît de dépense ; je ne l'ai pas fait. Cet argent était à Jeanne, à elle seule, je n'ai eu garde d'y toucher. Mais tu dois penser que je ne l'ai pas bêtement enfermé dans une tirelire où caché dans l'armoire entre deux draps, comme le font les bonnes vieilles femmes ; je l'ai placé, le mieux que j'ai pu. Plusieurs circonstances favorables se sont présentées et j'ai eu la chance d'en profiter, en faisant quelques opérations de bourse qui ont réussi au delà de mes souhaits. Successivement le petit capital a augmenté ; aujourd'hui il s'élève à douze mille francs.

— Douze mille francs ! exclama Jacques, mais c'est une fortune !

— Non, répliqua le capitaine, mais ils peuvent en être la base.

— Jeanne est riche et moi je n'ai rien ! Ah ! j'ignorais cela, capitaine ; si j'avais su...

— Eh bien ?

— Je n'aurais pas osé...

— Allons, allons, fit le vieux soldat en lui tapant sur l'épaule, fais-moi le plaisir de ne pas dire des bêtises.

» Enfin Jeanne a douze mille francs, c'est sa dot. Quand tu reviendras, j'espère bien que la somme se sera encore arrondie. Alors, avec ce que je mettrai au bout, tu pourras acheter une petite ferme ou prendre la direction d'une im-

94/599

portante exploitation agricole. Il y a beaucoup à faire en agriculture ; je t'ai entendu raisonner sur ce sujet et je partage tes opinions. Tes idées sont larges : il y a en toi l'étoffe d'un réformateur. Que tu sois en situation d'agir, tu feras faire un grand pas en avant à l'agriculture, en la faisant sortir progressivement des ornières de la routine. Pour secouer la torpeur de nos cultivateurs, il faut des exemples frappants : tu es, Jacques, de ceux qui peuvent les donner.

» Les théories sont belles, mais la pratique vaut mieux. Pour que tu puisses mettre plus tôt tes idées en pratique, j'aurais pu te soustraire au service militaire, en te donnant la somme fixée par le ministre de la guerre pour le remplacement.

– Je n'aurais pas accepté, capitaine.

– Je le sais. Enfin, je ne t'ai pas fait cette proposition. Pourquoi ? D'abord, tu es encore un peu jeune pour diriger une exploitation dans les conditions que tu la veux. Jeanne, de son côté, n'a pas encore seize ans ; on ne marie pas un enfant. Si tu as tes idées sur l'agriculture, j'ai les miennes sur le service militaire, qui est une dette sacrée que tout Français valide et qui n'est pas l'unique soutien de parents infirmes ou de frères et sœurs orphelins, doit à la patrie. Je n'admets pas, non je ne puis admettre que cette dette sacrée, qui est personnelle, on puisse la payer avec de l'argent.

» Servir son pays, c'est-à-dire être appelé à défendre le territoire et l'honneur du drapeau, doit être une obligation sans réserve, absolue. Je sais bien qu'enlever un fils à sa famille pendant sept ans, c'est dur. Qu'on réduise le service militaire à cinq, à quatre et même à trois ans, j'applaudirai ; mais plus de privilège pour ceux-ci, plus de faveur pour ceux-là. Égalité pour tous. Le fils du millionnaire n'a pas le droit de se croiser les bras, de se dorloter dans le luxe de la maison de son père, pendant que les fils des paysans, et des ouvriers vont se faire tuer à la frontière. Le sang du pauvre est rouge comme le sang du riche, et souvent celui du premier vaut mieux que celui de l'autre.

» Voilà, mon garçon, ce que j'avais à te dire aujourd'hui ; à ton retour nous parlerons d'autres choses. Je n'ai pas besoin de te recommander la plus entière discrétion vis-à-vis de Jeanne.

– Soyez tranquille, capitaine, je garderai, enfermé là, ce que vous avez bien voulu me confier.

À ce moment la femme de ménage parut dans le jardin ; ayant Fidèle en avant-garde.

– Eh bien, Gertrude, qu'est-ce que c'est ? fit le capitaine ; tu viens nous annoncer que la table est mise ?

– Oui, monsieur, et que le déjeuner est prêt et que mademoiselle vous attend.

– S'il en est ainsi, Jacques, ne nous faisons pas plus longtemps attendre, allons déjeuner.

Deux heures après, le jeune homme sortait de la maison de Jacques Vaillant. La joie, le bonheur étincelaient dans son regard et il y avait sur son front comme un air de triomphe. Cela fit dire à des femmes qui le virent passer :

– Comme il est joyeux, Jacques Grandin ! On ne dirait guère qu'il est soldat et qu'il part demain. On croirait, vraiment, qu'il a déjà sur les épaules les épaulettes de capitaine de son parrain.

On savait déjà à Mareille que Jacques Grandin avait reçu la veille sa feuille de route.

Le jeune homme se dirigeait vers la demeure du fermier dont il était depuis deux ans le premier garçon de ferme.

Soudain, au tournant de la rue, il se trouva nez à nez avec le vieux mendiant de Blaincourt.

– Tiens, c'est vous, père La Bique ! fit-il.

– Oui, jeune homme, et, regardez, avec de bons souliers neufs aux pieds, grâce à la charité de la belle demoiselle. À propos, garçon, est ce vrai ce que j'ai entendu dire ?

– Qu'avez-vous entendu dire ?

– Que vous partez demain pour sept ans ?

– C'est vrai, père La Bique, je suis soldat et je pars demain.

– Ça n'a pas l'air de vous chagriner.

– À quoi cela me servirait-il de me faire de la peine ?

– À rien, bien sûr. Mais c'est égal, je ne comprends pas...

– Qu'est-ce que vous ne comprenez pas ?

– Votre conversation de ce matin avec la belle demoiselle. Je croyais que vous étiez à la veille du mariage, et c'est pas vrai. Ça me contrarie un peu, mon garçon.

– Vous ? Et pourquoi ?

– J'avais quelque chose à vous dire.

– À moi ?

– Oui.

– Dites tout de même.

– Non, quand vous reviendrez et que vous serez le mari de la demoiselle.

– Et si vous êtes mort ? répliqua Jacques en riant.

– Dans ce cas, mon garçon, j'emporterai le secret dans le trou qu'on creusera pour jeter mes vieux os.

– Ah ! il s'agit d'un secret ? fit Jacques devenu sérieux.

– Pardieu !

– Voyons, père La Bique, pourquoi ne pas me le confier dès maintenant ?

– Parce que ce n'est pas mon idée.

– Dites-moi toujours quelque chose.

– D'abord, jeune homme, que savez-vous de la demoiselle ? Le capitaine Vaillant vous a-t-il dit où il l'a trouvée ?

– Hier je ne savais rien encore ; mais ce matin le capitaine m'a appris comment Jeanne était devenue orpheline : le père jeté dans le Frou par des misérables, la mère mourant quelques heures plus tard en donnant le jour à Jeanne, et tous deux restés inconnus.

– Bon, je vois que le capitaine vous a raconté tout ce qu'il sait.

– Est-ce que vous en savez davantage, père La Bique ?

– Oui et non.

– Ce n'est pas répondre.

– Jeune homme, quand vous serez le mari de Jeanne, l'enfant du malheur, comme on l'appelait à Blaincourt, je vous donnerai certaines indications à l'aide desquelles vous parviendrez peut-être à savoir le nom de son père, à retrouver sa famille.

Jacques saisit le bras du mendiant.

– Mais c'est tout de suite qu'il faut me les donner, ces indications, dit-il d'une voix agitée.

Le vieux secoua la tête.

– Quand vous serez marié, fit-il.

– Mais, encore une fois, si vous êtes mort !...

– Tant pis !

– Puisque vous ne voulez rien me dire, à moi, il faut révéler votre secret au capitaine Vaillant.

– Non, ce n'est pas mon idée.

– Et si je vous forçais à parler ?

– Comment ?

– En vous faisant appeler devant les magistrats du parquet.

– Pas bon, le moyen. On voit bien, jeune homme, que vous ne connaissez pas le père La Bique ; il est entêté comme trente-six mulets ; les gendarmes avec leurs grands sabres, les magistrats à toques noires ou rouges avec leur finasserie ne lui feraient pas lâcher un mot de ce qu'il ne veut pas dire ; le couteau de la guillotine sur mon cou ne me ferait pas remuer la langue.

– Père La Bique, je vous prie, je vous supplie de parler !

98/599

– Quand vous reviendrez, jeune homme, quand vous reviendrez. Allons, courage, jeune soldat : bon voyage et bonne chance !

Et, tournant les talons, le vieux mendiant s'éloigna aussi vite que ses jambes pouvaient le lui permettre.

Jacques resta un instant immobile à la même place, puis secouant la tête :

– Il faut que je sois bien simple pour avoir ajouté foi un instant aux paroles de ce vieux bonhomme, murmura-t-il : il n'en sait pas plus que mon parrain. Est-ce que les magistrats et la police n'ont pas fait toutes les recherches ? Le père La Bique est un vieux malin : il a voulu s'amuser un instant à mes dépens, il s'est moqué de moi !

III

LE DÉPART DU CONSCRIT

Jacques Grandin partait, il était en route. Jacques Vaillant, Jeanne et cinq ou six camarades du jeune soldat lui faisaient la conduite. Une dizaine de gamins, qui avaient une grande amitié pour le jeune homme, s'étaient joints à ceux qui l'accompagnaient. En avant cabriolait Fidèle.

On n'était pas encore loin de Mareille ; mais on avait traversé la vallée, sur la rive droite du Frou, qui est, à Mareille, à deux lieues environ de l'endroit où il se jette dans la Saône.

Maintenant on grimpait la colline Sainte-Anne. Sur le plateau on devait se serrer une dernière fois la main et se dire adieu.

La route était belle avec sa double bordure de platanes, dont le feuillage vert, rempli de chants d'oiseaux, était encore égayé par les premiers rayons du soleil.

Cette route coupe le coteau, en adoucissant sa pente, et contourne la Bosse grise, une espèce de pic, formé d'un amas de roches énormes, planté de travers sur la croupe de la montagne et ressemblant assez, de loin, à la bosse d'un chameau.

La Bosse grise, hérissée de pointes, d'aiguilles, d'angles aigus, de saillies tranchantes, d'une infinité de dentelures bizarres, est couverte d'épaisses broussailles vierges, sous lesquelles se cachent d'effroyables fentes, gueules monstrueuses toujours béantes de précipices, de gouffres insondables. Peu accessible à l'homme, qui n'ose s'y aventurer, la Bosse grise est le domaine de l'aigle et des oiseaux nocturnes.

— Jacques, dit le capitaine Vaillant, en s'arrêtant, c'est ici que nous devons nous séparer ; t'accompagner plus loin serait t'obliger encore à ralentir ta marche ; or, tu n'as plus qu'une demi-heure pour arriver à Blignycourt où tu dois prendre la voiture à son passage.

— Et puis ce serait vous fatiguer inutilement, répondit le jeune homme.

Devant eux s'étendait le plateau large d'un kilomètre.

Jacques se retourna pour jeter une dernière fois les yeux dans la vallée et sur Mareille. Jusque là il avait conservé son humeur joyeuse, mais à la vue du vieux clocher, dont il s'éloignait pour longtemps, sa gaieté, un peu factice peut-être, l'abandonna subitement. Des larmes jaillirent de ses yeux.

Jeanne cachait les siennes dans son mouchoir et étouffait les sanglots qui montaient à sa gorge.

– Courage, mon garçon, courage ! dit Jacques Vaillant.

Et le vieillard, qui était prêt à pleurer aussi, lui serrait fortement les deux mains.

– Allons, Jeanne, embrasse-le, cela lui mettra de la force au cœur.

La jeune fille se jeta toute palpitante au cou de son fiancé, qui l'étreignit contre sa poitrine. Les deux cœurs battaient l'un contre l'autre, leurs larmes se mêlèrent. C'était le premier baiser d'amour. Ils ne se dirent pas une parole, il y avait là des jeunes gens qui ne devaient pas connaître leur secret : mais que de choses dans leurs regards ! Promesses, serments, espérances !...

– Dans dix-huit mois ou deux ans, disait Jacques Vaillant, quand tu seras tout à fait un soldat, un bon soldat, on t'accordera un congé, et tu viendras passer quelques jours à Mareille près de tes amis.

Ceux-ci l'entouraient et serraient ses mains. Puis ce fut le tour des gamins ; tous voulurent embrasser leur bon ami Jacques, et ils criaient :

– Nous aussi, Jacques, nous serons soldats un jour !

On allait se séparer, lorsque, tout à coup, un des enfants poussa un cri de terreur et se serra tout tremblant contre les jambes du capitaine Vaillant. Aussitôt, les autres se mirent à crier :

– Jean Loup ! Jean Loup !

Tous les yeux se dirigèrent du côté où la présence de celui à qui on donnait le nom de Jean Loup venait d'être signalée.

Un être bizarre, qui semblait sortir d'un des gouffres de la Bosse grise, et qu'on pouvait prendre, vu à une certaine distance, pour une bête fauve, courait à travers champs avec une rapidité extraordinaire. Ses pieds nus touchaient à peine le sol ; on aurait dit qu'il volait et qu'il avait, comme le dieu Mercure, des ailes aux talons.

Rien n'entravait sa course vertigineuse, ni les roches noires qui se dressaient devant lui, ni les trous de carrière qu'il franchissait d'un bond, ni aucun autre accident de terrain. Il sautait par-dessus les haies avec une agilité fantastique et passait à travers les plus épais buissons en bondissant comme une panthère. Il se dirigeait en droite ligne vers les personnes arrêtées sur la route.

Les enfants se hâtèrent de ramasser des cailloux comme s'ils allaient avoir à se défendre contre une attaque de Jean Loup.

– Laissez ces pierres et n'ayez aucune crainte, leur dit Jacques ; Jean Loup est un pauvre sauvage, mais il n'est pas méchant, il est bon, au contraire. Sachez aussi qu'il est mon ami, et que celui d'entre vous qui lui jetterait une pierre perdrait mon amitié.

Ces seules paroles suffirent pour calmer l'ardeur belliqueuse des gamins ; ils laissèrent tomber aussitôt les cailloux qu'ils venaient de ramasser. Toutefois, ils ne paraissaient point complètement rassurés. Jean Loup arrivait.

Comme Jacques venait de le dire, c'était un sauvage, un véritable sauvage ; on aurait pu croire facilement qu'il était venu d'une forêt vierge de l'Amérique ou d'une île océanienne. C'était un homme de haute taille, qui paraissait doué d'une force prodigieuse, à en juger par la souplesse de son torse superbe, par ses jambes et ses bras velus, nerveux, dont chaque mouvement tendait et faisait paraître les muscles sous l'épiderme. Il avait pour vêtement une sorte de casaque faite de deux peaux de loup, attachées par des cordelettes de racines d'acacia. Ses bras étaient entièrement nus, de même que ses jambes, jusqu'au-dessus de ses genoux. On aurait pu lui donner trente ans ; mais il ne devait pas avoir plus de vingt ou vingt-deux ans.

Sa figure, d'un dessin correct, que le rasoir ou les ciseaux n'avaient jamais touchée, avait un peu la couleur du cuivre rouge et s'encadrait dans une barbe noire, frisée, poussant clairs, en broussailles. Il avait le nez droit, ni long, ni court, la bouche un peu grande, avec de grosses lèvres, mais ornée de belles dents d'une blancheur d'ivoire. En somme, malgré ce qu'il y avait de farouche dans sa physionomie et d'indompté en lui, il était beau, beau comme devait l'être l'homme dans les temps primitifs et les temps barbares. Sa beauté, d'un caractère étrange, était, en un mot, une beauté de sauvage. Ses cheveux longs et plats, roussis par le soleil, n'avaient jamais été coupés, comme ceux de Samson le Nazaréen ; il ne devait les peigner qu'avec ses doigts armés d'ongles longs, solides et durs comme de la corne ; ils tombaient tout autour de sa tête, sur son dos et ses épaules. Retenus par rien, toujours libres de s'épandre à volonté, quand un coup de vent ou toute autre cause les amenait sur son visage, ce qui devait arriver souvent, par un brusque mouvement de la main il les rejetait en arrière.

Une seule chose chez lui contrastait d'une manière frappante avec tout l'ensemble de sa personne, c'était l'animation, la clarté et l'expression extraordinaire du regard. Il y avait toujours dans ses grands yeux étonnés, pleins de lumière, quelque chose de craintif et de farouche ; mais quand on le regardait attentivement pendant un instant et qu'on saisissait les jets de flamme qui traversaient son regard, on sentait que sous le front de cet être étrange, de ce malheureux vivant à l'état sauvage au milieu des bois et des roches désertes, il y avait la pensée, une intelligence ; on comprenait qu'il y avait dans sa poitrine un cœur d'homme et que ce cœur pouvait être accessible à tous les sentiments, à toutes les sensations humaines.

Jacques Grandin, se détachant du groupe, s'était avancé sur le bord de la route. Quand Jean Loup arriva près de lui, il lui tendit la main.

L'homme sauvage la prit dans les siennes et la garda un instant, en faisant entendre des sons rauques, étranglés, bizarres, qui semblaient indiquer son contentement.

Hélas ! c'est seulement par des cris ou des sons qui s'échappaient de sa poitrine, que Jean Loup pouvait manifester sa douleur et sa joie. Depuis qu'il osait un peu s'approcher des hommes, il avait compris que la langue est chez l'homme l'organe de la parole ; mais lui ne pouvait s'en servir. Il n'était pas muet, cependant. Il ne parlait point parce que, fuyant les hommes et vivant dans les bois avec les bêtes, il n'avait pas appris à parler.

Le malheureux était en cela plus sauvage que les anthropophages des contrées inconnues de l'Afrique ; ceux-là, au moins, ont un langage et se comprennent entre eux.

– Eh bien, mon pauvre Jean Loup, lui dit Jacques, je pars et tu seras longtemps avant de me revoir. En vérité, on dirait que tu savais cela, puisque tu es sorti de ton trou pour venir me souhaiter un bon voyage.

Jean Loup secoua la tête, faisant onduler ses cheveux sur ses épaules comme une crinière de lion.

Puis, comme s'il eût compris, son visage s'attrista subitement et on vit deux grosses larmes rouler dans ses yeux.

– C'est mon seul, mon unique ami que je perds, semblait-il dire.

De nouveau il saisit vivraient la main de Jacques et la pressa contre son cœur.

– Pauvre diable ! murmura le jeune soldat, son cœur bat à se briser.

Soudain, les yeux de Jean Loup étincelèrent. Tenant toujours la main de Jacques, il l'entraîna près de Jeanne dont il prit également la main. Il les regarda longuement, un sourire singulier sur les lèvres ; puis, lentement, il rapprocha leurs mains et les mit l'une dans l'autre.

– Oh ! fit Jacques, stupéfait de surprise.

Puis, par un mouvement spontané, il prit le sauvage dans ses bras.

– Tiens, Jean Loup, s'écria-t-il, il faut que je t'embrasse !

– C'est étrange, étrange ! murmurait Jacques Vaillant.

Les amis de Jacques Grandin se rapprochaient comme ayant l'intention d'envelopper Jean Loup et de s'emparer de lui.

Le sauvage eut probablement cette pensée, car il bondit en arrière et reprit aussitôt sa course à travers champs.

– Nous voulions lui serrer la main, dirent les jeunes gens.

– Oui, répondit Jacques ; mais il n'a pas compris, il a eu peur. Mes amis, ne faites jamais de mal au pauvre Jean Loup, et si un jour il avait besoin d'être protégé, défendu, soyez tous ses défenseurs.

Après avoir mis entre ceux qu'il venait de quitter et lui une certaine distance, Jean Loup s'était arrêté. Debout sur une roche, les poings sur ses hanches, immobile comme une statue de bronze sur son piédestal, et faisant face à la route, il regardait.

Il vit Jacques serrer les mains de ses camarades, caresser Fidèle, embrasser le capitaine Vaillant, puis Jeanne une fois, une fois encore et enfin s'éloigner rapidement.

Ceux qui restaient agitaient leurs chapeaux en l'air, derniers signes d'adieu. Jeanne envoyait des baisers du bout de ses doigts roses, et Jacques, qui se retournait à chaque instant, recevait les baisers de sa fiancée que lui apportait la brise.

Jean Loup trouva cela charmant, et il fit comme Jeanne, il envoya des baisers à son ami qui partait.

Tout à coup, tendant l'oreille, il dressa la tête comme un cheval de bataille au son de la trompette. Un bruit de sabots de chevaux se faisait entendre sur la route. Presque aussitôt, deux jeunes cavaliers, montant des chevaux de prix et qui venaient de la vallée, se montrèrent sur le plateau.

Jean Loup eut un frémissement dans tout son être ; ses traits se contractèrent horriblement, des éclairs sombres, terribles, sillonnèrent son regard, et il y eut dans sa gorge comme un grondement de tonnerre.

Les cavaliers, serrant la bride des chevaux impatients, qui auraient voulu prendre le galop, allaient au pas. En passant près des amis de Jacques Grandin, l'un d'eux, le plus jeune, un grand et beau garçon de vingt ans, enveloppa Jeanne d'un regard ardent chargé d'étincelles.

La jeune fille éprouva une sorte de malaise dont elle ne se rendit point compte.

Jacques Grandin venait de disparaître au croisement d'une seconde route.

De l'endroit éloigné où il se trouvait, Jean Loup n'avait pu rien voir ; cependant il prit une attitude menaçante et, ses yeux lançant des flammes, il montra ses deux poings au jeune cavalier.

Celui-ci comprit ; il répondit à la menace du sauvage, en faisant siffler sa cravache, ce qui devait avoir une signification, et par un grand éclat de rire ironique, qui arriva comme une flèche aux oreilles de Jean Loup.

Les chevaux partirent au galop.

— C'est le fils de Mme la baronne de Simaise, dit un des jeunes gens : il fait sa promenade du matin avec un de ses amis de Paris, sans doute.

— Il a un singulier regard, ce jeune homme, dit simplement Jacques Vaillant.

Il ne lui vint pas à la pensée que la beauté de Jeanne avait excité les appétits sensuels du jeune débauché.

— Allons, fit-il, nous n'avons plus rien à faire ici. Viens, ma fille, viens, ajouta-t-il, en s'adressant à Jeanne, qui s'obstinait à regarder au loin sur la route poudreuse, déserte maintenant.

Il lui offrit son bras et on reprit le chemin de Mareille, Fidèle marchant toujours en avant-garde.

Jean Loup resta encore un instant debout sur la pierre ; puis après avoir jeté rapidement son regard de tous les côtés, ayant le nez en l'air, comme s'il eût Interrogé la rose des vents, il se dirigea en courant vers les grandes roches et disparut derrière les épines, les ronces et les viornes centenaires, qui rendaient la Bosse grise inabordable du côté de la forêt.

Les deux cavaliers avaient rapidement traversé le plateau. Pour descendre l'autre versant de la montagne, les chevaux se remirent à marcher au pas et les cavaliers se rapprochèrent. Tous deux étaient beaux, bien faits, élégants, distingués. L'ami du fils de la baronne de Simaise était âgé de vingt-six ans ; il se nommait Jules Hastier et était le fils unique d'un opulent banquier de Paris. Ce jeune homme avait reçu une instruction et une éducation en rapport avec les millions qu'il devait posséder un jour. C'était un avantage qu'il avait sur Raoul de Simaise, dont l'éducation avait été fort négligée. Dès l'âge de seize ou dix-sept ans, ayant sous les yeux l'exemple de son père, un coureur d'aventures, Raoul était déjà un parfait mauvais sujet.

Vaniteux, fanfaron, égoïste, sceptique, sans dignité, plein d'un faux amour-propre, impertinent vis à vis de ceux qu'il croyait inférieurs à lui, lâche et rompant devant les autres, il avait tous les défauts et, dans son âme déjà corrompue, le germe de toutes les passions viles. Mais faux et hypocrite, il savait parfaitement dissimuler sa perversité précoce, même aux yeux de sa mère qui, séparée de son mari et vivant seule avec sa fille dans une retraite profonde, ne le voyait que deux ou trois fois chaque année, et seulement pendant quelques jours. Cependant, dans la physionomie de Raoul, qui était celle d'un cafard, dans son sourire pincé, nerveux et dans son regard hypocrite, fuyant, parfois cruel, il y avait quelque chose qui trahissait sa nature mauvaise, ses déplorables instincts.

— Quel est cet être bizarre, assez semblable à une bête, que nous avons vu, en passant, monté sur une roche ? demanda Jules Hastier.

— Oh ! un sauvage, un fou, répondit Raoul avec un mouvement nerveux des épaules.

– J'ai remarqué qu'il te menaçait ; ce sauvage, ce fou a quelque chose contre toi.

– Je crois, en effet, qu'il éprouverait du plaisir à m'étrangler.

– Ah ! et pourquoi cela ?

– Il a de la rancune comme un chien qu'on caresse à coups de trique ; il se souvient d'une correction que je lui ai administrée avec cette cravache que je tiens à la main.

– Comment, tu as eu le courage de frapper ce malheureux ?

– Parfaitement.

– Oh ! Raoul !

– Et, à l'occasion, je suis prêt à recommencer.

– Que t'avait-il fait ?

– Permets-moi de ne pas te répondre.

– En ce cas, je cesse de t'interroger.

– Tu as vu la jeune fille ?

– Oui.

– N'est-ce pas qu'elle est charmante !

– Adorable, c'est une merveille !

– Alors, tu comprends...

– Oui, je comprends l'enthousiasme avec lequel tu m'as parlé d'elle.

– Et pourquoi j'en veux faire ma maîtresse.

– Une folie ! Veux-tu que je te donne un bon conseil ?

– Voyons.

– Renonce à ton projet.

– Jamais !

– Tu ne réussiras point. Il m'a suffi du coup d'œil que j'ai jeté sur elle pour la juger. Cette jeune fille, Raoul, n'est pas une fleur des champs qu'on peut cueillir.

– Et pourtant elle sera à moi ; il faut, je veux qu'elle m'appartienne !

– C'est donc une véritable passion ?

– Oui, c'est une passion terrible qui a allumé dans tout mon être un feu qui me brûle, me dévore !

– Et tu ne lui as jamais parlé ?

– Je la vois, c'est assez.

Jules se mit à rire.

– Pourquoi ris-tu ?

– Parce que je t'en ai connu déjà plusieurs de ces passions terribles, dont le feu s'est éteint, tiens, comme cette allumette avec laquelle je voulais allumer mon cigare.

– C'est vrai ; mais cette fois, c'est sérieux.

– Heu !

– Eh bien, quoi ?

– Dans quatre jours nous retournons à Paris.

– Après ?

– Dans huit jours tu ne penseras plus à la belle Jeanne. Comme les précédentes, ta nouvelle passion aura duré ce que dure un feu de paille.

– Oui, murmura Raoul, je vais retourner à Paris ; mais je reviendrai !

IV

LE COUREUR DES BOIS

Un jour, cinq ans auparavant, un habitant de Mareille, revenant de Blignycourt, à travers les bois, rentra dans la commune essoufflé, effaré, couvert de sueur et de poussière, et agitant ses bras comme un insensé.

À le voir dans un pareil état d'agitation on pouvait supposer, en effet, qu'il venait d'être atteint d'aliénation mentale.

Des hommes, des femmes, des enfants sortirent des maisons et l'entourèrent.

– Ah ! si vous saviez, si vous saviez, si vous saviez ! répétait-il constamment.

À toutes les questions qu'on lui adressait, il continuait de répondre :

– Ah ! si vous saviez !

On alla lui chercher un grand verre de vin qu'il but d'un trait. Cela parut lui faire du bien. Peu à peu il se calma et, enfin, il put parler.

Il raconta que, en passant dans la forêt, il avait vu, courant à travers les taillis, un animal extraordinaire, ayant des jambes, des bras, une figure, des cheveux très longs, ressemblant enfin beaucoup à un homme.

Il ne pouvait en dire davantage. Il n'avait fait qu'entrevoir la bête, car aussitôt la peur l'avait pris et il s'était sauvé à toutes jambes.

Les auditeurs pensèrent tout d'abord qu'il avait eu peur de son ombre ou que, s'il avait réellement vu un animal quelconque, ce ne pouvait être qu'un cerf, une biche ou seulement un chevreuil. Cette opinion manifestée à haute voix, provoqua de grands éclats de rire. On se moquait du peureux, on le raillait.

De nouveau et avec plus de force il affirma que l'animal qu'il avait vu ne pouvait être un fauve des bois, puisqu'il courait debout, comme l'homme, avec deux jambes et non avec quatre.

109/599

Vrai ou non, le fait était suffisamment étrange pour donner lieu à des commentaires.

Le savant de l'endroit, un homme qui lisait beaucoup et qui avait quelques notions d'histoire naturelle, émit l'avis que l'animal en question devait être un singe, non un de ces petits singes qu'on voit quelquefois dans les villages, grotesquement habillé, dansant et faisant des grimaces au son d'un orgue de Barbarie, puis tendant sa calotte pour recevoir les pièces de monnaie des spectateurs, qu'il glisse ensuite dans la poche de son maître, en ayant l'air de compter ; mais un singe de la grande espèce, de ceux qui ressemblent le plus à l'homme par la forme et la taille, un orang ou un chimpanzé, les deux plus grands singes connus, et que Buffon a distingués en donnant au premier le nom de Pongo et au second celui de Jocko.

Tout cela était fort bien dit ; mais un orang ou un chimpanzé dans une forêt des Vosges ! Ce n'était pas admissible. Comment y serait-il venu ? Les orangs, les chimpanzés, comme tous les autres singes, d'ailleurs, ne vivent que dans les pays chauds. On rencontre les orangs dans les îles de Bornéo et de Sumatra et les chimpanzés dans les régions occidentales de l'Afrique, constamment brûlées par le soleil.

Non, on ne pouvait admettre la présence d'un singe dans la forêt. Cette fois, le savant de Mareille en était pour ses frais d'érudition : on ne voulut pas se soumettre à l'autorité de sa parole.

— Eh bien, si ce n'est pas un singe, dit alors une femme, je crois, moi, que c'est un homme, un homme sauvage.

On se remit à rire.

— Vous n'avez pas besoin de rire, reprit la femme, dont le visage était devenu écarlate, il y a des hommes sauvages, c'est connu.

— Et aussi des femmes sauvages.

— Oui, mais pas en France.

— Et pourtant, moi, j'en ai vu un, répliqua la femme ; j'en ai vu un, entendez-vous ?

— Où cela ?

— À la foire d'Épinal, il y a deux ans, dans une baraque de saltimbanques.

— Oh ! un sauvage pour rire.

— Je vous dis que c'était un vrai sauvage, et la preuve c'est qu'il avait de grands cheveux qui tombaient presque jusqu'au milieu de son dos, une figure et des regards qui faisaient peur, et qu'il a mangé devant tout le monde qui était là, un gros morceau de viande crue, et ensuite un petit oiseau qu'il avait à peine déplumé.

— Eh ! ma chère, répondit un homme qui voyageait souvent, on voit ce que vous venez de raconter un peu partout ; tour de saltimbanques, attrape-nigauds ; il faut allécher le public crédule, tendre un appât à sa curiosité.

» Ils sont sur les tréteaux, c'est le moment de la parade ; l'un souffle à pleins poumons dans un trombone, l'autre joue du piston ou de la clarinette, un troisième frappe à tour de bras sur une grosse caisse : boum, boum, boum... C'est un vacarme infernal. La foule s'amasse, se serre, se presse devant l'estrade. Celui qui applique des gifles sur la figure de Jocrisse fait un signe. Tout se tait. Le pitre a la parole :

» — Mesdames, messieurs, nous allons avoir l'honneur de vous présenter tout à l'heure un sujet rare, rare, que dis-je ? merveilleux, qu'on n'a jamais vu dans cette bonne ville, messieurs et dames ; c'est un homme sauvage, amené en France depuis un mois seulement. On va le voir, on va le voir !... Ce sauvage est aussi un anthropophage ; mais n'ayez aucune crainte, il ne vous mangera point. Il a été pris dans l'île inconnue de Caracaramirotarapa, découverte par le célèbre navigateur Robinson, qui a vu Vendredi dans une situation horrible, entre jeudi et samedi, pour avoir cru Zoé. On va le voir ! on va le voir ! Entrez, messieurs et dames, entrez. C'est quinze centimes, trois sous seulement pour les grandes personnes et deux sous pour les enfants. Entrez, entrez, entrez, on va le voir !... Allons, suivez, suivez... En avant la grosse caisse...

» Et le tapage recommence : Boum, boum, boum.

» La baraque se remplit. La farce est jouée.

» Et le fameux habitant de l'île de Caracaramirotarapa, qu'on exhibe aux yeux du public bénévole, est tout simplement un des saltimbanques plus ou moins vieux et plus ou moins laid, que ses camarades ont affublé d'oripeaux bizarres après lui avoir barbouillé la figure d'un affreux bariolage.

» C'est un sauvage dans ce goût-là que vous avez vu, il y a deux ans à Épinal.

La femme secoua la tête, ce qui indiquait qu'elle n'était nullement convaincue.

Bref, après avoir fait toutes les suppositions possibles, on finit par conclure que celui qui avait causé tout cet émoi n'avait rien vu du tout.

Mais, quelques jours après, une femme, qui était allée dans la forêt ramasser du bois mort, rapporta également qu'elle avait vu passer, à peu de distance d'elle, courant avec une rapidité extraordinaire, un être étrange qui, si ce n'était pas un grand singe, comme on l'avait dit, ne pouvait être autre qu'un homme sauvage.

On se moqua de la femme comme on s'était moqué de l'homme. Pour les uns, c'étaient des peureux, des hallucinés, des cerveaux creux dont l'imagination malade créait des fantômes ; d'autres voulaient croire à une mystification préparée d'avance.

Cependant d'autres personnes ne tardèrent pas à raconter la même chose. Ce fut d'abord une autre femme de Mareille, puis des charbonniers de la forêt et ensuite deux hommes, le père et le fils. Ceux-ci étaient ensemble lorsqu'ils avaient aperçu le coureur des bois à travers une clairière ; ils s'étaient même mis à le poursuivre, mais, beaucoup plus agile qu'eux, il n'avait pas tardé à disparaître dans la profondeur de la forêt.

On ne pouvait plus admettre que tant de personnes se fussent trompées, eussent mal vu. D'ailleurs ce qu'on racontait à Mareille on le disait aussi à Blignycourt, à Vaucourt, à Haréville, communes qui touchent à la forêt et dont quelques habitants avaient également rencontré le coureur des bois.

Orang-outan, chimpanzé ou homme sauvage, l'être existait donc. Les plus incrédules ne pouvaient plus douter.

Depuis le premier jour, l'émotion avait toujours été en augmentant. La bête de la forêt était le sujet de toutes les conversations, on ne s'occupait plus que d'elle. Ce que les uns avaient vu réellement fut considérablement exagéré par les autres. C'était une nouvelle bête du Gévaudan, ou un formidable géant, qui pouvait tordre ou briser un arbre dans ses grands bras nerveux, comme on tord et brise un roseau, ou encore un monstre hideux, féroce, ayant une large gueule, armée de dents longues et terribles comme des défenses de sanglier, et dont la tête énorme était couverte de crins pareils à ceux d'un cheval.

Tout cela augmentait l'agitation, effrayait, terrifiait. C'était comme une panique. Bien des gens, obligés d'aller travailler aux champs, n'osaient plus s'approcher de la lisière du bois. La nuit ils avaient d'affreux cauchemars ou il leur était impossible de dormir. Les mères tremblaient pour leurs enfants.

Les forts, les hardis, ceux qui se moquaient de l'épouvante des autres, allaient, plusieurs ou séparément, traquer les endroits sombres de la forêt. Eux aussi, ils voulaient voir, afin de se rendre compte par eux-mêmes de ce qu'il y avait de vrai dans les choses étranges qu'on racontait ; mais ils revenaient sans avoir pu seulement trouver une trace du passage du coureur des bois.

Sans aucun doute, ce n'était pas pour son plaisir que celui-ci se faisait voir de temps à autre ; il ne tenait nullement à satisfaire la curiosité des gens ; il était évident qu'il avait peur de l'homme, qu'il fuyait au moindre bruit de pas, qu'il se cachait, et que ceux qui avaient pu l'approcher d'assez près pour le voir, avaient été favorisés par le hasard.

Jacques Vaillant était à cette époque maire de Mareille. Il ne pouvait rester sourd à toutes les rumeurs et ne pas entendre tout ce qu'on disait. Son devoir était de ramener le calme parmi ses administrés, de rassurer la population. Il fallait pour cela donner à la commune une satisfaction qu'elle n'exigeait point, mais qu'elle semblait attendre.

Il fut décidé qu'une battue, dirigée par le maire, serait faite dans la forêt, qu'on forcerait le coureur des bois jusque dans son repaire et qu'on s'emparerait de lui, si la chose n'était pas impossible.

La partie de la forêt dont le coureur des bois semblait s'être emparé appartenant au territoire de Mareille, le maire de cette commune avait plus qu'un autre maire le droit de prendre l'initiative.

Jacques Vaillant désigna lui-même les trente hommes qui l'accompagneraient, armés de fusils, puis cinquante traqueurs.

Un dimanche matin la petite troupe sortit du village et, silencieusement, en bon ordre, marcha vers la forêt.

Là, Jacques Vaillant donna ses ordres, indiqua à chacun son poste, et recommanda de la façon la plus absolue qu'aucun coup de feu ne soit tiré sans son commandement.

— Car, ajouta-t-il, nous ne savons pas encore si nous sommes à la recherche d'une bête ou d'un homme. Si c'est une bête, il n'est pas encore prouvé qu'elle soit nuisible, puisque, jusqu'à présent, personne ne s'est plaint de ses méfaits. Mais si c'est un homme, un pauvre fou égaré, perdu dans nos montagnes, comme je suis, disposé à le croire, comprenez-moi bien, messieurs, lui faire seulement du mal serait un acte odieux ; le tuer serait un meurtre, pour ne pas dire un crime dont nous serions tous les complices. Ce malheur est possible, évitons-le.

Après ces paroles, chacun se rendit au poste qu'il devait occuper et les traqueurs pénétrèrent dans les fourrés.

À onze heures tout le monde se retrouva à l'endroit qui avait été indiqué comme rendez-vous.

On n'avait rien vu, si ce n'est quelques fauves et une famille de sangliers qu'on avait laissé passer, le maire ayant défendu de tirer, et la chasse, d'ailleurs, étant prohibée.

Le jeudi on recommença sans obtenir un meilleur résultat. Néanmoins, il fut convenu que le dimanche suivant on ferait une troisième tentative.

Cette fois des hommes de Vaucourt, d'Haréville, de Blignycourt et de plusieurs autres villages vinrent se joindre à ceux de Mareille. On était plus de trois cents. Jacques Vaillant renouvela devant tous ses précédentes recommandations et la chasse commença. Il pouvait être sept heures du matin.

Si ce troisième jour on ne réussissait pas mieux que les deux premiers, il fallait définitivement renoncer à capturer le coureur des bois. Après tout, savait-on s'il n'avait pas déjà quitté la contrée ?

Vers neuf heures, les cris de quelques traqueurs, venant de loin, annoncèrent une découverte. Mais était-ce le coureur des bois lui-même ou étaient-ils seulement sur sa trace ? N'importe, tous les cœurs se mirent à battre ; chacun tendit l'oreille, plongeant son regard dans les taillis.

Bientôt, se répétant sur différents points, les cris devinrent plus nombreux et continuèrent en se rapprochant. Il n'y avait plus à en douter, les traqueurs avaient fait sortir le coureur des bois d'un fourré ; ils le poursuivaient et cherchaient à l'envelopper, ainsi qu'ils en avaient reçu l'ordre, pour l'amener à peu près au centre du cercle immense formé par les chasseurs.

Ceux-ci avaient aussi leur mot d'ordre. Le signal étant donné, ils marchèrent vers le centre, rétrécissant le cercle au fur et à mesure qu'ils avançaient.

À dix heures et demie, le coureur des bois était cerné dans un espace de moins de quatre cents mètres carrés. On le voyait, avec sa longue chevelure flottante, passer en bondissant, puis disparaître sous bois, reparaître, s'élancer et bondir de nouveau. Le malheureux faisait des efforts désespérés pour franchir le cercle d'hommes qui se resserrait toujours.

À un moment on put croire qu'il allait s'échapper ; un homme de Vaucourt le mit en joue et fit feu ; il n'avait probablement pas entendu la défense faite par le maire de Mareille.

— Malheureux ! cria Jacques Vaillant de toute la force de ses poumons, vous ne voyez donc pas que c'est un homme ?

L'homme sauvage — on était certain, maintenant, que le coureur des bois appartenait à la race humaine — avait fait un bond énorme en arrière, puis s'était accroupi au pied d'un chêne. On crut un instant que la balle l'avait atteint et frappé mortellement. Mais, comme on s'élançait pour lui porter secours, il se dressa tout à coup, comme mû par un ressort, et jeta autour de lui des regards épouvantés.

Heureusement, il n'avait pas été touché ; mais le projectile était passé si près de sa tête, qu'il avait coupé une mèche de ses cheveux. Sans doute, le bruit de l'explosion et le sifflement de la balle à son oreille lui avaient fait peur, et il s'était abrité contre l'arbre pour éviter une atteinte mortelle. Mais il ne voulait pas se laisser prendre ; au péril de sa vie, il tenait à défendre sa liberté.

V

LA FEMME DU MAIRE

Comme la bête acculée, qui se dresse menaçante, faisant face aux chasseurs qui vont la mettre à mort, le sauvage ne voyait plus le danger ; tout à coup, il poussa un cri rauque, prit son élan et partit comme une flèche, espérant encore qu'il trouverait une issue, qu'il parviendrait à franchir la haie humaine qui l'entourait.

De nouveau des hommes se trouvèrent devant lui, barrant le passage. Il fit volte face et s'élança vers un autre point ; d'autres hommes l'arrêtèrent. Dix fois il recommença la même manœuvre sans plus de succès. Il se trouvait toujours face à face avec des hommes, ses ennemis ; il les voyait partout autour de lui, gardant toutes les issues. Impossible de s'échapper.

Alors, les yeux enflammés, le regard plein de sombres éclairs, faisant entendre par instants un grondement terrible, il se mit à tourner dans l'espace entouré, sautant, bondissant comme un lion furieux dans sa cage de fer. Mais il était facile de voir que ses forces s'épuisaient ; ses membres n'avaient plus la même souplesse, la même agilité ; de temps à autre il s'arrêtait pour reprendre haleine.

Il avait la poitrine haletante, le bruit de sa respiration ressemblait à un râlement, son cœur avait des battements violents, précipités, et la sueur coulait sur ses joues et sur tout son corps, comme si on lui eût jeté un baquet d'eau sur la tête.

Le malheureux était dans un état qui faisait peine à voir, et il eût été inhumain de laisser se prolonger plus longtemps cette lutte désespérée d'un seul homme contre trois cents.

Ému d'une profonde pitié, Jacques Vaillant le senti, car il s'empressa de donner l'ordre d'en finir au plus vite.

Alors le coureur des bois vit les hommes s'avancer sur lui, lentement, mais le serrant toujours de plus près. Éperdu, fou, il rassembla tout ce qui lui restait de force pour tenter une dernière fois de faire une trouée dans la muraille humaine. Il s'élança, rapide et terrible comme l'avalanche, sur une demi-douzaine d'hommes qui, à leur tour, se jetèrent sur lui.

Ce fut une mêlée furieuse, un flux et reflux de corps s'allongeant, se courbant, se redressant, de jambes tendues, de bras enlacés, de têtes roulant sur des torses ployés.

Cela dura deux minutes à peine. À la fin le sauvage resta seul debout ; il avait terrassé ses ennemis. Mais ceux-ci se relevèrent vite et trente autres, puis vingt, puis dix, puis d'autres encore vinrent se joindre à eux.

Au milieu le sauvage debout, immobile, dressant sa haute taille, le regard sillonné d'éclairs farouches, toujours menaçant. Mais ses bras velus pendaient inertes à ses côtés ; il était profondément découragé, car il comprenait que lutter plus longtemps contre la masse de ses ennemis était chose inutile. D'ailleurs il sentait dans ses membres une lassitude extrême ; il n'avait plus de force ; il renonçait à se défendre.

Contre la force pas de résistance. Il ne connaissait certainement pas ce proverbe ; mais cette vérité devait, à ce moment, pénétrer dans sa pensée.

Il était pris, et cependant nul n'osait mettre la main sur lui. Était-ce la peur qui arrêtait tous ces hommes ? Non. Ils étaient saisis d'admiration et ils contemplaient le sauvage avec ce respect que l'homme vraiment supérieur par l'intelligence ou la force physique impose toujours.

Et puis il y avait chez ce sauvage si jeune, si beau, dont l'attitude était celle d'un héros antique, quelque chose de fier, de digne et de superbe qui leur causait à tous une impression indéfinissable.

Il avait pour coiffure son épaisse et longue chevelure, qui couvrait entière-ment ses épaules. Son vêtement se composait d'une vareuse sans manches, qui laissait voir ses bras nus, musculeux, sa large poitrine velue comme les bras, et d'un reste de pantalon de velours, qui n'était plus en réalité qu'une espèce de large ceinture, qu'un sentiment instinctif de pudeur lui faisait conserver sans doute.

La vareuse et le pantalon usés et déchirés de toutes parts commençaient à s'en aller en lambeaux : ainsi avaient dû s'en aller peu à peu dans les buissons les manches de l'une et la partie inférieure de l'autre.

Sur ses jambes nues jusqu'au milieu des cuisses, le sang ruisselait, sortant d'écorchures qu'il s'était faites en passant à travers les buissons épineux.

Devenu craintif, il regardait devant lui, à droite et à gauche, avec un jeu rapide des prunelles qui indiquait son effroi ; sa terreur, l'anxiété qui tait en lui se reflétaient également pur son visage d'une mobilité extraordinaire.

Tout à coup, la flamme sombre de son regard s'éteignit, et il fut pris d'un tremblement nerveux qui secoua tout son corps. Sa physionomie avait, maintenant, une expression douloureuse. Enfin, de grosses larmes jaillirent de ses yeux et des sanglots s'échappèrent de sa poitrine.

– Oh ! oh ! firent plusieurs hommes.

En voyant pleurer ce malheureux, les cœurs les moins sensibles se sentaient émus. Il y avait, en effet, dans les larmes et les sanglots du sauvage quelque chose de navrant qui provoquait la compassion.

Jacques Vaillant s'approcha de lui et d'une voix douce, affectueuse, il l'interrogea.

Au son de cette voix, qu'il reconnut n'être ni dure, ni menaçante et qui frappait agréablement son oreille, comme les chants d'oiseaux qu'il aimait à écouter au fond du bois, le sauvage parut se rassurer. Il regarda le vieillard avec ses grands yeux humides et fixes, mais il ne répondit pas.

Jacques Vaillant renouvela sa première question.

Le sauvage ouvrit sa bouche et remua la langue, mais il ne put articuler un seul mot ; il fit entendre seulement quelques sons étranglés, qui sortirent difficilement de sa gorge.

– Inutile de le questionner davantage, dit Jacques Vaillant, le malheureux est muet ou il ne sait pas parler.

Il prit son bras et le passa sous le sien.

– Tu ne peux pas vivre ainsi dans les bois, comme une bête, avec les sangliers et les loups, lui dit-il ; viens, mon garçon, viens avec moi.

Le sauvage se remit à pleurer et à trembler ; mais résigné, en apparence, il se laissa emmener sans faire la moindre tentative de résistance.

Quelques hommes coururent en avant pour annoncer à Mareille le succès de l'expédition, pendant que d'autres partaient dans toutes les directions, voulant être les premiers à apprendre aux habitants des communes voisines la capture de l'homme sauvage.

Prévenue, la population de Mareille tout entière, jusqu'aux tout petits enfants dans les bras de leurs mères, se porta à la rencontre des chasseurs et de leur prisonnier. Et c'est escorté d'une foule grouillante qui criait, piaillait, battait des mains, manifestant sa joie et sa satisfaction de toutes les manières, que le coureur des bois fut conduit au domicile de Jacques Vaillant.

Jeanne était à Épinal depuis quelques mois, dans le pensionnat de demoiselles où son père adoptif l'avait placée.

La femme du maire, l'excellente Catherine, s'empara aussitôt du sauvage. C'était un hôte étrange que lui amenait son mari, mais il était son hôte ; à ce titre, il avait droit à tous ses égards. Elle n'était nullement effrayée de se trouver en présence de cet être singulier, terrible, qui avait été la terreur de toute la contrée, et qui la regardait aller et venir avec effarement. Et pourquoi l'aurait-elle été ? Il n'avait rien de redoutable ; au contraire, il faisait naître la pitié et attirait la sympathie, l'affection. Et puis ne voyait-elle pas qu'il était timide, craintif, et que malgré son aspect peu rassurant, il y avait dans ses grands yeux noirs de la douceur ? Sa physionomie n'avait-elle pas l'expression de la bonté ? Sans doute, il devait avoir faim, grand faim, car comment et de quoi pouvait-il vivre au milieu des épais fourrés de la forêt ?

Le déjeuner était prêt. Sur la table, couverte d'une nappe blanche, elle mit trois couverts ; ensuite elle prit la main du sauvage et le fit asseoir à la place qu'elle voulait qu'il occupât entre elle et son mari. Le prisonnier obéissait toujours passivement ; mais ses yeux étaient mornes et il y avait dans son regard une profonde tristesse.

Catherine lui servit successivement un morceau de veau froid, des légumes et une aile de poulet ; elle poussa la sollicitude jusqu'à couper la viande en petits morceaux, ainsi qu'on le fait pour les enfants ; mais vainement elle fit signe au sauvage de manger et de boire, l'encourageant, le rassurant, cherchant à l'apprivoiser par de douces paroles, il ne voulut toucher à rien. Ses yeux se tournaient continuellement vers la fenêtre ou la porte, et quand il les ramenait sur Jacques Vaillant et Catherine, leur expression douloureuse semblait leur dire :

« Pourquoi m'a-t-on amené ici ? Ah ! si vous ne me voulez pas de mal, si vous voulez être bons pour moi, rendez-moi ma liberté, laissez-moi retourner dans la forêt. »

Les mouvements de sa physionomie et son regard reflétaient si énergiquement sa pensée que le maire et sa femme le comprirent et se sentirent remués jusqu'au fond de l'âme.

— Pauvre garçon ! soupira Catherine.

À partir de ce moment, sans rien perdre de son activité, elle devint triste, songeuse.

Elle essaya encore de faire manger le sauvage, en lui portant un morceau de viande à la bouche. Peine inutile, il rejeta brusquement son buste en arrière. Elle lui présenta un verre de vin ; il le repoussa avec une sorte de dégoût.

Il était facile de voir qu'il y avait en lui la résolution désespérée de se laisser mourir d'inanition.

Le repas achevé, Catherine desservit la table ; elle n'avait pas mangé. Quant à son mari, malgré un grand appétit, il avait mangé à contrecœur. Il éprouvait un malaise visible.

Après être restée un instant dans sa cuisine, Catherine revint. Jacques fumait mélancoliquement sa pipe. Affaissé sur son siège, immobile, la tête inclinée sur sa poitrine, le sauvage pleurait silencieusement.

L'excellente femme l'enveloppa d'un long regard de pitié, et une fois encore elle murmura :

— Pauvre garçon !

Jacques Vaillant la regarda fixement comme s'il eût voulu surprendre sa pensée.

— Est-ce qu'il s'est laissé prendre facilement ? demanda-t-elle.

— Non. Pendant près de deux heures il a lutté avec le courage et l'énergie du désespoir : si nous n'avions pas été aussi nombreux, il nous aurait certainement échappé. Ah ! le malheureux a vaillamment défendu sa liberté !

— Jacques, cela prouve qu'il a moins peur des bêtes que des hommes.

— Il s'apprivoisera peu à peu et un jour il reconnaîtra que c'est dans son intérêt, par humanité, pour lui donner une existence plus heureuse qu'on lui a ravi sa liberté.

120/599

– L'oiseau qu'on prend dans un champ et qu'on met en cage ne s'habitue jamais à sa captivité ; il devient triste, languissant, ne touche pas à la nourriture qu'on lui donne, laisse traîner ses ailes et meurt.

Jacques Vaillant baissa la tête et ne répondit pas.

– Enfin, reprit Catherine après un moment de silence, que vas-tu faire de ce malheureux ?

– Je le remettrai entre les mains des gendarmes qui, de brigade en brigade, le conduiront à Épinal.

– Comme un malfaiteur de la pire espèce ! fit Catherine presque indignée.

– C'est ce que je dois faire.

– Et après ? Que fera-t-on de lui là-bas ?

– Je l'ignore.

– On l'enfermera dans une maison de fous ou dans une cellule de prison.

– C'est possible.

– Où, comme l'oiseau dont je te parlais tout à l'heure, il se laissera mourir de faim. Jacques, mieux vaut pour lui la liberté au milieu des bêtes de la forêt que l'agonie lente, horrible, dans la cellule d'une prison ou le cabanon d'un hospice d'aliénés.

– Peut-être. Mais...

– Quoi ?

– C'est un homme ; il n'a pas le droit de vivre à l'état sauvage au milieu d'un pays civilisé. Certes, je ne suis pas un ennemi de la liberté ; j'ai toujours eu le respect de la liberté individuelle ; mais je n'admets pas que ce malheureux puisse vivre plus longtemps dans les bois : il faut qu'il soit rendu à la société à laquelle il appartient et où il doit avoir sa place.

– Regarde-le, Jacques, regarde-le.

– Je vois bien qu'il est triste.

— Sa douleur est profonde, navrante. Jacques, la forêt, avec ses grands arbres et ses endroits sombres, est son domaine, l'enlever à ce qu'il aime, à sa chère liberté qu'il a si bien défendue, le ramener parmi les hommes qu'il fuit, qui lui font peur, sans doute parce qu'ils l'ont fait beaucoup souffrir, c'est vouloir sa mort.

— Je te comprends, ma chère femme, tu voudrais lui rendre sa liberté.

— Eh bien, oui.

— Cela ne se peut pas. Quoi qu'il puisse arriver, devrait-il, comme tu veux le croire, se laisser mourir de faim, je dois faire mon devoir.

Catherine resta silencieuse, ayant l'air de réfléchir. Comprenant qu'elle ne parviendrait pas à convaincre son mari, elle coupait court à la discussion.

— J'ai mis de l'eau sur le feu dans la grande bassine, reprit-elle ; ne crois-tu pas, Jacques, que ce serait une bonne chose de lui faire prendre un bain ?

— Sans doute, mais il ne voudra pas.

— Il faut au moins lui laver les jambes.

— Va pour le bain de pieds ; apporte ce qu'il faut, je me charge de le nettoyer. Du reste, autant que je puis juger, son corps est propre sous ses vêtements crasseux ; il a dû se baigner plus d'une fois dans les ruisseaux de la forêt. Bien qu'ils soient très longs, ses cheveux ne sont pas emmêlés ; cela indique aussi qu'il a soin de se peigner tous les jours, avec ses doigts, sans doute.

Catherine sortit et revint bientôt apportant la bassine pleine d'eau tiède sur laquelle flottait une éponge ; elle alla chercher ensuite un morceau de savon de Marseille et des serviettes.

Le sauvage, un peu étonné, se laissa mettre les pieds dans l'eau et le maire, à genoux, procéda à l'opération du lavage. Il remarqua que les pieds, jusqu'aux chevilles, avaient la dureté de la corne, et que sur les jambes et les cuisses, l'épiderme avait la fermeté du cuir tanné. Le lavage terminé, Jacques Vaillant versa de l'huile d'amandes douces dans sa main et se mit à frictionner les membres du sauvage, principalement sur les déchirures qui, heureusement, étaient peu profondes.

Pendant ce temps, Catherine faisait l'inventaire des effets de son mari. Elle choisit un pantalon, un gilet et une vareuse, le tout presque neuf, et prit dans une armoire une chemise de bonne grosse toile de ménage.

Elle rentra dans la salle à manger, Jacques Vaillant avait fini.

— Ce n'est pas tout, lui dit-elle maintenant, il faut l'habiller.

— Soit, fit Jacques.

— Il n'est pas tout à fait aussi grand que toi ; mais ceci lui ira à peu près ; c'est le pantalon, le gilet et la vareuse que tu ne mets plus parce que tu as acheté ce vêtement un peu juste. Ah ! j'ai oublié une paire de souliers.

— Et une paire de chaussettes, ajouta le maire en riant.

— Je vais chercher cela. Habille-le vite ; quand ce sera fait, tu m'appelleras.

Et elle disparut.

Toujours sans résister, pareil à une machine qu'on fait mouvoir, le sauvage se laissa enlever ses haillons, puis revêtir de l'habillement tiré de la garde-robe du maire.

— Catherine, tu peux entrer, cria Jacques Vaillant.

Elle n'était pas loin, car elle parut aussitôt.

Le sauvage était si drôle dans son nouveau costume, faisant toutes sortes de contorsions et de grimaces, que la brave femme ne put s'empêcher de rire.

Le pauvre garçon était, en effet, gêné dans ses mouvements ; il paraissait honteux de se sentir et de se voir habillé presque richement. Le bouton de la chemise lui serrant le cou, il faisait aller sa tête comme un jeune chien le premier jour qu'on lui met un collier. À la fin, comprenant qu'il devait subir ce nouveau martyre, il resta complètement immobile, debout, n'osant plus remuer ni la tête, ni son corps, ni ses bras, ni ses jambes.

Catherine lui fit signe de s'asseoir. Il laissa échapper un long soupir, puis il obéit en se laissant tomber lourdement sur un siège.

Alors le mari et la femme lui mirent les chaussettes et les souliers aux pieds. Lui regardait d'un air piteux ces machines de coton et de cuir dans lesquelles on emprisonnait ses pieds. Jamais, probablement, il n'avait fait usage d'aucune espèce de chaussures.

— Maintenant, dit Jacques Vaillant, il est à peu près présentable.

— Oui, mais il n'a pas l'air satisfait ; il ne bouge plus, il est gêné là-dedans, on dirait une momie.

— C'est peut-être la première fois qu'il a une chemise sur le dos ; il s'y fera. Mais sa transformation n'est pas complète.

— Que lui manque-t-il encore ?

— Je vais lui couper ses longs cheveux.

Catherine se récria très fort ; son mari n'avait pas ce droit, ce serait une sorte de mutilation ; d'ailleurs, elle le trouvait très bien avec ses grands cheveux tombant sur ses épaules ; il lui plaisait ainsi.

Jacques Vaillant n'insista point.

Et c'est ainsi, grâce à la bonne Catherine, que le coureur des bois conserva sa longue chevelure.

VI

BONNE OU MAUVAISE ACTION

Vers quatre heures, ayant à voir quelqu'un de la commune, Jacques Vaillant sortit.

En voyant la porte s'ouvrir, le sauvage avait fait un mouvement brusque, comme s'il eût eu l'intention de s'élancer hors de la salle à manger et de prendre la clef des champs, mais la porte s'était refermée, et, après avoir jeté un long regard du côté de la fenêtre, il était retombé dans son immobilité.

Catherine avait pris un livre et s'était assise en face du sauvage ; mais, distraite par toutes sortes de pensées, qui se heurtaient tumultueusement dans son cerveau, elle ne lisait point. Le livre, posé sur ses genoux, restait ouvert aux mêmes pages.

À chaque instant elle enveloppait son hôte d'un regard plein de compassion dans lequel on aurait pu découvrir comme un sentiment de tendresse. Elle écoutait aussi un bruit confus de voix qui venait de la rue, car, depuis que le malheureux était entré chez elle, il y avait eu constamment devant la maison un rassemblement d'hommes et de femmes au milieu duquel braillaient des enfants.

Le sauvage paraissait ne rien entendre et être insensible à tout : les coudes sur ses genoux et la tête dans ses mains, il était comme galvanisé. Une heure s'écoula ainsi.

Deux ou trois fois Catherine s'était levée et avait entr'ouvert les rideaux de la fenêtre pour voir ce qui se passait dans la rue. Tout ce monde devant sa maison la gênait. Pourquoi ces hommes ne rentraient-ils pas chez eux ? Et ces femmes... n'avaient-elles pas leur ménage à soigner, le repas du soir à préparer ? Catherine était agitée, inquiète, tourmentée ; elle avait conçu un projet et elle cherchait le moyen de le mettre à exécution.

Tout à coup le coureur des bois fit entendre son espèce de grognement habituel et sortit de son immobilité. Ses yeux avaient subitement repris leur éclat, de sombres éclairs sillonnaient son regard redevenu farouche ; mais il était toujours triste et une grande anxiété se lisait sur son visage. Il s'agitait sur son siège avec un malaise visible. À chaque instant il sursautait, dressait sa tête, roulait ses grands yeux d'une manière effrayante, jetait sur la fenêtre un regard rapide, puis le cou allongé, l'oreille tendue, il semblait écouter comme s'il eût entendu un appel lointain.

Quand ses yeux rencontraient ceux de Catherine, sa physionomie changeait aussitôt d'expression ; la flamme de son regard s'éteignait et il la regardait ayant l'air de lui adresser une prière ; puis il secouait la tête et la laissait retomber sur sa poitrine en poussant un soupir.

— Comme je le comprends, pensait-elle ; oh ! je sais bien ce qu'il me demande. Si j'avais... non, ce n'est pas encore le moment. Mais ces gens-là ne s'en iront donc pas ? Qu'est-ce qu'ils attendent ? Qu'est-ce qu'ils veulent ? Est-ce qu'ils pensent passer la nuit là, y rester jusqu'à demain ?

Elle entendit ouvrir et fermer la porte sur le rue, puis marcher dans le jardin.

— Il revient, murmura-t-elle, c'est trop tôt : je pensais qu'il ne rentrerait qu'à la nuit close.

Le bruit des pas résonna dans le corridor et presqu'aussitôt on frappa à la porte de la salle. On frappait, ce n'était donc pas Jacques qui rentrait.

— Ouvrez, dit-elle.

Un jeune et joli garçon de quinze ans et demi entra. Le visage de Catherine s'épanouit.

— Bonsoir, marraine, dit le jeune garçon.

C'était Jacques Grandin.

Catherine se leva.

— Tu es bien gentil de venir me voir ce soir, lui dit-elle, en lui mettant un baiser sur le front.

— Mon parrain ne pourra pas rentrer avant huit heures ; c'est lui qui m'a envoyé pour vous tenir compagnie.

— Sois le bienvenu, Jacques.

– Je devrais être près de vous depuis une demi-heure, marraine ; mais je me suis arrêté dans la rue, devant la maison, pour écouter ce que disent les gens.

– Que disent-ils ?

– Oh ! toutes sortes de choses ; naturellement ils ne parlent que de l'homme sauvage. S'ils osaient, marraine, il y a longtemps que tous ceux qui sont là seraient entrés ici. La grande Ursule, la femme du boulanger, prétend qu'elle a reconnu le sauvage ; c'est lui qu'elle a vu, il y a deux ans, à Épinal, dans une baraque de saltimbanques.

– Ah ! vraiment ! Et on croit cela ?

– On le croit. Ça peut bien être vrai !

– Cela, en effet, expliquerait la présence de ce malheureux dans nos montagnes.

– Un sauvage en France, un vrai sauvage, vivant dans les bois avec les bêtes, cela ne s'était jamais vu, marraine.

– Je le crois. Sais-tu pourquoi tout ce monde reste là ? Sais-tu ce qu'ils attendent ?

– Ils savent que le sauvage est chez vous, marraine ; ils espèrent qu'il sortira de la maison ou se montrera à une fenêtre.

– Ah ! c'est pour cela qu'ils ne rentrent pas chez eux ; eh bien, Jacques, leur curiosité ne sera pas satisfaite. As-tu vu le sauvage, toi ?

– Non, marraine, je n'étais pas là quand on l'a amené.

– Désires-tu le voir ?

– Oh ! oui, marraine.

– Tu n'auras pas peur ?

– Je n'ai pas peur des loups, en hiver, quand ils sont affamés ; pourquoi aurais-je peur d'un homme ? répondit bravement le jeune garçon.

Catherine sourit. Puis s'écartant aussitôt, et lui montrant le coureur des bois immobile sur son siège :

127/599

– Tiens, dit-elle, le voilà, regarde-le.

Jacques ne put s'empêcher, de tressaillir : mais il n'était pas effrayé. Il s'approcha du sauvage lentement, puis, après l'avoir contemplé un instant, il lui prit la main.

Le coureur des bois sursauta, se redressa vivement et ses yeux étincelants se fixèrent sur le visage de Jacques. Des sons rauques sortirent de sa gorge, ses pupilles se dilatèrent et son regard prit une expression de douceur infinie qui se répandit sur toute sa physionomie ; il y eut sur son front comme un épanouissement.

Quelle était sa pensée ? Quelle impression nouvelle, inconnue, subissait-il ? Nous ne saurions le dire.

Mais, soudain, un sanglot s'échappa de sa poitrine et de nouvelles et grosses larmes jaillirent de ses yeux.

– Il pleure, marraine, il pleure ! s'écria Jacques en proie à une émotion visible.

– Il ne fait que cela depuis qu'il est ici.

– Comme il me regarde ! Il a l'air de me demander quelque chose.

– Je sais ce qu'il te demande.

– Il faut le lui donner.

– Pas encore.

– Pourquoi ?

– J'attends qu'il fasse nuit et que ceux qui sont devant la maison soient partis.

Le sauvage se dressa sur ses jambes ; de rapides éclairs brillèrent à travers ses larmes. Il saisit le bras de Jacques et, de son autre main, par un geste brusque, il lui montra la fenêtre.

– Je ne comprends pas, dit tristement le jeune garçon.

– Je comprends, moi, murmura Catherine.

Le sauvage laissa retomber ses bras avec découragement, secoua la tête, poussa un soupir navrant, se rassit et, sa figure dans ses mains, reprit son immobilité.

Mais on voyait au gonflement de sa poitrine qu'elle était pleine de sanglots.

Catherine fit asseoir Jacques près d'elle et ils se mirent à causer presque à voix basse, comme s'ils eussent craint de troubler le sauvage dans ses pensées.

La nuit vint. Lassés d'attendre et rappelés aussi par l'heure du souper, les curieux s'étaient retirés peu à peu ; il ne restait plus que quelques personnes devant la maison.

– Jacques, dit tout à coup Catherine, tu vas être mon complice.

Il la regarda avec étonnement.

– Oui, continua-t-elle, ce que je voulais faire seule nous allons le faire ensemble.

– Quoi donc, marraine ?

– Nous allons donner à ce malheureux ce qu'il demande ?

– Qu'est-ce qu'il demande ?

– La liberté.

– Quoi ! vous voulez ?

– Le laisser partir, retourner dans la forêt où il a été pris ce matin.

– Que dira le capitaine ?

– Je ne sais pas ; mais vois-tu, Jacques, j'ai pitié de ce malheureux.

– Mon parrain ne sera pas content.

– C'est probable.

– Il se mettra en colère.

– Nous serons là tous les deux pour le calmer.

– Nous lui dirons que le sauvage s'est échappé.

– Jacques, ma conscience me dit que je fais une bonne action ; nous ne mentirons pas, nous dirons la vérité.

– Oui, marraine, oui. Et, pour que mon parrain ne se fâche pas contre vous, c'est moi, moi seul, qui rendrai la liberté au sauvage.

– Bien, mon Jacques. Ah ! tu es gentil, bien gentil ; mais je n'accepte pas ton dévouement ; je ne cherche point à éviter une responsabilité. Que ce malheureux soit libre d'abord ; après, nous verrons.

Elle s'approcha de la fenêtre et regarda dans la rue.

– Enfin, dit-elle, ils ne sont plus que cinq ou six ; d'ailleurs il fait assez nuit pour qu'il puisse prendre la fuite, maintenant, sans être vu.

Elle alluma une bougie, fit signe à son filleul de l'attendre et sortit de la salle. Elle revint au bout d'un instant, apportant un gros morceau de pain coupé dans la miche et sur un plat ce qui restait du déjeuner, la moitié du poulet et une épaisse tranche de veau. Elle prit des journaux sur une tablette de la crédence et s'en servit pour envelopper les viandes.

Le sauvage, de plus en plus agité, plus tourmenté, surtout depuis la tombée de la nuit, suivait avec une grande anxiété tous les mouvements de la femme du maire. Il la vit avec une sorte de stupeur emplir ses poches de nourriture : dans l'une du pain, dans les autres un flacon de vin, les viandes, du sucre, plusieurs tablettes de chocolat.

– Je lui donnerais bien de l'argent, pensait Catherine à mesure qu'elle fourrait dans les poches tout ce qui lui tombait sous la main, mais qu'en ferait-il ?

Quand elle trouva son hôte suffisamment lesté, c'est-à-dire quand il ne lui fut plus possible de rien mettre dans les poches – la brave femme aurait voulu qu'il pût emporter tout ce qu'il y avait dans la maison – elle dit à Jacques :

– Dépêchons-nous ; il y a déjà longtemps que sept heures sont sonnées et ton parrain peut rentrer d'un moment à l'autre.

– Faut-il ouvrir la fenêtre ?

– Non. En passant par là ou par la porte de la rue il serait vu. Prends-le par la main et suis-moi.

Catherine reprit sa lumière et, marchant devant pour éclairer, elle ouvrit successivement plusieurs portes. Le sauvage se laissait conduire comme un enfant. Tous trois sortirent de la maison par la porte de derrière, ouvrant sur le jardin. Catherine éteignit sa bougie et la laissa sur une des marches de pierre du perron.

Silencieux, ils suivirent une allée sombre et arrivèrent au fond du jardin.

Déjà la nuit était parée de ses étoiles scintillantes ; à l'est la lune venait de se lever ; elle répandait sa douce clarté dans la vallée pendant que, avant de s'éteindre, les derniers feux du couchant jetaient une lueur plus vive sur les crêtes des montagnes, particulièrement sur la Bosse grise, qui, se dressant au-dessus de la ligne sombre de la forêt, se découpait vigoureusement à l'horizon sur le fond demi clair du ciel.

Jacques mit la main sur l'épaule du sauvage et, lui montrant la forêt, il lui dit :

– Regarde.

Comme s'il eût compris, le coureur des bois se dressa de toute sa hauteur ; son regard lumineux embrassa l'horizon tout entier, puis s'arrêta fixe sur le sommet illuminé de la Bosse grise. Alors il respira à pleins poumons et se mit à trembler comme le roseau secoué par le vent.

– Tu es libre, va, va, reprit Jacques, accompagnant ses paroles d'un geste expressif.

Le sauvage ne comprit pas ou bien il doutait encore, car il resta immobile, les yeux toujours fixés sur le gigantesque rocher.

– La haie est haute et épaisse, dit Jacques.

Catherine lui montra une échelle.

Le jeune garçon la prit et la dressa contre la haie.

Le sauvage poussa un cri de joie. Il voyait l'échelle, cela lui disait tout. Il ne pouvait plus douter ; on ne le retenait plus, on lui donnait la liberté. Il s'élança vers l'échelle ; mais il s'arrêta brusquement, comme si un obstacle se fût dressé devant lui, et revint lentement sur ses pas.

Dans ce qui se passait en lui, il venait de sentir que l'ingratitude est une chose laide ; un sentiment dont il ignorait le nom, la reconnaissance, le ramenait devant Mme Vaillant et Jacques. Tous les sentiments viennent du cœur et le cœur palpite également dans la poitrine du sauvage et de l'homme civilisé.

Il prit la main de la femme du maire et la porta à ses lèvres. Action touchante, qui impressionna vivement l'excellente femme ! Obéissant à l'impulsion de son cœur, le sauvage se civilisait. Ensuite, il saisit les deux mains de Jacques et les serra dans les siennes avec effusion.

Cela fait, ayant ainsi acquitté sa dette, il bondit sur l'échelle qui, sous le poids de son corps, s'enfonça dans la haie ; mais, avec une agilité surprenante, il se suspendit à une branche de pommier, se balança un instant, prenant son élan pour s'accrocher en même temps avec ses jambes et ses mains à une autre branche qui pendait en dehors du jardin. Ses jambes se détachèrent d'abord ; puis ses mains. Il poussa un cri joyeux, dernier remerciement adressé à ceux qu'il quittait, et, aussitôt, Mme Vaillant et Jacques entendirent le bruit de sa course rapide à travers champs.

Quelques jours après, on trouva près d'un buisson les souliers que le maire et sa femme lui avaient mis aux pieds.

Ayant l'habitude de marcher et de courir pieds nus, sa chaussure le gênant, sans doute, il s'en était débarrassé.

VII

QUE DEVIENDRA-T-IL

Quand Jacques Vaillant rentra, il trouva sa femme et son filleul qui l'attendaient dans la salle à manger. Huit heures étaient sonnées à l'horloge de la paroisse.

Le maire jeta dans la salle un coup d'œil rapide.

— Où donc est le sauvage ? demanda-t-il.

Catherine se leva ; elle était un peu tremblante.

— Jacques, dit-elle d'une voix qui trahissait son émotion, tu vas me gronder.

— Te gronder ! pourquoi ?

— Le malheureux n'est plus ici.

— Tu l'as laissé s'échapper ?

— Non, Jacques.

— Alors, explique-toi.

— Ton filleul et moi nous l'avons conduit au fond du jardin. Là, nous lui avons montré la forêt. Jacques a mis l'échelle contre la haie et... il est parti. Fais-moi des reproches si tu crois que je les ai mérités, mais je t'en prie, mon ami, ne te mets pas en colère. Écoute, il me faisait pitié : il souffrait tant, sa douleur était si grande ! Ses larmes, ses sanglots me brisaient le cœur ; et puis il me regardait si tristement, ayant l'air de me supplier... Je n'ai pas pu résister ; une chose en moi plus forte que ma volonté, plus forte que la crainte de te déplaire, m'a fait agir...

» Ah ! si tu avais vu comme ses yeux brillaient, si tu avais vu sa joie, son bonheur quand il a compris qu'il était libre, qu'il allait retourner dans les bois ! Si tu avais été là quand, pour me remercier, il a pris ma main et l'a portée à

133/599

ses lèvres, je te le dis, Jacques, je te le dis, tu te serais attendri et tu n'aurais pas eu le courage de l'empêcher de prendre la fuite.

» Je ne me repens pas de ce que j'ai fait ; mais si tu juges que c'est mal, mon ami, je te prie de me pardonner.

– Je te pardonne, Catherine.

– Et moi, parrain ? fit le jeune garçon.

– Il faut bien que je te pardonne aussi, gamin.

– Ainsi, Jacques, c'est bien vrai, tu ne nous en veux pas.

Jacques Vaillant eut un doux sourire.

– Je n'ai ni le droit de vous en vouloir, ni celui de vous adresser un reproche, répondit-il, car je dois te le dire, Catherine, je suis votre complice.

– Toi, notre complice ?

– Oui. Tu ne m'as pas caché ta pensée ; j'avais, d'ailleurs, deviné ton intention. En t'envoyant notre filleul pour te prévenir que je ne rentrerais pas avant huit heures, c'était te dire que je te laissais le temps de mettre ton projet à exécution.

– Ah ! Jacques, Jacques, s'écria-t-elle en se jetant dans ses bras, tu es toujours le meilleur des hommes !

– Avec toi, ma chère Catherine, je ne pouvais guère changer, répliqua-t-il en souriant. Enfin, tu es satisfaite, le sauvage a regagné la forêt... Dieu veuille que nous n'ayons pas à regretter un jour ce que nous avons fait !

– Pourquoi le regretterions-nous ?

– Je ne lis pas dans l'avenir, Catherine ; mais bien des choses peuvent arriver qui, seraient notre condamnation.

– Tu m'effrayes, Jacques ; que veux-tu dire ?

– Le malheureux peut être pris pour un fauve et tué dans une chasse.

Catherine devint affreusement pâle.

– Ce malheur est possible, continua Jacques Vaillant ; j'admets, néanmoins, que nous n'aurons pas à le déplorer ; mais bien d'autres dangers, également terribles, le menacent. Il aime le silence de la forêt, ses grands arbres, ses taillis et ses épais fourrés, ses retraites impénétrables où il peut s'endormir ; toutefois, je ne puis croire qu'il soit depuis longtemps dans les bois. D'où vient-il ? Qui est-il ? Là est le mystère. Une femme d'ici affirme qu'elle l'a vu il y a deux ans environ dans une baraque de saltimbanques ! C'est possible, mais rien ne prouve que ce soit vrai. Je suppose qu'il est depuis deux ou trois mois déjà l'hôte de la forêt. Comment, pendant ce temps, a-t-il pourvu à ses besoins de chaque jour ? Je ne saurais le dire. Mais il est évident qu'il a trouvé le moyen de se nourrir, puisqu'il n'est pas mort de faim. Donc, pour lui, pendant quelques mois encore, c'est-à-dire aussi longtemps qu'il trouvera sa nourriture, tout ira bien.

Malheureusement, l'hiver viendra, et les hivers dans nos montagnes, avec les neiges et les frimas, sont toujours rudes. Je veux bien admettre encore que son corps, habitué aux intempéries des saisons, résistera aux atteintes du froid et qu'il trouvera un abri contre la bise dans la cavité profonde de quelque rocher. Mais il aura à défendre sa vie contre les carnassiers, et s'il n'est pas dévoré par eux, comment trouvera-t-il sa nourriture ? Car alors, Catherine, il n'y aura plus de fruits sur les arbres, plus de nids d'oiseaux cachés dans les feuilles ; la ronce au fruit noir et juteux sera sèche ; les glands du chêne et les prunelles de l'épine seront pourris sous la neige.

– Ah ! Jacques, je n'avais pas songé à cela ! soupira Catherine.

– Et moi, j'y pense seulement maintenant.

– Que faire, Jacques ?

– Rien !

– Que Dieu le protège, le malheureux !

– Attendons l'hiver.

– Oui, Jacques, attendons l'hiver ; si les bêtes de la forêt menacent ses jours, s'il a faim, il se souviendra que nous avons été bons pour lui et il viendra nous trouver.

– À moins qu'il ne préfère mourir de faim.

– Ah ! Jacques, s'écria-t-elle, ayant de grosses larmes dans les yeux, si cette horrible chose arrivait, je ne me consolerais jamais de lui avoir rendu sa liberté.

– Tu vois, Catherine, tu regrettes déjà ce que tu as fait.

Elle poussa un long soupir et baissa la tête.

– Parrain, dit Jacques Grandin, c'est la faim qui force le loup à sortir du bois ; si le sauvage ne revient pas, c'est que, bien avisé et prévoyant, il aura fait ses provisions pour l'hiver.

– Il a raison, dit le maire.

Catherine hocha la tête.

– L'hiver sera mauvais pour moi, pensa-t-elle.

C'était un pressentiment.

– Maintenant, autre chose, reprit Jacques Vaillant : il faut donner une explication aux habitants de la commune.

– Que leur diras-tu, Jacques ?

– Dans cette circonstance le mensonge n'est pas défendu : je leur dirai que, profitant du moment où tu l'avais laissé seul, le sauvage s'est élancé hors de la maison, a sauté par-dessus la haie du jardin et s'est enfui dans la direction de la forêt.

» On racontait des choses absurdes, qui jetaient partout l'épouvante. Qu'est-ce que j'ai voulu ? Calmer l'agitation, détruire les craintes, chasser la terreur. J'ai atteint mon but. Ils ont vu le sauvage, ils savent que c'est un être timide, inoffensif, incapable de faire du mal même à un enfant : maintenant ils sont tous rassurés. Va, je les connais : demain, quand ils apprendront que le sauvage a repris le chemin de la montagne, ils battront des mains. Il ne s'en trouvera pas un seul pour dire aux autres : Allons le reprendre !...

* * * * *

Jacques Vaillant ne s'était pas trompé.

Le lendemain, quand on apprit à Mareille, que le sauvage, ayant mis en défaut la vigilance de la femme du maire, s'était échappé et qu'il avait probablement regagné la forêt, il n'y eut dans la commune que l'émotion de la surprise. Nul n'éleva la voix pour faire entendre une parole de blâme ou manifester autrement son mécontentement.

— Après tout, il a bien fait de se sauver, disait-on ; est-ce qu'on a le droit de lui ravir sa liberté ? On comprendrait cela s'il était méchant ; mais non, au contraire, il est doux comme un agneau et craintif comme un lièvre. Puisqu'il a peur des hommes, et qu'il aime la solitude des grands bois, qu'on le laisse vivre à sa guise, comme il le veut.

On n'avait plus peur du sauvage, son voisinage n'inspirait plus aucune défiance ; on s'intéressait vivement à lui, maintenant ; on s'attendrissait sur son sort misérable. Celui qui aurait eu l'intention de lui tendre un piège, de lui faire du mal d'une façon ou d'une autre, eût été mal venu, on lui aurait certainement fait un mauvais parti, le coureur des bois aurait trouvé immédiatement de nombreux défenseurs, surtout parmi les femmes.

L'innocent mensonge du maire n'avait pas été accepté par tout le monde. Les incrédules devinèrent la vérité.

— Catherine Vaillant est une brave et excellente femme, disaient-ils ; si le sauvage a pu s'échapper, c'est qu'elle lui a ouvert les portes de la maison.

À cela les autres répondaient :

— S'il en est ainsi, la bonne Catherine a bien fait.

Du moment que le sauvage s'en est allé, c'est qu'il était content de retourner dans la forêt.

Pendant trois mois encore on parla beaucoup du coureur des bois, puis, peu à peu, on cessa de s'occuper de lui.

Du reste, on ne le voyait plus comme précédemment, courir sous bois à travers les taillis.

Les charbonniers, interrogés, répondirent qu'ils ne l'avaient pas aperçu une seule fois depuis la grande battue. Des hommes pénétrèrent dans les parties les plus sombres, les plus désertes de la forêt ; mais ce fut en vain. Rien ne révélait la présence du sauvage ; on ne trouvait nulle part des traces de son passage. Il avait disparu.

On supposa qu'il avait quitté la forêt de Mareille et qu'il s'était réfugié, beaucoup plus loin, dans une autre région.

Il n'en était rien.

Devenu plus prudent et plus craintif, le coureur des bois se cachait, s'entourant d'une infinité de précautions pour se rendre invisible. D'ailleurs il s'était éloigné des endroits fréquentés de la forêt.

Il avait découvert, au pied de la Bosse grise, sous des quartiers de roche qui s'étaient successivement détachés de la pyramide et amoncelés sur un large espace, une grotte naturelle, assez spacieuse, dont il avait fait sa demeure.

Jamais un rayon de soleil n'y pénétrait ; mais un peu de jour descendait d'en haut et tombait de la voûte par une fente étroite.

Un passage sombre et tortueux, que le coureur des bois avait rendu praticable, conduisait à la grotte.

Il était là comme dans une forteresse, ayant pour remparts d'épaisses et hautes broussailles entrelacées, sous lesquelles il s'était frayé un chemin où l'homme le plus hardi aurait craint de s'engager. Sa retraite était ainsi cachée à tous les yeux, et, obstacle difficile à franchir, les épines et les ronces, hérissées de dents meurtrie, le défendaient contre les attaques de l'homme ou des bêtes de la forêt.

Non loin de là, sous un rocher ouvert comme une gueule, jaillissait une source, qui alimentait un petit ruisseau dont le murmure troublait seul le silence de cette partie de la forêt. C'est à cette source, dont l'eau était toujours fraîche et limpide, que le sauvage venait se désaltérer. Un peu plus bas l'eau avait creusé une fosse d'un mètre de profondeur ; c'est là qu'il se baignait, car il avait l'instinct de la propreté.

Depuis qu'il avait été pris par les chasseurs, craignant évidemment de retomber entre leurs mains, il ne sortait de sa demeure que lorsqu'il y était absolument forcé ; il s'éloignait le moins possible des alentours de la Bosse grise ; rarement il s'aventurait à une grande distance. Quand cela lui arrivait, c'est qu'il était obligé d'aller loin pour trouver ce qu'il cherchait.

S'il n'avait pas eu peur de l'homme, s'il n'eût pas mis tous ses soins à éviter son approche, il n'aurait eu que le souci de pourvoir à sa nourriture. Heureusement, il n'était pas trop difficile ; son corps, habitué depuis longtemps aux privations, s'accommodait de tout. Quelques pommes ou poires sauvages, des cornouilles ou des noisettes suffisaient pour apaiser sa faim. Quand les fruits lui manquaient, il se contentait d'une racine tendre ou de l'aubier de certains arbres qu'il prenait sous l'écorce. Il avait aussi des marrons et des châtaignes, la gomme du merisier.

Son palais s'était fait à l'âcreté et à l'amertume des fruits sauvages. Il disputait le fruit du chêne à la voracité des sangliers. Avec une poignée de glands il faisait un repas délicieux. Il ne dédaignait pas non plus les plantes herbacées qui lui paraissaient bonnes à manger. C'était son ordinaire.

Il avait ses extra : les œufs et les jeunes couvées qu'il trouvait dans les nids à l'époque des amours des oiseaux, les lapins qu'il prenait dans leur terrier, les oiseaux auxquels il faisait la chasse avec une adresse et une agilité merveilleuses et qu'il parvenait à attraper, enfin tous les animaux qu'il pouvait prendre et quelquefois les restes saignants, mis en réserve, d'un festin de carnassiers.

Quand il n'était pas pressé par la faim, il faisait rôtir ou plutôt sécher sa viande au soleil ; mais le plus souvent il mangeait la chair saignante, palpitante encore. Il le fallait bien, puisque à l'exception du bois, il ne possédait aucune des choses nécessaires pour faire du feu.

La nuit, il dormait sur des fougères et des feuilles sèches qu'il avait ramassées dans le bois et dont il s'était fait un lit dans un coin de la grotte. Le jour, quand il n'y avait pas pour lui nécessité de sortir, il restait couché ou accroupi sur sa litière, pendant des heures entières, immobile, les yeux à demi-fermés, comme plongé dans une méditation profonde ; ou bien les yeux grands ouverts, fixés sur le filet de lumière qui descendait d'en haut, il semblait en extase. Mais toujours il avait l'air de rêver.

Hélas ! à quoi pouvait-il penser, le malheureux ?

Au passé, à ses jeunes années, à ce qu'il avait déjà souffert, à ceux à qui il devait sa triste existence ? Oui, peut-être. Peut-être aussi pensait-il à sa mère... Il devait se souvenir. Et puis, qui peut dire que dans son immense et éternelle solitude, ne pouvant s'entretenir qu'avec ses pensées, il n'essayait pas de déchirer le voile de l'avenir ?

Que de choses enfouies, perdues, devaient exister en lui sans pouvoir en sortir ou se révéler ! Dans son cœur des trésors d'affection, de tendresse, de dévouement ; dans sa pensée, le secret du passé.

Dans un autre coin de la grotte, il y avait un fusil à deux coups couvert de rouille. Il l'avait trouvé dans le bois. Cette arme à feu avait dû appartenir à quelque braconnier, qui, surpris par les gardes ou les gendarmes, l'avait jetée dans un buisson. Le coureur des bois avait assisté plus d'une fois, de loin, à une chasse ; il avait entendu les détonations et vu tomber le gibier ; il connaissait donc l'emploi du fusil. Il avait longuement étudié le mécanisme de celui qui était devenu sa propriété ; mais il ne s'en était jamais servi, pour cause ; il n'avait ni poudre, ni plomb, ni capsules.

Il avait encore trouvé, un jour, dans un sentier de la forêt, un couteau de chasse, et quelque temps après un vieux panier qu'on avait oublié dans une clairière.

À défaut d'autres instruments, le couteau, on le comprend, lui rendait de nombreux services. Quant au panier, il lui avait servi de modèle pour en fabriquer plusieurs autres de diverses grandeurs avec lesquels il allait faire ses provisions. Il y en avait un amas dans une partie de la grotte transformée en grenier d'abondance. Tous les blocs en saillie faisaient l'office des rayons d'une étagère ou des claies d'un fruitier. Chaque cavité lui tenait lieu d'un coffre ou d'une armoire. À côté d'un tas de noisettes, un tas de glands, des noix, des fruits de toutes sortes, les uns encore verts, les autres séchés sous les rayons du soleil, des marrons, des châtaignes, un fagot de racines, des bottes d'herbages. À quelques pas de sa demeure il avait établi un petit parc dans lequel il avait jeté plusieurs milliers d'escargots ; ce pulmonès terrestre était un de ses régals. Beaucoup parvenaient à s'échapper ; mais cela l'inquiétait médiocrement, car, s'il ne les arrêtait pas dans leur fuite, il pouvait facilement en retrouver d'autres.

Toutes ces choses cueillies, coupées ou ramassées à profusion étaient ses conserves pour l'hiver. Il n'avait pas deviné que, l'hiver venu, quand la terre est gelée et que tout est enseveli sous la neige, on ne trouve plus rien dans le bois ; non, il n'avait pas deviné cela, il le savait par expérience, car depuis qu'il vivait à l'état sauvage, il avait vu se renouveler toutes les saisons.

Grâce aux précautions qu'il prenait quand il faisait dans la forêt des excursions plus ou moins longues, plusieurs mois s'étaient écoulés sans qu'il eût été rencontré ou seulement aperçu.

Comme nous l'avons dit, on croyait, à Mareille, qu'il avait quitté la forêt pour aller chercher un asile plus sûr dans une autre région. Mais un jour, en novembre, des chasseurs le trouvèrent étendu sur un tapis de mousse, au bord du ruisseau dont nous avons parlé.

Les yeux fermées, sommeillant ou enfoncé dans un de ses rêves, il ne les avait pas entendus venir. Comme toujours, après avoir pris son bain, il s'était couché là, avec d'autant plus de confiance et de tranquillité, que l'endroit était le plus sombre, le plus désert de la forêt et que jamais il n'y avait vu le pas d'un homme. Les chasseurs n'étaient plus qu'à quelques pas de lui lorsque le bruit d'une branche de bois mort, craquant sous le pied, frappa son oreille et le tira de sa somnolence. Il tressaillit, leva la tête et regarda comme la bête qui craint d'être surprise.

En apercevant les chasseurs, dont l'attitude, d'ailleurs, n'était nullement menaçante, il fut saisi d'une folle épouvante. Il poussa un cri, se dressa comme mû par un ressort, promena autour de lui ses yeux hagards pour s'assurer qu'il n'avait pas d'autres ennemis à redouter, franchit le ruisseau d'un bond et disparut avec la rapidité de l'éclair.

Les chasseurs se regardèrent. Ils étaient encore sous le coup de la surprise.

— Il a eu une rude peur, dit l'un.

— Pourtant il a dû voir que nous ne songions pas à lui faire du mal.

— C'est égal, il a les jarrets solides, le gaillard.

— Il s'élance et bondit comme un chamois ; il attraperait un chevreuil à la course.

— Il a fui dans cette direction ; il doit avoir son gîte dans un des trous de la Bosse grise.

— C'est certainement là qu'il se cache.

— Et il se cache bien, puisque, depuis des mois, nul autre que nous ne l'a vu.

— Cela indique qu'il ne tient pas à être repris une seconde fois.

— Mais de quoi peut-il vivre, le pauvre diable ? je me le demande.

— Ça, c'est son affaire.

— On prétendait qu'il n'était plus dans la forêt.

— Nous venons d'avoir la preuve du contraire.

Les chasseurs s'étaient arrêtés ; ils n'allèrent pas plus loin. D'ailleurs, pour les empêcher d'avancer, ils avaient devant eux la barrière de ronces qui, de ce côté, défendait les abords de la Bosse grise. Sans feuillage maintenant, plus sombres, plus menaçantes, plus terribles dans leur nudité, droites, courbées, tordues ou s'allongeant, montrant leurs dents formidables, prêtes à mordre et à déchirer la chair, elles semblaient dire : « Gardiennes de ces rochers, nous sommes là depuis des siècles pour défendre aux hommes d'approcher. »

Les chasseurs égarés se hâtèrent de rebrousser chemin.

VIII

PAUVRE CATHERINE

Le lendemain, tout le monde, à Mareille, savait que le sauvage était toujours dans la forêt et que, selon toutes les probabilités, il avait établi sa demeure dans les environs de la Bosse grise.

— J'aurais préféré qu'il se fût éloigné de nous, dit Jacques Vaillant à sa femme.

— Pourquoi ? demanda-t-elle.

— Pour ta tranquillité, Catherine, car depuis que ce malheureux est entré ici, tu es bien changée ; j'observe, je vois... je ne te disais rien, espérant, que cela se passerait. Catherine, quelque chose te tourmente.

Elle ne répondit pas, mais elle laissa échapper un soupir ; c'était dire à son mari qu'il ne se trompait point.

Oui, elle était triste, la bonne Catherine. Douée d'une sensibilité nerveuse excessive, elle souffrait. En lui parlant, peut-être avec trop peu de ménagement, des terribles dangers que courait le sauvage dans sa vie errante au milieu des bois, son mari l'avait frappée au cœur, Et le pire, c'est qu'elle s'efforçait de cacher son mal pour ne pas inquiéter Jacques.

Ce qu'elle éprouvait elle n'aurait su le dire. Cela ne ressemblait pas à un remords de conscience troublée, ce n'était pas non plus une douleur physique, mais quelque chose de plus redoutable. C'était une mélancolie noire, née d'une impression profonde, qui l'avait saisie tout d'un coup, brutalement, et qui, lentement, mais avec une opiniâtreté inexorable, poursuivait son œuvre fatale, s'enfonçait dans son cœur comme un ver rongeur, détruisait ses forces, obscurcissait ses idées, l'enveloppait de ténèbres, absorbait tout son être, enfin, et faisait dans son cerveau d'affreux ravages.

Elle n'avait pas senti venir le mal ; il l'avait prise comme une proie. Cependant, quand elle ressentit ses premiers effets, elle essaya de lui échapper, de le repousser ; mais déjà il s'était emparé de sa pensée ; il la tenait captive.

143/599

Alors, reconnaissant son impuissance, inerte, sans défense, elle s'affaissa sous l'écrasement.

Le jour, la nuit, à chaque instant, toujours, sa pensée fixe, conduite, dirigée par le monstre qui se plaisait à la torturer, s'élançait à la recherche du sauvage, fouillant la profondeur des bois, gravissant jusqu'aux cimes les plus hautes montagnes.

Chose étrange, son affection pour Jeanne s'affaiblissait, s'usait comme le morceau de fer sous la lime ; elle oubliait l'enfant qu'elle avait adoptée, naguère encore si chère à son cœur. Sa pensée enchaînée, nageant dans le noir, n'avait plus la force de se dégager de ses liens pour s'abandonner à une influence salutaire.

Jeanne, près d'elle, aurait forcément amené une diversion ; ranimée par les caresses de l'enfant, elle serait parvenue, peut-être, à secouer sa torpeur, à sortir de son atonie. Alors c'eût été la guérison. Mais Jeanne, nous le savons, était à Épinal. Elle ne songea pas à la faire revenir.

Complètement dominée par le mal, qui allait toujours en s'aggravant, n'ayant ni la force, ni le courage, ni même la volonté de tenter seulement de réagir contre lui, elle laissait s'accomplir l'œuvre de destruction.

— Catherine a quelque chose, se répétait souvent Jacques Vaillant, c'est-à-dire chaque fois qu'il la surprenait, immobile comme une statue, absorbée en elle-même, sa pensée dans le noir. Mais cela se passera, ajoutait-il pour se rassurer.

Il ne pouvait croire à la gravité du mal inconnu qui, sourdement, minait la pauvre femme.

Du reste, pour qu'il ne s'effrayât point, après un violent effort, elle forçait ses lèvres à sourire et prenait un air de gaieté. Comme toujours, d'ailleurs, elle donnait ses soins à son ménage, vaquait à ses travaux journaliers. Mais elle allait, venait, s'occupait machinalement, par habitude. Elle agissait inconsciemment, n'ayant plus de goût à rien.

Quand le froid devenu rigoureux, dessina ses arabesques fantaisistes sur les vitres des maisons, quand la neige, tombant drue, à gros flocons, eut en un seul jour étendu sur la terre durcie un immense linceul, la maladie de Catherine prit un caractère tout à fait alarmant. Son pâle sourire s'envola de ses lèvres pour n'y plus revenir, sa gaieté forcée, factice, disparut, emportée dans un tourbillon du vent de bise, qui hurlait d'une façon sinistre en se heurtant aux angles des maisons et sifflait lugubrement dans les branches des grands arbres de la forêt.

Jacques Vaillant vit sa chère femme maigrir à vue d'œil ; ses yeux brillaient d'un éclat fiévreux, en s'enfonçant chaque jour davantage sous les arcades sourcilières ; ses lèvres s'amincissaient, des rides profondes se creusaient sur son front ; plus de rose sur ses joues, qui s'estompaient d'une teinte d'ambre.

Catherine ne sortait plus, elle restait enfermée dans sa maison, évitant de se laisser voir à une fenêtre ; on aurait dit qu'elle avait horreur du grand jour ou que le monde lui faisait peur. Il y avait de cela, car en l'absence de son mari, quand un visiteur se présentait, elle se cachait pour ne pas le recevoir, ou, si elle était surprise, elle le renvoyait vite pour se retrouver dans sa ténébreuse solitude.

Quand Jacques n'était pas là ou qu'elle ne craignait pas qu'il la vît, elle s'approchait d'une fenêtre, toujours la même, et là, immobile, dans une attitude douloureuse, les bras ballants, elle regardait au loin. Elle voyait l'épaisse couche de neige nivelant la plaine, la ligne sombre de la forêt, au-dessus les crêtes escarpées de la montagne, et plus près d'elle, à sa droite, sortant des brumes flottantes, la Bosse grise, avec sa couronne de neige et ses larges rayures blanches au bord des abîmes.

Ses yeux restaient fixés, comme rivés, sur le gigantesque rocher. Alors un frisson courait dans tous ses membres, un cri rauque se nouait dans sa gorge ou une plainte déchirante s'échappait de sa poitrine haletante.

– Mon Dieu, mon Dieu, qu'est-il devenu ? gémissait-elle. Oh ! le malheureux !... Mort, mort !... Oui, mort de froid et de faim ou sous la dent des loups ! Oh ! oh ! oh ! Déchiré, mis en pièces, mangé par les bêtes !

Tout son corps frémissait, tremblait d'horreur et d'épouvante. Elle laissait échapper une nouvelle plainte ou poussait un nouveau cri désespéré, et effarée, pantelante, elle reculait folle de terreur, comme si le spectacle horrible que créait son imagination eût été réellement sous ses yeux. Elle tombait lourdement sur un siège, presque inanimée, mais frissonnant toujours. Elle restait là longtemps, souvent des heures entières, la tête appuyée contre un meuble, reprenant peu à peu son effrayante immobilité. On aurait dit qu'elle ne pouvait plus la soutenir, sa pauvre tête, hantée par d'horribles visions, ou que le poids d'une pensée unique était pour elle un fardeau trop lourd à porter.

Jacques Vaillant ne disait plus :

– Ce ne sera rien, cela se passera.

Son inquiétude se changea en crainte plus sérieuse. Le dépérissement rapide de sa femme lui disait suffisamment qu'il devait s'effrayer.

Un jour, malgré Catherine, qui s'y opposait de toutes ses forces, il fit venir un médecin. Celui-ci ne sut trop que dire. Il vit bien que la pauvre femme se consumait lentement ; ce n'était pas la première fois qu'il lui était donné d'observer les symptômes d'une affection cérébrale. Il ne douta point que le siège du mal ne fût au cerveau ; mais que pouvait-il contre une maladie de l'âme ? Pour la forme et par acquit de conscience il griffonna une ordonnance.

Pendant quelques jours, Catherine voulut bien, sur les instances de son mari, suivre les prescriptions du docteur ; elle avala différentes drogues, de ces produits pharmaceutiques qu'un médecin peut toujours faire prendre à un malade sans rien risquer, parce que, s'ils ne font pas de bien, ils ne font pas de mal non plus.

Cependant la faiblesse suivait la progression du mal qui tuait la pauvre femme. Tous les ressorts s'étaient successivement détendus. Bientôt, Catherine ne put plus se traîner sur ses jambes décharnées, fléchissantes. Elle dut garder le lit.

Gertrude, qu'on prenait auparavant une ou deux fois par semaine pour faire les gros ouvrages de la maison, dut venir tous les jours.

De loin en loin le médecin faisait une visite.

Jacques Vaillant ne se lassait point de l'interroger.

— Je ne peux rien dire, répondait-il. Dans beaucoup de cas la science est impuissante ; celui-ci en est un. Laissons passer l'hiver, le printemps viendra. Alors il faudra des distractions, beaucoup de distractions.

— Le printemps, le printemps ! murmurait l'ancien dragon en hochant la tête, nous en sommes loin.

Et il regardait tristement les arbres du jardin fleuris de givre et le tapis de neige miroitant sous les pâles rayons du soleil.

Le visage de la malade se couvrait d'une teinte plus terreuse, ses yeux s'enfonçaient davantage, on voyait les os sous la peau de ses joues creuses ; elle ne remuait plus ; elle ne s'intéressait plus à rien ; elle était si faible que manger un peu était pour elle une grande fatigue.

À la fin de janvier, le mal empira encore ; elle eut de longues heures de délire. Alors, surexcitée, tout le système nerveux irrité, elle retrouvait un peu de force. Elle sursautait, se tordait dans ses draps en poussant des cris d'épouvante, rauques, horribles. Puis dans ses yeux démesurément ouverts, d'une fixité effrayante, s'allumait un brasier.

— Les loups, les loups, les loups ! criait-elle. Jacques, qu'attends-tu ? Vite, vite, prends ton fusil et tue les toutes, ces bêtes hideuses !... Oh ! comme ils rugissent ! Entends-tu, Jacques, entends-tu ? Ils arrivent de tous les côtés. Quelle bande ! Ah ! le malheureux est perdu... Ils se jettent sur lui, ses os broyés craquent sous les dents féroces ; ils s'arrachent ses membres sanglants... Regarde, là, là ! Vois-tu ? C'est une tête, sa tête détachée, qui roule, roule, roule...

Longtemps elle se débattait pour échapper à l'horrible vision. La crise se calmait à la fin, suivie d'un long frémissement du corps, et se terminait par des plaintes et des sanglots.

C'était le commencement d'une douloureuse agonie.

— Il s'est fait en elle, lentement, un épouvantable ravage, dit le médecin ; tous les organes ont été atteints successivement ; un miracle seul peut la sauver.

Catherine était condamnée.

Mais, déjà, Jacques Vaillant avait compris qu'il ne devait plus se faire illusion. Le cœur brisé, il voyait la mort s'approcher, guettant sa proie. Et son affection ne pouvait rien, rien ! Il allait être séparé pour toujours de celle qu'il avait tant aimée, de la douce compagne de sa vieillesse. Il fallait rassembler toutes ses forces, se raidir pour supporter le coup terrible.

Un matin, il dit à Gertrude :

— Je pars, je reviendrai dans la nuit, ayez bien soin de ma pauvre Catherine en mon absence.

Il courut à Épinal et revint dans la nuit, comme il l'avait annoncé, amenant la petite Jeanne.

Catherine était au plus mal.

Cependant, quand la porte de sa chambre s'ouvrit, livrant passage à Jacques et à l'enfant, elle se souleva un peu et tourna sa tête vers eux. Ses traits rigides s'animèrent et il y eut dans ses yeux comme un rayonnement de joie.

— C'est Jeanne, c'est notre enfant, dit-elle d'une voix faible, je l'attendais... De loin je la voyais venir avec toi, Jacques.

La petite fille se jeta sur le lit en pleurant à chaudes larmes.

— Maman, maman !

La mourante l'entoura de ses bras et, avec ce qui lui restait de force, la serra contre son cœur.

Jacques Vaillant s'était approché, s'efforçant de retenir ses larmes.

— Merci, Jacques, dit-elle ; tu as bien fait d'aller chercher la petite. Pourtant c'est un triste spectacle pour elle. Je vais m'en aller, ma fin est proche ; mais tu ne resteras pas seul, Jeanne est là ; elle me remplacera bientôt dans la maison. Jacques, tu peux l'adopter maintenant, il faut que Jeanne soit vraiment la fille, qu'elle porte ton nom. Feras-tu cela ?

— Oui, Catherine, je te le promets.

Elle mit un baiser sur le front de l'enfant.

— Jacques, reprit-elle au bout d'un moment, est-ce que la lampe est éteinte ? Je ne vois plus.

Soudain, elle poussa un soupir, leva ses bras, qui s'agitèrent un instant et retombèrent sur le lit, raides. Elle ne fit plus un mouvement, elle était morte !

Jeanne avait reçu son dernier souffle dans son dernier baiser.

— Oh ! fit Jacques Vaillant.

Et un sanglot s'échappa de sa poitrine.

Il se pencha sur le lit, colla pieusement ses lèvres sur le front de la morte et lui ferma les yeux.

Jeanne et Gertrude s'étaient agenouillées devant le lit. Toutes deux pleuraient et priaient.

Le vieux soldat restait debout, immobile, sombre, les yeux mornes, sentant naître en lui le dégoût de la vie. Mais son regard s'arrêta sur la tête courbée de l'orpheline. Aussitôt il tressaillit.

– Trois tombes creusées autour d'elle, pensa-t-il : si à mon tour je lui manquais, que deviendrait-elle ?

Il eut un nouveau tressaillement qui fit vibrer toutes les fibres de son cœur.

– Non, non, ajouta-t-il, je n'ai pas le droit de suivre Catherine dans la mort. Jeanne a besoin de moi ; pour elle, il faut que je vive !

IX

LES CHARBONNIERS

Jacques Vaillant avait découvert, trop tard malheureusement, quand il n'était plus temps de combattre le mal, la cause de la maladie de sa femme. Catherine avait eu l'esprit frappé. En rendant la liberté au sauvage, elle croyait l'avoir jeté au milieu d'effroyables dangers que son imagination exagérait encore. Cette pensée l'avait tuée.

Mais l'ancien dragon avait des sentiments généreux, l'âme grande. Il n'en voulait point au malheureux, innocent, d'ailleurs, à qui il devait le deuil éternel de son cœur. Au contraire, il s'intéressait plus vivement à son sort.

L'hiver avait été long et dur avec deux mois de neige, et Jacques avait aussi ses craintes. Triste, pensif, il se demandait souvent :

– Qu'est-il devenu ?

Les paroles incohérentes prononcées par la défunte dans ses heures de délire s'étaient gravées dans sa mémoire et, quoi qu'il fît, elles étaient toujours présentes à sa pensée. Il tremblait que le sauvage ne fut, en effet, mort de faim et de froid ou qu'il n'eût été dévoré par les loups affamés.

Les beaux jours revinrent, ramenant avec eux les chauds rayons, les nuits tièdes, la verdure, les fleurs parfumées, les bourdonnements d'insectes, les chants d'oiseaux.

Un jour d'avril on aperçut le sauvage dans les environs de la Bosse grise.

En apprenant cela, Jacques Vaillant éprouva un immense soulagement. Toutefois, au bout de quelques jours, il se mit à douter. Est-ce bien le sauvage qu'on avait vu ? Si on s'était trompé ? Il retomba dans sa perplexité. Voulant à toute force acquérir une certitude, il sortit un matin de chez lui, s'appuyant sur sa canne, et se dirigea vers la forêt. Il monta vers la Bosse grise en suivant le bord du ruisseau jusqu'à sa source.

Celui qu'il cherchait était là, assis sur une roche, les jambes pendantes, en contemplation devant deux écureuils qui faisaient des exercices de voltige en se poursuivant à travers les branches d'un hêtre. Caché derrière un rideau de feuillage, Jacques Vaillant ne pouvait le voir ; lui-même n'avait pu encore apercevoir le vieillard ; mais, déjà, le bruit des feuilles froissées dans le balancement des branches lui avait révélé la présence d'un homme dans sa solitude.

Il se laissa glisser sur le sol, prêt à fuir.

Jacques Vaillant, écartant quelques branches, sortait du fouillis de verdure qui l'avait caché jusqu'alors.

Deux regards rapides se croisèrent.

Le vieillard eut une exclamation de joie.

Le sauvage l'avait reconnu. Sa physionomie changea d'expression et le feu sombre de ses prunelles s'éteignit. Il sentait que c'était un ami et non un ennemi qui venait lui faire une visite. Au lieu de se sauver, il s'avança vers Jacques Vaillant, qui s'était arrêté. Le vieillard l'examinait avec surprise.

— C'est singulier, pensait-il, il n'a pas changé : il est toujours plein de force et de santé ; le froid et la faim ne l'ont donc pas fait souffrir ?

En voyant la douleur peinte sur le visage de Jacques Vaillant, le coureur des bois s'attrista subitement. De grosses larmes roulèrent dans ses yeux. Était-ce l'émotion du souvenir ? Peut-être venait-il de deviner que la bonne Catherine n'était plus de ce monde. Peut-être le savait-il depuis longtemps. Qui sait s'il n'avait pas entendu les cloches de Mareille tinter le glas des morts pour Catherine, si, avec sa vue perçante, debout sur un rocher proéminent, il n'avait pas vu sortir le cercueil de la maison où il avait reçu une si affectueuse hospitalité ?

Quoi qu'il en fût, le vieux soldat vit les larmes et se sentit profondément touché.

— S'il voulait me suivre, se dit-il, je l'emmènerais et le garderais près de moi ; je serais pour lui un protecteur, un ami ; je l'habillerais, je le nourrirais, je lui apprendrais à parler, si c'est possible, et je le ferais instruire. Oui, en souvenir de ma pauvre Catherine, je voudrais l'arracher à sa misérable existence. Je suis sûr qu'au bout de huit jours passés avec moi, il n'aurait plus le désir de me quitter pour revenir ici.

Sous l'action de cette pensée généreuse, il prit la main du sauvage et chercha à l'entraîner, tout en essayant de lui faire comprendre que ce qu'il avait de mieux à faire était de le suivre.

Mais le coureur des bois retira vivement sa main, fit trois pas en arrière et le regarda tristement en hochant la tête. Il semblait dire :

– Vous avez trahi ma confiance, c'est mal !...

Le vieillard sentit le reproche. Il fit une tentative pour rentrer en faveur. Mais le coureur des bois, effarouché, soupçonneux, était devenu craintif. Il tourna les talons, s'enfonça sous bois et disparut.

– C'est fini, murmura Jacques Vaillant, il n'y a rien à faire pour lui ; sa vie errante, misérable, lui plaît ; il faut l'abandonner à sa malheureuse destinée.

Il revint sur ses pas, toujours triste et désolé, en pensant à Catherine, mais complètement rassuré, cette fois, au sujet du sauvage.

– Ah ! se disait-il, si la mort ne m'avait pas enlevé si vite ma pauvre femme, elle aurait pu guérir.

L'année suivante, voyant qu'on ne cherchait plus à troubler sa tranquillité, à s'emparer de lui, l'hôte de la forêt devint moins craintif, moins farouche. Il cessa de se cacher. Il ne prenait plus autant de précautions pour ne pas être vu lorsqu'il allait faire ses provisions. On le rencontrait journellement. Si, par un reste de défiance, il ne se laissait pas encore approcher de trop près, du moins il ne se sauvait plus. On voyait bien qu'il n'avait plus peur de l'homme. Il commençait à s'apprivoiser.

S'enhardissant de plus en plus, poussé par la curiosité, sans doute, et peut-être aussi par d'autres sentiments, il s'en vint rôder autour des huttes de charbonniers. Ceux-ci, loin de l'effrayer, de le repousser, cherchaient, au contraire, à l'attirer près d'eux. Il paraissait particulièrement sensible aux paroles affectueuses des femmes. Il aimait les enfants, qui s'habituaient à le voir et n'avaient plus peur de lui ; il s'approchait d'eux, les regardait tristement et quelquefois les prenait dans ses bras et les embrassait. Une mère coupait un morceau de pain de la miche, y joignait un morceau de lard, de bœuf ou de fromage, et un enfant portait cela joyeusement au sauvage. C'était l'aumône du pauvre au malheureux. Il appuyait une main sur son cœur – c'était sa manière de remercier – et il mangeait. Comme cela lui semblait bon ! On voyait le plaisir qu'il éprouvait.

Assis sur un monticule, à une certaine distance, ou bien couché sur la branche d'un arbre, pendant des heures entières, il regardait travailler les charbonniers. Tout ce monde en mouvement, hommes, femmes et enfants, le réjouissait ; il s'intéressait beaucoup à tout ce qu'il voyait faire, il s'amusait à écouter le bruit des scies, à voir tomber du chevalet les morceaux de bois sciés de même longueur, à voir rouler les brouettes, porter les civières et empiler ensuite le bois destiné aux fourneaux.

Il fut plus vivement intéressé encore quand il vit, de distance en distance, sur des emplacements nettoyés, dont on avait battu le sol, s'élever une trentaine de pyramides construites avec des morceaux de bois sciés précédemment, dressés bout à bout et symétriquement alignés.

Il passait d'un étonnement à un autre. D'abord il avait pensé que ces meules de bois étaient des cabanes d'un nouveau genre que construisaient les charbonniers. En effet, n'était-ce pas pour s'abriter contre le froid, le vent, la pluie ou la neige qu'ils recouvraient les meules, de la base au sommet, d'une épaisse chemise d'argile ? Mais il comprit bientôt qu'il s'était trompé.

Les meules établies et le travail de revêtement terminé, les charbonniers allumèrent dans les cheminées ménagées à l'intérieur de chaque meule un feu de petit bois. Alors une fumée noire et épaisse s'échappa au sommet des meules. Au bout de trois ou quatre heures, les charbonniers cessèrent d'entretenir le feu du foyer.

La cheminée se trouvant entièrement remplie de menus charbons, le feu gagnait déjà les bûches voisines et allait successivement se communiquer aux autres.

Les cheminées furent bouchées et l'on pratiqua de nouvelles ouvertures nommées ouvreaux, lesquels fonctionnent comme des cheminées et appellent vers eux la combustion.

La carbonisation se fait de haut en bas et du centre à la circonférence ; à mesure qu'elle avance, le charbonnier ferme les premiers ouvreaux et en pratique d'autres un peu au-dessous. On voit la meule s'affaisser sur elle-même, par suite de la diminution considérable qu'éprouve le volume du bois. Enfin, quand la carbonisation a atteint la base de la meule, on ferme toutes les ouvertures, ouvreaux et évents, et on laisse s'éteindre le feu. La carbonisation se fait plus ou moins vite, suivant la quantité de bois ; cinq jours au plus pour les petites meules, quinze jours pour les plus grosses.

Pendant la durée des feux, le pauvre sauvage ne manqua pas un seul jour de venir voir le travail des charbonniers. On aurait dit que les petits nuages de fumée qui sortaient des meules, léchant la croûte de terre, qui montaient ensuite en spirales bleuâtres pour disparaître bientôt, emportés par le vent, étaient pour lui un spectacle merveilleux.

Nous l'avons dit, tout ce qu'il voyait faire l'intéressait. Il regardait, se rendait compte de tout et cherchait à comprendre. Pourquoi faisait-on ceci et ensuite cela ? Il était curieux. Il voulait savoir. Aussi le voyait-on chaque jour, de grand matin, à son poste d'observation. Évidemment il se faisait un grand travail dans sa pensée et il devait y avoir dans son cerveau une éclosion d'idées.

Une nouvelle surprise l'attendait à la démolition des meules. Il avait vu entasser le bois ; maintenant le bois n'existait plus, c'était du charbon. Son étonnement se manifesta dans une admiration naïve. Il était émerveillé et heureux, surtout, de découvrir le secret du travail qu'il avait vu faire, Alors, pour la première fois, il osa s'approcher des charbonniers ; il chercha à leur faire comprendre qu'il les avait vus travailler, qu'il s'était intéressé à leur travail et qu'il était content. Il toucha le charbon, il en leva des brassées, comme si c'eût été une joie pour lui de se noircir les mains et le visage.

Les voituriers vinrent avec leurs grandes bannes et enlevèrent le charbon. Il y avait là un homme qui recevait de l'argent ; cet homme paraissait être le maître des charbonniers. Le sauvage l'avait vu plusieurs fois déjà, aux jours de paye, assis devant une table sur laquelle il comptait des piles de pièces d'or, d'argent et de cuivre. Les charbonniers, rangés autour de lui, attendaient silencieux. Il les appelait l'un après l'autre et remettait à chacun un certain nombre de pièces jaunes et blanches étalées sur la table.

Le sauvage comprit que ces pièces rondes, brillantes et sonnantes qu'on remettait à l'homme étaient le prix du charbon et que les pièces semblables qu'il avait vu donner aux charbonniers, étaient le prix de leur travail.

Il ne connaissait pas la valeur de l'argent, mais il devina que c'était avec ces petits morceaux de métal que les charbonniers se procuraient tout ce qui leur était nécessaire : du linge, des vêtements, du pain, la viande et le lard qu'ils faisaient cuire, les légumes, herbes ou racines meilleures que celles qu'il trouvait dans le bois, des œufs plus gros que ceux pondus dans les nids des arbres.

Ce fut une révélation. Il avait compris la raison, la nécessité du travail.

Il devint songeur, soucieux. Quelque chose le tourmentait. Il était jeune et fort ; mais que faisait-il de sa jeunesse ? À quoi lui servait sa force ? Il voyait travailler les charbonniers et il sentait en lui comme la honte de ne rien faire.

Un jour, il vit un chevalet inoccupé, la scie était à côté.

Il eut une sorte de tressaillement nerveux et ses yeux étincelèrent.

Il saisit la scie, mit une perche sur le chevalet, prit mesure, ainsi qu'il avait vu faire, pour couper de même longueur, et se mit à scier.

Autour de lui, on cria :

– Bravo ! bravo ! c'est très bien !

– C'est qu'il n'est pas gauche du tout, dit une femme.

– On dirait qu'il n'a fait que ça toute sa vie...

– Il est fort et il est adroit.

Se voyant encouragé, il continua. Les enfants étaient en admiration devant lui. L'ouvrage fondait dans ses mains, pour nous servir de l'expression d'un vieux charbonnier. Sans prendre une minute de repos, sans lever le nez en l'air, ne regardant ni à droite ni à gauche, il sciait, sciait toujours avec acharnement, avec fureur, avec une sorte de passion. Le bois coupé de longueur s'entassait autour de lui.

À l'heure de la soupe on fut obligé de l'arrêter.

– Viens, lui dit-on.

On l'emmena. Il s'assit à la table des charbonniers et mangea avec eux. Le travail lui avait donné de l'appétit ; il dévora tout ce qu'on mit devant lui. On ne trouva point qu'il mangeait trop : il avait bien gagné son dîner. Il travailla encore le soir. Il revint le lendemain, il revint les jours suivants.

Quand il ne sciait pas, il brouettait des charges énormes. Il aidait à empiler le bois, à construire les meules ; on l'employait à tout. On n'eut jamais à lui dire : ceci est mal fait. Il alluma et entretint le feu des cheminées ; il ouvrit et ferma les ouvreaux ; il fit du charbon. En quelques mois, le sauvage était devenu charbonnier. Il ne recevait aucun salaire. Pourquoi lui aurait-on donné de l'argent ? Il n'aurait su qu'en faire. Mais il n'avait plus à courir dans la forêt pour trouver sa nourriture ; il y avait toujours quelque chose pour lui dans les huches, qu'il ait travaillé ou non. L'hiver il n'avait plus à redouter le froid ; toutes les huttes lui étaient ouvertes ; il avait sa place au foyer, devant les bûches rouges ou les flammes du fagot.

Il s'était, on le comprend, facilement habitué à une meilleure nourriture, aux aliments cuits. Toutefois, il préférait toujours l'eau au vin, qui lui semblait une boisson détestable.

S'il eût voulu, il aurait pu rester constamment avec les charbonniers ; mais, bien qu'il se fût peu à peu apprivoisé et familiarisé, il était toujours l'homme sauvage ; il aimait sa liberté. Il préférait sa litière de feuilles sèche dans sa grotte à un lit dans une hutte.

Les charbonniers étaient quelquefois quinze jours, trois semaines et même plus sans le voir. Quand il revenait, on lui faisait fête ; on lui donnait à manger ce qu'on avait de meilleur. Comme on connaissait ses goûts, vite on lui faisait cuire quelques pommes de terre sous la cendre. Les femmes le flattaient, les enfants lui faisaient mille caresses, sautaient sur ses genoux, jouaient avec lui.

On l'amadouait, on aurait voulu le garder, non pas seulement parce qu'il rendait des services et que c'était un cheval à l'ouvrage, mais aussi parce qu'il était bon.

On l'avait pris, en affection. On avait pitié de son triste sort.

Il savait bien qu'on l'aimait, que tous ces braves gens, hôtes comme lui de la forêt, étaient ses amis ; mais il restait insensible, en apparence, à toutes les avances, rien ne pouvait le séduire. Il était attaché à sa grotte, à la source limpide du rocher, comme les lierres aux flancs dentelés et anguleux de la Bosse grise. Évidemment il trouvait dans sa vie errante un charme infini ; il se replongeait avec bonheur dans sa solitude, savourant en quelque sorte son isolement. Alors, délicieusement bercé par le chuchotement des feuilles et le chant des oiseaux, regardant passer les nuages, il reprenait ses rêves mystérieux, interrompus par les distractions du travail.

Pendant ce temps, il revenait à sa nourriture d'autrefois ; il ne mangeait pas de bonnes choses comme chez ses amis les charbonniers, mais il ne s'en portait pas plus mal.

En entendant parler autour de lui, il avait appris la signification d'un certain nombre de mots et à les prononcer. Il disait oui, non, bonjour, bonsoir, merci, monsieur, madame... Il nommait également plusieurs objets ; pain, viande, fruit, légume, scie, bois, charbon, etc... Cela indiquait qu'avec un peu de bonne volonté et de patience, on aurait pu, peut-être en peu de temps, lui apprendre à parler. Mais trop occupés de leurs travaux, ne voyant en lui, d'ailleurs, qu'un pauvre diable, un innocent, condamné à une existence misérable, les charbonniers ne pensèrent pas à lui rendre cet immense service.

Ses vêtements s'usaient vite, quand même ils ne s'en allaient pas en morceaux arrachés par les ronces et les épines. Cependant les charbonniers et les personnes qui le rencontraient dans la forêt remarquèrent qu'il était toujours assez convenablement vêtu, légèrement l'été, chaudement l'hiver.

Ceci pourrait étonner. Voici le mot de l'énigme.

Jacques Vaillant ne l'oubliait point. De loin, constamment, il veillait sur lui, hommage rendu à la mémoire de sa chère défunte. Au renouvellement de chaque saison, sans que personne pût savoir où il allait, il sortait de chez lui, ayant un paquet sous son bras. Il gagnait la forêt, suivait le ruisseau jusqu'à sa source et déposait son paquet dans l'anfractuosité du rocher.

Le jour même ou le lendemain, venant boire à la source, le coureur des bois trouvait le paquet, qui contenait, presque toujours, un vêtement complet et une ou deux chemises de bonne toile de ménage.

Nous l'avons vu couvert de deux peaux de loup à peu près ajustées à sa taille. C'est après l'hiver 1868-1869, qui avait été extrêmement rigoureux dans les montagnes des Vosges, qu'on lui avait vu porter, pour la première fois, cette espèce de pardessus.

À la fin de l'automne, une bande de loups, probablement chassée d'une autre contrée, était venue chercher un refuge dans la forêt de Mareille. Comme on n'aime nulle part le voisinage de ces bêtes nuisibles et dangereuses, on leur fit la chasse. Dix ou douze furent tués et plusieurs autres blessés, dont deux mortellement. Ceux-ci moururent l'un près de l'autre dans un fourré et furent trouvés quelques jours après par le coureur des bois.

Un jour il avait vu un charbonnier dépouiller un renard qu'on avait pris dans un piège. Il fit comme il avait vu faire. Il dépouilla les bêtes et emporta les deux fourrures.

Mais, comme nous le verrons tout à l'heure, ce n'était point parce qu'il s'était fabriqué un vêtement avec les deux peaux de loups qu'on lui avait donné le nom de Jean Loup.

X

LA LÉGENDE DE L'HOMME SAUVAGE

Une femme de Mareille avait reconnu le sauvage. Elle affirmait l'avoir vu à Épinal, dans une baraque de saltimbanques, deux ans environ avant sa première apparition dans les bois de Mareille.

La chose était possible, pouvait être vraie. On devait admettre alors que, dans son enfance, il avait été volé quelque part par les saltimbanques ; que, devenu grand et fort, dégoûté du rôle répugnant qu'on lui faisait jouer, las d'être maltraité par ces bohémiens coureurs de foires, qui ne voyaient en lui qu'une chose à exploiter, un appât à offrir au public, il avait un beau jour rompu sa chaîne d'esclave et s'était réfugié dans les bois, montrant ainsi qu'il préférait vivre seul au milieu des bêtes qu'avec des hommes.

On aurait expliqué ainsi, d'une manière vraisemblable, sa présence dans la forêt. Mais cela était trop naturel, trop dans les choses possibles pour qu'on eût le bon sens de l'admettre. Aussi les affirmations de la femme de Mareille trouvèrent-elles beaucoup plus d'incrédules que de gens disposés à les accepter.

Donc, on repoussa cette hypothèse pour faire d'autres suppositions. Et comme ce qui pouvait être vrai ou tout au moins vraisemblable n'était pas du goût du plus grand nombre, on s'égara dans le domaine du merveilleux.

On fit du sauvage un être légendaire. Il fallait cela, probablement, pour donner satisfaction à tout le monde.

Il y aura toujours des gens qui se passionneront pour le merveilleux. La réalité est ce qu'on a sous les yeux ; on la touche, on la sent ; c'est la vie ordinaire, commune à tous, avec ses joies et ses douleurs, ses déceptions et ses triomphes. Mais l'étrange, le fantastique, le surnaturel !... Ah ! cela, c'est autre chose !... Et voilà pourquoi on bâtit tant de châteaux en Espagne, pourquoi, emporté sur les ailes du rêve, on fait de si fréquents voyages au pays des Mille et une nuits ou des chimères.

Le sauvage eut son histoire. On ne l'écrivit pas, on la raconta.

À l'exception de quelques-uns, ceux qui ne sont jamais contents de rien, gens d'humeur chagrine, esprits sournois ou moqueurs, tout le monde crut à cette histoire, qui ajoutait une page nouvelle aux fastes de la légende.

Or, voici l'histoire telle qu'on la racontait, à l'époque, naïvement et avec un accent convaincu.

Jérôme Tabourin était un pauvre bûcheron, bien pauvre, en effet, puisqu'il ne possédait absolument que sa cognée ; mais il avait la santé et des bras solides. C'était le plus fort bûcheron du village de Voulvent, où il demeurait, et le meilleur ouvrier de toute la contrée.

Il ne se dérangeait jamais ; il trouvait que c'était assez d'avoir le repos du dimanche. Il arrivait le premier dans le bois et il en sortait le dernier. Intrépide à l'ouvrage, on aurait dit que son corps et ses bras ne pouvaient jamais se fatiguer. C'est à lui qu'on donnait les plus gros chênes à coucher sur le sol ; il aimait mieux cela que d'abattre des baliveaux. C'était bon pour des vieux. C'est aux jeunes à prendre plus de peine. Quand il attaquait un des géants de la forêt, on entendait de fort loin les grands coups de sa large et lourde hache, faisant dans le bois dur de profondes entailles. On la reconnaissait, entre toutes, aux coups formidables qu'elle portait.

Jérôme était marié ; il avait pris pour compagne Louise Joli, une orpheline, pauvre comme lui, mais dont le doux regard, les sourires et les caresses lui mettaient du soleil au cœur. Un an après le mariage, Louise avait mis au monde un enfant, un beau et gros garçon tout joufflu et tout rose. C'était un sang pur, du vrai sang qui coulait dans ses veines. À le voir, à quinze mois, avec ses membres nerveux, sa poitrine bien développée, ses reins carrés et sa tête d'ange bouffi se tenant raide sur ses épaules larges, on lui aurait donné plus de deux ans. On pouvait dire déjà qu'il serait un jour grand et fort comme son père, et que, quand Jérôme serait devenu vieux, sa lourde cognée passerait en des mains qui ne la laisseraient pas se couvrir de rouille.

On avait donné au petit Tabourin le nom de Jean, et cela pour deux raisons : il était né le 24 juin, fête de saint Jean-Baptiste, et son parrain, un autre bûcheron, ami de son père, s'appelait Jean.

Jérôme Tabourin adorait sa femme et son enfant : il ne trouvait pas que son cœur fût assez grand pour contenir ces deux affections qui étaient son bonheur, qui donnaient à son existence toutes les joies rêvées.

C'est pour sa femme et son enfant, pour les entourer de tout le bien-être qu'il était en son pouvoir de leur procurer, qu'il travaillait avec tant d'ardeur et de courage. Il trouvait qu'ayant à assurer le bonheur des deux êtres qui lui étaient si chers, il n'avait pas le droit d'aller, le dimanche, jouer et boire au cabaret avec les camarades. Il se reposait de son pénible travail de la semaine entre sa femme et l'enfant, faisant sauter le petit Jean sur ses genoux, pendant que Louise, en bonne ménagère, qui sait ce que vaut le temps, reprisait le linge de la maison et raccommodait les hardes.

Avoir une femme qu'on aime, un bébé qu'on adore, cela quintuple la force de l'homme, en remplissant son cœur de toutes les joies, de toutes sortes d'ivresses. Voilà pourquoi Jérôme Tabourin ne connaissait pas la fatigue, malgré son rude labeur de chaque jour.

Le matin, Louise préparait le déjeuner de son mari ; à dix heures elle prenait le chemin du bois ; elle avait souvent une lieue et plus à faire ; mais elle avait de bonnes jambes, elle marchait vite. Quand elle arrivait près du bûcheron, la soupe était encore chaude dans le chaudron d'étain.

On s'asseyait sur le tronc du dernier chêne abattu, qui servait de table ; tous deux mangeaient et toujours de bon appétit. Après le fromage, en guise de dessert, on s'embrassait ; le petit Jean passait plusieurs fois de suite des bras de l'un dans ceux de l'autre. Tout cela prenait à peine une demi-heure. Ensuite Jérôme retroussait ses manches, s'armait de nouveau de sa cognée et se remettait à l'ouvrage.

Louise ramassait du bois mort, dont elle faisait un gros fagot que le bûcheron apportait le soir à la maison. Précédemment elle liait un deuxième fagot qu'elle emportait ; mais elle ne pouvait plus faire cela, car maintenant que le petit Jean commençait à courir comme un petit lièvre, elle ne le laissait plus seul à la maison, couché dans sa corbeille d'osier. Elle aurait pu le confier à une voisine, qui n'aurait certainement pas refusé de le garder, mais elle préférait l'emmener au bois avec elle ; d'ailleurs cela faisait plaisir à Jérôme. Pourquoi aurait-elle privé son cher homme, qui travaillait avec tant de cœur, d'une de ses joies ?

Le bûcheron lui avait fabriqué une espèce de panier qu'elle portait comme une hotte avec des bretelles. Dans ce panier elle asseyait le petit Jean sur un coussin de feuilles de fougères, et c'est ainsi qu'elle voyageait, l'enfant sur son dos, ayant les bras et les mains libres pour porter les chaudrons et le havresac.

Le petit, douillettement assis, les jambes pendantes, pouvant appuyer son dos, jouer des mains ou entourer de ses bras le cou de sa mère, était aussi bien, aussi à l'aise dans son corbillon que dans un berceau.

Avant de se mettre à ramasser le bois mort, Louise faisait au pied d'un arbre un lit d'herbe ou de feuilles sur lequel elle couchait le bambino en lui disant :

– Reste là, ne bouge pas, sois bien sage, dors.

Il était tranquille un instant, fermant les yeux, ayant l'air de dormir ; mais dès qu'il sentait sa mère un peu loin, l'espiègle levait la tête, regardait autour de lui, riait, roulait hors de son nid, se dressait tout à coup et se mettait à sauter, à gambader, à courir, cueillant par-ci par-là une fleurette, ramassant des petits cailloux, des glands ou des pommes d'yeuse.

Louise, qui pouvait craindre qu'il ne se perdît dans le bois, courait après lui, le ramenait au pied de l'arbre et le couchait de nouveau en le grondant, ce qui n'empêchait point le lutin de recommencer son manège un instant après.

– Laisse-le donc, disait le bûcheron, quand il voyait Louise grondeuse, il faut bien qu'il s'amuse ; ça lui fait du bien de courir, ça lui dégourdit les jambes et il prend de la force.

Un jour, au commencement de mars, le petit Jean, qui avait alors un peu plus de dix-huit mois, parvint à échapper à la surveillance active de sa mère et à s'éloigner beaucoup trop, en courant après un papillon aux ailes couleur de feu.

– Mon Dieu, mais je ne le vois plus, où donc est-il ? s'écria Louise in-quiète. Oh ! le méchant enfant, peut-il me tourmenter ainsi !

Elle plongea son regard dans toutes les directions. Plus d'enfant.

– Jean, Jean ? appela-t-elle.

Rien.

Elle était devenue pâle et toute tremblante. Affolée, elle se mit à courir de tous les côtés, cherchant le petit, l'appelant de toutes ses forces.

– Jean, Jean, mon petit Jean, viens, viens vite près de maman !

Cette fois, un cri d'enfant lui répondit, mais c'était un cri d'épouvante, étranglé.

La pauvre mère sentit son sang se glacer dans ses veines. Éperdue, folle de terreur, elle s'élança vers l'endroit d'où venait le cri.

Horreur ! Une louve énorme venait de bondir hors d'un massif, s'était jetée sur l'enfant et le tenait dans sa gueule. Un nuage de sang passa devant les yeux de Louise.

– Au loup ! au loup ! cria-t-elle d'une voix déchirante.

La bête ne lâcha point sa proie.

La pauvre mère se précipita en avant, les yeux enflammés, terrible, pour défendre son enfant. Mais la louve ne l'attendit pas. En deux bonds elle rentra sous bois et disparut, emportant le petit Jean.

Le cœur de la mère cessa de battre, ses yeux se voilèrent et son sang battit violemment ses tempes. Elle poussa un cri rauque, épouvantable et tomba raide, sans connaissance.

Jérôme avait entendu, lui aussi, le cri de l'enfant ; il accourut brandissant sa hache, mais pas assez vite, hélas ! pour sauver le pauvre petit. Il n'eut que le temps de voir la louve s'enfonçant dans l'épaisseur du taillis.

Cependant, guidé par les cris désespérés que l'enfant faisait entendre encore et le bruit du bois sur le passage de la bête fuyant à toute vitesse, il se mit à sa poursuite. Pendant un quart d'heure il put suivre sa trace. Après, n'entendant plus rien, ne sachant plus de quel côté se diriger, il comprit qu'il devait renoncer à tout espoir. Il revint vers sa femme, rugissant de douleur, pleurant et sanglotant.

Louise était encore à l'endroit où elle était tombée. Il y avait plusieurs personnes autour d'elle. Ayant repris connaissance, la malheureuse se tordait dans d'horribles convulsions ; elle s'arrachait les cheveux, s'égratignait le visage. Le bois retentissait de ses cris, de ses plaintes, de ses gémissements.

C'était l'explosion d'une effroyable douleur, et, pour ceux qui étaient là, un spectacle navrant.

Le bûcheron prit sa femme dans ses bras, la pressa contre sa large poitrine et l'embrassa tendrement.

La crise nerveuse se calma peu à peu, puis de nombreux sanglots soulagèrent la pauvre mère.

Jérôme n'eut pas la pensée de retourner à l'ouvrage, il ne se souvint pas même qu'il avait laissé debout un grand hêtre entaillé jusqu'au cœur. Le pauvre homme avait les bras cassés. Il avait perdu son petit Jean, il n'avait plus de force. Les grandes forêts des Vosges allaient avoir bientôt un bûcheron de moins.

Lui sombre, elle tout en larmes, en proie au plus violent désespoir, ils rentrèrent au village suivis des quelques amis accourus les premiers pour prendre part à leur peine.

Les témoignages de sympathie ne leur manquèrent point ; quand on sut, à Voulvent, ce qui s'était passé, ce fut une consternation générale ; c'était un deuil pour toute la commune, car tout le monde aimait Tabourin et sa femme.

En un instant, tous les fusils furent chargés et une petite troupe de chasseurs, sous la conduite de Jérôme, se rendit dans la forêt pour se mettre à la recherche de la louve.

Certes, on n'espérait pas sauver le petit Jean qui, sans nul doute, avait été dévoré déjà par la bête féroce. Mais il fallait venger l'innocente victime et prévenir un autre malheur semblable. À tout prix, le terrible animal devait être mis à mort.

Pendant plusieurs jours, on fouilla la forêt et successivement tous les bois des environs, dans un périmètre de deux à trois lieues. On ne trouva rien. La louve avait disparu.

Et le petit Jean ?

Jérôme mit un large crêpe à son chapeau, Louise porta un vêtement de grand deuil.

À l'église de la paroisse, il y eut un service funèbre auquel toute la population de Voulvent et des communes voisines assista. Et l'acte de décès de l'enfant fut écrit sur le registre de la mairie.

En l'année 1845, au mois de mars, un enfant de dix-huit mois, appelé Jean, fils de Jérôme Tabourin et de Louise Joli son épouse, demeurant au village de Voulvent, à trois lieues de Marcille, avait été effectivement enlevé par une louve. Ce douloureux et terrible événement avait eu un grand retentissement dans toute la contrée. Tous les journaux des départements de l'Est l'avaient raconté avec plus ou moins de détails ; et ensuite, à Paris, on avait pu lire le fait dans toutes les gazettes, à la colonne des nouvelles diverses.

Quand l'homme sauvage fit son apparition dans la forêt de Mareille, les gens du pays se souvinrent du drame de Voulvent, que beaucoup d'entre eux n'avaient pas encore oublié.

Le sauvage, à qui l'on donnait de dix-huit à vingt ans, avait précisément l'âge qu'aurait eu, à peu près à la même époque, le fils de Jérôme Tabourin. Cette coïncidence était une bonne fortune pour les amateurs de merveilleux.

— Vous demandez qui est cet homme sauvage et d'où il vient ? dirent-ils ; eh bien ! nous allons vous l'apprendre ; c'est Jean Tabourin, le fils de Jérôme Tabourin de Voulvent, qui a été enlevé par une louve à l'âge de dix huit mois.

On se récria d'abord très fort, puis on finit par écouter.

— Calculez : Quel âge aurait aujourd'hui Jean Tabourin ? Dix-neuf ans et six mois, puisque c'est en 1843, à dix-huit mois, que la louve l'a pris et emporté dans les bois. Eh bien, après avoir vu le sauvage, tout le monde s'est accordé à dire qu'il n'avait pas vingt ans.

Sur ce point il était difficile de répliquer.

— D'ailleurs, ajoutait un des convaincus, ardent propagateur de l'opinion, j'ai parfaitement connu le bûcheron de Voulvent, je puis même me vanter de lui avoir plusieurs fois serré la main. Le sauvage est fort comme Jérôme le bûcheron et il lui ressemble comme une goutte d'eau à une autre goutte d'eau. Il n'y a pas à soulever la Bosse grise pour découvrir la vérité, ni à dire c'est ci, c'est ça et autre chose encore : l'homme sauvage est le fils de Jérôme Tabourin, le bûcheron de Voulvent.

On finissait par s'incliner devant des affirmations si éloquentes.

Ceux qui ne voulaient pas encore se laisser convaincre secouaient la tête.

— Mais cela ne peut pas être, objectaient-ils, puisque le petit Jean a été mangé par la louve.

— Qu'est-ce qui le prouve ?

— Quand un loup pénètre dans la bergerie et emporte un agneau, on sait ce qu'il en veut faire.

– On a cru à Voulvent que l'enfant avait été mangé c'est vrai ; mais on n'a jamais été bien sûr de cela. On a cherché dans les bois, de tous les côtés, partout ; a-t-on trouvé seulement un des os de l'enfant ?

– Ainsi, vous prétendez qu'il n'a pas été dévoré par la louve ?

– Parfaitement.

– Pourquoi la bête l'a-t-elle emporté, alors ?

– Ah ! nous vous attendions là. La louve n'était pas aussi féroce, aussi affamée, qu'on a bien voulu le dire. Certainement elle ne s'est pas jetée sur le petit Jean et ne l'a pas emporté au fin fond de la forêt avec l'intention de le combler de caresses. Elle avait mis bas dans un fourré ; elle emportait le pauvre petit dans son repaire pour le mettre en pièces et le donner en pâture à ses louveteaux.

» Mais voilà : pendant qu'elle était à la recherche d'une proie, le hasard conduisit un garde du bois dans le fourré de la louve ; il trouva la nichée et emporta les louveteaux. Combien y en avait-il ? Nous n'en savons rien ; mais qu'importe ? Autant de moins. En ne retrouvant plus ses petits, la louve désolée se mit à gémir. Elle avait mérité ce qui lui arrivait. Elle avait pris le petit Jean à sa mère, on lui avait enlevé ses louveteaux.

» Dans sa douleur, n'ayant plus, d'ailleurs, à partager la proie qu'elle apportait, elle n'eut pas le courage de dévorer l'enfant auquel, heureusement, elle n'avait fait aucun mal, car elle l'avait porté, tenant seulement son vêtement entre ses dents. Elle le laissa tomber sur la couche des louveteaux disparus et s'étendit près de lui en poussant de sourds gémissements.

» Sans doute, le petit Jean pleura beaucoup, appelant sa mère. Toutefois, il avait moins peur de la bête, qui, loin de chercher à lui faire du mal, le regardait au contraire tristement, avec douceur, presque avec tendresse.

» Quand vint le soir, le pauvre petit eut froid. Pour se réchauffer il se serra contre la louve ; celle-ci ouvrit ses quatre pattes et permit à l'enfant de se blottir dans sa fourrure. Puis ce fut la faim qui se fit sentir. Jean avait souvent tété une chèvre, il téta la louve. La bête le laissa faire. Il lui sembla qu'elle avait retrouvé un de ses petits et elle se mit à le lécher. Elle avait perdu sa férocité, s'était attendrie ; l'enfant devenait l'objet de sa sollicitude, elle reportait sur lui son affection maternelle.

» Elle ne le quitta plus. Quand elle se mettait en chasse pour saisir une proie, elle l'emmenait avec elle ; Jean, habitué à elle, maintenant, la suivait.

Souvent elle le portait, suspendu à sa mâchoire, prenant les plus grandes précautions pour ne pas le blesser. Des semaines, des mois s'écoulèrent. Jean ne pensait plus à son père et à sa mère. Les enfants ont la mémoire courte, il avait oublié ceux qui l'avaient si tendrement aimé. Il s'était attaché à la louve, qui l'avait adopté, et c'était la louve qu'il aimait maintenant. La bête, de son côté, était pleine de tendresse pour son nourrisson : elle le chérissait, elle l'aimait autant qu'une louve bonne mère peut aimer son louveteau.

» Bref, voilà comment le petit Jean Tabourin, fils de Jérôme Tabourin et de Louise Joli de Voulvent, fut élevé par la louve qui l'avait pris pour donner à manger à ses petits.

» Nourri, protégé, défendu par elle, Jean grandit dans les bois, au milieu des bêtes qui ne songèrent jamais à lui faire du mal.

À tout cela, on aurait pu opposer bien des mais...

Les incrédules, les sceptiques endurcis se contentèrent finalement de hausser les épaules et de rire, et l'histoire de Jean Tabourin et de la louve, souvent racontée, fut acceptée comme vraie par le plus grand nombre.

Dès lors on cessa d'appeler l'hôte de la forêt le Coureur des bois, on lui donna le nom de Jean Loup.

Sans doute, la légende de l'homme sauvage fut racontée à Voulvent et même plus loin.

Comment Jérôme Tabourin et sa femme n'accoururent-ils pas dans la forêt de Mareille afin de s'assurer que Jean Loup était bien leur fils ?

Hélas ! ils n'étaient plus de ce monde. Louise n'avait pu porter le poids de son immense douleur : elle était morte quelques mois après la catastrophe ; deux ans après Jérôme l'avait suivie dans la tombe.

XI

CHEZ LA BARONNE DE SIMAISE

C'est au château de Vaucourt, à une lieue de Mareille que demeurait la baronne de Simaise.

Le domaine de Vaucourt était un des plus grands et des plus riches du département. Il se composait du vieux manoir, que la baronne avait fait restaurer quelques années auparavant, lorsqu'elle était venue s'y fixer avec sa fille, bien résolue à ne plus le quitter ; d'un parc magnifique, coupé de larges avenues bordées d'arbres séculaires ; de trois belles fermes d'un excellent rapport et de plus de dix mille hectares de bois sur le territoire des communes de Vaucourt et d'Haréville.

Le domaine de Vaucourt était l'héritage que le comte de Vaucourt avait laissé en mourant à sa fille unique, indépendamment de près de deux millions représentés par un hôtel à Paris et des valeurs mobilières de premier ordre.

Cinq ans après la mort de son père, Mlle de Vaucourt avait épousé le baron de Simaise ; heureusement, grâce à son notaire, un homme dévoué, qui veillait aux intérêt de sa cliente, elle s'était mariée sous le régime dotal, de sorte que, plus tard, lorsqu'elle s'était séparée à l'amiable de son mari, elle avait pu administrer ses biens elle-même, sans que M. de Simaise pût y mettre empêchement.

Elle avait généreusement abandonné au baron son hôtel de la rue de Grenelle-Saint-Germain, qu'il avait vendu, et la somme d'argent comptant apportée par elle dans la communauté. C'était pour M. de Simaise une compensation.

Malgré cela, elle avait encore une belle fortune, car bon an mal an, ses fermes et ses coupes de bois lui assuraient un revenu de cent mille francs.

Vivant très retirée, recevant rarement, ne voyageant jamais, n'ayant par conséquent nul besoin de ces toilettes coûteuses qu'il faut à la femme du monde, elle dépensait à peine, pour elle et sa fille, vingt-cinq mille francs par an.

Mais, très charitable, elle faisait beaucoup de bien dans le pays. Elle avait fondé des écoles où les enfants des deux sexes étaient instruits gratuitement ; l'hiver les pauvres gens se chauffaient à ses frais ; elle soulageait, autant qu'elle le pouvait, toutes les misères ; elle prenait sous sa protection les vieillards et les orphelins ; elle faisait soigner les malades ; elle envoyait constamment du linge, des vêtements pour les enfants, des provisions de toutes sortes. Quand l'année était mauvaise, après avoir écouté les doléances de ses fermiers, elle leur faisait remise d'une partie de leur loyer. Aussi elle et sa fille étaient-elles aimées et vénérées.

Tout compté, après avoir fait autant de bien qu'elle en pouvait faire, il restait à Mme de Simaise, à la fin de chaque année, sur son revenu, une somme disponible de plus de cinquante mille francs.

Cet excédant augmentait sans cesse le capital mis en réserve.

La baronne de Simaise avait vu s'envoler une à une ses plus chères illusions : elle n'avait conservé du passé que des regrets et une blessure inguérissable faite à son cœur. En femme prévoyante, elle pensait à l'avenir, à son fils, que le baron avait voulu garder lors de leur séparation, et à sa fille, sa bien-aimée Henriette, qui était en même temps l'objet de ses plus chères espérances et de ses plus sérieuses inquiétudes.

C'est en songeant à l'avenir de ses enfants que, avec l'aide de son notaire, elle amassait un capital. Sans doute son mari possédait une immense fortune ; mais elle connaissait son inconduite, ses folles dépenses, les sommes énormes qu'il perdait au jeu. D'un moment à l'autre, on pouvait lui apprendre qu'il était ruiné. Autant que cela était en son pouvoir, elle voulait, dans le cas où ce malheur arriverait, mettre ses enfants à l'abri de la catastrophe. Et puis ne serait-elle pas forcée, alors, pour leur dignité et leur honneur à tous, de venir en aide à son mari, si indigne qu'il fût ?

La baronne de Simaise avait trente-cinq ans. Elle était encore très belle, bien que les déceptions et les chagrins l'eussent vieillie de dix ans. En peu de temps ses cheveux avaient blanchi, des rides précoces se montraient sur son pâle et noble visage, le sourire avait pour toujours disparu de ses lèvres.

Pendant les premières années de son mariage, elle avait été fort remarquée dans les salons parisiens où elle brillait comme une reine de la mode et de l'élégance. Gracieuse, aimable, spirituelle, distinguée, toujours gaie, elle était très recherchée ; partout elle était adulée, et partout elle faisait naître l'admiration.

Tout à coup, sans que rien l'eût fait pressentir, la baronne de Simaise avait quitté Paris, disant ainsi adieu pour toujours au monde, à ses fêtes, à ses plaisirs, et s'était retirée à Vaucourt.

Il y avait de cela douze ans. Et depuis douze ans elle n'était pas revenue une seule fois à Paris.

La soudaine disparition de la baronne de Simaise avait surpris tout le monde, sans donner lieu, toutefois à de longs commentaires. On connaissait la conduite scandaleuse du baron, qui menait une existence de viveur éhonté, entretenait ouvertement une ballerine de sixième ordre, laquelle étalait cyniquement son luxe effronté sous les yeux même de la baronne et de ses enfants.

Évidemment Mme de Simaise devait se sentir cruellement blessée dans sa dignité d'épouse et de mère. On supposa que, lasse, à la fin, de supporter tant d'outrages, il y avait eu entre elle et son mari une scène terrible, à la suite de laquelle une rupture était devenue chose forcée.

Quelques-uns, ses amis, la regrettèrent ; les autres la plaignirent seulement, puis on l'oublia. On passa à d'autres admirations, on se tourna vers une nouvelle étoile.

Sans doute la conduite déplorable de son mari était pour quelque chose dans la grave résolution que la baronne avait prise de se séparer de lui et de s'exiler dans sa terre de Vaucourt. Il y a des injures qu'une femme, quand elle est mère surtout, ne peut point pardonner. Le mari qui a mérité le mépris de sa femme ne tarde pas à lui inspirer du dégoût.

Cependant, ce n'était pas seulement parce que le baron avait cruellement offensé et outragé sa femme, qu'elle l'avait quitté. À côté de ce motif, suffisamment sérieux, il existait une autre cause infiniment plus grave. De cela le monde ne savait rien.

C'était un secret terrible entre le mari et la femme. Ce secret, nous le connaîtrons plus tard. Après les dures épreuves qu'elle avait traversées, la baronne se renferma pour ainsi dire en elle-même afin de se consacrer plus entièrement à l'éducation de sa fille adorée. Elle lui donna dans son cœur toute la place occupée naguère par des affections brisées ou détruites. Certes, elle aimait aussi son fils ; mais il était éloigné d'elle, il appartenait à son mari. Elle le lui avait laissé, malgré elle et les révoltes de son cœur. Elle avait été forcée à cet abandon. C'est à ce prix, à cette dure condition qu'elle avait obtenu sa liberté complète.

— Prenez votre fille, lui dit le baron, moi je garde mon fils.

Elle aurait pu se montrer plus exigeante ; mais, pour cela, il eût fallu faire valoir ses droits, révéler le fameux secret, déchirer le voile sous lequel se cachaient la honte et le crime.

Gardienne de l'honneur de ses enfants et, pour eux, condamnée au silence, elle se résigna.

Mais elle souffrait, la pauvre mère : Raoul ; devenu grand, n'était point comme elle l'aurait voulu ; elle voyait qu'il n'avait pas pour elle la déférence et l'affection qu'il lui devait ; elle devinait ses mauvais instincts. Dirigé par son père, ayant constamment des mauvais exemples sous les yeux, que deviendrait-il ? Quelle serait sa destinée ? Elle ne pouvait penser à son avenir sans être effrayée. De ce côté elle voyait de nombreux points noirs à l'horizon.

Heureusement, elle avait sa fille, l'ange de la consolation ; c'est ainsi qu'elle l'appelait. Ah ! sa fille était bien à elle, à elle seule ; nul ne pouvait lui ravir l'amour de son enfant. Elle l'avait élevée pour elle, faisant naître dans le cœur d'Henriette tous les nobles sentiments du sien.

Elles s'aimaient à l'adoration. C'était entre elles un continuel échange de baisers. Elles vivaient l'une pour l'autre. La jeune fille ne croyait jamais faire assez pour payer le dévouement, la tendre sollicitude de sa mère.

Un doux regard, une caresse d'Henriette faisaient oublier à l'exilée ses douleurs d'autrefois, ses inquiétudes du moment.

Mme de Simaise se voyait revivre dans sa fille qui, d'ailleurs, lui ressemblait d'une manière frappante. Elle était ainsi quand elle avait l'âge d'Henriette. Elle aussi avait eu ses jours de joie, l'espérance, les promesses de l'avenir, le front irradié, le rire argentin sur les lèvres, la jeunesse, enfin, une jeunesse pareille à celle de sa fille, ensoleillée d'illusions et de rêves aux ailes d'or et d'azur.

— Oh ! oui, elle me ressemble, se disait-elle souvent, en enveloppant la jeune fille d'un long regard de tendresse ; je me retrouve en elle tout entière !... Ah ! puisse-t-elle conserver toujours ses joies d'enfant et son bonheur, qui est mon ouvrage ! Qu'elle ne sache jamais pourquoi j'ai tant souffert, pourquoi j'ai versé tant de larmes amères !... Mon Dieu, préservez mon enfant, faites que sa destinée ne soit pas semblable à la mienne !

Henriette de Simaise avait la beauté idéale que le peintre et le sculpteur rêvent sans cesse. Elle était blonde comme Cérès, la déesse des moissons. Ses joues fraîches, délicatement arrondies et légèrement teintées de rose pur avaient le doux velouté de la pêche mûre. Tout, chez elle, était d'un modelé parfait : son visage aux traits fins et réguliers ; son nez et ses oreilles, des merveilles ; ses petites mains blanches, aux doigts effilés, ornés d'ongles roses, et ses pieds mignons ; sa taille svelte, souple, gracieuse dans tous ses mouvements ; sa gorge ravissante et ses épaules charmantes, dont les contours commençaient à s'accuser nettement.

Elle avait le front haut, intelligent, les sourcils un peu clairs, comme chez la plupart des blondes, mais bien plantés et formant deux arcs admirablement dessinés. De longs cils voilaient ses grands yeux bleus, lumineux, souvent un peu rêveurs et toujours d'une douceur infinie.

Sa bouche était petite, délicieuse. Derrière ses lèvres roses, toujours souriantes, se cachaient timidement, comme si elles eussent craint de laisser voir leur beauté, deux rangées de petites dents richement émaillées, qu'on aurait prises volontiers pour des perles fines serties dans du corail.

Henriette n'était pas seulement intelligente, elle était instruite ; sa mère lui avait appris tout ce qu'elle savait ; pour cela le temps ne lui avait pas manqué. Tout en mettant tous ses soins à former le cœur de sa fille, à élever son âme vers les grandes et belles choses, ne lui parlant de ce qui est le mal que pour la diriger mieux et plus sûrement vers ce qui est le bien, elle avait aussi cultivé son esprit.

Mlle de Simaise était, sous tous les rapports, une jeune fille accomplie, aussi parfaite qu'il est possible, en ce monde, d'arriver à la perfection.

Elle n'était pas seulement jolie, instruite, spirituelle, distinguée : elle avait la grâce enchanteresse, la douceur angélique, la bonté adorable, la modestie, la candeur, la naïveté charmantes. Elle avait la fraîcheur, la suavité de la fleur odorante qui s'épanouit le matin, humide de rosée, sous les caresses amoureuses des rayons du soleil. Sans le vouloir, sans le savoir, comme si elle l'eût désiré, elle charmait tous ceux qui l'approchaient. Sa douce et franche gaieté, jamais contenue et jamais bruyante, répandait autour d'elle comme un parfum de bonheur. Il y avait dans son sourire, qu'on aimait à voir, quelque chose d'irrésistible, qui attirait comme une attraction, et dans l'expression de son regard radieux quelque chose de tendre, de caressant, de poétique qui donnait à toutes les grâces de sa personne un charme indéfinissable.

Le jour où nous introduisons le lecteur chez madame la baronne de Simaise, il y avait – c'était par exception – à l'occasion de l'anniversaire de la naissance d'Henriette, qui entrait ce jour-là dans sa dix-septième année, une assez nombreuse réunion au château.

C'était d'abord Raoul de Simaise, qui était venu passer huit jours à Vaucourt, plutôt pour se distraire et prendre le vert, comme il le disait, que pour donner à sa mère et à sa sœur la joie de le voir et de l'embrasser ; puis la comtesse de Maurienne, une amie de pension de la baronne. Ces dames ne s'étaient pas vues depuis plusieurs années. Avant de se rendre à Ems, où elle devait rejoindre son mari, la comtesse s'était détournée de son chemin pour passer une semaine à Vaucourt avec son ancienne amie. Elle était accompagnée de son fils, un jeune garçon de quatorze ans, et de ses deux filles, l'une de quinze ans, l'autre de l'âge d'Henriette.

Les invités étaient M. Houbaud d'Épinal, notaire de Mme de Simaise ; l'inspecteur des forêts, M. Monginot et sa femme, qui demeuraient aussi à Épinal ; puis M. de Violaine et sa fille Suzanne, son unique héritière. M. de Violaine était le voisin de la baronne ; son domaine touchait à celui de Vaucourt. Mlle Suzanne avait dix-huit ans, elle n'était ni laide ni jolie, mais elle avait beaucoup de cœur ; elle était ce qu'on appelle une bonne fille. Nature un peu fantasque, énergique, indomptable, il semblait que tout devait plier sous sa volonté ; elle avait les allures cavalières d'une femme du pays des Amazones et était hardie et audacieuse comme un page de comédie. Rien ne l'arrêtait, rien ne l'effrayait ; elle se lançait à travers les obstacles, elle jouait avec les dangers. C'était un vrai diable à quatre. Ce qui faisait dire à son père, heureux, d'ailleurs, de la voir ainsi :

– Ma fille est un garçon manqué.

Après le dîner, la baronne et sa société descendirent dans les jardins pour faire un tour de promenade dans une large allée ombragée de superbes platanes.

La soirée était magnifique, l'air tiède était imprégné du parfum des fleurs du parterre ; la brise, dans le feuillage, avait de doux chuchotements. Après la chaleur lourde, accablante de l'après-midi, on se sentait renaître.

Le soleil, encore chaud, descendait vers l'horizon, qu'il illuminait de ses rayons, prêt à se coucher dans un lit de pourpre frangé d'or.

– Toute la journée, il y a eu menace d'orage, dit M. de Violaine ; mais le vent du sud-ouest l'a chassé plus loin ; le ciel s'est éclairci, nous aurons demain encore une belle journée.

– Je le crois, répondit la baronne ; mais dans un instant nous allons avoir un splendide coucher de soleil ; si nous voulons jouir de ce spectacle, nous ferons bien d'aller nous asseoir sur la terrasse.

– Certainement, madame la baronne, répondit l'inspecteur des forêts, un beau coucher de soleil n'est pas un spectacle si commun qu'on ne soit toujours disposé à l'admirer.

– Allons sur la terrasse, dirent ensemble les jeunes filles.

Un instant après on s'asseyait sous le dôme d'un gigantesque marronnier, qui ombrageait, à lui seul, les deux tiers de la terrasse du château.

On se mit à causer, les yeux tournés vers l'occident embrasé, sillonné de lueurs colorées pareilles à des feux de bengale, ce qui donnait à cette partie du ciel l'aspect d'un immense incendie.

– Quelle est donc cette masse sombre, éclairée d'un côté par les feux du couchant et ayant la forme d'une pyramide, qui se dresse un peu à droite en face de nous ? demanda tout à coup la comtesse de Maurienne.

– C'est un mamelon de la montagne, répondit la baronne, un énorme rocher que les habitants du pays appellent la Bosse grise. Comme vous le voyez, ce pic est très élevé ; il n'a point l'aspect grandiose et imposant du ballon des Vosges ; mais, comme lui, il se voit de très loin, La Bosse grise est notre Mont-Blanc.

– C'est là, paraît-il, au fond d'une large crevasse du rocher, que demeure Jean Loup, l'homme sauvage.

– Un sauvage ! exclama la comtesse.

– Oui, madame, un vrai sauvage.

– Je comprends, un pauvre fou !

– Nullement. D'après ce qu'on dit de lui, ce malheureux a toute sa raison et est même doué d'une certaine intelligence.

– En vérité ! Mais d'où vient-il ?

– Nul ne le sait.

– Ah !

– Lui seul pourrait le dire. Malheureusement, il ne parle pas.

– Il est muet ?

– Non. N'ayant jamais vécu avec ses semblables, il n'a pu apprendre à parler.

– Ah ! tout cela est bien étrange.

– Étrange, en effet, madame la comtesse. Évidemment, il y a là un mystère.

– Qu'on parviendra peut-être à pénétrer un jour, dit Mme de Simaise.

– Pourquoi laisse-t-on ce malheureux vivre ainsi ? reprit la comtesse.

– Parce qu'il préfère à tout son existence au milieu des bois.

– Soit ; mais il me semble qu'on aurait dû tenter de le civiliser, essayer de l'instruire ou tout au moins de lui apprendre à parler.

– Il y a quelques années on s'est emparé de lui ; on voulait faire pour le pauvre sauvage, précisément ce que madame la comtesse s'étonne qu'on n'ait pas fait. Mais il parvint à s'échapper et il est retourné dans la forêt où, dans la crainte d'être repris, il est resté caché, invisible, pendant plus d'un an. On n'a plus cherché depuis à troubler sa tranquillité ; il aime les bois, sa liberté, on le laisse vivre comme il l'entend.

– Coupable indifférence !

– Peut-être.

– Mais ce malheureux est un homme, monsieur, et on ne fait pas pour lui ce qu'on ferait pour une bête.

– Sans doute il y a des indifférents, des gens à qui il importe peu que le sauvage ait telle ou telle destinée, répliqua M. de Violaine ; mais il y a aussi des personnes qui s'intéressent à lui. Demandez à votre amie...

– C'est vrai, dit la baronne, et moi-même je souhaite ardemment qu'il renonce à sa vie errante et malheureuse au milieu des bois.

– Cela arrivera certainement.

– Quel âge a-t-il ! demanda la comtesse.

– On pense qu'il a maintenant vingt-deux ou vingt-quatre ans.

– Son âge le rend plus encore digne de pitié, et je comprends que ma chère Clémentine, dont le cœur ne reste jamais insensible au malheur des autres, s'intéresse si vivement au sort de ce pauvre jeune homme.

– Je vous assure, madame la comtesse, que Jean Loup a de nombreux amis ; s'il le voulait, il trouverait facilement un asile : je ne crois pas qu'à Mareille, à Vaucourt et à Blignycourt une seule maison lui soit fermée. Mais ce que souhaite madame la baronne se réalisera un jour ou l'autre : Jean Loup renoncera à sa misérable existence. Déjà il est moins farouche, moins sauvage ; les charbonniers de la forêt sont parvenus à l'apprivoiser un peu ; ils le font travailler avec eux et lui donnent à manger.

– J'ai vu le sauvage avec les charbonniers, dit l'inspecteur, et j'ai eu du plaisir à le voir travailler ; il n'était pas le moins courageux à l'ouvrage. Très adroit, fort comme un hercule, solide comme un roc, il faisait vite et bien, à lui seul, le travail de deux hommes.

– Comment est-il de figure ? demanda curieusement la comtesse.

– Autant que j'ai pu en juger, madame, j'ai trouvé que, sous tous les rapports, c'était un beau garçon.

– Vraiment ?

– Il est grand et sa taille élancée ne manque pas d'élégance. Sa figure est un peu rude, mais les traits sont beaux et l'expression sympathique ; il y a dans l'ensemble de la fierté, et je dirai même quelque chose de distingué, de noble qui surprend. Son regard est plutôt timide et craintif que farouche ; ses grands yeux noirs, pleins de clarté, et son large front révèlent l'intelligence. J'ai aussi remarqué qu'il avait de fort belles dents.

– Monsieur, le portrait que vous venez de nous faire de ce malheureux augmente ma pitié, dit la comtesse.

– M. Monginot n'a rien exagéré, dit la fille de M. de Violaine ; le sauvage est réellement un beau garçon.

– Est-ce que vous aussi vous l'avez vu, mademoiselle Suzanne ? demanda Emma de Maurienne.

– Comme je vous vois en ce moment. Un jour, l'année dernière, faisant seule une promenade à cheval, je me suis trouvée face à face avec lui dans un chemin de la forêt...

– Oh ! comme vous avez du avoir peur ! s'écria Blanche en frissonnant.

– Peur ! moi ? Rien ne m'épouvante, répondit crânement Suzanne. C'est Jean Loup, au contraire, qui a eu peur de moi ou de mon cheval ; car, après s'être arrêté un instant pour me regarder, me donnant ainsi tout le temps nécessaire pour bien l'examiner, il s'est sauvé tout à coup à travers le bois comme s'il avait eu à ses trousses une douzaine de chiens enragés.

– C'est égal, dit Blanche, si j'avais été à votre place, mademoiselle Suzanne, j'aurais eu une peur affreuse.

– Pourquoi ? rit Henriette ; il n'est pas méchant, il est bon, au contraire. Depuis quelque temps, surtout, on parle beaucoup de lui, de l'enfant de Blignycourt, qui se noyait dans la rivière et qu'il a sauvé, du loup énorme qu'il a tué pour lui arracher des dents un agneau qu'il venait de prendre dans un troupeau de brebis de Mareille. Tout ce qu'on raconte de Jean Loup a excité ma curiosité ; je voudrais bien le voir.

– Autrefois, dit M. de Violaine, il eût été difficile de donner satisfaction à votre curiosité : pour voir Jean Loup, il fallait que le hasard vous le fît rencontrer ; maintenant qu'il cesse de se cacher, qu'il ne craint plus autant de se montrer, il est rare qu'on traverse la forêt sans le voir ; on le rencontre fréquemment, soit du côté des huttes des charbonniers, soit aux alentours de la Bosse grise.

– Demain, si vous le voulez, Henriette, proposa Suzanne, nous irons à la Bosse grise.

Mlle de Simaise regarda sa mère, l'interrogeant du regard.

– C'est un but de promenade, répondit la baronne.

– Nous irons ! crièrent les jeunes filles.

– Et je vous promets une vue superbe, reprit Suzanne, car nous grimperons sur le rocher, pas jusqu'au dessus par exemple, c'est impossible ; mais à peu près à la moitié de sa hauteur. Trois ou quatre fois déjà j'ai fait cette ascension ; ce n'est pas du tout difficile ; le rocher est garni de saillies formant des marches ; cela ressemble à un escalier de labyrinthe. Et puis, Henriette, nous aurons peut-être, comme vous le désirez, la chance de voir Jean Loup. Tenez, quelque chose me dit que le sauvage se montrera pour vous être agréable.

— Eh bien, nous le verrons, dit bravement Blanche de Maurienne ; tant pis pour moi si j'ai peur.

La façon dont la jeune fille prononça ces paroles fit rire tout le monde.

Après un moment de silence, la comtesse, qui s'intéressait de plus en plus au sauvage, reprit la parole.

— Tout à l'heure, dit-elle, Mlle de Simaise a parlé d'un enfant qui se noyait, tiré de la rivière, et d'un loup ; le sauvage a-t-il réellement fait cela ?

— Parfaitement, madame la comtesse, répondit M. de Violaine.

— Mais, monsieur, ce sont là des actes humains, d'un homme civilisé et non d'un sauvage !

— Assurément, madame la comtesse ; aussi tout le monde dans le pays est-il convaincu qu'il y a dans le cœur de Jean Loup le germe de tous les bons sentiments. S'il est aujourd'hui un sujet d'étonnement, que sera-ce plus tard quand on aura complètement vaincu sa sauvagerie, quand il ne refusera plus de vivre avec les hommes et qu'il parlera suffisamment pour se faire comprendre ? Je ne crois pas me tromper en disant qu'il fera d'étranges révélations. Jusqu'à présent on ne sait rien ; autour de lui tout est mystère ; mais le jour viendra, et je crois qu'il est proche, où la lumière éclairera ces ténèbres.

— Il faut l'espérer, monsieur.

— J'ai appris, il y a quelque temps, qu'il commençait à prononcer quelques mots, c'est-à-dire à parler ; cela promet, c'est de bon augure. Ce qui me fait croire qu'il cessera bientôt de vivre à l'état sauvage, c'est qu'il devient de jour en jour plus hardi et surtout moins défiant. Depuis quelque temps il sort de la forêt ; il ne s'en éloigne pas beaucoup, il est vrai, mais enfin il en sort ; on le voit se promener gravement sur les sentiers au milieu de la prairie et à travers les moissons, ayant l'air d'admirer toutes les choses que donne la terre cultivée, l'œuvre magnifique de la nature.

» Il y a à Mareille un jeune homme, un garçon de ferme, appelé Jacques Grandin, que notre sauvage a pris en affection. Dès qu'il l'aperçoit dans les champs, il accourt près de lui, lui serre la main, puis s'en va, après lui avoir fait toutes sortes de démonstrations d'amitié.

» C'est précisément dans un troupeau de brebis appartenant au maître de Jacques Grandin que le loup, dont Mlle Henriette a parlé, était venu prendre sa proie. Ce jour-là Jacques Grandin, en l'absence du berger, gardait le troupeau, qui parquait dans un champ de trèfle. Jean Loup n'était pas loin. Tout à coup il entendit les aboiements furieux du chien de son ami et celui-ci crier : « Au loup !... » D'un coup d'œil rapide il vit ce qui se passait. Prompt comme l'éclair, il casse une branche d'arbre et, ainsi armé, se précipite à la rencontre de la bête, qui allait rentrer sous bois, emportant le pauvre agneau. Un combat terrible s'engagea entre l'homme et le loup. Mais le sauvage asséna un coup formidable sur la tête de l'animal et l'étendit raide à ses pieds.

– C'est superbe ! exclama la comtesse.

– Et, acheva M. de Violaine, l'agneau délivré, qui avait seulement les dents du loup marquées sur son dos, courut rejoindre sa mère en bêlant.

– Et l'enfant, monsieur de Violaine, l'enfant également sauvé par Jean Loup ? demanda avidement Mme de Maurienne.

– Voici, madame la comtesse : Au mois de juin dernier, sept ou huit petits garçons de Blignycourt, âgés de dix à quatorze ans, se baignaient dans un endroit peu profond de la rivière. L'un deux, un gamin de douze ans, faisant le vaillant, raillant les autres qu'il appelait peureux, s'éloigna malencontreusement de ses camarades et tomba dans une fosse, dans une sorte de puits de plusieurs mètres de profondeur. Pris aussitôt dans un tourbillon, comme il y en a tant dans le Frou, il allait infailliblement périr, car, aucun de ses camarades ne sachant nager, ils ne pouvaient lui porter secours.

» Ayant vu l'imprudent s'enfoncer sous l'eau et ne le voyant plus reparaître, ils comprirent qu'il était perdu. Alors ils jetèrent des cris perçants, appelant au secours. Mais ils se trouvaient à une certaine distance du village et ils ne voyaient personne aux alentours qui pût arriver à temps pour sauver le malheureux.

» Heureusement, Jean Loup était en promenade de ce côté : les cris désespérés des enfants frappèrent ses oreilles et il devina probablement qu'un être humain était en danger de mort.

» Quoi qu'il en soit, il s'élança hors de la forêt et en quelques bonds, il arriva au bord de la rivière.

» Les enfants, criant toujours, lui montrèrent l'endroit où leur camarade avait disparu. Il comprit. Il se débarrassa lestement de ses peaux de loup, se jeta à l'eau, plongea – car il faut bien vous dire, mesdames, que Jean Loup nage comme un poisson. Il reparut tenant le noyé entre ses bras, gagna la rive et sortit de l'eau avec son précieux fardeau.

» L'enfant était sauvé. Il rendit de l'eau par la bouche, le nez et les oreilles, et au bout d'un instant, quand il ouvrit les yeux, il vit devant lui son sauveur et sa mère, accourue aux cris, qui pleuraient de joie tous les deux.

» Voilà, mesdames et mesdemoiselles, la dernière prouesse connue de Jean Loup.

– Tout cela est très beau, monsieur de Violaine, s'écria la comtesse avec enthousiasme ; votre sauvage est tout simplement un héros !

– Oh ! pas encore, madame, répliqua-t-il en souriant ; mais il cherche à le devenir.

– Il a en vous un ami précieux, monsieur ; sans le connaître, sans l'avoir vu, seulement à vous entendre, on l'aime, ce sauvage.

– Mon Dieu, madame, comme on n'a aucune raison de le détester, on a le droit de l'aimer, dans une certaine mesure, cependant. Jean Loup a trouvé le moyen de conquérir, d'un seul coup, le cœur de toutes les mères. Les femmes lui tresseraient volontiers des couronnes. Il y a bien encore à Vaucourt et à Mareille des enfants qui ont peur de lui et qui, de loin, lui jettent des pierres ; mais ceux de Blignycourt ont pour Jean Loup, maintenant, un grand respect.

– C'est bien : ils savent qu'il a sauvé la vie à l'un d'eux ; ils sont reconnaissants.

– Oui, madame.

Le soleil était couché, l'air se rafraîchissait. On quitta la terrasse et on entra dans le salon où l'on passa le reste de la soirée à feuilleter dans les albums et à faire de la musique.

XII

LA BOSSE GRISE

Le lendemain matin, à onze heures, il ne restait plus au château de Vaucourt que la comtesse de Maurienne et ses enfants. Le notaire, l'inspecteur des forêts et sa femme avaient repris la route d'Épinal, immédiatement après le déjeuner, qu'on avait servi, exceptionnellement, à cause de leur départ, à neuf heures et demie.

Raoul avait aussi quitté sa mère et sa sœur, malgré leurs instances et leurs caresses pour le garder quelques jours encore. Mais il était à Vaucourt depuis huit jours : c'était donner beaucoup à un devoir, qui lui pesait et lui semblait un sacrifice. À peine arrivé, il s'ennuyait et avait hâte de retourner à Paris pour se retrouver au milieu de ses amis de plaisirs.

Pourquoi venait-il, alors ? Pourquoi ? Ah ! ce n'était pas son affection pour sa mère, sa tendresse pour sa sœur qui l'attiraient. Malgré sa jeunesse il était profondément dépravé et avait déjà tous les vices de son père qui, s'occupant d'ailleurs fort peu de lui, ne mettait pas toujours à sa disposition tout l'argent qu'il aurait voulu pour satisfaire ses caprices et se livrer à toutes les folies d'une vie désordonnée.

Il venait voir sa sœur et sa mère, quand il était complètement décavé, afin de remplir sa bourse plate et de lester son portefeuille de quelques billets de mille. Dupe de son hypocrisie, croyant à ses mensonges, à ses semblants d'affection, faible, comme le sont en général toutes les mères, et trop bonne, Mme de Simaise finissait toujours par ouvrir ses tiroirs et elle donnait sans compter.

Raoul s'emparait aussi, sans le moindre scrupule, des petites sommes économisées par sa sœur, mises en réserve pour lui dans sa bourse de jeune fille.

On attendait M. de Violaine et Suzanne. Les jeunes filles étaient impatientes de les voir arriver. À chaque instant on les voyait au bord de la terrasse, plongeant au loin leurs regards sur la route blanche.

N'avait-il pas été convenu, la veille, qu'on irait à la Bosse grise et qu'on grimperait sur le gigantesque rocher ?

Ces demoiselles se faisaient une fête de cette promenade, qui promettait d'être charmante. Et puis, qui sait ? comme l'avait dit Mlle de Violaine, on aurait peut-être la chance de voir l'homme sauvage, dont ces jeunes têtes avaient rêvé toute la nuit, ce fameux Jean Loup, qu'elles voulaient absolument considérer comme un héros.

Le temps était superbe, le soleil brillait de tout son éclat dans un ciel sans tache. Pas de vent, seulement une brise embaumée, fraîche comme un souffle d'éventail, ce qu'il fallait pour qu'on ne soit pas incommodé par la chaleur. D'ailleurs, on était légèrement vêtu, comme il convient, dans la saison d'été, et puis on aurait des ombrelles.

C'était décidé, on irait à pied ; cela serait plus gai, plus amusant. La distance n'était pas si grande... Les chemins étaient bien un peu poudreux, mais qu'importe ! À la campagne on ne craint point la poussière sur ses bottines et les volants de sa robe.

Un peu après midi M. de Violaine et sa fille arrivèrent à cheval. Ils avaient déjeuné avant de venir. En vue de la promenade projetée, Suzanne n'avait pas revêtu son élégant et gracieux costume d'amazone ; elle s'était habillée pour la circonstance : une robe de taffetas rose à raies blanches, à jupe courte, serrant sa taille cambrée.

– C'est drôle, n'est-ce pas ! dit-elle en sautant à terre, de monter à cheval mise comme je le suis, avec cette robe courte, qui laisse voir mes jambes presque jusqu'aux genoux ; mais, vous savez, cela m'est parfaitement égal.

– Vous êtes charmante, toujours charmante, mademoiselle Suzanne, répondirent les jeunes filles.

Et l'une après l'autre lui sautèrent au cou.

– Oh ! les flatteuses ! dit-elle en riant.

Puis, faisant siffler sa cravache, elle reprit, leur montrant la Bosse grise :

– C'est là que nous allons ; il y a au flanc de cet énorme bloc de pierre, dans des fentes où les vents de tempête, sans doute, ont jeté de la terre végétale, de magnifiques fleurs pourprées, très rares, car je crois bien qu'elles ne poussent qu'à cet endroit ; nous les cueillerons et en apporterons un bouquet.

– Oui, un énorme bouquet, dit Henriette.

– Une gerbe, ajouta Blanche, en sautant comme une petite folle.

La baronne fit servir des rafraîchissements ; puis, tout le monde étant prêt, on descendit la pente douce de la grande avenue du château.

M. de Violaine donnait le bras à la baronne ; la comtesse avait pris celui de son fils ; les quatre jeunes filles allaient en avant, selon leur caprice, à la débandade.

Bientôt de joyeux éclats de rire retentirent dans la vallée. De très loin, dans les champs, les paysans se dressaient et saluaient en ôtant leurs chapeaux de paille. Les folâtres jeunes filles bondissaient sur le chemin comme de jeunes chevreaux, cueillant tantôt un bluet ou un coquelicot, ou courant toutes ensemble après un papillon qu'elles ne parvenaient jamais à attraper. Ah ! comme elles se moquaient de la poussière dont elles soulevaient des flots autour d'elles !

Enfin on quitta la route pour prendre un sentier qui montait presque en ligne droite vers la Bosse grise. Au bout d'un instant on atteignit le plateau. Maintenant, de ce côté, plus de terres cultivées ; un sol rocailleux, stérile, presque nu. De distance en distance un genévrier rabougri, ayant la moitié de ses aiguilles brûlées par le soleil, quelques touffes de bruyères et de ronces rampant sur le sol pierreux ; mais partout des roches noires, les unes montrant leur tête à fleur de terre, les autres plus élevées.

On ne riait plus, on était silencieux, on se recueillait en se rapprochant de la Bosse grise. On fut bientôt assez près pour pouvoir, des yeux, mesurer sa hauteur. Mais une large ceinture de ronces et d'épines à sa base semblait dire : on n'approche pas.

– Par ici, par ici, dit Suzanne, qui marchait la première, tenant à s'acquitter consciencieusement de ses fonctions de guide.

On tourna un instant autour du rocher et l'on se trouva à l'entrée d'un passage étroit, ouvert entre les broussailles par des quartiers de roches, sur lesquels Suzanne s'élança résolument.

– S'il y avait des vipères ! s'écria Blanche tout à coup.

– Rassurez-vous, répondit vivement Mlle de Violaine, il n'y a pas de serpents dans ces parages. Venez, venez, suivez-moi, ajouta-t-elle.

– Me voici, dit le jeune de Maurienne, sautant à son tour sur les roches.

Après un moment d'hésitation, ne voulant pas avoir l'air d'être moins braves que leur ami, les trois jeunes filles franchirent la faible distance qui les séparait du rocher.

— Regardez, dit Suzanne, voilà l'escalier dont je vous ai parlé ; ne dirait-on pas que la main de l'homme a fait saillir ces marches en creusant le rocher ?

— — C'est vrai, répondit Henriette, et je vois maintenant qu'on peut monter facilement.

— Et sans se fatiguer beaucoup. Plus haut, mais de l'autre côté, il y a un grand creux, ou plutôt une large entaille, formant une terrasse, sur laquelle on peut se promener ; on y pourrait même, avec un peu de bonne volonté, danser un quadrille. De là, déjà, on a une vue superbe. Voyons, êtes-vous bien décidées ?

— Oui ! oui ! oui !

— Eh bien, en avant !

L'ascension commença.

— Prenez garde, mes enfants, pas d'imprudence ! cria Mme de Simaise.

— Soyez tranquille, madame, répondit Suzanne, il n'y a pas l'ombre d'un danger.

— Au fait, dit la comtesse, pourquoi restons-nous ici au lieu de les accompagner ?

— Quoi, vous aussi, chère amie, vous voulez ?...

— Jouir du magnifique coup d'œil tant vanté par Mlle de Violaine. Et puis, ajouta-t-elle en souriant ; nous serons près de nos enfants.

— Allons, dit la baronne.

— Nous vous laissons, monsieur de Violaine.

— Mais non, mais non, mesdames, je vous suis. Avec votre permission je passerai le premier pour vous tendre les mains, si c'est nécessaire. Je suis un vieux montagnard, moi, les escalades me sont familières.

Les jeunes filles étaient déjà à plus de dix mètres de hauteur.

— Tenez, dit Suzanne, voici déjà quelques-unes des fleurs dont je vous ai parlé ; mais celles-ci sont étiolées ; montons, nous en trouverons tout à l'heure de plus belles.

— Ces fleurs sont, en effet, fort jolies, dit Henriette en en cueillant une, qu'elle mit à son corsage.

On avait commencé l'escalade au nord et on tournait vers l'ouest en suivant l'espèce d'escalier circulaire.

— Voici ma terrasse, s'écria tout à coup Suzanne, en bondissant sur la plate-forme. Voyez, continua-t-elle, quand ses compagnes furent près d'elle, soit qu'il pleuve, qu'il neige ou qu'il vente, on serait parfaitement à l'abri au fond de cette cavité ; c'est une véritable grotte, œuvre de la nature.

M. de Violaine et les deux dames arrivaient à leur tour sur la plate-forme.

La comtesse, émerveillée, en présence des magnifiques tableaux qui se déroulaient sous ses yeux comme un panorama, laissa échapper un cri d'admiration.

Les jeunes filles et le jeune garçon battaient des mains.

— C'est beau, n'est-ce pas ? dit M. de Violaine.

— Grandiose ! immense ! répondit Mme de Maurienne ; c'est un enchantement !

— C'est l'admirable nature, œuvre puissante du créateur, toujours grande, riche et belle, dit Mme de Simaise.

Sur leurs têtes le vaste firmament ; autour d'eux des horizons sans fin, les vallées se creusant profondes, ensoleillées dans les coupures des montagnes ; des villages sur les pentes, les égayant ; le Frou serpentant pareil à un long ruban d'argent ; partout les hauteurs couronnées de verdure : la ligne brisée de la chaîne des Vosges, bleuissant et disparaissant au loin, enfoncée, perdus dans l'azur du ciel.

Et sur tout cela le soleil rayonnant, allumant ses feux dans les gorges, faisant ruisseler partout sa lumière, qui tombait éblouissante comme une pluie d'étincelles.

– Mes enfants, dit la comtesse, il est inutile de monter plus haut : vous ne pouvez rien voir de plus que ce que nous pouvons admirer d'ici.

– Et mes fleurs à cueillir ! fit Suzanne. Qui vient avec moi ?

– Je ne vais pas plus loin, dit Emma : il me semble que déjà j'ai le vertige.

– Moi, j'ai les jambes lasses, dit Blanche.

– Et vous, Henriette ?

– Je ne veux pas être moins intrépide que vous, répondit la jeune fille, allons faire notre bouquet.

Mme de Simaise, ne voyant pas que sa fille et Suzanne pussent courir un danger, ne les retint pas.

Les jeunes filles s'éloignèrent et ne tardèrent pas à se trouver sur une nouvelle plate-forme. Là, les fleurs rouges étaient, en effet, plus belles et aussi plus nombreuses qu'en bas. Henriette et Suzanne se mirent gaiement à faire leur moisson.

Tout à coup un cri perçant, un cri d'épouvante retentit et glaça le sang dans toutes les veines.

– Ma fille, ma fille ! exclama Mme de Simaise, blême de terreur.

C'était Henriette, en effet, qui venait de pousser ce cri terrible.

Son ombrelle s'était échappée de sa main, accrochée à une ronce et restait suspendue au bord de la plateforme. Elle s'avança pour la saisir ; sous ses pieds la pierre calcinée céda en s'émiettant. Heureusement, elle eut le temps de faire un mouvement en arrière, car elle pouvait être précipitée la tête en avant, et se fracasser le crâne sur une des aspérités dont la pente du rocher est hérissée. Elle tomba sur le dos et descendit de deux mètres environ, en glissant, jusqu'à une saillie, où elle s'arrêta. Alors on la vit se dresser sur ses jambes et se cramponner énergiquement à la pierre avec ses mains.

Si M. de Violaine ne l'eût retenue, en la saisissant à bras-le-corps, la baronne se serait élancée au secours de sa fille, au risque de se briser dans une chute effroyable.

Tous criaient, appelaient au secours, affolés, perdant la tête. Suzanne, seule, quoique très effrayée, conservait toute sa présence d'esprit.

Henriette était dans une situation extrêmement périlleuse : un faux mouvement, un rien pouvait lui faire perdre l'équilibre, la lancer dans la vide ou la précipiter dans une large crevasse, un abîme, dont l'horrible gueule s'ouvrait béante presque à ses pieds. Cependant, Suzanne s'était couchée à plat ventre et tendait ses mains à son amie pour l'aider à remonter. Sans doute le sauvetage aurait pu s'opérer ainsi ; mais le bloc saillant sur lequel Henriette se tenait debout fit entendre un craquement sinistre, se détacha tout à coup de la masse et dégringola sur la pente avec un bruit semblable à celui du tonnerre.

La pauvre Henriette se soutint un instant avec ses mains crispées sur la pierre brûlante ; puis le poids de son corps lui fit lâcher prise, et en poussant un second cri, plus effrayant encore que le premier, elle roula de côté et tomba, comme dans un hamac, sur des branches de lierre entrelacées, suspendues à l'orifice de la crevasse, comme pour cacher la sombre profondeur de l'abîme, et attachées à la pierre de chaque côté.

Cette fois, Suzanne ne pouvait plus rien ; elle laissa échapper un cri d'angoisse suprême auquel répondirent d'autres cris de douleur et de désespoir.

Mme de Simaise tomba évanouie, comme morte, dans les bras de la comtesse.

Que faire ? Hélas ! on ne voyait pas le moyen de sauver la malheureuse enfant, menacée d'une mort horrible. L'air retentissait de cris déchirants, de plaintes, de gémissements.

Henriette étourdie, toute frémissante de terreur, leva les yeux et aperçut Suzanne, le corps penché au-dessus d'elle, qui se tordait convulsivement les mains. Elle ne pouvait voir les autres ; mais, à l'attitude désespérée de Suzanne, elle comprit qu'elle ne devait compter sur aucun secours, qu'il fallait renoncer à tout espoir. Elle était perdue, elle allait mourir !

Le poids de son corps arrachait le lierre, malgré ses innombrables petites racines incrustées dans le rocher ; constamment elle sentait qu'elle enfonçait ; chaque fois qu'un des flexibles rameaux se détachait, elle entendait comme le bruit sec d'une déchirure d'étoffe.

Étendue sur cette espèce de pont aérien, elle n'osait faire un mouvement ; elle ne pouvait crier, l'épouvante avait paralysé sa langue.

Au dessous d'elle, entre les parois de la large fente, elle voyait se dresser, se croiser, pointues ou tranchantes, lames menaçantes, dents monstrueuses, les pierres saillantes sur lesquelles, dans un instant, elle allait tomber et être écharpée ; puis, plus avant, un trou noir !

Elle sentait dans sa tête comme un brasier, le sang battait ses tempes, il se faisait dans ses oreilles un tintement lugubre, son cœur avait cessé de battre ; il lui sembla que tout tournait, se renversait autour d'elle. C'était le vertige.

– Maman ! maman ! appela-t-elle d'une voix étranglée, mourante.

Elle ferma les yeux.

Soudain un bruit sourd, étrange, une sorte de grognement rauque monta jusqu'à elle.

Son cœur se remit à battre, elle rouvrit les yeux. Une tête émergeait du trou noir. Elle vit cette tête, couverte d'une longue crinière, et elle lui parut énorme. Était-ce un monstre inconnu qui sortait des entrailles de la terre et s'élançait vers elle pour la dévorer ? Saisie d'une autre terreur ses yeux se fermèrent de nouveau.

Cependant il y eut dans sa pensée flottante, prêt à l'abandonner, une clarté soudaine. Si c'était Jean Loup ? Mais elle avait l'esprit troublé et se trouvait dans cet état d'engourdissement, de torpeur physique et morale qui précède la syncope ; elle crut n'avoir rien vu, rien entendu. Ce n'était qu'une vision, l'hallucination du vertige !

Non, non, elle ne s'était pas trompée. C'était bien Jean Loup, le seul être au monde, peut-être, ayant assez de courage, de force et d'adresse pour pouvoir la sauver. Les cris poussés d'en haut l'avaient fait sortir de sa grotte ; et avec la souplesse et l'agilité d'un chat-tigre ou d'un singe, se servant des pierres en saillie comme d'échelons, il montait, il grimpait dans la crevasse du rocher, au risque de se livrer lui-même à la mort à laquelle il voulait arracher la pauvre jeune fille.

– Jean Loup, mon ami, mon brave Jean Loup, lui cria Suzanne, sauve mon amie, sauve Henriette de Simaise. Sauve-la, sauve-la !

Jean Loup n'eut pas l'air d'avoir entendu. D'ailleurs il n'avait nullement besoin d'être encouragé.

Tout à coup, les dernières lianes qui soutenaient la jeune fille se rompirent.

Jean Loup, solidement campé sur ses jambes, le dos appuyé au roc, les bras tendus, attendait, guettant ce moment terrible. Il reçut Henriette dans ses bras.

Elle ne sentit point qu'il la serrait contre sa large poitrine ; elle avait perdu connaissance.

Suzanne et son père, qui était venu la rejoindre, poussèrent un cri de joie. Mais, aussitôt, ils se regardèrent avec une angoisse inexprimable.

Qu'allait faire Jean Loup ? Monter plus haut lui était impossible, et il ne pouvait plus reprendre avec Henriette, n'ayant pas les bras libres, le chemin périlleux par lequel il était venu.

Suzanne était haletante, de grosses gouttes de sueur froides ruisselaient sur son front, coulaient sur ses joues ; un frisson de fièvre courait dans tous ses membres.

— Les malheureux, les malheureux ! gémit-elle, ils sont perdus tous les deux !

À peine avait-elle prononcé ces paroles que Jean Loup et Henriette disparurent.

Le père et la fille poussèrent un nouveau cri, de surprise, cette fois.

Jean Loup venait de s'enfoncer dans un passage, une sorte de tunnel, ouvrage de la nature, dont il connaissait évidemment l'existence.

Cinq minutes s'écoulèrent, cinq minutes d'anxiété horrible, longues comme des heures, et Jean Loup, tenant toujours Henriette dans ses bras, reparut, sortant d'un trou, juste au-dessous de la première plate-forme. Il poussa un cri de triomphe pour avertir, sans doute, ceux qui étaient au-dessus, et on le vit descendre rapidement, en prenant, toutefois, les plus grandes précautions.

— Sauvée, elle est sauvée !

Ces mots d'allégresse frappèrent les oreilles de Mme de Simaise, qui revenait à elle.

— Sauvée, sauvée ! répéta-t-elle.

– Oui, oui.

– Où donc est-elle ?

– En bas, répondit la comtesse : venez, ma chère Clémentine, venez, nous allons la retrouver.

Mme de Simaise se dressa sur ses jambes, et, elle s'appuyant sur le bras de M. de Violaine, on s'empressa de descendre.

Henriette était couchée sur un moelleux tapis de mousse.

Jean Loup, à genoux près d'elle, les mains jointes et les yeux irradiés, la contemplait comme en extase.

La jeune fille se ranima bientôt sous la chaleur des baisers de sa mère. Tout en ouvrant les yeux, son regard tomba sur le visage rayonnant de son sauveur, qui avait rejeté en arrière sa longue chevelure. Ce fut comme le choc de deux éclairs.

– Jean Loup ! Jean Loup ! exclama la jeune fille.

Le sauvage, qui avait senti pénétrer en lui quelque chose d'inconnu pareil à une flamme brûlante, se dressa brusquement, comme mû par un ressort, troublé dans tout son être.

– Oui, ma chérie, disait Mme de Simaise, c'est Jean Loup, et c'est lui, le brave garçon, qui t'a sauvée !

– Oui, oui, je me souviens, je me souviens, fit Henriette, les yeux toujours fixés sur ceux de son sauveur.

Le rose était subitement revenu à ses joues.

Les autres jeunes filles examinaient le sauvage curieusement et avec un vif intérêt.

La comtesse lui adressait de chaleureuses félicitations, auxquelles il ne paraissait pas complètement insensible, bien que ne comprenant pas.

– Jean Loup, dit M. de Violaine, en lui prenant la main, il faut renoncer enfin à votre malheureuse existence dans les bois ; votre belle action

189/599

d'aujourd'hui mérite une récompense digne de vous : elle sera ce qu'elle doit être.
Tous, ici, nous nous intéressons à vous ; nous voulons votre bien, votre bonheur...
Jean Loup vous allez venir avec nous.

Aux inflexions de la voix de M. de Violaine, à l'expression éloquente de sa
physionomie, Jean Loup devina le sens de ses paroles. Il s'éloigna de quelques pas,
brusquement, secoua la tête, appuya ses deux mains sur son cœur, laissa échapper un long soupir, puis s'élança en bondissant à travers les roches et disparut.

— Oh ! maman, maman, dit Mlle de Simaise d'un ton douloureux, il ne veut
même pas qu'on le remercie !

XIII

L'AMOUR D'UN SAUVAGE

La rencontre de Jean Loup avec Mlle de Simaise, à qui il avait eu le bonheur de sauver la vie, avait été un grand événement dans son existence, quelque chose comme une révolution.

En effet, il était bien changé, une transformation presque instantanée s'était opérée en lui ; il n'était plus le même, il le sentait. Il avait toutes sortes de sensations jusqu'alors inconnues et dont il lui était impossible de se rendre compte. Une grande tristesse, une noire mélancolie s'était emparée de lui, et quoi qu'il fasse il ne pouvait l'éloigner ou lui échapper. Évidemment il commençait à avoir conscience de la triste situation dans laquelle il se trouvait.

Chaque fois qu'il voyait son image réfléchie dans l'eau limpide, son miroir, il ne pouvait s'empêcher de tressaillir ; il y avait dans l'émotion qu'il éprouvait quelque chose comme un sentiment de honte. Oui le malheureux, était honteux de lui-même. Il dédaignait sa force et ses autres avantages physiques pour ne voir que son abaissement, sa dégradation, ses infirmités morales. Il s'absorbait dans ses sombres pensées. Plus que jamais il se berçait et s'endormait dans ses rêves, qui n'étaient plus ceux d'autrefois ; ils avaient changé d'objet : quand il était éveillé, ses rêves avaient des ailes noires, étaient tristes comme ses pensées ; mais quand il dormait – il passait souvent, sans transition, de l'état de veille au sommeil – les rêves revenaient voltiger autour de lui avec des ailes blanches, gracieux, souriants, enchanteurs.

Une voix mélodieuse résonnait à ses oreilles comme une harmonie céleste ; c'était une douce voix de jeune fille, la voix d'Henriette de Simaise. Il entendait, ces mots jetés dans une exclamation : « Jean Loup ! Jean Loup !... » C'était son nom, le nom qu'on lui avait donné ; Jean Loup, c'était lui.

La belle jeune fille le regardait avec ses grands yeux bleus pleins de lumière, et, comme au bas du rocher, il sentait pénétrer en lui la flamme de ce regard reconnaissant, qui lui avait causé une si étrange impression. Son rêve ne le trompait point, c'était bien Henriette et non une autre jeune fille qu'il lui montrait. Il ne l'avait vue qu'une fois ; mais il aurait pu la reconnaître entre mille, car son image était profondément gravée dans son cœur.

Oui, cette jeune fille qui s'approchait de lui doucement, pour ne pas le réveiller, qui se penchait sur sa couche, dont la douce voix chantait à son oreille, dont les boucles blondes caressaient son visage, cette jeune fille était bien celle qu'il avait sauvée, qu'il avait tenue dans ses bras, serrée contre sa poitrine, dont le cœur avait battu à côté du sien.

Il croyait sentir encore sa jolie tête appuyée sur son cou, ses lèvres touchant sa joue... Et, depuis ce jour, ne lui semblait-il pas qu'il respirait sans cesse le doux parfum de violettes dont les cheveux et le vêtement d'Henriette étaient imprégnés ?

Voilà pourquoi le pauvre Jean Loup était si changé qu'il ne se reconnaissait plus lui-même.

Le jour, la nuit, éveillé ou dormant, constamment il pensait à Mlle de Simaise. Quand il ne dormait pas, nous l'avons dit, toutes ses pensées étaient tristes, douloureuses même ; dans le sommeil, ne sentant plus son néant, cessant de se voir tel qu'il était, le rêve le caressait, lui rendait le calme, le consolait en faisant passer devant ses yeux le brillant mirage des illusions.

Si extraordinaire que cela puisse paraître, le pauvre Jean Loup était amoureux. Il avait suffi d'un regard pour faire naître l'amour dans son cœur. Et le malheureux ne se doutait pas de la puissance de cette chose inconnue qui le tourmentait et éveillait en lui, en même temps, une infinité d'idées, encore confuses, tumultueuses, mais qui se disposaient à prendre leur essor pour s'échapper des ténèbres de son esprit.

Tout ce qu'il voyait lui paraissait maintenant changé comme lui-même. Le ciel, le soleil, les étoiles, la verdure et jusqu'aux roches tristes et silencieuses avaient un autre aspect. Toutes les choses de la nature, les plus petites comme les plus grandes, étaient autant de livres ouverts, dans lesquels il épelait. Avant, il ne s'était jamais amusé à regarder les étoiles, ces mondes inconnus, semés par Dieu dans l'infini ; maintenant il les contemplait, songeur, recueilli, troublé...

Il lui semblait que des voix intérieures lui parlaient. Le bruit du vent dans les feuilles, le gazouillement du ruisseau, le chant de l'oiseau, le bourdonnement de l'insecte étaient d'autres voix mystérieuses qui parlaient aussi à sa pensée et à son âme.

Il s'arrêtait devant certains objets, les contemplait curieusement comme s'il les voyait pour la première fois. Un beau clair de lune, un effet de soleil, une étoile filante, l'embrasement de l'horizon ou l'éclair déchirant la nue, lui causaient des surprises d'enfant, comme si ce spectacle eût été nouveau pour lui.

Un rien l'impressionnait, lui faisait éprouver une commotion dans tout son être.

Il s'intéressait à une fourmi, traînant la charpente qui allait lui servir à construire son habitation souterraine. Il s'oubliait des heures entières à regarder une araignée tissant sa toile. Il admirait la goutte de rosée sur le brin d'herbe. Arrêté devant une fleur, il la contemplait, immobile, rêveur. Cherchait-il à établir un contraste ou se livrait-il à un travail de comparaison ? Souvent, accroupi, la tête enfoncée dans les mains, il pleurait à chaudes larmes.

Lui, qui n'avait jamais eu peur de rien, si ce n'est de l'homme, qui était habitué à toutes les rumeurs du bois, le moindre bruit insolite autour de lui le faisait tressaillir, le mettait en émoi. On aurait dit qu'il était redevenu défiant et craintif.

Il se replongeait dans sa solitude, trouvait dans son isolement une ivresse amère. Jamais il ne s'était tenu enfermé ainsi dans sa demeure obscure, même au temps où il fuyait les hommes, redoutant qu'ils ne lui tendissent quelque piège. Il en arrivait à rechercher les ténèbres, à ne plus aimer que la nuit. Il semblait que la lumière du jour lui faisait mal ou qu'il la prenait en horreur.

Hélas ! Jean Loup redevenait plus sauvage que jamais ! Il n'allait plus travailler, se distraire avec ses amis les charbonniers et moins encore s'asseoir à leur table.

Il mangeait à peine, seulement pour ne pas mourir de faim. Il maigrissait, ce qui lui donnait avec son air triste une apparence maladive.

Il ne sortait plus de la forêt ; il oubliait son ami Jacques Grandin qui, maintenant, l'attendait vainement dans le champ où il travaillait.

Cependant, à force de penser à la belle jeune fille blonde qu'il avait sauvée et dont le souvenir remplissait toute sa vie, un jour vint où il eut l'ardent désir de la revoir ; bientôt ce fut son idée fixe. La revoir ! la revoir !

Sans doute, elle continuait à lui apparaître dans son sommeil, au milieu du rêve ; mais cela ne lui suffisait plus.

Une nuit, il s'élança hors de ses roches, et sous le ciel étincelant d'étoiles, par un magnifique clair de lune, il prit sa course dans la direction de Vaucourt. Nul ne lui avait dit qu'elle demeurait là. Comment le savait-il ? Il l'avait deviné. L'instinct du cœur, la double vue de l'amour !

Arrivé devant le château, que la douce lumière de la lune éclairait, il s'arrêta. Les battements de son cœur lui disaient qu'il n'avait pas à aller plus loin, à chercher ailleurs. C'est là qu'elle était, là qu'elle dormait en ce moment.

Tout était silencieux dans la superbe habitation. Pas un filet de lumière ne filtrait à travers les persiennes fermées des grandes fenêtres.

Il s'approcha de la grille, se haussa et regarda. Il ne vit rien que d'épais massifs d'arbustes faiblement éclairés, une corbeille de roses et une autre plus grande plantée de géraniums.

À gauche une ligne sombre indiquait le commencement du parc ; les jardins étaient à droite, puis, au fond, encore la ligne sombre du parc. Il suivit de ce côté le mur d'enceinte. Escalader ce mur n'eût pas été difficile pour lui ; il ne le fit point, il n'y songea même pas.

Quand il jugea qu'il était allé assez loin, il revint à la grille, devant laquelle il resta assez longtemps.

Il y avait tout près un petit bosquet, avec un bouquet de grands ormes au milieu. De là on voyait toute la façade du château. Il y entra et s'y blottit, s'y cacha comme un malfaiteur qui se prépare à faire un mauvais coup. Il resta à la même place jusqu'à l'aube ; alors, ayant peur d'être vu, il regagna la forêt.

Trois nuits de suite, il revint pour s'en aller toujours aux premières lueurs de l'aurore.

Il resta tranquille pendant une semaine, puis obsédé de nouveau par son désir, il quitta sa retraite pour revenir près du château. Comme avant, il passa, le reste de la nuit dans le bosquet ; mais quand vint le jour, il ne s'éloigna point. Cette fois il avait pris de la hardiesse. Il grimpa dans un des ormes, s'installa sur une branche et attendit, bien caché dans le feuillage.

Il vit le jardinier et ses aides prendre leurs outils et se mettre au travail, puis ouvrir les portes et les fenêtres du rez-de-chaussée du château. Les serviteurs allaient et venaient affairés ; ils rangeaient, époussetaient, nettoyaient, secouaient les tapis.

Le soleil était levé depuis longtemps déjà quand une femme de chambre ouvrit deux fenêtres du premier étage, puis deux autres ensuite.

Au bout d'un instant une jeune fille, vêtue d'un peignoir de cachemire bleu clair, parut à l'une de ces fenêtres. C'était elle. Le cœur de Jean Loup se mit à bondir et il fut ébloui comme s'il eût été frappé en plein visage par les rayons du soleil.

Henriette s'était appuyée sur le balcon. Ses jolies boucles blondes jouaient sur ses épaules. Elle restait immobile, songeuse, le regard fixe, perdu dans le lointain. Elle pensait à Jean Loup et regardait, comme cela lui arrivait souvent depuis le terrible danger qu'elle avait couru, le sommet de la Bosse grise.

Au bout de quelques minutes, elle laissa échapper un soupir et quitta la fenêtre.

Jean Loup, lui aussi, poussa un soupir, non point parce qu'il avait entendu soupirer la jeune fille, il était à une trop grande distance, mais parce qu'il n'avait plus sous les yeux la suave apparition. Mais comme il resta toute la journée perché dans l'arbre, il eut le bonheur de revoir Henriette plusieurs fois, dans sa chambre, sur la terrasse, dans les allées du jardin.

À partir de ce jour mémorable, il revint souvent, bien souvent à son observatoire. Il avait pris l'orme en affection. Il pouvait s'asseoir ou s'étendre sur les branches à sa volonté ; il ne se trouvait pas plus mal là que sur son lit de fougère et de feuilles sèches. D'ailleurs que pouvait être la fatigue de son corps à côté du ravissement de son âme ?

Il était satisfait. Ce qu'il avait tant désiré, il l'avait : il voyait son idole.

Mais l'automne arriva ; les premières gelées blanches firent tomber toutes les feuilles : il ne put plus monter se cacher dans l'arbre. Pendant quelques jours il fut vraiment désolé.

Alors, on aurait pu le voir, aussi bien le jour que la nuit, n'importe par quel temps, passer, glisser comme une ombre le long des murs du parc. Il allait, les cheveux au vent, tantôt sous la pluie battante, tantôt les pieds nus dans la neige. Quand il trouvait un endroit pour se mettre à l'abri, non par crainte des rafales, mais parce qu'il pouvait dissimuler sa présence, il y faisait de longues stations.

Il ne parvenait pas toujours à voir la gracieuse enfant, objet de ses rêves, de son culte ; mais lorsqu'il réussissait à l'apercevoir seulement, quel transport, quel délire ! Comme il se sentait récompensé de toutes ses peines !

Heureux, il retournait à sa sombre demeure, ayant emmagasiné, pour plusieurs jours, de la joie plein son cœur.

XIV

LES COUPS DE CRAVACHE

Henriette de Simaise, avons-nous besoin de le dire, s'intéressait vivement, peut-être un peu plus que de raison, à celui qui lui avait sauvé la vie. Cela n'étonnait ni n'effrayait sa mère : la baronne était elle-même trop reconnaissante envers Jean Loup pour ne pas approuver le sentiment de profonde gratitude de sa fille.

Henriette pensait constamment à son sauveur et parlait de lui souvent, quelquefois avec beaucoup de tristesse.

Par les domestiques qu'elle ne craignait pas de questionner, et par M. de Violaine et Suzanne qu'elle ne manquait jamais d'interroger, lorsqu'ils venaient faire une visite au château, elle savait qu'on ne rencontrait plus Jean Loup nulle part, que les charbonniers eux-mêmes ne le voyaient plus.

Cela la rendait très inquiète. Pourquoi ne le voyait-on plus ? Aurait-il été victime de quelque grave accident ? Elle s'imaginait une infinité de choses qui la tourmentaient sans cesse. Elle se le représentait malade ou blessé, appelant vainement à son secours, poussant des plaintes, des gémissements que nul ne pouvait entendre. Elle pensait aussi, non sans frissonner, que peut-être il était mort dans un endroit sauvage, inconnu de la forêt. M. de Violaine la rassurait en lui disant :

– Jean Loup est un être bizarre et excessivement capricieux ; il lui arrive souvent de disparaître ainsi pendant des semaines et même des mois ; puis, quand il se sent las de son isolement, il quitte sa retraite inconnue et reparaît tout à coup. Alors, il revient vers ses amis comme au retour d'un long voyage.

Mais Henriette restait triste, était souvent songeuse. Il lui arrivait parfois d'avoir le cœur oppressé. Pourquoi ? Elle n'aurait certainement pas su le dire. Sans doute elle ne pouvait oublier ce qu'elle devait à Jean Loup ; mais pourquoi donc sa pensée était-elle si constamment et si singulièrement occupée du pauvre sauvage ?

– Je voudrais le voir une fois, une fois seulement disait-elle, afin de lui témoigner, comme je le sens toute ma gratitude !

Il lui semblait qu'après cela elle n'aurait plus eu à désirer aucune autre satisfaction.

Il lui semblait aussi que si on lui eût dit : « On a vu Jean Loup tel jour, il a rendu visite aux charbonniers, il est venu serrer la main de son ami Jacques Grandin », elle aurait été pour toujours délivrée de toutes ses inquiétudes.

Ah ! quand elle voyait la neige tomber à gros flocons, si elle avait su que Jean Loup était caché quelque part près du château, attendant qu'elle se montrât, céleste apparition, à une porte ou à une fenêtre !

Mais Jean Loup était prudent ; Jean Loup regardait et ne se laissait point voir. Les yeux fixés sur la façade du château, il guettait l'instant délicieux où la joie qu'il attendait tomberait d'une fenêtre dans son cœur.

L'hiver s'écoula. Les beaux jours revinrent. Les bourgeons poussèrent aux branches, puis les arbres se couvrirent de feuilles.

Pourtant Jean Loup ne monta plus dans l'orme. Il avait trouvé mieux que cela. Sans doute c'était un grand bonheur pour lui d'apercevoir la jeune fille de loin, mais la voir de plus près !... Pouvoir, joie ineffable, la contempler, l'admirer longuement ; entendre le timbre harmonieux de sa voix ; voir la brise lutiner dans ses cheveux, caresser son front pur ; voir sa poitrine se soulever doucement et s'échapper d'entre ses lèvres roses le souffle de son haleine !... Oh ! cela, ce n'était pas seulement de la joie, du bonheur, c'était le plus doux des enchantements, une ivresse sans pareille !

À l'entrée du parc du château, derrière un premier rideau de verdure, il y avait une grande charmille carrée, sorte de chambre verte, avec des bancs et des chaises rustiques. De la charmille on passait de plain-pied sur un balcon construit en saillie du mur de clôture et faisant corps avec lui.

Henriette se plaisait dans cet endroit bien ombragé, d'où elle avait vue sur une belle prairie, qu'un ruisseau à l'eau murmurante arrosait, et sur toute la campagne environnante ; elle aimait à s'asseoir dans la charmille, autour de laquelle chantaient le rouge-gorge et la fauvette.

Elle venait là presque tous les jours, dans l'après-midi, quelquefois accompagnée de sa mère, mais seule le plus souvent, et y restait des heures entières. Comme elle était rarement oisive, tantôt elle travaillait à une broderie, ou à un ouvrage au crochet ; un autre jour, elle apportait son carton, ses fusains, ses crayons et dessinait un coin de paysage ou bien encore elle ouvrait un livre et lisait.

Un jour, qu'elle était seule dans la charmille, le jardinier passa tout près ; voyant sa jeune maîtresse, il s'arrêta pour la saluer ; elle lui répondit par un mouvement de tête gracieux. L'homme ne s'éloigna point. Après avoir hésité un instant, il entra dans la charmille, sa casquette à la main.

– Est-ce que vous avez quelque chose à me demander, François ? dit la jeune fille un peu étonnée, mais nullement offensée de la hardiesse du serviteur.

– Je prie mademoiselle de m'excuser ; mais depuis longtemps déjà...

– Eh bien ?

– Je voulais dire à mademoiselle...

– Que vouliez-vous me dire, François ?

– Mademoiselle a souvent demandé si l'on savait ce qu'était devenu l'homme sauvage de la forêt de Mareille.

– Jean Loup ? fit la jeune fille en tressaillant.

– Oui, mademoiselle, Jean Loup.

– Est-ce que vous avez appris quelque chose ? demanda-t-elle vivement et d'une voix singulièrement émue.

Le jardinier prit un air mystérieux, se rapprocha, et, baissant la voix :

– Je l'ai vu, dit-il.

– Vous l'avez vu ! exclama Henriette.

– Plusieurs fois.

– Où cela ?

– Dans le parc.

– Hein, dans le parc ?

– Oui, mademoiselle ; et je crois bien que depuis quelque temps il vient s'y promener toutes les nuits.

La jeune fille était en proie à une émotion extraordinaire. Elle regardait fixement le jardinier, se demandant si elle devait ajouter foi à ses paroles. Celui-ci prit de nouveau son air mystérieux :

– Et je suis certain, ajouta-t-il, baissant encore sa voix d'un ton, qu'il y reste souvent caché dans le jour.

– François, dit Henriette de plus en plus troublée, vous vous êtes peut-être trompé.

Il secoua la tête en souriant.

– Ainsi vous êtes sûr ?

– Sûr, mademoiselle.

Il y eut un moment de silence.

– Si mademoiselle le désirait, reprit le jardinier, elle n'aurait qu'un mot à dire et je m'emparerais facilement du sauvage.

– Comment ?

– Je sais à quel endroit il grimpe sur le mur et saute dans le parc ; il n'y aurait qu'à placer sur son passage un piège à loup.

La jeune fille pâlit affreusement et un double éclair jaillit de ses yeux.

– Si vous faisiez cela, s'écria-t-elle d'une voix vibrante, indignée, ce serait une noire méchanceté, une chose infâme ! et ma mère et moi nous vous chasserions d'ici comme un misérable... Ce malheureux, vous le savez bien, m'a sauvé la vie ; lui faire du mal serait m'en faire à moi-même ; je ne pardonnerais jamais, vous entendez, François, je ne pardonnerais jamais à ce-lui qui se permettrait seulement de le menacer.

– Oh ! ne vous fâchez pas, mademoiselle, fit le jardinier d'un ton piteux ; si j'ai dit cela, ce n'est point par méchanceté... une idée qui me venait... non pour vous déplaire, mais pour vous être agréable, au contraire... J'ai plusieurs fois entendu dire à mademoiselle qu'elle voudrait voir Jean Loup au château. Je ne lui veux pas de mal, moi, à ce pauvre garçon, et la preuve, c'est que je ne crie jamais après lui quand je le vois dans le parc.

» D'ailleurs, il ne brise rien, il ne toucherait pas à une pâquerette ; et puis il a sauvé la vie à mademoiselle... Je sens qu'à cause de cela je n'ai pas le droit de l'empêcher d'escalader le mur et devenir se promener dans les allées du parc.

– Continuez à ne lui rien dire, François ; quand vous le verrez d'un côté, allez d'un autre.

– C'est ce que je fais, mademoiselle.

– Je veux qu'il soit tranquille et libre dans le parc comme il l'est dans les bois de Mareille.

– Mademoiselle sera obéie.

– François, avez-vous parlé de cela à ma mère ?

– Pas encore, mademoiselle.

– Eh bien, François, jusqu'à nouvel ordre, si vous voulez m'être agréable, vous ne direz rien à Mme de Simaise, ni à mon frère que nous attendons et qui arrivera demain à Vaucourt.

– Mademoiselle peut être sûre de ma discrétion.

– Merci, vous n'avez pas autre chose à me dire ?

– Si, mademoiselle.

– Dites, François, je vous écoute.

– Quand Jean Loup reste dans le parc, le jour, je connais l'endroit où il se cache.

– Ah ! Et où se cache-t-il ?

– Pas loin d'ici, mademoiselle.

– -Dites-moi où.

– Là, dans cet if, près de la charmille.

Le front de la jeune fille se couvrit d'une rougeur subite et il y eut un tressaillement dans tout son être.

– Mais c'est impossible, cela ne se peut pas ! s'écria-t-elle, laissant voir son émotion et son trouble.

– Mademoiselle doit bien penser que je n'oserais point lui dire une chose qui n'est pas. Il y a trois jours j'ai vu Jean Louis descendre de l'arbre vert.

– Et il était caché dans l'if pendant que j'étais ici ?

– Oui, mademoiselle.

– Si près de moi ! murmura-t-elle.

– C'est un instant après que vous avez eu quitté la charmille, que j'ai vu Jean Loup sortir de sa cachette.

– C'était probablement la première fois qu'il venait là.

– C'est possible, mademoiselle. Pourtant, en examinant l'arbre, j'ai fait certaines remarques qui m'ont fait supposer que Jean Loup avait dû venir souvent se cacher à cet endroit.

La jeune fille se leva, et, à travers les petites feuilles de la charmille, elle plongea avidement son regard dans l'arbre vert.

– Il n'y est pas aujourd'hui, dit le jardinier.

– Est-ce que vous pensez qu'il y reviendra, François ?

– Je le parierais, mademoiselle.

– Il n'osera plus.

– Il n'oserait plus, peut-être, s'il savait que je l'ai vu, mais il ne s'en doute point.

– Selon vous, François, pourquoi vient-il se cacher dans cet arbre ?

– Dame, mademoiselle, pour vous voir ; il ne faut pas être bien malin pour deviner ça.

La jeune fille rougit de nouveau et baissa les yeux.

– François, reprit-elle, c'est convenu, rien de tout ceci ni à ma mère, ni à mon frère, ni à personne.

– J'ai dit à mademoiselle que je garderais le silence. J'ai instruit mademoiselle ; maintenant, moi, je n'ai plus rien à dire.

Sur ces mots, le jardinier s'inclina respectueusement devant sa jeune maîtresse et se retira.

La jeune fille laissa échapper un long soupir, et deux belles larmes roulèrent dans ses yeux.

Pourquoi ce soupir ? pourquoi ces larmes ?

Elle aurait été bien embarrassée de le dire.

– Là, là, murmura-t-elle, il vient se cacher dans cet arbre ; tout près de moi, pour me voir !

Le lendemain, vers trois heures de l'après-midi, un peu plus tôt que d'habitude, Henriette vint avec un livre s'asseoir dans la charmille. Elle avait ouvert son livre, mais ses yeux restaient fixés sur la page qu'elle ne tournait point. Le livre était sous ses yeux, sur ses genoux pour se donner une contenance. Elle ne songeait guère à lire : d'ailleurs, préoccupée comme elle l'était, elle aurait lu sans comprendre.

– S'il était là ! pensait-elle.

Son cœur battait avec violence. Elle avait des mouvements nerveux, de l'irritation dans les membres.

Elle aurait bien voulu regarder. Elle hésitait. Elle n'osait pas. Mais elle ne pouvait rester toujours ainsi, dans l'incertitude. Elle se leva. Elle était décidée.

Elle s'approcha de la cloison de verdure, écarta doucement le feuillage et son regard impatient chercha dans l'if.

Aussitôt elle sentit comme un coup dans son cœur. Elle voyait Jean Loup. Le regard montant se croisait avec le regard descendant. Elle s'était si bien attendue à voir Jean Loup dans l'arbre qu'elle n'éprouva pas une émotion trop vive. Elle se remit promptement.

— Jean Loup, Jean Loup, dit-elle de sa plus douce voix, il est inutile d'essayer de vous cacher, je sais que vous êtes là, je vous vois... Descendez, venez, venez près de moi !

Et de la tête et de la main elle l'appelait. Jean Loup était découvert ; il n'avait plus aucune raison de se cacher ; il comprit qu'il ne pouvait plus rester dans l'arbre. Et puis le regard de la jeune fille le fascinait et sa douce voix l'attirait plus encore que les signes qu'elle lui faisait.

Il se laissa glisser entre les branches et tomba sur le sol, debout. Il bondit à l'entrée de la charmille. Là il s'arrêta, tremblant, embarrassé. Il était en présence de son idole ; qu'allait-il faire ?

Jean Loup n'avait pas la moindre idée des convenances, de ce qui est trop familier, trivial ou grossier, choquant, malséant, respectueux ou irrespectueux.

Mais combien d'hommes qui se croient civilisés, sont, sur ce point, aussi ignorants que notre sauvage. La gloire de la comtesse de Bassanville n'est pas encore complète.

Jean Loup était, avant tout, l'enfant de la nature. Que lui importaient nos conventions sociales ? Qu'allait-il faire ?

Tout simplement obéir à l'impulsion de son cœur. Henriette fit deux pas vers lui, gracieuse, souriante, les mains tendues.

Il se sentit transporté dans un de ces mondes inconnus qu'il avait tant de fois rêvés, et, pour le moment, tout ce qui restait en lui de sauvagerie l'abandonna. Il oublia qu'il n'était qu'un malheureux, un être infortuné, un pauvre atome ; il ne vit point combien la jeune fille était au-dessus de lui par son éducation, son intelligence, sa position, combien entre elle et lui la distance était grande... Elle était femme, il était homme, il était son égal. Henriette avait fait un pas en avant, il fit le reste du chemin, le regard illuminé, le front radieux. Il prit la jeune fille dans ses bras, la serra contre lui avec passion et couvrit son front, ses joues et ses yeux de baisers brûlants.

Tout étourdie, Henriette ne songea même pas à se dégager, à le repousser ; chose singulière, elle ne se sentit ni effrayée, ni offensée... Mais la surprise et peut-être une autre sensation lui firent pousser un cri.

Au même instant un jeune homme, en costume de cavalier, redingote courte, boutonnée, des éperons aux talons de ses bottes et une cravache à la main, s'élança de derrière un massif et fit irruption dans la charmille.

C'était Raoul de Simaise, pâle et tremblant de colère.

Il n'avait vu que la fin de la scène : Jean Loup pénétrer dans la charmille, prendre sa sœur dans ses bras et l'embrasser.

Il ne demanda aucune explication. La cravache siffla dans l'air et il cingla avec fureur les épaules, les reins et la figure du sauvage.

Celui-ci, qui s'était un peu écarté d'Henriette, reçut les coups sans faire un mouvement, les yeux fixés sur la jeune fille, qui, elle aussi, restait immobile, sans voix, comme pétrifiée.

Mais, subitement, Jean Loup changea d'attitude. Son corps frémit, il devint livide, ses traits se contractèrent affreusement et des lueurs sombres, des éclairs terribles sillonnèrent son regard. Il poussa un rugissement de fauve, bondit sur Raoul, le saisit à la gorge, le ploya comme un roseau, le renversa et, le serrant toujours à la gorge, lui mit un genou sur la poitrine.

Tout cela s'était passé si rapidement que la jeune fille n'avait pas eu le temps de se jeter entre eux. Revenue de sa stupéfaction, voyant le danger que courait son frère, elle jeta un cri d'épouvante et s'élança à son secours.

Il était temps. Raoul perdait la respiration, il râlait.

– Jean Loup ! Jean Loup ! s'écria-t-elle d'une voix suppliante, c'est mon frère, c'est mon frère !

Elle était tout en larmes. Elle tomba sur ses genoux et ses petites mains délicates essayèrent de desserrer les grosses mains de Jean Loup dans lesquelles le cou de Raoul était pris comme dans un étau.

Jean Loup lâcha prise, se dressa debout et recula lentement jusqu'au fond de la charmille.

Raoul avait presque perdu connaissance. Si sa sœur n'était pas vite intervenue, Jean Loup allait certainement l'étrangler ou lui broyer la poitrine sous son genou puissant.

Cependant le bruit de la lutte et le cri de la jeune fille avaient été entendus. Le jardinier, un de ses aides et deux domestiques accouraient.

La fureur de Jean Loup s'était calmée ; des larmes jaillirent de ses yeux et un sanglot s'échappa de sa poitrine. Il enveloppa la jeune fille d'un long regard, triste et doux, puis il s'élança sur le balcon et sauta hors du parc.

Quand les serviteurs du château se précipitèrent dans la charmille, Jean Loup avait disparu.

XV

UN VOYAGE FATAL

C'est deux mois avant la conduite faite à Jacques Grandin, qui partait comme jeune soldat, qu'avait eu lieu la scène de la charmille.

Nous savons, maintenant, pourquoi, debout sur une roche, lui montrant les poings, Jean Loup avait menacé Raoul de Simaise, qui passait sur la route, à cheval, en compagnie d'un de ses amis de Paris.

L'agression brutale dont il avait été l'objet, avait rendu Jean Loup plus prudent, et surtout moins démonstratif. Il revenait bien de temps à autre rôder aux alentours du château, mais il n'osait plus s'introduire dans le parc.

Sans doute, il ne voyait pas Henriette aussi souvent qu'il l'aurait voulu ; mais enfin il la voyait de près ou de loin. Pour cela il employait mille moyens qu'il s'ingéniait à trouver. Et il savait si bien se cacher, que, dans l'espace d'une année, la jeune fille l'aperçut trois fois seulement. Mais elle savait que, maintenant, Jean Loup était plus souvent dans les bois de Vaucourt que dans la forêt de Mareille.

Nous avons un peu abandonné Jacques Vaillant et Jeanne, sa fille adoptive, la belle fiancée de Jacques Grandin. Mais il nous fallait dire au sujet de l'homme sauvage, le principal personnage de notre histoire, tout ce qu'il était indispensable de faire connaître à nos lecteurs.

Maintenant, nous reprenons la suite de notre récit.

Les jours s'écoulaient un peu monotones, mais tranquilles dans la maison de Mareille.

Jeanne était bien un peu chagrine de l'éloignement de son ami ; mais elle se savait aimée ; son père les avait fiancés et, avec l'espérance au cœur, elle s'était armée de courage afin d'attendre, sans trop souffrir, jusqu'au retour du soldat.

D'ailleurs, Jacques écrivait souvent. Ses lettres toujours impatiemment attendues, étaient lues une fois, deux fois, trois fois, puis encore. Jeanne les savait par cœur.

Grâce aux recommandations de son parrain, le jeune militaire avait été très bien accueilli au régiment. Du reste, il avait su mériter de suite l'estime et l'amitié de ses chefs. Au bout de six mois, il était nommé brigadier et déjà on lui faisait espérer les galons de maréchal des logis.

Jacques Vaillant était content.

— Il est capable de revenir avec le grade de sous-lieutenant, disait-il à Jeanne.

— Et avec la croix d'honneur, ajoutait la jeune fille en riant.

— Oh ! oh ! ma mignonne, la croix, la croix de la Légion d'honneur ! Comme tu y vas ! on ne l'obtient pas si facilement que ça. Il faut la gagner comme j'ai gagné la mienne, sur le champ de bataille.

— D'ailleurs, reprenait la jeune fille plus sérieuse, Jacques n'a pas plus besoin de gagner la croix que de revenir à Marville avec l'épaulette d'officier. N'est-il pas convenu que nous nous marierons aussitôt après son retour et qu'il prendra l'exploitation d'une ferme ? Officier, mon père ! Mais s'il le devenait, lancé dans une autre carrière, Jacques ne voudrait peut-être plus de moi !

— Là-dessus, ma chérie, sois tranquille ; Jacques t'adore. Ah ! çà, où diable voudrais-tu que Jacques trouvât une autre femme qui vaille seulement le quart, le demi-quart de ta mignonne petite personne ? Nous disons des bêtises ; Jacques reviendra paysan et brave garçon comme il est parti ; je vous marierai et il prendra une ferme. Voilà ; ma Jeanne sera fermière !

Catherine n'était pas oubliée ; on pensait souvent, au contraire, à la chère défunte. Mais, avec le temps, la douleur de Jacques Vaillant s'était calmée ; et puis Jeanne, sa Jeanne, qui était maintenant tout pour lui, avait été aussi pour beaucoup dans sa consolation.

S'il arrivait encore au vieux militaire d'avoir des regrets, ils étaient sans amertume ; le souvenir de la bonne Catherine était seulement doux à son cœur.

Une fois par semaine, le dimanche matin, Jeanne cueillait les plus belles fleurs du jardin ; elle en faisait deux couronnes, et le tantôt, donnant le bras à son père, ils s'en allaient au cimetière. Les deux couronnes du jour remplaçaient celles du dimanche précédent, dont les fleurs étaient fanées.

Ils ne manquaient jamais à ce pieux devoir, hommage rendu à la mémoire d'une femme qui avait été pour Jeanne la meilleure des mères, pour Jacques Vaillant la plus affectueuse, la plus dévouée des épouses.

Le vieux capitaine venait d'être nommé une seconde fois maire de Mareille. Sur les instances du préfet, il n'avait pu refuser ces fonctions ; du reste, il avait encore la force de les remplir, et son dévouement à la commune ne lui faisait pas trouver cette charge trop lourde pour son âge.

Tout à coup, une mauvaise nouvelle circula dans l'Est comme dans toute la France.

La guerre venait d'éclater. Le temps de porter les corps d'armée sur les frontières du côté de l'Allemagne, les Français et les Prussiens seraient aux prises. On entendrait la fusillade, tonner les canons.

D'abord les populations furent atterrées ; puis, peu à peu, chacun se rassura. On disait :

– Nous avons de nouveaux fusils, à longue portée, des mitrailleuses ; nous avons des maréchaux de France, des généraux qui ont fait leurs preuves pour conduire au feu nos enfants, les enfants de la France, qui sont toujours les premiers soldats du monde !

On se rappelait les grandes guerres, les grandes batailles d'autrefois : Valmy, Marengo, Iéna ; les grands généraux de la République et Napoléon, l'homme à la capote grise, toujours vainqueurs.

Les Français d'aujourd'hui n'étaient pas dégénérés, ils seraient dignes de leurs anciens. On n'avait rien à craindre.

On ne savait pas tout. Que dis-je ? on ne savait rien. On ignorait les gaspillages, les désordres, les folies, l'incurie de l'administration impériale.

Jeanne était très tourmentée, très inquiète. La guerre ! La guerre ! Jacques allait marcher avec les autres. Jacques allait se battre, courir d'effroyables dangers !... Il le fallait, c'était le devoir ! C'est le soldat qui doit se ranger autour du drapeau national et défendre son pays !

Mais Jeanne était forte et vaillante ; elle renferma en elle ses inquiétudes et ne laissa rien voir de ses anxiétés. Les hostilités commencèrent.

Un matin, on apprit que, la veille, un combat meurtrier avait eu lieu à Wissembourg ; que le général de division Douay avait été tué, les Français repoussés par des forces dix fois supérieures, et que les Prussiens étaient entrés en France.

On fut repris par la peur ; mais on voulut encore espérer. Nos armées faisaient face à l'ennemi depuis Metz, la citadelle imprenable, le rempart de la France, jusqu'au bord du Rhin ; elles arrêteraient les Prussiens, les hordes allemandes ne passeraient pas !

Vinrent ensuite les journées de Reichshoffen et de Spicheren, Mac-Mahon écrasé à droite, Frossard refoulé à gauche.

Cette fois il n'y avait plus à se faire aucune illusion, la France était envahie ; les Allemands allaient se répandre comme une tache d'huile sur le territoire de la patrie. Tout était perdu ! Excepté l'honneur, cependant, pour rappeler le mot de François Ier.

Il y eut des plaintes, des gémissements, des larmes du côté des femmes ; des cris de colère, des vociférations, des grincements de dents du côté des hommes.

L'armée de Mac-Mahon battait en retraite sur Châlons, où elle allait se reformer tant bien que mal, pendant que les autres corps, poussés par la masse des Allemands dont le nombre augmentait sans cesse, venaient se placer sous la protection des forts de Metz.

On s'attendait à chaque instant à voir les Prussiens au cœur de la Lorraine.

Dans les villes, les villages, les hameaux, on se préparait à se défendre contre les envahisseurs. Le paysan faisait sa provision de poudre, fondait des balles, chargeait son fusil.

On connaît l'humeur guerrière de nos populations de l'Est ; si l'on eût fait appel, alors, à leur patriotisme, tous les hommes se seraient levés aussitôt pour courir sus à l'ennemi.

Ils se réunissaient en petites troupes armées, cinq d'un village, dix d'un autre. Ce sont ces braves patriotes qui devinrent plus tard des mobilisés ou qui formèrent des compagnies de francs-tireurs. Les francs-tireurs ! La terrible guerre franco-allemande en a vu sur tous les points de la France. Mais depuis des années il existait dans les Vosges une société de tireurs, sous le nom de Francs-tireurs des Vosges, et dont le siège était à Épinal.

Les membres de cette société ne furent pas les derniers à songer à la défense de leurs foyers.

Un matin, Jacques Vaillant reçut une lettre pressante l'invitant à assister à une assemblée générale extraordinaire de la société des Francs-tireurs des Vosges, dont il était membre honoraire et un des présidents d'honneur.

— Demain, j'irai à Épinal, dit-il à Jeanne.

— À Épinal, cher père, pourquoi ?

— Tiens, lis.

La jeune fille parcourut rapidement la lettre de convocation.

— Est-ce que votre présence à cette réunion est absolument nécessaire ? demanda-t-elle.

— Non.

— Pourquoi, alors, faire ce voyage à un moment de trouble comme celui-ci ?

— Parce que ce voyage aura un double but : j'assisterai à la réunion des francs-tireurs, ce qui sera leur donner une marque de déférence, et je verrai le préfet avec qui j'ai à traiter certaines questions relatives aux intérêts de la commune. Il y a plus d'un mois déjà que je voulais aller à Épinal exprès pour cela.

— En ce cas, cher père, je n'ai plus rien à objecter.

— Soit. Mais je vois à ton air triste que tu es contrariée que je fasse ce voyage.

— Contrariée, non.

— Alors pourquoi es-tu triste ?

– Je ne sais pas. Il se passe en moi quelque chose que je ne puis définir ; c'est comme un pressentiment de malheur.

– Enfant, grande enfant !

– Vous avez raison, cher père. Mais on a aujourd'hui tant de motifs d'avoir l'humeur chagrine ; nos soldats tués sur les champs de bataille, les souffrances des autres, les désastres, les malheurs de notre chère patrie !

– C'est vrai, dit le vieux capitaine, en hochant tristement la tête.

Jeanne soupira et essuya furtivement deux larmes.

Elle pensait à son fiancé.

Le lendemain matin, après avoir embrassé Jeanne et lui avoir promis qu'il ne serait pas absent plus de quarante-huit heures, Jacques Vaillant partit pour Épinal.

Gertrude arriva à son heure habituelle. Jeanne, comme cela lui arrivait souvent, l'aida à faire le ménage et le grand nettoyage de toute la maison. Gertrude la grondait.

– Vous vous fatiguez, mademoiselle.

– Faire cela me plaît beaucoup ; c'est une distraction. Je m'aperçois moins que mon père n'est pas là.

Le tantôt elle prit son ouvrage, du linge à repriser, et elle alla s'asseoir au fond du jardin, sous le berceau. C'était un jour à chercher l'ombre et la fraîcheur. La chaleur était étouffante, le temps lourd, à l'orage ; il y avait au sud-ouest, à l'horizon, de gros nuages noirs : à chaque instant, le tonnerre grondait au loin ; les nuages orageux tournèrent derrière les montagnes allant du sud à l'ouest et au nord ; mais le temps ne se rafraîchit point, l'atmosphère resta chargée d'électricité.

Gertrude s'en allait régulièrement à sept heures. Ce jour-là elle n'était pas encore partie à huit heures.

– Gertrude, lui dit Jeanne, vous avez fait votre travail ; pourquoi restez-vous si tard ?

– Je vous tiens compagnie, mademoiselle.

– Ma bonne Gertrude, je vous remercie de cette attention, mais je sais que votre temps est précieux.

– Oh ! une fois n'est pas coutume. Si vous le désirez, mademoiselle, je coucherai ici cette nuit.

– Vous pensez donc que je puis avoir peur, Gertrude ? Rassurez-vous, ma chère, je ne suis pas si peureuse que ça. Il n'y a pas de méchantes gens dans le pays et je ne crois ni aux revenants ni aux fantômes... D'ailleurs, ajouta-t-elle en souriant, j'ai là mon brave Fidèle pour me garder. Non, ma chère Gertrude, je ne désire pas que vous passiez la nuit ici ; vous avez votre mari et vos enfants qui vous attendent. Allez vite les retrouver, ma bonne, allez vite.

– En ce cas, mademoiselle, je vous quitte.

– Bonsoir, Gertrude !

– Bonne nuit, mademoiselle !

– Merci.

– Je viendrai demain de bonne heure.

– À sept heures, comme toujours.

La femme de ménage s'en alla.

La jeune fille ferma les portes, poussa les verrous, et s'assura que les volets des fenêtres étaient bien accrochés ; on faisait cela tous les soirs, aussi bien l'été que l'hiver, c'était une habitude.

Jeanne resta encore une heure dans la salle basse ; puis elle monta dans sa chambre dont la fenêtre donnait sur le jardin. Fidèle la suivit.

Il faisait tellement chaud que la jeune fille put croire qu'elle entrait dans une étuve ; cependant la fenêtre était grande ouverte. Elle s'en approcha et s'y appuya pour respirer à pleins poumons.

Des nuages montaient dans le ciel, se répandant partout ; de tous les côtés de larges éclairs se croisaient, se heurtaient, sillonnaient les rues ; l'horizon était en feu.

Jeanne regardait cela distraitement, faisant un mouvement en arrière chaque fois qu'une lueur trop vive l'éblouissait. Elle pensait à Jacques Grandin et à tous ceux qui, comme lui, étaient en face du danger, en face de la mort. Depuis la mobilisation de l'armée, on n'avait pas reçu de lettre du jeune soldat. Jeanne ne savait pas où il était, aussi sentait-elle augmenter chaque jour ses cruelles inquiétudes.

L'horloge de la paroisse sonna. Elle compta les coups de marteau sur la cloche.

— Seulement dix heures, murmura-t-elle ; et pourtant je tombe de sommeil.

Depuis un instant, en effet, ses yeux se fermaient malgré elle. Elle sentait sa tête lourde et une grande lassitude dans tous ses membres.

— C'est la chaleur, l'électricité, pensa-t-elle.

Un grand silence régnait autour d'elle, troublé seulement par deux ou trois grillons qui chantaient dans l'herbe. Il n'y avait pas un souffle de vent dans les feuilles des arbres. Ce calme était le précurseur de l'orage, qui éclaterait certainement dans la nuit.

Elle fit descendre la jalousie de la fenêtre ; mais elle ne ferma point les croisées. Presque toutes les nuits, à l'époque des grandes chaleurs, elle les laissait ouvertes ou seulement à demi-fermées.

Elle se déshabilla, se mit au lit et souffla sa bougie. Fidèle sauta sur la couverture et se coucha à ses pieds.

Un quart d'heure après, Jeanne dormait d'un sommeil de plomb.

Caché dans la haie du jardin, en face de la fenêtre, un jeune homme avait suivi tous les mouvements de Jeanne, la guettant comme le tigre guette sa proie, prêt à s'élancer sur elle. Quand il ne vit plus son ombre se mouvoir à travers les lames de la jalousie baissée et que la lumière de la chambre se fût éteinte, un affreux sourire crispa ses lèvres. Pendant une demi-heure encore il resta caché dans l'ombre. Sans aucun doute, il attendait que la jeune fille fût bien endormie.

Ce rôdeur nocturne était Raoul de Simaise.

Quel projet sinistre méditait-il ?

XVI

L'ATTENTAT

Depuis plus d'un an, alors qu'il n'avait encore vu Jeanne que deux ou trois fois, Raoul de Simaise, digne fils de son père, avait conçu l'odieux projet de séduire la belle fiancée de Jacques Grandin et d'en faire sa maîtresse. Il s'était dit :

– Je l'enlèverai et la conduirai à Paris où, tant que cela voudra durer, nous filerons ensemble le parfait amour.

Oh ! comme sa vanité de jeune débauché serait alors satisfaite ? Il jouissait de la surprise de ses amis qui, sans nul doute, seraient tous jaloux et envieux de sa bonne fortune, car il n'y aurait pas dans tout Paris, qu'on la cherche dans les salons du vrai monde ou du demi-monde, au théâtre, parmi la fine fleur des Circé et des Dalila à la mode, une femme comparable à la jolie fille de Mareille. À lui, à lui seul appartiendrait cette perle rare, unique, cette merveille digne d'un empereur.

Mais, bien qu'il ne manquât pas d'audace, Raoul vit se dresser devant lui d'insurmontables difficultés et il comprit que séduire Jeanne n'était pas une chose aussi facile qu'il l'avait cru d'abord.

La jeune fille ne sortait jamais seule que pour aller à la messe, le dimanche, et elle était bien gardée. Et puis son air modeste, réservé, sérieux, fier, sa dignité, son innocence, sa sagesse, proclamée par tout le monde, étaient autant de choses qui lui imposaient et le tenaient à distance.

Il dut se contenter de voir Jeanne et de la dévorer du regard à l'église et, quand il réussissait, à se trouver sur son passage. Il eut beau chercher maintes fois l'occasion de lui parler, elle lui échappa constamment.

Assurément, Jeanne n'avait pas été sans le voir plusieurs fois à Mareille ; mais elle ne l'avait pas autrement remarqué.

On lui avait dit : « C'est le fils de la baronne de Simaise ». C'était tout ce qu'elle savait de lui ; que lui importait d'ailleurs ce jeune homme qu'elle ne connaissait pas ? Il ne lui vint jamais à l'idée que Raoul pût s'occuper d'elle. Elle ne se doutait donc pas le moins du monde des intentions du fils de la baronne.

Celui-ci sentait constamment augmenter sa passion et ses désirs sensuels, en raison même des difficultés qu'il rencontrait et de l'impossibilité de les satisfaire. Voyant qu'il devait renoncer à tout espoir de séduction, il se résigna ; mais il se fit à lui-même le serment que, quand même, la jeune fille serait à lui. Dès lors, il songea au moyen de surprendre la malheureuse enfant, objet de ses brutales et honteuses convoitises.

Il devait être parfaitement renseigné lorsque, la nuit venue, il s'était approché avec précaution de la maison du capitaine Vaillant et caché dans la haie du jardin. Évidemment, il savait que Jacques Vaillant était absent pour deux jours au moins, que Jeanne était seule dans l'habitation et que, la chaleur étant suffocante, la jeune fille laisserait ouverte la fenêtre de sa chambre ainsi qu'elle en avait l'imprudente habitude.

Raoul de Simaise était prêt à mettre à exécution ce qu'il avait prémédité depuis longtemps déjà ; il allait s'introduire dans la chambre de Jeanne comme un voleur – un larron d'honneur n'est pas autre chose !

Il ne pensait même pas, le jeune misérable, que tenter seulement l'escalade était un crime, et qu'aller plus avant dans ses projets était une infamie.

Non, il ne pensait pas à cela, car tous les sentiments honnêtes étaient éteints dans son cœur.

Il ne voyait pas non plus ce qu'il avait à craindre. D'ailleurs la nuit était noire, Jeanne ne le reconnaîtrait pas, et le lendemain, à la première heure, il filerait vers Paris. Il avait aussi prévu le cas où il pourrait juger nécessaire de se faire connaître ; c'est qu'alors la jeune fille serait disposée à accepter ses propositions.

Enfin, pour moins risquer d'être reconnu, pour éloigner les soupçons de Jeanne et égarer ses doutes, il s'était déguisé. Il avait endossé un gilet de laine de palefrenier, attaché solidement sur sa tête une vieille perruque, trouvée dans un bahut du château, et mis ses pieds dans des chaussons de lisière.

Quand il jugea le moment venu, il se leva, jeta autour de lui un coup d'œil rapide et alla prendre une échelle que Jacques Vaillant avait laissée à un prunier sur lequel il y avait encore des prunes. Avec sa charge il marcha vers la maison et, sans bruit, il appuya l'échelle contre le mur, sous la fenêtre de Jeanne.

Une seconde fois il regarda autour de lui, allongeant le cou, tendant l'oreille. Il ne vit rien, n'entendit rien que le cri monotone des grillons. Certain, d'ailleurs, que tout le monde à Mareille était couché, qu'il était bien seul, que personne ne pouvait le voir, il n'hésita plus, il monta.

Quand sa tête arriva à la hauteur de la fenêtre, il écarta doucement la jalousie, puis il continua à monter ; au fur et à mesure la jalousie glissait sur son dos.

Un grognement sourd se fit entendre. Fidèle venait de se réveiller.

Un molosse aurait peut-être fait reculer Raoul ; un tout petit roquet ne pouvait pas faire beaucoup, malgré son dévouement à sa maîtresse et ses dents bien aiguisées. Cependant il s'était dressé sur ses quatre pattes : voyant ce corps dans l'encadrement de la fenêtre, il se mit à aboyer furieusement, sans doute pour réveiller Jeanne. Mais elle dormait trop profondément. Et puis au même instant, le tonnerre se mit à gronder et couvrit la voix du vigilant animal.

Raoul profita du bruit pour enjamber la barre d'appui de la fenêtre et sauter dans la chambre.

Fidèle bondit sur lui et resta suspendu, les dents accrochées au gilet de laine, qu'il avait seulement saisi. Ce faible ennemi n'était pas bien redoutable, mais Raoul ne tenait nullement à être mordu. Il fallait donc commencer par se débarrasser de l'animal. Lestement il lui prit le cou entre ses mains et serra de toutes ses forces. Le pauvre Fidèle n'eut que le temps de pousser une plainte ; les sons ne purent plus sortir de sa gorge ; il se mit à jouer des pattes, à se ployer, à se tortiller, faisant des efforts désespérés pour échapper à l'étranglement. Hélas ! tout fut inutile, son ennemi le tenait bien et serrait toujours plus fort. Le pauvre Fidèle eut une dernière convulsion et ne bougea plus. Il était mort ! Son meurtrier le jeta de côté.

La jeune fille venait enfin de sortir de son lourd sommeil et d'ouvrir les yeux.

À la lueur livide d'un éclair elle vit un homme dans sa chambre. Elle ne le reconnut pas ; elle remarqua seulement qu'il avait une tête énorme, de longs cheveux qui pendaient autour de son cou et cachaient la moitié de son visage, et il lui parut avoir une taille de géant.

Elle poussa un cri rauque, étranglé. Folle d'épouvante, elle sauta à bas du lit et se précipita vers la porte en criant :

– Au voleur !... À l'assassin !... Au secours !...

Raoul s'élança sur elle et la saisit à bras-le-corps.

Il y eut un moment de lutte horrible.

Jeanne se défendait contre le misérable avec l'énergie du désespoir. En vain elle voulait crier, appeler encore, elle ne le pouvait plus. Son sang se glaçait dans ses veines, la respiration lui manquait. À la fin elle resta inerte entre les bras de son ennemi ; elle avait perdu connaissance.

Le lâche laissa échapper une exclamation de triomphe. La malheureuse Jeanne, ne pouvant plus se défendre maintenant, était en son pouvoir ! Il la souleva et la porta sur le lit.

À ce moment, un grognement rauque, effrayant, qui n'était plus celui d'un chien, cette fois, retentit au dehors, se mêlant aux éclats de la foudre et les dominant. La jalousie fut violemment arrachée, et un nouveau personnage bondit au milieu de la chambre.

C'était Jean Loup !

Comment se trouvait-il là, à cet instant suprême, pour défendre, pour sauver la fiancée de son ami Jacques Grandin ?

Jean Loup, avec son instinct de sauvage, avait deviné les mauvaises intentions de Raoul de Simaise, et depuis, sans qu'elle pût s'en douter, il avait veillé sur Jeanne. Le soir, il avait vu Raoul sortir furtivement du parc de Vaucourt, déguisé ainsi que nous l'avons dit. Cela le surprit et l'amena à penser que le jeune homme avait en tête quelque mauvais dessein. Il voulut savoir. Il le suivit. Et pendant que Raoul se tenait caché dans la haie du jardin, il était caché lui-même au milieu d'un champ de sarrazin.

Voyant à la clarté des éclairs la jeune fille étendue sans mouvement sur son lit, il la crut morte. Il poussa un cri terrible et se rua sur Raoul qui, lâche et peureux comme le sont tous les misérables en face d'un danger réel, avait reculé pâle et tremblant jusqu'au fond de la chambre.

Le lâche n'eut pas même le courage de se défendre contre son terrible adversaire qui, d'un seul coup, l'avait étendu à ses pieds. Il se sentit perdu. Jean Loup n'avait pas oublié les coups de cravache, Jean Loup allait le tuer !

Oui, tenant enfin son ennemi, celui qui l'avait frappé dans la charmille, Jean Loup pensait à se venger ; il se disposait à l'écraser sous ses pieds comme un reptile, quand, soudain, la douce image d'Henriette passa devant ses yeux.

Cet ennemi, qui était à ses pieds, terrassé, dont il tenait la vie entre ses mains, était le frère de celle qu'il adorait. Une fois déjà Henriette, en larmes, l'avait imploré pour lui et elle lui apparaissait à cet instant pour lui crier encore :

« Grâce, grâce, Jean Loup, c'est mon frère ! »

Alors il tressaillit et toute sa colère disparût.

Au lieu de frapper le misérable, il recula à son tour et croisa ses bras sur sa poitrine.

Raoul comprit que Jean Loup l'épargnait, lui faisait grâce ; mais il ne devina point à quel sentiment le sauvage venait d'obéir. Il se remit lentement sur ses jambes. À la clarté d'un brillant éclair, qui pendant une seconde éclaira toute la chambre, il vit Jean Loup, le bras tendu, lui montrant la fenêtre.

Il ne demandait pas mieux que de déguerpir, et c'est ce qu'il fit avec une précipitation qui indiquait combien il lui était agréable de ne plus sentir peser sur lui le poids du regard terrible du sauvage.

Dès que Raoul eut disparu, Jean Loup s'approcha de Jeanne ; il lui prit la main, elle était moite : il se pencha et appuya légèrement son oreille à l'endroit du cœur de la jeune fille ; un léger battement lui révéla que Jeanne n'était pas morte comme il l'avait d'abord supposé. Il respira. C'était un évanouissement. Il connaissait cela : il avait vu Henriette dans le même état le jour où il l'avait sauvée.

Complètement rassuré, il fut sur le point de s'en aller ; mais il pensa que Raoul pourrait revenir. Il resta.

Il vit sur la table de nuit une bougie et une boîte d'allumettes ; il pouvait éclairer la chambre ; il préféra attendre dans l'obscurité. Il trouva une chaise, s'assit, et, les coudes sur ses genoux, la tête dans ses mains, il resta immobile.

Deux longues heures s'écoulèrent.

L'orage s'en était allé au loin ; on n'entendait plus le tonnerre ; on ne voyait plus que de rares éclairs. Du côté du levant l'horizon commençait à blan-

220/599

chir, c'était la naissance de l'aurore, le jour allait bientôt dissiper les dernières ombres de la nuit.

Jeanne s'agita, ouvrit les yeux, poussa un long soupir, puis un cri, puis une plainte sourde. Elle se souvenait. Elle se souleva et, les yeux hagards, elle regarda autour d'elle. Elle ne vit rien que sa fenêtre ouverte et la jalousie brisée.

Sans doute pour ne pas l'effrayer par son apparition trop brusque, Jean Loup s'était dissimulé dans un large pli des rideaux du lit.

Elle poussa un nouveau cri, laissa échapper une nouvelle plainte. Elle se jeta en bas du lit et alluma la bougie. Alors elle put voir dans quel désordre était sa chambre : ses vêtements sur le parquet froissés, souillés de poussière, deux chaises renversées, une cuvette en porcelaine brisée en morceaux, la couverture et les draps du lit arrachés, tombant, sa chemise et sa camisole déchirées, laissant sa poitrine découverte, sur un de ses bras nus une longue ligne rouge tracée par un ongle ; puis au fond de la chambre, sous un guéridon, Fidèle, sans mouvement, les pattes allongées, la langue pendante, hors de la gueule, raide.

Elle prit la pauvre bête, l'embrassa, puis la laissa tomber en même temps que ses bras. Des larmes jaillirent de ses yeux ; elle sanglota.

– Mon Dieu, mon Dieu ! mais que s'est-il donc passé ? s'écria-t-elle tout à coup.

Elle pressa fiévreusement sa tête dans ses mains.

– L'homme ! l'homme ! prononça-t-elle d'une voix gutturale.

Une idée épouvantable, horrible, traversa son cerveau. Elle poussa un cri effrayant.

– Perdue ! perdue ! je suis perdue !... exclama-t elle.

Elle chancela comme si elle allait tomber ; il lui sembla qu'elle allait devenir folle. De fait, son regard luisant, aux pupilles dilatées, était celui d'une insensée.

Soudain, derrière elle, elle entendit un gémissement.

Elle sursauta et se retourna vivement.

Jean Loup était devant elle.

Elle bondit en arrière, en jetant un cri d'épouvante et d'horreur.

Jean Loup la regarda tristement, avec compassion.

— Monstre, monstre ! exclama-t-elle d'une voix étranglée, avec une explosion de fureur, pourquoi es-tu encore ici ? Est-ce pour voir ma douleur, mes larmes, pour te repaître des souffrances de ta victime ?... Pourquoi, après ton crime infâme, n'as-tu pas regagné la forêt pour te cacher dans la tanière ? Dis, dis, misérable sauvage !... Arrière, infâme, arrière ! Va-t'en, sauve-toi !... Ah ! tu m'épouvantes, tu me fais horreur, tu me dégoûtes !

Jean Loup ne comprenait pas, mais il voyait bien que ce n'était pas des remerciements que lui adressait la jeune fille. C'était la colère qui étincelait dans les yeux de Jeanne, et chacune de ses paroles avait eu un retentissement douloureux dans son cœur. Ah ! s'il avait pu parler !

Il fit la seule chose qu'il pouvait faire : des larmes plein les yeux, il s'agenouilla devant la jeune fille, joignit les mains, et son doux regard sembla la supplier.

Hélas ! Jeanne ne sortit point de sa funeste erreur ; elle interpréta tout autrement l'humble et douloureuse attitude de Jean Loup ; elle crut qu'il se repentait et qu'il implorait son pardon.

Elle le repoussa du pied avec horreur, détourna la tête avec dégoût et se jeta de nouveau en arrière, comme si elle eût redouté une morsure venimeuse.

Le pauvre Jean Loup laissa échapper un soupir, se releva et alla essuyer ses larmes dans le coin le moins éclairé de la chambre.

XVII

OÙ IL ARRIVE À JEAN LOUP UN SECOURS INATTENDU

Jeanne resta un instant immobile, absorbée dans les sinistres pensées d'un sombre désespoir.

Toutes ses espérances étaient détruites ; en un moment tout s'était effondré autour d'elle, tout avait été anéanti !... Elle n'avait plus d'avenir, elle était perdue ! La malheureuse enfant ne raisonnait plus ; il y avait dans sa tête brûlante, prête à éclater et trop pleine de pensées tumultueuses, un commencement de folie.

Elle se redressa brusquement. Elle était affreusement pâle ; elle avait la figure décomposée. Ses yeux secs brillaient d'un éclat fiévreux. Il y avait dans l'expression de son regard quelque chose d'étrange qui indiquait une résolution désespérée. Tordant ses mains, elle leva ses yeux vers le ciel, invocation muette, qui répondait à une de ses pensées secrètes.

Elle ne s'occupait plus de Jean Loup ; peut-être croyait-elle qu'il n'était plus là.

Elle s'habilla rapidement, avec des mouvements convulsifs ; elle ramassa sa belle chevelure noire, l'enroula sur le haut de sa tête et l'emprisonna dans un bonnet de linge.

Cela fait, elle ouvrit une porte et entra dans la chambre de Jacques Vaillant. Elle s'assit devant le bureau ouvert, et sur une feuille de papier, elle écrivit :

« Je suis souillée, déshonorée. L'homme sauvage, le misérable Jean Loup est le coupable. Je ne peux plus vivre, je vais mourir !... On retrouvera mon cadavre dans la rivière.

» Mon père, plaignez-moi !

» Consolez Jacques !

» Adieu, mon père, adieu !

« JEANNE VAILLANT. »

Elle plia le papier et le mit dans une enveloppe, qu'elle cacheta et sur laquelle elle traça ces trois mots : À mon père.

Jean Loup l'épiait, très inquiet ; il sentait vaguement qu'elle avait pris une résolution grave. L'agitation de Jeanne, son effarement, quelque chose de farouche dans son regard, tout cela lui faisait peur.

La jeune fille rentra dans sa chambre, s'arrêta devant les portraits de Jacques Vaillant et de Catherine, joignit les mains et resta un instant immobile, comme en prière. Puis elle promena tristement son regard sur les objets qu'elle allait quitter pour toujours et se dirigea vers la porte.

Jean Loup bondit et se trouva devant elle, lui barrant le passage.

Jeanne eut un frisson dans tout son corps, ses yeux s'enflammèrent de colère. Elle le repoussa avec violence. Il la saisit par le bras. Elle le frappa au visage et lui lança un regard terrible, foudroyant, qui le fit reculer. Elle ouvrit la porte et se précipita dans l'escalier.

Jean Loup resta un instant comme étourdi, hébété, les yeux humides fixés sur le parquet. Il vit quelque chose de brillant et, à côté, un autre objet qui brillait aussi. Il se baissa et ramassa un anneau dit chevalière, qu'il reconnut pour l'avoir vu au doigt de Raoul de Simaise, et un petit portefeuille sur lequel il y avait deux lettres gravées R. S.

Il allait rejeter les deux objets, il se ravisa. Son pantalon usé, déchiré, troué, avait une poche en bon état, d'autant plus solide qu'il ne s'en servait jamais. Il y glissa le portefeuille et l'anneau, puis il s'élança sur les traces de la jeune fille. Quand il eut tourné l'angle de la maison, il aperçut Jeanne qui courait sur le sentier de la prairie, se dirigeant vers la rivière.

Bien qu'elle fût déjà à une assez grande distance, il aurait pu facilement la rattraper ; il n'osa pas le faire : il se borna à la suivre, mais d'assez près, toutefois, pour qu'elle n'échappât point à sa vue.

Bien qu'il ne fît pas encore jour, la campagne était déjà suffisamment éclairée ; mais on ne voyait personne encore dans les champs. Les paysans se hâtaient pourtant d'achever les moissons : mais, cette année-là, les blés et les avoines se trouvaient de l'autre côté de Mareille.

Tout à coup la jeune fille disparut au milieu des touffes d'osiers verts qui bordent la rivière.

Jean Loup sentit une sueur froide sur son front et comme un étouffement.

Était-ce possible ? Jeanne allait-elle réellement se jeter dans le Frou ?

En proie à une anxiété horrible, il prit sa course et en moins de deux minutes il arriva au bord de la rivière.

Il était déjà trop tard pour arrêter Jeanne. Il entendit le bruit de sa chute dans l'eau et il vit l'eau bouillonner à l'endroit où elle était tombée. Il le connaissait, cet endroit, un des plus redoutables du Frou ; c'est là qu'il avait sauvé le petit garçon de Blignycourt, qui se noyait.

Sans perdre une seconde il se précipita dans la rivière et plongea. Il revint à la surface les bras vides ; il plongea une seconde fois ; rien encore.

Il avait dû tomber la veille, plus haut, du côté de Blaincourt, de fortes averses, car le Frou montait et le courant devenait excessivement rapide. Jean Loup comprit que Jeanne avait déjà été entraînée. Il s'enfonça sous l'eau une troisième fois. Il reparut, tenant la jeune fille, et se mit à nager vigoureusement vers la rive.

On entendait sur la route qui longe la rivière le roulement d'une voiture et le galop pressé d'un cheval.

Un peu avant d'arriver en face du lieu où Jean Loup luttait contre le courant pour aborder, une montée rapide commençait. Le cheval dut aller au pas.

La voiture, à quatre roues, assez légère, tenait le milieu entre la calèche et le carrosse ou la vieille berline. Elle contenait un seul voyageur.

C'était un homme de belle taille, qui paraissait avoir entre cinquante et cinquante-cinq ans. Il était vêtu très simplement, mais sa chemise de fine toile d'Écosse et d'une blancheur de neige indiquait qu'il devait avoir une certaine fortune. Il portait toute sa barbe qui commençait à blanchir, quand, déjà, ses cheveux étaient blancs. Il avait une figure expressive et belle, quoique fatiguée, et – on pouvait le supposer – ravagée par les chagrins.

L'œil restait ardent et fier ; mais, quand on l'examinait avec un peu d'attention, on découvrait dans son regard et le pli amer de ses lèvres quelque chose de triste, de découragé, qui révélait une pensée très tourmentée.

Évidemment, cet homme avait souffert, beaucoup souffert, et il devait avoir dans le cœur une blessure profonde, une grande douleur que le temps n'était pas parvenu à apaiser.

Le mouvement singulier qui se faisait dans l'eau attira l'attention de l'homme qui conduisait la voiture, lequel était certainement un cocher, mais un cocher de grande maison, car sa mise le faisait deviner, quoiqu'il ne portât point, en ce moment, le costume de ses fonctions.

Il se tourna sur son siège, et se penchant vers la portière :

– Monsieur, dit-il, regardez, regardez, là, en face de nous, dans la rivière.

Le voyageur avança la tête et regarda.

– Voyez-vous, monsieur ?

– Je vois.

– Ce doit être une bête, un loup, qui traverse la rivière, ou bien un sanglier, car il paraît qu'il y en a beaucoup dans ce pays.

– Arrêtez, Landry, arrêtez ! ordonna le voyageur : ce que nous voyons n'est ni un loup, ni un sanglier ; c'est un homme qui se débat désespérément contre le flot qui l'entraîne.

Le cheval s'arrêta, le voyageur ouvrit vivement la portière et mit pied à terre, tandis que, de son côté, le cocher sautait à bas de son siège.

– Mais ils sont deux, monsieur, ils sont deux ! s'écria Landry.

– Oui, ils sont deux, répondit le maître, c'est un homme qui en sauve un autre !

Ils franchirent vite la distance qui les séparait de la rivière.

Jean Loup, étant enfin parvenu à s'approcher de la rive, venait de saisir une branche de saule qui pendait dans l'eau. Toutefois, comme il n'avait pas pied et qu'il était obligé de maintenir la tête de Jeanne au-dessus du niveau de l'eau, il lui était difficile, nous pouvons même dire impossible, de sortir de la rivière. En effet, n'ayant de libre que sa main droite, qui tenait la branche, il ne pouvait agir. S'il lâchait la branche, le courant qui devenait de plus en plus fort, l'entraînait de nouveau. Quant à abandonner la jeune fille, il n'y songea même pas ; il aurait préféré cent fois mourir avec elle, en supposant qu'elle vécût encore.

– Courage, courage ! lui cria-t-on soudain.

Il poussa un cri de joie en voyant arriver les deux hommes au bord de la rivière.

– C'est une femme, une jeune fille ! exclama le voyageur. Vite, vite, Landry, sauvons ces malheureux ! Vous voyez, il tient cette branche ; tirez-la à vous lentement, prenez garde qu'elle ne se casse ; faites bien attention... C'est cela, c'est bien cela ; ils approchent... Encore un peu, Landry.

Et le voyageur, à genoux au bord de l'eau, tenait ses bras en avant prêts à saisir la jeune fille.

– Ils sont sauvés ! s'écria-t-il ; bravo, Landry, mon brave Landry !

Il tenait Jeanne par les épaules solidement ; sans trop de peine il la tira de l'eau et la coucha sur un lit de roseaux secs.

Pendant ce temps, sans le secours de Landry, qui lui tendait la main, Jean Loup sortit à son tour de la rivière, puis se secoua comme un caniche.

Le voyageur jeta un regard de surprise sur ce robuste gaillard, dont les cheveux, extraordinairement longs chez un homme, les jambes et les bras velus étaient bien faits pour exciter la curiosité du plus indifférent.

Landry, lui, contemplait Jean Loup avec une stupéfaction peinte sur son visage.

Cependant l'inconnu s'empressait de donner des soins à la jeune fille.

– Est-elle morte ? Est-elle vivante ?

Il s'adressait anxieusement ces deux questions. Au bout d'un instant il s'écria :

– Elle vit !

Jeanne venait de remuer, Jeanne respirait.

Jean Loup avait vu. Il tomba à genoux et se mit à pleurer de joie.

Il y avait dans les larmes de cet homme, si étrange d'aspect, quelque chose de superbe et de navrant tout à la fois.

L'étranger et son serviteur se sentirent profondément émus.

Mais c'était Jeanne, surtout, qui occupait le voyageur. Frappé, d'abord, par sa merveilleuse beauté, qui la rendait plus intéressante encore, il se mit à l'examiner avec une attention qui aurait pu, dans un autre moment, paraître choquante ou inconvenante. En effet, la fixité de son regard sur le visage de la jeune fille n'était pas chose naturelle.

Tout à coup il tressaillit et ses yeux s'ouvrirent démesurément. Une exclamation s'échappa de sa poitrine haletante.

Il continuait à regarder la jeune fille avec une attention dévorante, détaillant tous les traits du visage.

– Oh ! quelle ressemblance ! murmura-t-il. C'est elle, absolument elle !... Mais cette enfant n'a pas plus de dix-sept ou dix-huit ans ! Oui, mais si j'ai été exactement renseigné à Londres, il y a dix-sept ans environ que Charles Cherry et Zélima ont disparu. Dix-sept ans, dix-sept ans... et Zélima était enceinte.

» Mon Dieu, mon Dieu ! si c'était... Pourquoi non ? Cette ressemblance frappante... Allons, soyons calme, soyons fort... Ah ! Providence, Providence ! voudrais-tu, enfin, faire quelque chose pour moi !

Il se dressa debout d'un seul mouvement et, posant sa main sur l'épaule de Jean Loup :

– Mon garçon, lui dit-il, réponds-moi : Quelle est cette jeune fille ? Où demeure-t-elle ? Tu viens de la sauver ; elle s'était jetée dans la rivière ; pourquoi ? Parle, mon ami, parle !

Jean Loup arrêta ses yeux sur celui qui l'interrogeait, secoua tristement la tête et prononça ces mots : « Monsieur » d'abord, et « Jeanne, Jeanne » en montrant la jeune fille.

Le voyageur eut beau l'interroger encore, Jean Loup, qui ne comprenait pas, ne répondit plus qu'en secouant la tête et en poussant de gros soupirs.

– Il ne me comprend pas, il ne sait pas parler, dit le voyageur ; je m'en doutais, c'est un pauvre idiot.

– Ce qui ne l'empêche pas d'avoir du courage, de la bravoure et du cœur autant que cent hommes qui ont beaucoup d'esprit, répliqua le domestique qui, décidément, avait un faible pour Jean Loup.

– Landry, reprit l'inconnu d'un ton bref, nous ne pouvons pas laisser cette jeune fille ici.

– C'est vrai, monsieur.

– Nous l'emmenons.

– Où cela, monsieur ?

– Où nous allons.

Le domestique regarda son maître avec surprise.

– Ne serait-il pas plus simple, crut-il devoir faire observer, de la confier à de braves gens dans le premier village que nous rencontrerons ?

– Non, je l'emmène, je la garde, vous dis-je.

– Dans cet état, mouillée comme elle l'est ?

– Qu'importe !

– Monsieur ne craint pas qu'elle ait froid ?

– Le soleil se lève ; dans une heure il fera très chaud. D'ailleurs, je la soignerai ; nous avons des couvertures, des liqueurs, du sucre, du vin de Bordeaux, tout ce qu'il nous faut.

– Monsieur sait mieux que moi ce qu'il doit faire, dit Landry, comprenant, enfin, que son maître avait ses raisons pour prendre une détermination aussi singulière.

– Partons, Landry, partons !... Ah ! donne une pièce d'or à ce pauvre diable !

Jeanne venait d'ouvrir les yeux, ses lèvres commençaient à se colorer.

L'inconnu la prit dans ses bras et marcha rapidement vers la voiture.

Landry mit une pièce de vingt francs dans la main de Jean Loup.

Celui-ci regarda la pièce et la rendit au domestique en secouant la tête.

— Délicat et fier comme un grand seigneur ! murmura Landry, tout en glissant le louis dans la poche du sauvage sans qu'il s'en aperçût.

Et il s'éloigna en courant pour reprendre vite sa place sur son siège.

Jean Loup vit enlever Jeanne sans faire un mouvement. Il était ébahi, stupéfié. Il restait à la même place, debout, immobile, comme si ses pieds eussent été rivés au sol.

En face d'autres personnes, rendu furieux, il se serait jeté sur elles pour défendre la fiancée de son ami ; mais le voyageur inconnu avec son grand air, la douce expression de son regard, lui imposait.

Ce qu'il éprouvait n'était pas de la crainte, pourtant ; c'était comme un sentiment d'admiration et de profond respect.

Le cheval monta lentement la côte. Arrivé au plateau, il prit un galop rapide, et bientôt le bruit de la voiture s'éteignit.

Alors Jean Loup passa à plusieurs reprises ses deux mains sur son front, comme s'il eût voulu chasser une pensée absorbante, puis il s'élança comme un trait et s'enfonça dans la forêt, où il disparut.

XVIII

LA LETTRE DE JEANNE

À sept heures, quand Gertrude arriva, elle fut étonnée de trouver la porte de la cour ouverte. Avant d'entrer, elle regarda aux alentours, pensant que Jeanne était sortie pour causer avec quelque voisine, probablement effrayée des coups de tonnerre de la nuit.

Ne l'apercevant point, elle pénétra dans la cour, laissant la porte entr'ouverte, puis dans la maison où elle se mit immédiatement à nettoyer au rez-de-chaussée, tout en préparant le premier déjeuner, qui se composait invariablement d'une tasse de chocolat et d'une rôtie beurrée. Elle-même apportait le lait tous les matins.

Quand le chocolat fut fait, le pain grillé à point, elle appela Jeanne, persuadée que la jeune fille était remontée dans sa chambre. Ne recevant pas de réponse, elle se dit :

– Elle est au jardin.

Elle sortit de la maison et fit le tour du jardin, regardant partout et appelant :

– Mademoiselle Jeanne ! mademoiselle Jeanne !

Toujours pas de réponse.

– C'est drôle, murmura-t-elle, en jetant les yeux sur la fenêtre de la chambre de la jeune fille.

Voyant la jalousie pendante, à moitié détachée, et l'échelle contre la muraille, elle sentit comme un coup violent dans la poitrine.

– Mon Dieu, qu'est-ce que cela signifie ? pensa-t-elle.

Elle sentait le malheur.

Fort troublée, elle rentra vite dans la maison et grimpa quatre à quatre l'escalier conduisant à l'étage. La porte de la chambre de Jeanne était grande ouverte, elle entra. Aussitôt elle poussa un grand cri.

Elle voyait le pauvre Fidèle étendu sur le parquet, mort, et la chambre, sauf les vêtements de Jeanne, qui n'étaient plus là, dans le désordre que l'on sait, ce qui indiquait suffisamment qu'une lutte terrible avait eu lieu entre la jeune fille et un ou plusieurs individus.

Éperdue, folle d'épouvante, Gertrude descendit l'escalier aussi rapidement qu'elle l'avait monté, s'élança hors de la maison et, pâle, échevelée, se mit à courir dans la rue, en criant :

– Au secours ! au voleur !

Quelques femmes, des enfants accoururent et formèrent un groupe.

Le village était presque désert, car, maintenant, on était dans les champs, occupé à faucher le blé, à lier les gerbes.

Gertrude courait toujours. Elle allait chez l'adjoint où elle entra comme une bombe. Celui-ci était là, buvant le petit verre de kirsch avec le garde champêtre et un autre individu.

– Monsieur l'adjoint, cria Gertrude, venez, venez vite ! Mon Dieu ! quel malheur, quelle chose épouvantable ! Venez, venez vite !

– Calmez-vous, Gertrude ; voyons, qu'est-ce qu'il y a ? De quoi s'agit-il ?

– Mais je ne sais pas bien encore. Ah ! mon Dieu ; mon Dieu ! Que va dire le capitaine à son retour d'Épinal ? Mademoiselle Jeanne...

– Eh bien ? fit vivement l'adjoint.

– A disparu !

– Oh !

– La jalousie de sa fenêtre brisée, tout sens dessus dessous dans sa chambre, Fidèle, le pauvre petit Fidèle, raide mort !... On est entré dans la chambre par la fenêtre, avec l'échelle du jardin qu'on a mise contre le mur... Ah ! mon Dieu, quel malheur ! quel malheur !

L'adjoint était devenu affreusement pâle.

– Courons, messieurs, dit-il, courons !

On ne pensa pas à vider les verres.

Devant la maison de Jacques Vaillant il y avait une douzaine de femmes, autant d'enfants et trois hommes ; mais personne n'avait osé entrer dans le jardin. Ceux-ci ne savaient rien encore ; ils s'interrogeaient.

– Gertrude est allée chez l'adjoint. Elle appelait au secours, elle criait au voleur !

– Les voici, les voici !

Gertrude et les trois hommes arrivaient.

La femme de ménage marchant devant, ils entrèrent dans la maison. Les autres voulurent suivre, mais le garde champêtre sur le seuil de la porte, dit :

– On n'entre pas.

La défense était formelle, on la respecta. Toutefois, comme elle n'interdisait point de circuler dans le jardin, on y resta, tournant autour de la maison.

L'adjoint et ceux qui l'accompagnaient virent dans la chambre de Jeanne ce que Gertrude avait vu ; il n'y avait pas à en douter, un ou plusieurs malfaiteurs s'étaient introduits dans la chambre. Jeanne s'était défendue contre eux. Pour l'empêcher de crier ou de mordre, Fidèle avait été assommé ou étranglé.

Mais l'adjoint, ayant ouvert les tiroirs de la commode de Jeanne, remarqua qu'ils n'avaient pas été fouillés. Tout y était rangé avec ordre. Dans une petite boîte, bien en vue, il y avait une vingtaine de pièces d'or et d'argent. D'ailleurs, la montre et la chaîne d'or de la jeune fille étaient là, accrochées au clou où elle les plaçait d'habitude, le soir, avant de se coucher.

Il n'était plus permis de supposer que Jeanne avait eu affaire à des voleurs.

– Mademoiselle Jeanne a été enlevée, opina le garde champêtre.

— Rapt avec violence et préméditation, ajouta l'adjoint ; cela ne paraît laisser aucun doute.

Fidèle mort, l'état dans lequel se trouvait la chambre prouvaient que Jeanne avait résisté à ses ravisseurs. Du reste, ne s'étaient-ils pas introduits par la fenêtre ?

Quand l'adjoint parut à ladite fenêtre, et dit, en se penchant en dehors : « Voilà la jalousie brisée, voilà l'échelle... », ceux qui étaient en bas commencèrent à comprendre un peu.

Cependant, après avoir fait minutieusement l'inspection de la chambre de Jeanne, l'adjoint pénétra dans celle de Jacques Vaillant. Là, tout était dans l'ordre accoutumé.

Il allait se retirer lorsque ses yeux tombèrent sur la lettre écrite par Jeanne et laissée sur la tablette du bureau ouvert. Il lut : « À mon père... »

Il reconnut l'écriture de la jeune fille.

— Voilà qui est singulier, murmura-t-il.

Il prit la lettre et la tourna entre ses doigts, rêveur, cherchant à comprendre.

L'enveloppe était cachetée, il n'osa point la déchirer. Pourquoi Jeanne avait-elle écrit ? On lui en avait donc laissé le temps ? Mais que pouvait-elle dire à Jacques Vaillant ?

L'adjoint se perdait dans toutes sortes de suppositions, il ne comprenait plus.

On avait pénétré dans la chambre de Jeanne par escalade, probablement pendant son sommeil ; elle s'était énergiquement défendue, tout le prouvait ; mais après, que s'était-il passé ? L'adjoint s'arrêtait là, n'osant s'avancer dans l'obscurité. Il s'adressait cependant cette double question :

— À-t-elle été réellement enlevée avec violence ou bien, vaincue dans la lutte, a-t elle consenti de bonne grâce à suivre son ravisseur ?

Mais il ne pouvait se décider à accepter l'une ou l'autre de ces hypothèses.

Il conclut en mettant tout simplement la lettre dans sa poche.

Au retour de Jacques Vaillant le mystère serait éclairci.

Il n'avait plus rien à faire dans la maison ; il se retira en en confiant la garde à Gertrude, qui aurait peut-être bien voulu que cette mission fût donnée à un autre.

Avant de quitter les lieux, le garde champêtre crut devoir faire évacuer le jardin. Ensuite il rejoignit l'adjoint.

— Grave affaire, dit-il au second magistrat municipal.

— Tellement grave, père Mercier, que je crois indispensable d'en informer immédiatement la justice.

— Oui, il le faut. Si seulement nous avions des gendarmes au chef-lieu de canton ; mais tous ceux de l'arrondissement viennent d'être appelés à l'armée.

— À mon avis, père Mercier, les gendarmes ne sont pas utiles dans cette affaire. Du reste, que pouvons-nous faire, nous ? Rien. Il faut qu'un homme de loi, un homme du métier, s'occupe de cela. En l'absence du maire, que la chose intéresse doublement, il est de mon devoir d'avertir le juge de paix.

— C'est vrai.

— Vous allez donc partir immédiatement pour Héréville et, si vous le trouvez, vous reviendrez avec lui.

— Quand le capitaine sera-t-il de retour ?

— Demain matin au plus tard.

— Je pars.

— Allez, et revenez le plus vite possible.

Le garde champêtre trouva le juge de paix chez M. de Violaine où il déjeunait.

M. de Violaine et Suzanne connaissaient Jacques Vaillant et sa fille ; aussi ne furent-ils pas moins douloureusement émus que le juge de paix en apprenant le terrible événement.

On se leva de table avec précipitation.

— Je vais faire atteler, dit M. de Violaine ; nous partirons tous ensemble ; vous nous laisserez, ma fille et moi, à la grille du château de Mme de Simaise et la voiture vous mènera à Mareille. Vous la garderez, et quand vous aurez vu à Mareille ce que vous devez voir et fait ce que vous devez faire, vous viendrez nous retrouver à Vaucourt, chez la baronne.

Suzanne fut prête en un rien de temps. On trouva place pour quatre dans le phaéton et on se mit en route.

Le juge de paix, assisté de l'adjoint et du garde champêtre, fit, dans la maison de Jacques Vaillant, les constatations déjà faites par ceux-ci.

L'adjoint lui remit la lettre trouvée par lui sur le bureau du maire.

— Diable, diable ! fit le juge de paix devenu aussitôt plus soucieux et plus perplexe encore.

Il eut les mêmes scrupules que l'adjoint, il ne décacheta point la lettre.

Après avoir visité la maison, ces messieurs descendirent dans le jardin. Le juge de paix examina le sol avec attention ; malheureusement, ceux qu'on avait laissés entrer le matin dans le jardin avaient piétiné partout. Toutefois, on parvint à découvrir, à demi effacées, des empreintes de pieds nus ; là, le talon s'était incrusté dans la terre amollie par la pluie ; ici les cinq doigts étaient encore parfaitement marqués.

— Diable, diable ! fit encore le juge de paix.

Et par une distraction habituelle chez lui, sans doute, il se pinça fortement le bout du nez, essayant de l'allonger, comme pour lui dire : « Tu n'es pas assez long pour que je puisse bien voir clair dans ce qui s'est passé ici la nuit dernière. »

Tout à coup la voix de Gertrude cria :

— Voilà le capitaine !

Jacques Vaillant, qui avait annoncé une absence de quarante huit heures, arrivait, en effet, beaucoup plus tôt qu'il ne l'avait prévu.

Il avait assisté à la réunion des francs-tireurs, mais il n'avait pu voir le préfet, très occupé, très affairé. On était à un moment critique qui ne donnait guère de loisirs aux fonctionnaires de tout ordre dans la région de l'Est. Peut-être M. le préfet était-il en train de faire ses malles pour battre en retraite à l'approche des Allemands. En faisant prier le maire de Mareille de l'excuser, s'il ne le recevait point, il remettait à plus tard, après les graves événements de l'instant, la conversation qu'ils devaient avoir ensemble au sujet des intérêts de la commune de Mareille.

Jacques Vaillant s'était donc empressé de quitter Épinal pour se retrouver plus tôt près de sa bien aimée Jeanne.

Hélas ! il ne se doutait guère de ce qui l'attendait au retour.

Le pauvre brave homme fut frappé comme d'un coup de foudre. Ce fut une explosion de douleur épouvantable impossible à décrire. Ce coup effroyable pouvait l'abattre comme l'épi sous la faux, le tuer. Il resta debout, les yeux secs, les membres tremblants, pâle à faire frémir, ayant en lui une rage sourde, insensée, qui grondait.

Pendant un assez long temps on resta silencieux et respectueux devant cette immense douleur ; puis, jugeant le moment venu, le juge de paix lui mit dans la main la lettre de sa fille.

Il brisa l'enveloppe rapidement avec des mouvements fiévreux et il lut.

Aussitôt ses yeux s'agrandirent et ses prunelles se gonflèrent comme si elles allaient sortir des orbites ; il jeta un cri rauque et s'affaissa sur un siège, écrasé !

la lettre était tombée à ses pieds. Le juge de paix la ramassa.

– Pouvons-nous lire ? demanda-t-il.

Jacques Vaillant fit signe que oui.

Le juge de paix lut à haute voix.

Une exclamation de surprise, cri de douleur en même temps, s'échappa de toutes les poitrines.

Pour Jacques Vaillant, le juge de paix et les autres, tout était enfin expli-qué.

– Le misérable, l'infâme ! exclama Jacques, voilà sa reconnaissance pour les bienfaits !... Il a causé la mort de ma chère Catherine, et aujourd'hui c'est Jeanne, c'est ma fille !... Ma pauvre enfant, ma pauvre enfant ! Le jour où Catherine lui a rendu la liberté, je lui ai dit : « Pourvu que nous n'ayons pas à nous en repentir ! » C'était le pressentiment de ce qui devait arriver. Oh ! le monstre, le monstre !

Il laissa tomber sa tête dans ses mains et sanglota.

Les autres, les yeux mouillés de larmes, le regardaient avec une profonde compassion.

Il y eut un long silence.

– Il faut absolument qu'on s'empare de cet homme, dit le juge de paix.

– Ce sera difficile, répliqua l'adjoint.

– Qui s'en chargera ? fit le garde champêtre ; on nous a pris nos gendarmes.

– D'ailleurs, dit Jacques Vaillant, sortant de sa torpeur, il échappera au châtiment qu'il a mérité ; on ne verra en lui que ce qu'il est, un misérable sauvage, une brute, et on le déclarera irresponsable.

– C'est à prévoir, répondit le juge de paix ; cependant, monsieur le maire, on ne peut lui laisser plus longtemps sa liberté. Il faut absolument que nous délivrions la contrée d'un être aussi dangereux. Son crime de la nuit dernière nous impose le devoir de l'empêcher d'en commettre d'autres.

– Mais je ne m'oppose pas à ce qu'on le prenne ; qu'on l'enchaîne comme un loup enragé et qu'on le traîne dans un cachot ! s'écria le maire avec fureur.

Il ajouta avec plus de calme :

– Je suis tout entier à ma douleur, monsieur le juge de paix, j'ai la fièvre au cerveau. À vous de voir ce qu'il est urgent et utile de faire. Agissez, je ne m'oppose à rien, j'approuve tout.

» Hélas ! continua-t-il d'un ton navrant, maintenant je ne suis plus rien ; oui, je suis un homme perdu ; il me semble que, déjà, je ne suis plus qu'un cadavre.

– Jacques, mon ami, dit le juge de paix d'une voix émue, en saisissant la main du vieillard, pourquoi n'espéreriez-vous pas ? Jeanne n'a peut-être pas mis à exécution, son fatal projet.

Jacques Vaillant secoua lentement la tête.

– Je la connais, répliqua-t-il, Jeanne est morte !

XIX

COMMENT JEAN LOUP, AVEC QUATRE MOTS, FAIT UN LONG RÉCIT

Ces lugubres paroles de Jacques Vaillant furent suivies d'un nouveau et morne silence.

— Mais, reprit le juge de paix, on a perdu beaucoup de temps ; on aurait dû, déjà, se mettre à la recherche de Mlle Jeanne. Vivante ou morte, il faut qu'on la trouve !

Ces paroles semblèrent ranimer le vieux capitaine.

— Oui, dit-il en se tournant vers son adjoint, qu'on la cherche, qu'on la cherche partout dans la rivière !

Ce dernier mot le fit tressaillir.

— Oh ! la destinée, la destinée ! murmura-t-il. Le père, la fille...

On ne comprit pas ce qu'il voulait dire.

Il ajouta, se parlant à lui-même :

— Jeanne est l'enfant du malheur !

— Bien que la journée soit déjà avancée, dit l'adjoint, nous allons commencer les recherches dès ce soir.

— Avec tous les hommes de bonne volonté que je vais pouvoir trouver, ajouta le garde champêtre.

L'adjoint et lui se retirèrent.

Alors, entre Jacques Vaillant et le juge de paix, il fut décidé que ce dernier instruirait le parquet de l'événement qui frappait si cruellement le maire de Mareille, et qu'on lui laisserait prendre l'initiative de telle ou telle mesure qu'il jugerait nécessaire !

Après cela, ayant serré les mains du malheureux vieillard avec une émotion visible, le juge de paix se sépara de lui et remonta dans le phaéton de M. de Violaine qui l'eut bientôt transporté au château de Vaucourt.

On l'attendait avec une impatience facile à concevoir.

La baronne avait une grande estime pour Jacques Vaillant, qui, à ses yeux, était la plus haute personnification de la loyauté, de la droiture, de l'honnêteté sous toutes ses formes. Comme Suzanne, Henriette connaissait Jeanne qui était venue deux ou trois fois au château, accompagnant son père.

Dès que le juge de paix parut, les regards ardents se fixèrent sur lui, l'interrogeant.

— C'est épouvantable ! dit-il.

Et tout de suite, après ce préambule, il raconta ce que savent nos lecteurs.

— C'est impossible ! exclama la baronne.

— Je pense absolument comme madame la baronne, déclara M. de Violaine ; il y a erreur, les apparences trompent souvent ; Jean Loup n'a pas fait cela, n'a pas pu faire cela !

Suzanne, la main sur son front, avait l'air de réfléchir ; il lui semblait qu'elle faisait un rêve affreux.

Henriette, la tête baissée, de grosses larmes dans les yeux, était secouée par un tremblement nerveux.

Par égard pour les jeunes filles et pour ne point blesser leurs oreilles, le juge de paix avait été très sobre de paroles touchant le crime supposé, n'ayant pas à mettre les points sur les i pour M. de Violaine et la baronne. Malgré cela les deux jeunes filles avaient compris.

— Monsieur le juge de paix, reprit Mme de Simaise avec un accent convaincu, celui qui a sauvé ma fille, qui allait tomber au fond du précipice de la Bosse grise, celui qui a sauvé l'enfant qui se noyait dans le Frou, ne peut pas être un misérable, un infâme !

— Malheureusement, madame, le doute n'est pas possible. J'ai omis de vous parler des empreintes, des larges empreintes de pieds nus que j'ai découvertes sur le sol près de la maison, au bas de l'échelle. D'ailleurs, la lettre de la malheureuse jeune fille n'est que trop explicite. Mais cette lettre, je l'ai sur moi. La voici : tenez, madame la baronne, monsieur de Violaine, lisez, lisez !

La baronne lut la première, puis tendit silencieusement le papier à M. de Violaine.

Elle n'osait plus protester en faveur de Jean Loup.

M. de Violaine lut à son tour, puis rendit la lettre accusatrice au juge de paix.

— Je ne sais plus que dire, fit-il.

Suzanne se dressa sur ses jambes, la tête haute, les yeux étincelants.

— Eh bien, moi, s'écria-t-elle avec feu et l'emportement de sa nature ardente et généreuse, quand toute la terre accuserait Jean Loup, je ne cesserais pas de protester ; contre tous je soutiendrais qu'il est innocent !

» Et vous, Henriette, vous à qui il a sauvé la vie, continua-t-elle, est-ce que vous ne le défendez pas comme moi ?

Interpellée ainsi, Mlle de Simaise releva la tête. Elle avait la pâleur de la cire ; des larmes qu'elle ne put retenir jaillirent de ses yeux.

— Non, Suzanne, répondit-elle d'une voix troublée, je ne puis le défendre. Quand M. le juge de paix, M. de Violaine et ma mère le condamnent, il ne m'est plus possible de croire qu'il n'est point coupable.

Sur ces mots, sentant ses sanglots prêts à éclater, elle sortit précipitamment du salon pour aller s'enfermer dans sa chambre et y pleurer sans témoins.

Un instant après, le juge de paix, M. de Violaine et sa fille prirent congé de la baronne.

Celle-ci s'empressa de rejoindre sa fille ; elle la trouva en larmes. C'était une douleur qui approchait du désespoir. Mme de Simaise, qui ignorait absolument les allées et venues de Jean Loup aux alentours du château, et à qui on avait également caché la scène de la charmille, mit le chagrin de sa fille, tout en le trouvant un peu excessif, sur le compte de sa grande sensibilité nerveuse.

Mais Henriette savait-elle bien elle-même pourquoi elle pleurait ?

De quoi ses larmes étaient-elles la manifestation ?

Venait-elle de voir s'envoler, oiseau chassé du nid, sa première illusion de jeune fille !

Sa mère parvint, sinon à la consoler entièrement, du moins à sécher ses larmes.

La nuit, Henriette ne dormit pas. Bien plus qu'autrefois elle pensa à Jean Loup ; mais ses pensées n'étaient plus les mêmes. Maintenant elle voyait celui qui l'avait sauvée dépouillé de son prestige, n'ayant plus l'auréole sur le front. Le héros était tombé de son piédestal, il gisait dans la boue.

Oh ! comme elle se rappelait tout ce qui s'était passé dans la charmille !... Il s'était jeté sur elle comme une bête fauve, l'avait entourée de ses bras... C'était d'une brutalité semblable, mais hélas ! bien plus grande encore, dont Jeanne, la pauvre Jeanne Vaillant, avait été victime.

Avant, elle donnait tort à son frère qui avait eu l'audace, la méchanceté de frapper à coups de cravache son sauveur, son ami ; maintenant Raoul avait eu raison, il n'avait fait que son devoir en protégeant sa sœur, en la délivrant d'un horrible embrasement.

Ah ! comme elle regrettait, comme elle se repentait de s'être tant inquiétée, de s'être si vivement intéressée à ce misérable Jean Loup, à cette bête fauve, à ce monstre !

Elle aurait voulu pouvoir oublier qu'elle lui devait la vie.

Et même, par instant, il lui semblait, tant il y avait en elle de choses amères, qu'il eût mieux valu qu'elle tombât au fond du précipice que d'être sauvée par lui.

Le surlendemain matin, on apprit au château qu'on avait vainement fouillé le lit de la rivière pour retrouver le corps de la malheureuse Jeanne.

De guerre lasse on s'était résigné à cesser les recherches. Avant de les commencer, d'ailleurs, on était à peu près certain de leur inutilité.

Le Frou avait débordé et s'était transformé en torrent ; tous les batardeaux des écluses ayant été ouverts, on était convaincu que le cadavre avait été entraîné probablement jusque dans la Saône.

Le même jour, à deux heures de l'après-midi, Mme de Simaise sortit en voiture.

Henriette, indisposée, n'accompagnait pas sa mère. Après deux nuits d'insomnie, elle se sentait très fatiguée ; elle avait le corps brisé, un peu de migraine.

La baronne se rendait chez M. de Violaine qui avait dû recevoir, dans la matinée, des renseignements précis sur la marche en avant des Prussiens ; on espérait encore qu'ils ne parviendraient pas à franchir les défilés des Vosges.

Il s'agissait de savoir si le département serait oui ou non envahi, si Mme de Simaise et sa fille devaient quitter Vaucourt pendant que M. de Violaine et Suzanne s'éloigneraient également d'Haréville ; ceux-ci pour se rendre en Bretagne, la baronne pour répondre au désir de la famille de Maurienne. Depuis huit jours Mme de Simaise et Henriette avaient reçu plusieurs lettres dans lesquelles le comte, la comtesse et les jeunes filles insistaient pour que la baronne et sa fille s'éloignassent du théâtre de la guerre et vinssent les rejoindre dans une de leurs propriétés au pied des Pyrénées.

Il allait être décidé, chez M. de Violaine, si l'on partirait ou si l'on resterait. Cela dépendait des renseignements donnés au châtelain d'Haréville.

Henriette était seule au château, dans le salon, affaissée sur un fauteuil, sa tête endolorie renversée sur le dossier. Les yeux à demi fermés, elle songeait.

Tout à coup, un bruit qu'elle entendit dans le large corridor attira son attention. Une porte venait d'être ouverte et refermée. Qui donc pouvait être là ?

Mme de Simaise avait emmené la femme de chambre ; le valet de chambre était absent, en congé pour quelques jours ; la cuisinière était allée faire une commission et ne pouvait être encore de retour ; le jardinier n'entrait jamais dans le château sans y être appelé.

La jeune fille allait se lever pour voir qui était là, lorsque la porte du salon, s'ouvrant brusquement, elle vit Jean Loup se dresser devant elle.

Henriette bondit sur ses jambes en poussant un cri d'effroi, qu'elle ne put retenir. Elle voulut s'élancer vers une fenêtre pour appeler à son secours ; mais Jean Loup, devinant son intention, l'en empêcha en se jetant entre elle et la fenêtre.

Henriette recula terrifiée ; vainement elle essaya de crier, l'émotion, l'épouvante arrêtèrent les sons dans sa gorge.

Le sauvage était déjà triste en entrant, mais, en voyant l'effroi qu'il causait à la jeune fille, son visage prit une expression douloureuse.

Henriette s'attendait à le voir se jeter sur elle et se préparait à se défendre énergiquement, lorsque Jean Loup s'avança lentement, la tête baissée, et tomba sur ses genoux.

À demi rassurée, la jeune fille le regarda avec surprise.

Il sortit de sa poche le portefeuille et l'anneau trouvés dans la chambre de Jeanne.

Reconnaissant ces deux objets, la surprise de la jeune fille se changea en stupéfaction. Comment le sauvage pouvait-il avoir en sa possession ce portefeuille et cet anneau ?

Jean Loup redressa sa tête intelligente et lentement, avec un accent de tristesse profonde, il prononça ces quatre mots : « Frère, Jeanne, Jean Loup, eau ». Ses yeux fixés sur ceux d'Henriette, il attendit un moment. Voyant qu'elle ne comprenait pas, il se releva, et avec des gestes parlants, une expression de physionomie d'une éloquence extraordinaire, en y mêlant les quatre mots : « Frère, Jeanne, Jean Loup, eau », il joua sous les yeux de Mlle de Simaise une scène de pantomime qui la fit assister, pour ainsi dire, à ce qui s'était passé dans la chambre de Jeanne.

D'abord, avec sa main, il traça un espace imaginaire dans le salon, puis donna à sa tête la pose d'une personne endormie. Ensuite il figura une échelle et, montrant la fenêtre en disant : « Frère », il eut l'air de monter, puis de franchir un balcon en faisant un saut. Après cela, il simula une lutte entre deux personnes à la suite de laquelle l'une des personnes, la plus faible, fut jetée sur quelque chose qu'il indiqua être un lit. Et il dit : « Jeanne ».

Aussitôt, il eut de nouveau l'air de monter à l'échelle et il fit le même saut que précédemment, en prononçant d'une voix vibrante : « Jean Loup ». Alors, il représenta une nouvelle lutte, et, indiquant qu'il avait terrassé son adversaire, il le montra étendu à ses pieds, en disant : « Frère », et se désigna lui-même, en se frappant la poitrine, et en répétant deux fois : « Jean Loup ! Jean Loup ! ».

Il approcha ses deux mains aux doigts crispés l'une de l'autre, et fit voir qu'il allait étrangler son ennemi ; mais soudain il se frappa le front, secoua la tête et recula avec une sorte de terreur en criant : « Frère ! frère ! ». Puis il représenta son adversaire se relevant, franchissant le balcon de la fenêtre et se sauvant en descendant sur l'échelle.

Cela fait, il resta un instant immobile, les yeux baissés, puis il murmura : « Jeanne, Jeanne ».

Il montra la jeune fille reprenant connaissance, regardant autour d'elle avec effarement, poussant un cri rauque et se tordant les bras avec désespoir ; puis le repoussant, lui, Jean Loup, avec fureur, puis ouvrant une porte et s'élançant au dehors.

Henriette, haletante, les yeux écarquillés, ne perdait pas un geste, pas un mouvement du sauvage et lisait pour ainsi dire le drame terrible dans ce que sa physionomie mobile exprimait successivement.

Elle était si vivement intéressée, si étrangement captivée, qu'elle oubliait dans quelle situation elle se trouvait, seule avec Jean Loup.

Jusque-là elle n'avait pas encore bien compris ; mais la clarté allait se faire et chasser toutes les obscurités.

Jean Loup posa sur le tapis, à l'endroit où il avait montré son adversaire terrassé, l'anneau et le portefeuille. Puis, il fit deux pas en arrière et resta un instant immobile, la tête inclinée sur sa poitrine, les bras ballants.

Soudain, il ouvrit démesurément les yeux, qui se fixèrent sur les deux objets ; il s'en rapprocha vivement, les ramassa et les tourna dans ses mains en criant : « Frère, frère ! ». Ensuite il remit le portefeuille et l'anneau dans sa poche et indiqua qu'il s'était à son tour élancé hors de la chambre pour se mettre à la poursuite de Jeanne.

Il revint au milieu du salon et, simulant l'épouvante, il cria : « Eau ! eau ! ».

Deux fois de suite il fit le simulacre de se précipiter, la première en disant : « Jeanne », la seconde en disant : « Jean Loup » ; puis, un pied en avant, un autre en arrière, le corps penché, il représenta un homme qui nage, écartant et ramenant successivement ses bras.

Enfin, il fit encore plusieurs gestes, voulant dire : « Jeanne a été sauvée par moi avec l'aide de deux hommes ; et ces deux hommes, qui avaient une voiture, ont emmené Jeanne avec eux ».

Ceci, Henriette ne le comprit pas ; elle crut, au contraire, que Jean Loup voulait lui apprendre qu'après avoir fait des efforts désespérés pour sauver la malheureuse Jeanne, il n'avait pu y réussir, le courant l'ayant rapidement entraînée.

Et ce qui lui fit croire qu'elle avait bien interprété la derrière pantomime, c'est que, ayant fini, Jean Loup poussa un long soupir et laissa tomber de ses yeux deux grosses larmes.

Henriette avait de la peine à contenir sa cruelle émotion, à empêcher ses sanglots d'éclater.

Jean Loup avait facilement reconquis son estime, son amitié et plus encore, son admiration.

Celui-ci reprit dans sa poche le portefeuille et l'anneau et les mit dans la main de la jeune fille. Après cela, il se dirigea vers la porte, en reculant. Il s'en allait triste comme il était venu.

Henriette oublia toute réserve. Elle s'élança vers lui, les yeux mouillés de larmes et, lui saisissant les deux mains, elle s'écria :

– Ah ! Jean Loup, Jean Loup, mon brave Jean Loup !

Le sauvage comprit la signification de ces paroles, qui remuèrent délicieusement toutes les fibres de son cœur. Ses yeux s'irradièrent, son front s'illumina.

Henriette le remerciait-elle de lui avoir rapporté les deux objets appartenant à son frère ? Non. Elle lui demandait pardon de l'avoir cru coupable, de l'avoir accusé !

Cependant, comme honteuse d'avoir obéi trop facilement à l'impulsion de son cœur, la jeune fille fit quelques pas en arrière.

Mais elle avait donné à Jean Loup plus de bonheur qu'il n'en demandait, plus qu'il n'avait osé en espérer. Il gagna la porte. Sur le seuil, avant de s'éloigner, il se souvint de la façon dont Jeanne avait adressé ses derniers adieux à Jacques Grandin, sur la route, le jour de son départ. Il posa l'extrémité de ses doigts sur ses lèvres et envoya à Henriette plusieurs baisers.

La jeune fille éprouva une sensation étrange, qui lui fit fermer les yeux. Quand elle les rouvrit, la porte était close, Jean Loup n'était plus là. Elle courut à la fenêtre et regarda. Jean Loup avait disparu.

Elle revint lentement près du fauteuil où elle était assise quand Jean Loup avait ouvert la porte du salon, et sur lequel elle avait jeté l'anneau et le porte-feuille. Ces deux objets, frappant de nouveau sa vue, elle tressaillit et sentit un frisson dans toutes les parties de son corps, sa main fiévreuse s'empara des deux objets accusateurs et vite, comme si elle eût craint d'être surprise, elle les cacha dans son corsage.

– Si maman savait... murmura-t-elle. Oh ! elle en mourrait !... Mais elle ne saura rien. Ce secret épouvantable restera caché là, dans mon cœur, tant que je ne serai pas forcée de le révéler !

XX

AFFREUSE DÉCOUVERTE

Henriette se laissa tomber dans le fauteuil, ses larmes jaillirent et elle pleura, la tête cachée dans ses mains.

Ainsi, Jean Loup, que la lettre de Jeanne désignait comme le criminel, que tout le monde accusait, qu'elle-même avait cru coupable, Jean Loup était innocent ! Le coupable, c'était son frère ! Son frère était le misérable auteur de cette infamie ! Il avait poussé Jeanne, son innocente victime, au suicide ! Et elle ne pouvait pas l'accuser hautement, elle était condamnée à se taire... C'était son frère !...

Ah ! le maudit ! c'était donc pour cela que, quelques heures après le crime, il les avait quittées, sa mère et elle avec tant de hâte, pour retourner à Paris ? La peur lui avait fait prendre la fuite. Et il ignorait encore ce qui avait été la conséquence de son crime.

Maintenant, elle s'expliquait pourquoi, quand il venait à Vaucourt, il allait si souvent se promener du côté de Mareille.

Au moment de partir, quand il était venu lui dire au revoir, il était pâle et avait de l'égarement dans le regard ; elle s'expliquait aussi pourquoi.

Elle avait remarqué une écorchure sur son visage ; elle lui avait demandé d'où cela lui venait et elle se souvenait de sa réponse :

« Hier soir, dans le parc, en passant, une branche a éraflé ma joue. »

C'était faux. La pauvre Jeanne, en se défendant contre lui, croyant, dans l'obscurité, avoir affaire à Jean Loup, Jeanne l'avait égratigné.

Chose singulière, il y avait dans le cœur d'Henriette, à côté de sa grande douleur, un vif sentiment de joie. Elle s'en aperçut et, après n'avoir été d'abord qu'étonnée, elle commença à s'effrayer.

– Mais que se passe-t-il donc en moi ? s'écria-t-elle avec angoisse.

Pourquoi donc était-elle ainsi ? Pourquoi donc, quand elle devait être tout entière à sa douleur, plongée dans l'horreur causée par l'action de son frère, ressentait-elle cette joie, joie timide, il est vrai, qui n'osait encore se manifester, mais ayant déjà tant de puissance, qu'elle semblait enlever à sa douleur toute son amertume.

Elle voulut se rendre compte exactement de ce qu'elle éprouvait, et, longuement, elle regarda en elle-même, analysant l'une après l'autre toutes ses impressions.

À chaque question qu'elle s'adressait, une voix mystérieuse, dans son cœur, répondait : « Jean Loup ! ».

La lumière se fit, jaillissant comme une flamme d'incendie au milieu d'une nuit sombre.

– Oh ! oh ! fit-elle.

Puis elle se dressa comme sous l'action d'une pile électrique, et s'écria :

– Je l'aime ! je l'aime !

Elle resta un instant frémissante, la tête inclinée, un nuage devant les yeux.

– Mon Dieu, protégez-moi ! dit-elle d'une voix presque éteinte, en s'agenouillant.

» Mais quel démon s'est donc emparé de moi ? reprit-elle avec violence, après un court silence. Est-ce que je suis folle ? Est-ce que je ne sais plus ce que je dois à ma mère ? Est-ce que je n'ai plus le respect de moi-même ? Ah ! malheureuse, malheureuse !

» J'aime Jean Loup, moi, moi ! C'est épouvantable ! Je l'aime, pourquoi ? Parce qu'il m'a sauvé la vie ? Mais c'est insensé, c'est de la folie !

» Oh ! continua-t-elle avec une ironie amère, la fille de la baronne de Simaise aime Jean Loup, un sauvage, un être infime, qui n'a jamais vécu qu'avec les bêtes, un malheureux, un misérable que la plus pauvre fille du village repousserait avec mépris, avec horreur, avec dégoût !

» Henriette de Simaise, qu'as-tu fait de ta dignité ? Qu'as-tu fait de ta fierté ?

» Je l'aime !

» Destinée maudite ! Fatalité implacable !

» Je l'aime !

» Où fuir, mon Dieu, où fuir ?

» Où puis-je aller cacher ma honte ?

» Je l'aime, je l'aime !

À ce moment elle entendit le bruit d'une voiture, sa mère revenait. Elle n'eut que le temps de se relever, de passer son mouchoir sur son visage et de calmer son agitation. La baronne entra dans le salon.

— Comme tu le vois, Henriette, dit-elle, je n'ai pas été bien longtemps ; j'ai tenu ma promesse en ne restant qu'un instant chez M. de Violaine.

— C'est vrai, chère mère. Comment va Suzanne ?

— Toujours la même. Oh ! celle-là a une nature à part, rien ne l'émeut, rien ne la tourmente.

Henriette étouffa un soupir qui semblait dire : « Que ne suis-je comme Suzanne ! »

— Pourtant, ma mère, répondit-elle, Suzanne a beaucoup de cœur.

— Sans doute ; aussi ai-je voulu faire allusion seulement à la force de son caractère, à la puissance de sa volonté. Mais comme tu es pâle, Henriette ; tes yeux sont battus, rouges ; Henriette, tu as pleuré !

— Un peu, tout à l'heure, en pensant à la pauvre Jeanne Vaillant.

— Sans doute, ma fille, il y a lieu de s'apitoyer sur ce qui a été la destinée de cette malheureuse enfant et aussi de plaindre l'honnête homme qui avait donné à Jeanne son nom et toute sa tendresse ; cependant, il ne faut pas pousser cela à l'extrême et te rendre malade en pensant trop à ce malheur irréparable. Depuis deux jours je te trouve bien changée ; allons, aie un peu la force de ton amie Suzanne et chasse de ta pensée ces choses douloureuses. Après tout, nous connaissions à peine cette jeune fille.

Henriette ébaucha un pâle sourire, sans doute pour essayer de rassurer sa mère.

— Parlons d'autre chose, reprit la baronne ; ce soir nous allons préparer nos malles ; nous quittons Vaucourt demain matin ; c'est décidé.

— Oh ! oui, chère mère, partons, partons vite.

Elle pensait :

— Oui, oui, l'éloignement est ce qu'il me faut ; je ne penserai plus à lui !

La baronne la regardait avec un doux sourire.

— Je ne m'attendais pas à te voir si bien décidée, dit-elle ; il y a quatre jours tu déclarais encore que, malgré tout, tu ne quitterais pas Vaucourt.

— Chère mère, j'ai réfléchi depuis.

— Mon Dieu, j'étais comme toi ; je sentais qu'il me serait difficile, pénible de m'éloigner d'ici et je ne pouvais me résoudre à ce sacrifice. Les invitations pressantes de la famille de Maurienne d'un côté et de l'autre les observations de M. de Violaine ont vaincu ma résistance. Enfin, je te l'ai dit, nous partirons demain matin.

Après un moment d'hésitation, la jeune fille reprit, en rougissant un peu :

— A-t-on parlé de Jean Loup chez M. de Violaine ?

— Peu. Quelques mots seulement.

— Est-ce qu'on va essayer de le prendre ?

La baronne secoua la tête.

— Le misérable est tranquille pour longtemps encore, dit-elle.

— Comment cela, ma mère ? interrogea Henriette, qui sentait son cœur se dilater.

— Qui le prendrait ? fit la baronne.

– Le juge de paix n'a-t-il pas informé le parquet de ce qui s'est passé à Mareille ?

– Sans doute, mais où est maintenant le parquet ? Où sont le procureur impérial, le substitut, le juge d'instruction et tous les magistrats ? Hier, les Allemands sont entrés en maîtres à Épinal, la ville leur appartient. Le préfet a quitté sa préfecture, les magistrats ont abandonné leur palais de justice. L'administration française n'existe plus dans les Vosges. Les Prussiens s'emparent de tout ce qui leur tombe sous la main ; il faut qu'ils mangent et qu'ils boivent, ces affamés d'outre-Rhin, qui n'ont jamais connu que la misère dans leur pays.

» La France est riche, ses terres sont grasses ; les Prussiens s'emparent du sol, le sol doit les nourrir. Toute une année nos paysans ont sué pour rien sur les sillons ; les Allemands leur prendront tout : le blé, l'avoine, le vin, les fourrages, les bestiaux ; ce qu'on ne leur livre pas de bonne volonté, ils le prennent de force ; si on résiste, ils frappent ou emmènent prisonniers les récalcitrants. Pour un oui, pour un non, ils incendient une ferme, brûlent des maisons.

» Quand ils ne trouveront plus rien autour d'Épinal, parce qu'ils auront tout dévoré, ils viendront par ici, ils iront partout porter la désolation, la misère, la terreur !

» Et voilà la guerre, chose épouvantable, chose maudite, chose infâme !

» Dieu a fait les peuples frères, et les rois et les empereurs, qui parlent de leur droit divin, c'est-à-dire émané de Dieu, les rois poussent les hommes les uns contre les autres et les forcent à s'égorger !... Voilà la guerre ! voilà la guerre !...

» Tout l'Est de notre pauvre France, pays généreux par excellence, est sous le talon de l'Allemand !... Jusqu'où ira-t-il et combien de temps tout cela doit-il durer ?... Dieu seul le sait !...

» On prétend que nous ne sommes qu'au commencement de nos désastres... Hélas ! que Dieu protège la France ! Espérons, ma fille, oui espérons ; on n'écrase pas si facilement une grande nation, la première de l'univers !

» La France tient dans ses mains solides le flambeau qui éclaire le monde, le flambeau du progrès, de la civilisation, des grandes idées ; le ciel ne permettra pas aux barbares du Nord de l'éteindre !

Mme de Simaise s'arrêta un instant pour respirer, car elle était haletante.

Elle était une noble fille des Vosges et comme eux tous, là-bas, à cette époque terrible, elle s'exaltait dans son ardent patriotisme !

— Quand l'orage formidable aura passé, reprit-elle, quand les vaincus auront demandé la paix aux vainqueurs et accepté leurs conditions, les rouages arrêtés aujourd'hui seront remis en mouvement, chaque chose reprendra son cours, tout rentrera dans l'ordre.

» Le rapport du juge de paix d'Haréville sera retrouvé dans le carton où il a sans doute été placé ; alors seulement on s'occupera de Jean Loup ; on fera ce qu'on aurait dû faire depuis longtemps : on s'emparera de lui, car il n'est plus possible de le laisser vivre à l'état sauvage. J'ignore ce qu'on fera de lui ; c'est l'affaire de la justice. Mais d'après ce que disait ici le juge de paix, et M. de Violaine et moi nous avons été complètement de son avis, il est impossible qu'on le fasse passer en cour d'assises et qu'il soit condamné.

— Ah ! fit la jeune fille débarrassée subitement d'une horrible oppression.

— Si coupable que soit Jean Loup, continua la baronne, la justice devant lui est désarmée ; elle ne peut rien contre ce malheureux, ce sauvage qui, évidemment, n'a pas conscience de ses actes.

» Maintenant, Henriette, si tu le veux bien, nous allons faire nos préparatifs de départ.

— Chère mère, dans une heure j'aurai préparé toutes les affaires que je dois emporter.

Elle s'approcha de Mᵐᵉ de Simaise, qui lui mit un baiser sur le front, et elle sortit du salon pour monter dans sa chambre.

Elle sentait son cœur plus léger, sa pensée moins tourmentée.

Jean Loup ne pouvait pas être condamné ; il n'y avait pas possibilité de lui infliger le châtiment du crime dont il était innocent !

Quel poids énorme dont elle était déchargée !

Le lendemain, à neuf heures du matin, Mᵐᵉ de Simaise et sa fille montaient dans la voiture qui allait les conduire à Vesoul où les Prussiens n'étaient pas encore.

— Bientôt, je serai loin d'ici, se disait Henriette, jetant un dernier regard sur le flanc noir de la Bosse grise ; là-bas, dans les Pyrénées, près de mes amies, Emma et Blanche, je ne penserai plus à lui ; oh ! oui, il faut que je l'oublie, il le faut !

XXI

UN SOUFFLET, UN COUP DE POING

Les Prussiens faisaient dans le département d'importantes réquisitions ; ils enlevaient les récoltes de gré ou de force, et vidaient successivement tous les greniers. Ah ! il ne faisait pas bon leur résister ! Les coups de plat de sabre et de crosse de fusil allaient leur train. Si on les menaçait, on risquait sa liberté et même sa vie.

Intimider, effrayer, terrifier les populations étaient leurs procédés ordinaires.

Ils forçaient les cultivateurs à conduire à Épinal, avec les bêtes de trait qu'ils ne leur prenaient pas, chevaux et bœufs, les chariots chargés de leurs réquisitions à main armée.

Ils avaient à Épinal un magasin général, véritable grenier d'abondance. Là on faisait chaque jour une distribution énorme de vivres, de graines fourragères et de fourrages. Si l'avoine manquait, comme elle ne leur coûtait pas plus cher que le blé, ils donnaient le blé à la cavalerie.

Outre la garnison importante qu'ils avaient à Épinal, il y passait aussi, journellement, de nombreuses troupes. Il fallait bien pourvoir aux besoins de ces cohortes, qui arrivaient de tous les pays d'Allemagne pour se ruer sur la France.

Un jour, un convoi de réquisitions fut attaqué, près de Mareille, par une cinquantaine de francs-tireurs. À la suite d'une défense, qui dura moins d'un quart d'heure, les francs-tireurs s'emparèrent du convoi. Sur douze Prussiens qui escortaient le convoi, neuf restèrent sur le terrain, cinq morts et quatre blessés ; les autres avaient pris la fuite.

Les habitants de Mareille, sur l'ordre de Jacques Vaillant, recueillirent les blessés et enterrèrent les morts.

La journée du lendemain se passa sans incident, mais le surlendemain, un peu avant la nuit, quatre cents hommes environ, amenant avec eux deux pièces de canon, arrivèrent à Mareille. Le commandant de cette troupe était un officier de Poméranie, grossier et brutal.

– Monsieur, dit-il au maire d'un ton hautain et insolent, nous vous rendons responsables, vous et tous les habitants de la commune, de ce qui s'est passé avant-hier.

– Et pourquoi ? demanda Jacques Vaillant.

– D'abord parce que le convoi a été attaqué près d'ici et que votre devoir était de protéger nos soldats et au besoin de les défendre.

– Pardon, monsieur l'officier, mais il me semble que vous oubliez que nous sommes en guerre ; ce qui s'est passé avant-hier sur la route n'est-il pas un fait de guerre ?

– Non, s'écria l'officier avec emportement, car nos soldats ont été surpris et assassinés par des bandits !

– Des Français qui combattent pour la défense de leur pays ! répliqua le maire avec dignité.

– Des francs-tireurs, monsieur, des bandits, vous dis-je, des brigands !

– Un franc-tireur est un soldat, un brave soldat comme un autre.

– Nous n'admettons pas cela, nous ne l'admettrons jamais riposta le Poméranien en frappant du pied avec colère. Mais, continua-t-il, toute cette discussion est inutile. Voici ce que je veux : plusieurs habitants de Mareille – on m'a dit douze – ont pris les armes contre nous et font partie de la bande qui a attaqué le convoi ; il me faut ces douze hommes.

Le maire haussa les épaules.

– Ah ! çà, fit-il, est-ce que vous croyez que je les ais mis sous clef, pour n'avoir qu'à vous dire : « Prenez-les ! ». Si vous avez absolument besoin de ces hommes, monsieur l'officier prussien, allez les chercher.

Le Poméranien devint rouge comme une écrevisse cuite.

– Monsieur le maire, répliqua-t-il, si les francs-tireurs de Mareille ne sont pas dans la commune, ils y ont chacun leur famille ; eh bien, je me contenterai, jusqu'à ce qu'ils viennent se livrer eux-mêmes à Épinal, de prendre en otage une personne de chaque famille. J'ai dit. Maintenant, monsieur le maire, vous allez me livrer mes otages.

Jacques Vaillant devint affreusement pâle et se mit à trembler d'indignation et de colère.

— Monsieur l'officier, s'écria-t-il d'une voix vibrante, je ne suis qu'un pauvre vieillard, mais c'est un cœur français qui bat dans ma poitrine ! Je n'ai que ceci à vous répondre : « Vous venez d'insulter un vieux soldat de la France ! »

Sur ces mots, Jacques Vaillant tourna brusquement le dos au Prussien et sortit de la salle de la mairie.

L'officier n'avait qu'un signe à faire pour que le vieillard fût saisi et ramené devant lui. Il le laissa aller. Mais ses yeux étincelaient de fureur mal contenue, et il tordait sa longue moustache avec rage.

Au bout d'un instant, il s'adressa à un de ses subordonnés et lui dit :

— Prenez vingt hommes, choisissez la plus grosse ferme dans le village et mettez-y le feu immédiatement. Cela d'abord, nous verrons après. Allez !

L'officier subalterne porta la main à son front et sortit pour exécuter l'ordre de son chef.

Debout sur une des larges entailles de la Bosse grise, Jean Loup avait vu arriver les Prussiens, et il était resté à la même place, rêveur, les yeux fixés sur les maisons de Mareille, que la nuit n'avait pas tardé à envelopper de son ombre.

Jean Loup ignorait absolument ce qu'est cette chose horrible qu'on appelle la guerre ; mais il savait que les Prussiens étaient les ennemis des Français comme les animaux féroces sont les ennemis de l'homme.

L'avant-veille il avait été témoin de l'attaque du convoi. Déjà, quelques jours auparavant, il avait vu un paysan de Blignycourt frappé à coups de crosses de fusils par des soldats furieux, et laissé sur la place à demi assommé.

C'était plus qu'il n'en fallait pour que Jean Loup prît en haine les soldats allemands.

La nuit, comme nous venons de le dire, l'avait surpris sur une des plates-formes de la Bosse grise. Il se disposait à descendre pour rentrer dans sa grotte, lorsque d'immenses clameurs vibrèrent dans l'air, traversèrent l'espace et arrivèrent jusqu'à lui.

Presque aussitôt une grande flamme rouge de laquelle se détachait comme une pluie d'étincelles, s'élança vers le ciel au milieu d'un immense tourbillon de fumée. La flamme était si vive que le village tout entier se trouva subitement éclairé et que la clarté vint frapper le rocher, comme en plein jour les rayons du soleil.

Jean Loup comprit qu'une maison était en feu. Une fois déjà, mais de loin, il avait eu sous les yeux le spectacle d'un incendie. L'occasion se présentait de voir de près, il ne voulut pas la laisser échapper.

Il descendit rapidement et d'autant plus facilement que la flamme l'éclairait, et partit comme une flèche. Il arriva sur le lieu du sinistre en passant à travers les jardins ; craignant d'être aperçu, il se glissa dans une espèce de cabane, construite avec des fagots, dans laquelle on avait suspendu des touffes de haricots pour qu'elles achevassent de sécher à l'abri de la pluie.

De là, à trente pas seulement de la maison qui brûlait, il pouvait admirablement voir l'incendie et ne rien perdre de la scène étrange qui se passait dans la rue.

Les soldats prussiens formaient un large cercle autour de la maison et tenaient à distance les habitants qui essayaient d'approcher. Aux larmes des uns, aux cris d'épouvante, de désespoir et aux exclamations furieuses des autres, les soldats répondaient par de bruyants éclats de rire.

Un homme et une femme – c'étaient le fermier et la fermière – suppliaient les soldats de leur permettre de sauver au moins leur bétail. Larmes, gémissements, prières, tout fut inutile. Ils furent repoussés loin de leur demeure, dont le toit allait bientôt s'effondrer.

On entendait dans les écuries un vacarme infernal. C'étaient les hennissements des chevaux, les beuglements des bêtes à cornes, les bêlements des brebis, le bruit sourd de pieds enragés battant le sol ou frappant des planches dans des ruades folles. Les pauvres bêtes affolées, à demi asphyxiées par la fumée, bondissaient, se tordaient, s'étranglaient, faisaient des efforts désespérés pour rompre leurs liens. Mais le chef avait dit :

– Que tout brûle !

Et tout brûlait. Les animaux étaient condamnés à être grillés au milieu de l'immense brasier.

Dans l'espace libre de la rue, trois officiers se promenaient tranquillement, en fumant leur cigare. L'un d'eux était le commandant.

Tout à coup, un homme franchit la haie formée par les soldats et marcha rapidement vers les trois officiers.

Jean Loup reconnut Jacques Vaillant.

Le vieillard s'adressa au commandant.

— Monsieur, lui dit-il d'une voix éclatante, et ne pouvant contenir sa colère, ce que vous avez fait est infâme !

— J'offre un feu de joie à mes soldats, répondit cyniquement l'officier.

— Prussien, riposta Jacques Vaillant avec plus de violence encore, votre conduite n'est pas celle d'un homme ; ce que vous avez fait est l'action d'un lâche !

L'officier leva la main et frappa le vieillard au visage.

Oh ! oui, Jacques Vaillant ne s'était pas trompé ; c'était bien un lâche !

Tout étourdi, le vieillard fit quelques pas en arrière en chancelant ; puis il se redressa, prêt à s'élancer sur son brutal agresseur. Il n'en eut pas le temps.

Jean Loup avait vu. Il poussa une sorte de rugissement, bondit hors de la cabane, sauta par dessus une palissade, culbuta un soldat qui se trouva sur son passage, fondit sur l'officier et, d'un seul coup de poing, qu'il lui porta en pleine figure, il le coucha à terre tout de son long, sur le dos.

— Jean Loup ! c'est Jean Loup ! s'écrièrent cinquante voix dans la foule.

Un murmure de colère avait suivi le soufflet ; un murmure de satisfaction et d'approbation suivit le coup de poing.

Les paysans n'avaient plus l'air de se souvenir que Jean Loup était accusé d'un crime odieux ; ils ne voyaient que le fait du moment : le maire de Mareille, le vieillard vengé.

Jean Loup était arrivé comme un boulet de canon et avait frappé comme la foudre.

Avant que les deux officiers aient eu le temps de revenir de leur surprise, Jean Loup avait disparu à travers les jardins, après avoir fait une seconde fois une trouée dans le cercle des soldats.

Les deux officiers aidèrent leur chef à se relever ; il était complètement étourdi, aveuglé et couvert de sang. Il avait le nez écrasé et quatre dents cassées.

Une heure après, les Prussiens s'éloignaient de Mareille. Ils emmenaient un prisonnier : Jacques Vaillant.

Après son exploit, Jean Loup était rentré dans sa grotte, s'était jeté sur son lit de feuilles sèches et n'avait pas tardé à s'endormir. Son sommeil fut très agité, toute la nuit il eut le cauchemar.

Il ne voyait que des maisons en feu et des casques pointus ; il n'entendait que des hurlements, des éclats de rire de démons, les explosions de la poudre, un cliquetis d'armes dans le choc d'une bataille. Au milieu de la mêlée il vit un homme, coiffé d'un casque doré, qui frappait à coups redoublés une femme, une jeune fille. Il reconnut l'homme, c'était le chef à qui il avait fait sentir la force de son poing ; il reconnut la jeune fille, c'était Henriette de Simaise.

Il se réveilla en poussant un cri. Il était tout en nage. La sueur qui perlait sur son front était glacée. Son cœur battait à se rompre et il sentait sur sa poitrine comme un poids qui l'empêchait de respirer. Il lui fallut près d'une demi-heure pour se remettre.

Un filet de lumière tomba dans la grotte et lui annonça la naissance du jour.

Il se dressa debout, s'étira les bras, marcha dans les ténèbres vers un coin de sa demeure et ses mains cherchèrent à tâtons. Après le rêve il avait fait ses réflexions et une idée lui était venue. Ses mains rencontrèrent le fusil et il eut son grognement habituel, lequel, chez lui, était aussi bien la manifestation de la colère que de la joie.

Il ne s'était jamais servi de son fusil pour faire la chasse aux oiseaux ou à tel ou tel autre gibier de la forêt. Pourtant il savait tirer, Jacques Grandin lui avait appris le maniement de cette arme : à charger, à épauler, à mettre en joue, à faire feu.

Le fusil, depuis si longtemps au repos, allait enfin jouer un rôle. Jean Loup avait résolu de faire la chasse aux Prussiens.

XXII

LE PARTISAN

Bien qu'il eût alors plus de vingt ans, notre sauvage sans famille, sans nom, sans état civil, n'avait pu être appelé au tirage au sort ; mais il allait, de plein gré, satisfaire en quelque sorte à la loi du recrutement. Jean Loup se faisait franc-tireur ; il allait payer la dette que tout homme valide doit à la patrie.

Il passa une partie de la matinée à nettoyer, aussi bien qu'il le put, la batterie du fusil et à enlever les nombreuses taches de rouille qui commençaient à ronger le canon d'acier.

Quand il jugea l'arme dans un état satisfaisant, c'est-à-dire suffisamment propre, il rentra dans la grotte, enfonça sa main dans une fente et la retira tenant entre ses doigts la pièce d'or que le cocher Landry avait, à son insu, glissée dans sa poche.

Cela fait, il sortit, prit le fusil, qu'il avait laissé sur une roche, le mit sur son épaule et s'éloigna rapidement.

Bientôt il se trouva sur le chemin qui traverse cette partie de la forêt et conduit directement à Blignycourt.

Après une bonne heure de marche il arriva au village.

On savait déjà à Blignycourt que, la veille, il avait presque assommé un officier prussien, lequel avait eu le triste courage de porter la main sur le maire de Mareille, un vieillard.

À Blignycourt, nous le savons, personne ne lui était hostile : aussi l'accusation portée contre lui y avait-elle trouvé de nombreux incrédules.

— Mais voyez donc Jean Loup, disait-on en le voyant passer, Jean Loup avec un fusil ?... Qui donc lui a donné ce fusil ? Où donc va-t-il comme cela ? Regardez comme il se redresse, comme il a l'air crâne !

– S'il savait se servir de son fusil, dit un paysan, je plaindrais les bêtes de la forêt : quelle boucherie, mes amis, quelle boucherie !

– Ce n'est pas le tout d'avoir un fusil et de savoir s'en servir, répliqua un autre paysan, il faut encore avoir de la poudre, du plomb, des capsules. Or, où voulez-vous que Jean Loup trouve tout cela ? Les munitions ne se donnent pas, elles s'achètent, et tout le monde sait que Jean Loup n'a jamais eu un sou dans sa poche.

– C'est vrai, ce pauvre Jean Loup ! J'ai encore chez moi, dans un placard, cinq cents grammes de bonne poudre de chasse et plus d'un kilogramme de gros plomb ; j'en ferais volontiers cadeau à Jean Loup pour peu que cela lui fasse plaisir.

Dans la rue les gamins criaient :

– C'est Jean Loup ! Bonjour Jean Loup ! Comment vas-tu, Jean Loup ? Est-ce que tu vas à la chasse ?

Jean Loup n'écoutait rien ; mais il marchait lentement, jetant les yeux à droite et à gauche sur les maisons. Enfin, il s'arrêta devant la boutique de l'épicier. La porte était ouverte, il entra.

C'était la première fois qu'on le voyait mettre les pieds dans une maison. On trouva cela si étrange qu'il y eut bientôt un rassemblement devant la boutique.

L'épicière, seule en ce moment, avait eu d'abord grand peur et s'était réfugiée derrière son comptoir. Mais elle se rassura en voyant que Jean Loup lui rendait visite avec des intentions tout à fait pacifiques.

– Que voulez-vous ? lui demanda-t-elle.

Jean Loup fit sonner le carreau de terre cuite sous la crosse de son fusil et par gestes, montrant sa pièce de vingt francs, il essaya de dire à l'épicière ce qu'il voulait.

Celle-ci ne parvenait pas à comprendre.

Derrière Jean Loup quelques curieux étaient entrés dans la boutique. S'ils avaient été étonnés en le voyant franchir le seuil de la maison, ils le furent bien plus encore quand ils virent une pièce d'or reluire entre ses doigts.

« Quoi, Jean Loup avait de l'or ! Comment cela se faisait-il ? Avait-il donc découvert un trésor ? »

Certes, il ne pouvait venir à l'idée de personne qu'il avait dérobé quelque part ce louis d'or.

— Comment, dit un homme à l'épicière, vous ne voyez pas ce que Jean Loup vous demande ?

— Non, vraiment.

— Pourtant, c'est facile à deviner : il désire vous acheter ce qu'il faut pour charger son fusil.

— C'est vrai, c'est vrai, fit la femme en se frappant le front ; comment n'ai-je pas compris tout de suite ?

— Avez-vous de la poudre ?

— Vous savez bien que nous ne sommes pas autorisés à en vendre.

— Soit, Jean Loup en trouvera ailleurs. Vous avez du plomb ?

— Oh ! ce n'est pas cela qui nous manque. Nous avions fait notre provision pour la chasse et... on ne chassera pas cette année ; de sorte que tout cela nous restera.

— Pour l'année prochaine.

— Sans doute, mais c'est toujours de l'argent avancé pour rien.

— Montrez à Jean Loup vos divers numéros de plomb afin qu'il choisisse ce qui lui convient.

L'épicière s'empressa de placer sous les yeux de Jean Loup une boîte à huit compartiments, contenant chacun du plomb de différentes grosseurs.

Jean Loup regarda et secoua la tête, voulant dire que ce n'était pas cela qu'il voulait. En même temps ses yeux tombèrent sur une autre boîte pleine de billes de toutes les couleurs. Il en prit une et la montra à la marchande avec un regard expressif.

– Tiens, tiens, fit l'homme, pas bête Jean Loup ! Il n'a pas besoin de savoir parler pour se faire comprendre ; ce qu'il veut, ce sont des balles ; en avez-vous ?

L'épicière présenta le récipient des balles ; il lui en restait neuf. Jean Loup en essaya une à l'orifice du canon du fusil et fit signe qu'il en voulait encore d'autres.

– Bon, fit l'obligeante personne qui parlait pour Jean Loup, il trouve que neuf balles ne sont pas suffisantes ; n'importe, comme elles sont de calibre, il les prend tout de même. Enveloppez-les en y joignant une boîte de capsules.

Le petit paquet fut vite fait. L'épicière prit la pièce de vingt francs, que Jean Loup avait posée sur le comptoir, et rendit dix-neuf francs soixante centimes.

– Vous voyez, dit-elle, je ne compte pas les balles, je les lui donne.

– C'est très bien, je vous remercie pour lui.

Jean Loup, ouvrant de grands yeux, restait comme en extase devant les trois grosses pièces de cinq francs, les quatre de un franc et les soixante centimes de monnaie de cuivre que la marchande avait poussées devant lui. Évidemment, il était surpris de la transformation de sa pièce d'or, et il cherchait à s'expliquer comment, ayant donné un tout petit morceau de métal, on lui en rendait un certain nombre d'autres beaucoup plus gros, car il comprenait très bien que tout cet argent qui était sur le comptoir lui appartenait.

Son interprète lui fit signe de prendre son argent, puis il lui dit :

– Viens !

Jean Loup le suivit.

À l'extrémité du village, ils entrèrent dans une maison de chétive apparence, où ils trouvèrent une commère occupée à laver la figure d'un gamin de trois à quatre ans, tout barbouillé de confitures de mirabelles et qui braillait comme si on l'eût écorché.

Cependant, à la vue de Jean Loup, la peur, sans doute, calma les cris du bambin, qui s'échappa des bras de sa mère et courut se fourrer sous un lit.

— Voici ce qui nous amène chez vous, dit le compagnon de Jean Loup à la grosse femme : Jean Loup, que vous connaissez, sinon pour l'avoir vu déjà, mais pour avoir souvent entendu parler de lui, a besoin d'un kilogramme de poudre et de trente ou quarante balles du calibre de son fusil ; il a de l'argent pour payer.

— Certainement, certainement, mais...

— Ne me dites pas que vous n'avez ni poudre, ni balles, je ne vous croirais pas. C'est chez vous que se trouve le dépôt où les francs-tireurs viennent s'approvisionner ; donc vous avez ce que je vous demande.

— Eh bien, oui, monsieur Bertault ; mais vous devez bien comprendre que je ne puis vendre à d'autres ce qui est pour les francs-tireurs ; si je faisais cela, mon mari serait furieux contre moi.

— J'expliquerai la chose à votre mari, et il ne dira rien. D'ailleurs, écoutez : Vous savez ce qui s'est passé hier soir à Mareille.

— Oui. Ah ! les brigands de Prussiens !

— Alors on vous a dit que Jean Loup, ici présent, a failli assommer un des chefs d'un coup de poing.

— Mon mari m'a raconté la chose.

— Eh bien, j'ai deviné ce que Jean Loup fera de la poudre et des balles que vous allez lui vendre : il tirera sur les Prussiens. Maintenant, vous n'avez plus à hésiter, vous ne violez pas la consigne, vous avez affaire à un franc-tireur.

La commère, ne trouvant pas de réplique à ces paroles, s'exécuta enfin de bonne grâce. Elle livra la poudre, les balles et en fit un paquet dans lequel elle enferma le précédent achat fait chez l'épicier.

Jean Loup paya, et lui et son compagnon sortirent de la maison, donnant à la grosse femme le loisir d'achever de débarbouiller son enfant, qui était toujours caché sous le lit.

Jean Loup, son paquet sous son bras et son fusil sur l'épaule, rentra dans la forêt fier comme s'il venait de faire la conquête du monde.

Quand il se retrouva au milieu de ses roches, sa première pensée fut d'essayer en même temps son arme et son adresse. Il chargea le fusil, ainsi que Jacques Grandin lui avait montré à le faire, ne mettant ni trop, ni trop peu de poudre. Alors il ajusta le tronc d'un chêne, à environ cinquante pas de lui, et tira les deux coups.

Allons, l'arme fonctionnait. Restait à savoir ce qu'il devait penser de son adresse. Il courut examiner le tronc du chêne. À l'endroit où il avait visé, il y avait deux trous, à une distance l'un de l'autre de cinq ou six centimètres. Les balles avaient traversé l'écorce et pénétré dans l'arbre à une certaine profondeur. Les yeux de Jean Loup rayonnèrent. Il rechargea son fusil, toujours avec les mêmes précautions, les mêmes soins ; mais il ne tira plus. Maintenant il n'avait plus à mettre son adresse à l'épreuve. Et puis il ne tenait pas à user ses munitions à un jeu d'enfants.

À partir du lendemain, il commença à se mettre en embuscade, tantôt d'un côté, tantôt d'un autre. Il s'était donné la tâche de surveiller les deux routes qui conduisent à Mareille : celle de la montagne, qui ne passe pas à plus de deux cents mètres de la Bosse grise, et celle du bord de l'eau, entre le Frou et la lisière de la forêt.

Le quatrième jour, il était en observation sur le plateau, embusqué derrière une roche ; quarante ou cinquante pas seulement le séparaient de la route. De loin, il vit venir deux uhlans, marchant en éclaireurs, précédant une petite colonne qui allait ou venait de faire des réquisitions.

Il prit son fusil, appuya le canon dans un cran de la roche et attendit.

Quand les cavaliers furent à peu près en face de lui, il tira ses deux coups. Les deux hommes tombèrent. Les chevaux effrayés bondirent en avant et descendirent le coteau ventre à terre.

Jean Loup se redressa, poussa un cri de triomphe et disparut bientôt derrière la Bosse grise.

Un quart d'heure après, les Prussiens relevaient leurs camarades. L'un était mort, l'autre dangereusement blessé.

Quelques jours plus tard, sur la route du bord de l'eau, un soldat allemand tombait encore frappé mortellement.

Il était rare qu'une troupe ennemie, plus ou moins nombreuse, passât sur l'une ou l'autre route, sans recevoir des balles d'une embuscade.

Les Prussiens ne s'aventuraient plus du côté de la forêt et du côté des roches sans prendre les plus grandes précautions.

Celui qui les attaquait, toujours à l'improviste, n'importe à quelle heure de la journée, devenait pour eux un ennemi des plus redoutables, et d'autant plus terrible qu'il était insaisissable.

Qui donc était-il ce tireur audacieux, ce partisan enragé, invisible, qui semblait être partout et qu'on ne voyait nulle part ?

Les Allemands cherchaient à le savoir : ils interrogeaient les gens du pays, les menaçaient de leur colère, de terribles représailles. Mais les paysans avaient l'air de ne pas comprendre ce qu'on voulait leur dire. Et pourtant, dans tout le canton, on savait à quoi s'en tenir. Seulement, les paysans avaient les Prussiens en exécration et ne rêvaient que la complète extermination de toutes les hordes allemandes, non pas seulement parce qu'ils étaient ruinés par leurs exactions, mais parce que, non contents de leur tout prendre et d'incendier leurs granges, ces soldats farouches, sans cœur, impitoyables, fusillaient ceux d'entre eux qui, poussés à bout, avaient pris le fusil pour se mettre à l'affût du uhlan.

Ils avaient fusillé, à Haréville, Georges Simon et sa femme contre le mur de leur maison en feu ; bien d'autres encore avaient été passés par les armes : un franc-tireur de Blignycourt et son vieux père, deux cultivateurs de Vaucourt. À Mareille, ils avaient brûlé la ferme du grand Pernet, arraché de sa maison et emmené prisonnier Jacques Vaillant, le maire. Quel avait été le sort du vieux capitaine ? Qui sait si, lui aussi, n'avait pas été fusillé à l'angle d'un mur ou au coin d'un bois ?

Voilà pour quelles raisons il n'y avait pas dans la contrée un Français patriote capable de trahir Jean Loup.

Malheureusement, aussi bien dans les Vosges qu'ailleurs, il y a de mauvais Français, des hommes indignes pour qui les mots « honneur national » ne signifient rien du tout, et qui ont dans le cœur l'égoïsme à la place du patriotisme.

Un jour, pour conserver un cheval que les soldats réquisitionnaires voulaient lui prendre, un paysan assez mal famé, d'ailleurs, dénonça Jean Loup et indiqua la Bosse grise comme étant le lieu où le sauvage avait établi sa demeure.

Le délateur, le traître eut sa récompense : on lui laissa son cheval.

Deux jours après, la nuit, les Prussiens, au nombre de deux cent cinquante, se dirigèrent silencieusement vers la Bosse grise, et, quand le jour parut, le gigantesque rocher et les roches environnants étaient cernés de tous les côtés.

Si, comme les Prussiens avaient le droit de l'espérer, le terrible partisan avait passé la nuit dans son refuge, il était impossible qu'il leur échappât.

Capturé, Jean Loup serait immédiatement fusillé.

Sur un ordre du chef, l'attaque commença. Pendant qu'une partie de la troupe prenait d'assaut la Bosse grise, les soldats, échelonnés dans le bois, se tenaient prêts à faire feu. Comme, de ce côté, on ne pouvait pas approcher des roches, à cause du rempart de broussailles qui les défendait, les soldats allumèrent des torches, qu'ils lancèrent au milieu des ronces, et bientôt la Bosse grise se trouva entourée de flammes et de fumée.

Le feu se propageant, gagnant le bois, la forêt tout entière pouvait être incendiée ; mais cela importait fort peu aux Prussiens.

Heureusement, il tombait une pluie fine, serrée, et il n'y avait qu'un faible souffle de vent qui, venant du nord-ouest, chassait les flammes du côté du plateau rocheux.

Les ronces et les épines, un petit carré de taillis et quelques baliveaux brûlèrent seuls.

Enfin, du côté de la forêt, la Bosse grise était abordable.

L'entrée de la grotte fut découverte. Il n'y avait pas à en douter, le repaire du redoutable partisan, de l'homme sauvage qu'on appelait Jean Loup, était là. Le sol foulé sous les pieds, un panier grossièrement façonné, un tas de copeaux, une innombrable quantité de coquilles d'escargots, tout le disait.

Deux soldats allumèrent chacun une torche, et six autres, marchant en avant, le sabre-baïonnette au bout du fusil, s'engagèrent dans le passage qui conduisait à la grotte.

Pour la première fois depuis qu'elle existait, la sombre demeure de Jean Loup se trouva complètement éclairée.

Les soldats virent la couche de feuilles sèches, encore chaude, ce qui indiquait que Jean Loup avait passé la nuit dans la grotte. Mais ils eurent beau chercher partout, éclairer tous les trous, toutes les cavités, Jean Loup n'était plus là, Jean Loup ne les avait pas attendus, Jean Loup avait disparu.

Où était-il ?

Pas bien loin.

Jean Loup était couché au fond d'une excavation de la Bosse grise.

Et il était là bien caché, à l'abri des balles, n'ayant absolument rien à redouter de ses ennemis, auraient-ils été cent fois plus nombreux.

D'ailleurs, eussent-ils su où il se trouvait, comment les Prussiens auraient-ils pu s'emparer de lui ?

Il y avait pour le défendre le précipice insondable au fond duquel Henriette de Simaise avait failli être précipitée ; les saillies menaçantes, dents prêtes à déchirer, de l'effroyable fente !

Excepté Jean Loup, nul être au monde ne pouvait concevoir l'idée folle de pénétrer dans cette monstrueuse lézarde noire, qui s'enfonçait jusqu'au centre de l'énorme rocher. Dans la grotte, les soldats avaient trouvé le fusil, la poudre et les balles. Mince butin, misérable trophée ! Ce n'était point cela qu'ils voulaient. Les officiers poussaient des cris de rage.

Leur ennemi était parvenu à leur échapper !

Il fallait qu'ils s'en retournassent comme ils étaient venus !

Avant de s'éloigner, les soldats firent une décharge générale de leurs armes ; les flancs du rocher furent criblés de balles, dont quelques-unes seulement purent entamer la pierre.

Démonstration furieuse, aussi inutile qu'insensée.

FIN DE LA PREMIÈRE PARTIE.

DEUXIÈME PARTIE

LE MYSTÈRE

I

LE DRAPEAU

La fatale journée du 1er septembre 1870, qui eut pour conséquence immédiate la capitulation de Sedan, avait frappé un coup terrible au cœur de la France atterrée.

Une armée française tout entière faite prisonnière obligée d'abandonner à l'ennemi ses bagages, ses chevaux, son artillerie, ses armes, ses drapeaux ; c'était une épouvantable catastrophe.

On vit, ce jour-là, des officiers et des soldats pleurer de douleur et de rage contenue.

Ah ! si on leur eût laissé le choix, à ces braves, ils auraient mieux aimé se laisser massacrer tous plutôt que de se rendre. Mais on avait capitulé ; il fallait se résigner et souffrir.

Il y en eut, cependant, qui ne voulurent point accepter les conditions imposées par l'ennemi. Ceux-là, à travers toutes sortes de dangers, passèrent au milieu des lignes prussiennes et parvinrent, les uns à rallier à Mézières le corps d'armée du général Vinoy, les autres à gagner la Belgique par les sentiers des bois et des forêts.

Mais dans quel triste état ils étaient, ces pauvres soldats ! Amaigris par les souffrances, leurs chaussures usées, leurs vêtements en loques, pâles, les yeux mornes, ayant soif, ayant faim, brisés de fatigue, ne se soutenant plus que par un reste d'énergie et de volonté, on les voyait passer lentement, en se traînant !

On évalue à environ dix mille le nombre de ceux qui arrivèrent à Mézières et à plus de cinq mille ceux qui réussirent à gagner la Belgique. Ils avaient risqué leur vie pour ne pas avoir à subir la honte de la captivité et pour pouvoir rentrer de nouveau dans les rangs des défenseurs de la patrie.

Un jour, en octobre, un jeune homme chaussé de gros souliers ferrés et portant une blouse de paysan entra dans les bureaux du ministère de la guerre, à Tours, tenant sa casquette à la main.

Dès l'abord, sa mâle et belle figure, pâle et maigre, attirait la sympathie. Il y avait dans son regard une expression de tristesse profonde et quelque chose d'amer et de douloureux dans le pli de ses lèvres.

— Que voulez-vous, monsieur ? lui demanda l'employé devant lequel il s'arrêta.

— Monsieur, répondit-il, je suis soldat, j'étais à Sedan, j'arrive de Belgique.

— Bien, fit l'employé, qui ne parut nullement étonné.

Journellement des officiers et des soldats échappés de Sedan se présentaient à la délégation du gouvernement de la Défense Nationale.

— À quelle arme appartenez-vous ? demanda l'employé.

— Cavalerie.

— Ce n'est pas ici qu'il faut vous adresser, dit l'employé en se levant ; veuillez me suivre, je vais vous conduire.

Ils sortirent du bureau, montèrent à l'étage supérieur, suivirent un couloir étroit à l'extrémité duquel l'employé ouvrit une porte et annonça le visiteur par ces mots :

— Un échappé de Sedan, cavalerie.

Presque aussitôt une porte s'ouvrit devant le soldat et il fut introduit dans une salle où se trouvaient réunis, à ce moment, quatre hauts fonctionnaires, dont l'un, d'un certain âge, ayant une rosette à la boutonnière de sa redingote boutonnée militairement, devait être un général.

D'un coup d'œil rapide les quatre personnages toisèrent le jeune homme.

Celui qui portait la rosette de la Légion d'honneur, et qui était évidemment le supérieur des autres, prit la parole.

— Ainsi, mon ami, dit-il d'une voix bienveillante, presque affectueuse, vous étiez à Sedan ?

— Oui, monsieur.

— Quel régiment ?

– 10° dragons, brigade Michel.

– Quel est votre grade ?

– Maréchal des logis.

– Ah !

Et les fonctionnaires échangèrent des regards de surprise. À l'attitude du jeune homme, à son air distingué, ils avaient cru voir devant eux un officier.

– Je me nomme Jacques Grandin, reprit le soldat, je suis né à Mareille (Vosges), arrondissement d'Épinal.

– Très bien. Maintenant, que demandez-vous ?

– Monsieur, répondit Jacques d'une voix vibrante d'émotion et avec des larmes dans les yeux, j'appartiens doublement à la France malheureuse, comme soldat d'abord, et ensuite comme patriote. Je demande qu'on me donne de nouvelles armes et qu'on m'envoie au milieu de mes frères en face de l'ennemi. Pourvu que je puisse me battre encore, il m'importe peu que je sois dans la cavalerie ou dans l'infanterie, dans un ancien régiment ou un régiment de marche.

– Soit. Mais vous devez tenir à votre grade ?

– Certainement, monsieur ; mais si quelque chose s'oppose à ce que je le conserve, je rentrerai dans les rangs comme simple soldat.

– On ne peut pas vous enlever votre grade, pas plus que les droits à l'avancement que vous avez acquis. Ceci sera sérieusement examiné aujourd'hui même et il sera répondu à votre demande.

– Quel brave garçon ! dit un des fonctionnaires, à l'oreille de son voisin.

Puis il agita le cordon d'une sonnette.

Un employé parut.

– Voici, lui dit-il, le maréchal des logis Jacques Grandin, du 10° dragons. À l'aide des renseignements qu'il va vous donner lui-même, vous établirez ses états de service. À propos, maréchal des logis, ajouta-t-il, en se tournant vers Jacques, avez-vous de l'argent ?

– Encore un peu, monsieur.

– C'est bien. Vous reviendrez ici demain matin.

Et il lui fit signe de suivre l'employé.

– Avant de me retirer, messieurs, dit Jacques, j'ai à vous remettre un objet cher au cœur de tous les Français, que j'ai précieusement et religieusement conservé.

Tous les regards se fixèrent sur lui.

Il releva sa blouse, déboutonna sa veste ronde d'uniforme, qu'il portait cachée sous sa blouse, et tira de dessous son vêtement un petit paquet plat et carré, soigneusement enveloppé dans du papier blanc et qu'il avait placé comme un plastron sur sa poitrine.

Lentement il enleva le papier, puis, sous les yeux écarquillés des personnages, il déplia un drapeau troué de balles.

– Au moins, dit-il, avec un noble sentiment d'orgueil, les Prussiens n'ont pas celui-ci !

Il y eut un moment de silence solennel. On était ému et à la surprise se mêlait l'admiration.

– Comment ce drapeau d'un régiment de ligne est-il entre vos mains ? demanda le personnage qui avait parlé le premier.

Jacques Grandin répondit :

– On se battait avec fureur tout autour de Sedan, à Bazeilles, à Fleigneux, à Floing, à Balan et surtout sur le calvaire d'Illy. Malgré notre courage et la bravoure de nos chefs qui, tous au milieu de nous, payaient de leur personne, combattant comme de simples soldats, nous ne pûmes une fois encore, hélas ! résister au nombre. Nous étions enfermés dans un cercle d'airain. Des centaines de pièces de canons en batteries sur toutes les hauteurs nous chassaient de partout et foudroyaient nos colonnes en déroute.

» Lancés de tous les points de l'horizon, les projectiles sifflaient comme des fusées d'un bouquet d'artifice et éclataient au milieu de nous, devant, derrière, à droite, à gauche, de tous les côtés. Éperdus, affolés, complètement démoralisés, des officiers et des soldats de tous les corps, de toutes les armes, mêlés ensemble, s'enfuyaient en désordre vers Sedan, poursuivis par le feu terrible des batteries prussiennes, qui gagnaient constamment du terrain.

» À un moment, il y eut une effroyable mêlée, au milieu de laquelle je me trouvai. Pendant que plusieurs escadrons allemands nous sabraient à droite, l'infanterie nous prenait à gauche en écharpe. Nous ne pouvions pas nous laisser égorger comme des moutons ; nous nous défendions avec l'énergie que donne le désespoir. Ah ! ceux qui sont morts là ont vendu chèrement leur vie !

» J'avais eu mon cheval tué sous moi, je combattais dans les rangs décimés d'un bataillon d'infanterie ; j'avais abandonné mon sabre, qui ne pouvait plus m'être d'une grande utilité, pour m'emparer du fusil et de la cartouchière d'un brave tombé à côté de moi. Le hasard voulut que je me trouvasse près du drapeau, et j'eus le bonheur d'être un de ses défenseurs. Il était déjà déchiré par les balles ennemies, tel que vous le voyez.

» Tout à coup, l'officier qui le portait tomba pour ne plus se relever ; un autre le prit, il fut tué à son tour. Le drapeau était le point de mire des balles prussiennes. Un sergent-major le saisit ; nous nous serrâmes autour de lui. Mais nous n'étions plus qu'une centaine pour lutter contre quatre ou cinq cents Allemands. Ils nous entourèrent et le drapeau fut pris.

» – Au drapeau ! Au drapeau ! En avant ! m'écriai-je.

» On répondit autour de moi :

» – Au drapeau ! En avant !

» Et nous nous élançâmes sur l'ennemi. Ah ! je vous assure qu'à cet instant nous ne voyions pas le danger et que nous n'avions pas peur de la mort ! Nous ne pensions qu'à une chose : reprendre le drapeau ! Il fut repris. C'est moi qui l'avais arraché des mains du soldat prussien. Je l'élevai aussi haut que je puis, faisant flotter les trois couleurs au-dessus de nos têtes. Nous nous précipitâmes de nouveau sur les rangs ennemis, ouvrant devant nous une large trouée ; et nous réussîmes à nous dégager.

» Mais nous étions poursuivis de près par les Prussiens. Craignant que le drapeau ne retombât entre leurs mains, je me glissai derrière un buisson et là, après avoir détaché le drapeau de sa hampe, je l'enroulai et le cachai sur ma poitrine.

» Le feu des batteries prussiennes redoublait de fureur : c'était une véritable grêle de fer qui tombait de tous les côtés. Ceux qui nous poursuivaient s'arrêtèrent, redoutant probablement d'être atteints eux-mêmes par les bombes qui éclataient, crachant dans toutes les directions une pluie de mitraille.

» J'avais reçu une blessure au côté qui, bien que légère, me faisait horriblement souffrir : il me fut impossible de suivre mes compagnons, que le torrent des fuyards entraînait ; je restai seul. Devant moi, à une assez grande distance, je voyais un bois ; je songeai à m'y réfugier. C'est ce que je fis après avoir pris un moment de repos. La nuit vint et me surprit, marchant au hasard, ne sachant de quel côté me diriger. Je me disposais à m'étendre au pied d'un chêne pour y attendre le jour, lorsque j'aperçus une lumière à travers les arbres. Je rassemblai ce qui me restait de force et je marchai vers la lumière. Au bout de vingt minutes, je frappais à la porte de la maison d'un garde, qui me fut ouverte aussitôt.

» Ce garde est un vieux soldat qui a fait les premières campagnes d'Afrique ; lui et sa femme me reçurent affectueusement, comme un frère malheureux. Cet excellent homme voulut voir ma blessure ; après l'avoir examinée, il lava la plaie avec de l'eau fraîche ; puis il me fit un pansement qui me soulagea immédiatement.

» Le lendemain matin, quand je me réveillai, la femme me dit :

» — Mon mari est parti à la pointe du jour ; il est allé du côté de Sedan, afin de savoir ce qui se passe. Il m'a bien recommandé de vous garder jusqu'à son retour, et même de ne pas vous laisser sortir.

» La soirée était déjà très avancée lorsque le vieux garde revint.

» — Tout est perdu ! dit-il d'une voix sombre ; ils ont capitulé : l'armée tout entière est prisonnière.

» Tous trois nous nous mîmes à pleurer.

» — Et votre blessure ? me demanda le garde au bout d'un instant.

» — Grâce à vous je ne souffre presque plus, répondis-je.

» — Que pensez-vous faire ?

» Vraiment, je ne le savais guère ; je cherchais une réponse.

» — S'il vous plaît d'être emmené en Allemagne, reprit-il, vous pouvez retourner à Sedan.

» — Jamais ! m'écriai-je.

» — Les Prussiens vont marcher sur Paris ; mais on y organise une formidable défense.

» — Ah ! c'est vous qui me dites ce que je dois faire ; je vais me rendre à Paris.

» Il secoua la tête.

» — Vous seriez pris par l'ennemi avant d'y arriver.

» — Je vous en prie, donnez-moi un conseil.

» — Il faut d'abord que vous soyez complètement guéri. Je ne vous propose pas de rester ici, je ne vous y trouve pas suffisamment en sûreté ; il faut passer en Belgique, dont la frontière n'est pas éloignée. Là, vous attendrez les événements, et quand vous jugerez le moment propice, vous tâcherez de rejoindre un corps d'armée française. Seulement, je ne vous conseille pas de rentrer en France avec votre uniforme de dragon.

» Le lendemain, je me mis en route, continua Jacques Grandin, et, à travers bois et forêts, je parvins à gagner la Belgique.

» Un paysan m'accueillit dans sa maison où je reçus une généreuse hospitalité. Épuisé par la fatigue, souffrant de nouveau beaucoup de ma blessure et dévoré par une fièvre ardente, je fus forcé, tout en arrivant, de me mettre au lit. Heureusement, les soins ne me manquèrent point. Au bout de quinze jours j'étais remis sur pieds et, huit jours après, je me sentis assez fort pour rentrer en France.

» Grâce à cette blouse, à ce pantalon et à cette casquette que j'ai achetés en Belgique, j'ai pu, marchant à pied à travers le pays occupé par l'ennemi, arriver jusqu'ici.

On l'avait écouté sans l'interrompre avec la plus grande attention et le plus vif intérêt.

Ses auditeurs s'étaient levés ; ils l'entourèrent et lui serrèrent les mains en lui adressant de chaleureuses félicitations.

– Mais... mais je... je ne mérite pas... balbutia-t-il tout confus.

Il n'avait plus rien à dire. Sans attendre qu'on le congédiât, il salua respectueusement et sortit avec l'employé.

Le soir même Jacques Grandin était nommé sous-lieutenant au Ier régiment de marche de hussards.

II

HUSSARD ET FRANC-TIREUR

L'armée de la Loire, déjà forte, se préparait à prendre l'offensive. Il s'agissait d'attaquer l'ennemi dans ses positions en avant d'Orléans, de le repousser au-delà de cette ville et, vainqueurs, de marcher sur Paris qui allait tenter, dans une vigoureuse sortie, de traverser les lignes d'investissement.

Par ordre du général d'Aurelles, on faisait chaque jour, sur le front de l'armée, de nombreuses reconnaissances, qu'on poussait quelquefois jusqu'aux avant-postes prussiens.

Le 7 novembre, au matin, deux jours avant la bataille de Coulmiers, gagnée par la jeune armée de la Loire, qui mit en pleine déroute l'armée ennemie, commandée par le Bavarois de Thann, le sous-lieutenant Jacques Grandin fut envoyé en reconnaissance accompagné de vingt cavaliers. Il poussa une pointe dans la direction de Baccon sur un des chemins de Meung à Charsenville.

Rien ne lui avait encore annoncé la présence de l'ennemi lorsque, soudain, soixante ou quatre-vingts cuirassiers allemands s'élancèrent de derrière une ferme, où ils s'étaient tenus cachés, et enveloppèrent la petite troupe d'éclaireurs français.

— Amis, cria Jacques Grandin, se mettant à la tête de ses soldats, mourons tous plutôt que de nous rendre !

Aussitôt le combat commença par des coups de mousquets et de pistolets tirés des deux côtés, puis les sabres sortirent des fourreaux, et les vingt, résolus à mourir, se préparèrent à recevoir le choc de l'ennemi.

Certes l'issue de la lutte n'était pas douteuse ; Jacques ne pouvait se faire illusion ; mais lui et ses hussards avaient fait le sacrifice de leur vie, sauf à se défendre jusqu'à ce que tous soient couchés sur terre et mis hors de combat.

Autour d'eux, le cercle se resserrait et les cuirassiers, la pointe du sabre en avant, étaient prêts à charger.

— Rendez-vous ! cria l'officier allemand.

– Jamais ! répondit l'officier français.

Et il envoya aux cuirassiers la dernière balle de son revolver.

À cette détonation, cent autres répondirent immédiatement.

Accourus au bruit des premières décharges des armes à feu, une compagnie de francs-tireurs venait de sortir d'un bois voisin et se précipitait au pas gymnastique au secours des éclaireurs français.

La scène changea subitement.

Quinze cuirassiers plus ou moins grièvement blessés roulaient sous les pieds des chevaux. La brusque apparition des francs-tireurs faisait comprendre aux cavaliers ennemis que la lutte ne serait plus à leur avantage.

– Les francs-tireurs, les francs-tireurs ! exclamèrent-ils épouvantés.

Déjà, la veille, dans une rencontre avec les francs-tireurs de Paris du commandant Lipourski, douze cuirassiers avaient été tués.

Ils ne songèrent plus à sabrer les hussards, mais à fuir pour échapper aux terribles francs-tireurs.

Une nouvelle fusillade les mit en déroute et les dispersa comme une compagnie de perdreaux qui vient d'entendre siffler le plomb du chasseur.

Jacques Grandin se lança à leur poursuite et fit cinq prisonniers, dont l'un était le commandant du détachement.

Quand les hussards revinrent sur le lieu du combat, les francs-tireurs ne l'avaient pas encore quitté : ils avaient transporté les blessés à la ferme, laquelle n'était pas à plus de mille mètres de l'endroit.

– Sous-lieutenant, dit le capitaine des francs-tireurs à Jacques Grandin, en lui tendant la main, vous êtes brave parmi les braves ; j'ai admiré tout à l'heure votre fière attitude et celle de vos hommes en face des cuirassiers allemands, prêts à vous tailler en pièces. Pour vous et vos braves compagnons, recevez mes sincères félicitations.

– Mon capitaine, répondit Jacques, j'accepte vos bonnes paroles pour mes hommes et pour moi, bien que, dans la situation où nous nous trouvions, nous n'ayons fait que notre devoir.

– Sous-lieutenant, répliqua le franc-tireur, un officier français de votre mérite a le droit d'être modeste.

– Pardon, mon capitaine, mais vous ne m'avez pas encore laissé le temps de vous remercier : grâce à votre intervention, sur laquelle nous ne comptions guère, et à la façon dont vous avez attaqué nos ennemis, vous nous avez délivrés. Sans vous, mon capitaine, nous étions perdus ; mes hommes et moi nous vous devons la vie !

Un doux sourire effleura les lèvres du franc-tireur.

– Je vous répondrai par vos paroles de tout à l'heure, dit-il : « mes braves francs-tireurs et moi nous n'avons fait que notre devoir. »

Les deux officiers se serrèrent la main.

– Sous-lieutenant, comment vous nommez-vous ? demanda le capitaine.

– Jacques Grandin. Et vous, mon capitaine, ne me direz-vous pas aussi votre nom ?

La physionomie du franc-tireur changea d'expression, et deux plis se creusèrent sur son front.

– Je le voudrais, répondit-il, mais je ne le puis. Mon nom ? Je le cache pour certaines raisons que je suis également forcé de cacher. Qu'il vous suffise de savoir, pour le moment, sous quel nom je suis connu de mes francs-tireurs : ils m'appellent le capitaine Lagarde.

» Plus tard, continua le mystérieux franc-tireur, si je n'ai pas trouvé la mort dans quelque combat, je reprendrai une tâche difficile, dont j'ai été détourné par la guerre ; alors, monsieur Jacques Grandin, nous pourrons nous revoir, et ce sera moi qui irai à votre rencontre, car j'aurai peut-être besoin de vous : oui, pour atteindre le but que je poursuis, j'aurai besoin d'être aidé, secondé par des hommes de cœur et de dévouement comme vous.

– En toute circonstance vous pouvez compter sur moi, mon capitaine.

– Je le sais. Il m'a suffi d'un regard pour vous juger : vous êtes un homme en qui l'on peut avoir une entière confiance ; un homme dont on doit être fier d'être l'ami ! À propos, je m'étonne de ne pas voir la croix sur votre poitrine.

– Je suis trop jeune pour avoir pu déjà la mériter, dit Jacques Grandin en souriant. La croix est la récompense des service rendus ou de quelque action d'éclat.

– Sans doute ; mais il me semble que la façon dont vous vous êtes conduit aujourd'hui peut compter pour une action d'éclat.

– Mon capitaine, répliqua vivement Jacques, si dans cette affaire un homme a mérité d'être décoré, ce n'est pas moi, c'est vous !

– Oh ! moi ! fit le franc-tireur en hochant la tête, je suis vieux et je n'ai plus d'ambition. J'ignore, continua-t-il, si le hasard nous fera nous rencontrer encore pendant cette nouvelle campagne qui commence et qui, malheureusement, pourra être longue : hélas ! nul ne sait la veille où il sera le lendemain... Mais souvenez-vous du capitaine de francs-tireurs Lagarde qui, de son côté, ne vous oubliera point. Quand tout sera fini, c'est-à-dire quand les Prussiens auront été chassés de France – il faut toujours l'espérer, – ou que nous aurons conquis une paix honorable, et que la tranquillité sera rétablie, je me rappellerai à votre souvenir. Si vous n'entendez plus parler de moi, c'est que je n'existerai plus.

Les deux hommes se serrèrent une seconde fois la main.

– Au revoir et bonne chance ! dit le capitaine.

– À bientôt ! dit le sous-lieutenant.

Et ils se séparèrent.

Le capitaine Lagarde devait posséder une grande fortune, car, après avoir habillé et armé à ses frais ces deux cent cinquante hommes qu'il commandait, il les nourrissait de ses deniers, veillant avec la plus grande sollicitude à ce qu'ils ne manquassent jamais de rien. Il demandait seulement au gouvernement les munitions qui lui étaient nécessaires et qu'il n'aurait pu trouver ailleurs.

Les francs-tireurs du capitaine Lagarde, qu'on appelait les francs-tireurs des bois, avaient été recrutés un peu partout ; cette poignée de partisans, qui harcelait continuellement l'ennemi, et s'était déjà distinguée dans maintes occasions, se composait de beaucoup de pauvres diables, ouvriers sans ouvrage, paysans chassés de leur demeure, et d'un certain nombre de déclassés de toutes les catégories, lesquels faisaient la chasse aux Prussiens, parce que, pour le moment, ils ne pouvaient guère faire autre chose.

Avec ces éléments divers, le capitaine Lagarde avait formé une troupe solide, courageuse, pleine de bravoure, qui rivalisait, du côté de la Loire, avec les francs-tireurs de Paris.

Par sa bonté, sa justice, les soins qu'il prenait de ses hommes, le capitaine Lagarde avait su leur imposer les règles d'une discipline sévère. Il faut dire aussi qu'il avait fait passer en eux le sentiment patriotique qui l'animait.

Jamais un murmure, jamais une plainte dans les rangs.

Ils étaient bien équipés, bien nourris et ils recevaient régulièrement la solde qui leur avait été promise lors de leur engagement.

Le capitaine les appelait ses amis, ses enfants ; constamment préoccupé de leur bien-être, il était réellement pour eux comme un père. Aussi avaient-ils tous pour leur chef une affection dévouée et la soumission sans laquelle aucun commandement ne peut être exercé utilement.

* * * * *

Les Français étaient entrés à Orléans, que l'ennemi avait abandonné le jour même de la bataille de Coulmiers.

Un matin, après sa visite d'inspection, le capitaine du sous-lieutenant Grandin le prit à part et lui dit :

– Avez-vous lu le *Moniteur* ce matin ?

– Non, mon capitaine.

– Il donne le récit de votre rencontre avec les cuirassiers allemands à la ferme des Ayrelles et fait du sous-lieutenant Jacques Grandin les plus grands éloges.

– Vraiment, mon capitaine ?

– Ce n'est pas tout ; il y a également dans le *Moniteur* de ce matin quelque chose qui vous intéresse.

– Quoi donc ?

– Je vois que vous ne savez rien ; je suis donc heureux d'être le premier à vous apprendre que vous êtes nommé chevalier de la Légion d'honneur.

Jacques ouvrit de grands yeux et, pendant un instant, il resta sans voix, comme hébété.

– Moi, moi ? fit-il, revenu de sa surprise.

– Oui, vous. Est-ce que vous ne me croyez pas ?

– Oh ! pardon, mon capitaine ; mais je suis tellement étonné, et je m'attendais si peu...

Le capitaine tira un journal de sa poche et, le plaçant ouvert sous les yeux du jeune officier :

– Tenez, là, lisez, dit-il.

– C'est bien vrai, fit Jacques, rouge comme une pivoine.

Le décret, signé la veille, à Tours, contenait une assez longue liste de promotions dans l'ordre de la Légion d'honneur ; le nom du sous-lieutenant Jacques Grandin figurait parmi ceux des nouveaux chevaliers.

– Je vous laisse le journal, dit le capitaine, en serrant la main de son sous-lieutenant.

Et il s'éloigna.

Le même jour, le colonel fit appeler Jacques Grandin.

– Je suis chargé de vous remettre ceci, lui dit-il d'un ton affectueux.

C'était la croix.

Le colonel la lui attacha sur la poitrine.

– Mon colonel, dit Jacques, visiblement ému, il faut que j'aie été particulièrement recommandé par quelque protecteur pour qu'une aussi haute distinction m'ait été accordée, à moi, qui n'ai pu rendre encore que de bien faibles services à mon pays. Non, le peu que j'ai fait n'a pu me faire gagner cette croix que vous venez de mettre sur ma poitrine ; mais je vous promets, mon colonel, que je saurai me rendre digne de la porter.

— Je n'en doute pas, mon brave Grandin : du reste, les occasions de vous distinguer ne vous manqueront point. Vous avez parlé d'un protecteur inconnu ; ce protecteur existe réellement et je puis vous le faire connaître : c'est le capitaine de francs-tireurs Lagarde.

— Ah ! fit Jacques.

— Cet homme, que je ne connais pas, continua le colonel, est un personnage d'une certaine importance : notre général en chef lui témoigne beaucoup d'amitié ; on fait de lui le plus grand cas et ses conseils sont toujours écoutés. On voulait le décorer, il n'a pas accepté ; mais la croix qu'on lui offrait, il l'a réclamée pour vous. On a hésité à vous la donner, non point parce que vous ne l'aviez pas méritée, mais seulement à cause de votre jeunesse. Le capitaine Lagarde a insisté, parlant du drapeau de Sedan rapporté à Tours et faisant ressortir votre belle conduite à la ferme des Ayrelles. Bref, on lui a accordé ce qu'il demandait.

Jacques prit congé du colonel.

— Ah ! se disait-il, si je savais où se trouve en ce moment le capitaine Lagarde, comme j'irais vite le remercier ! Mais où est-il ? De quel côté le chercher ? Je m'informerai, je le trouverai, je veux le revoir. Qui donc est-il, cet homme étrange, qui m'a si vite pris en amitié, qui se fait mon protecteur à mon insu, et qui m'a inspiré à moi-même une si vive sympathie ? Il cache son nom. Pourquoi ? Pour des raisons secrètes, m'a-t-il dit. Encore un mystère !

Jacques pensait au vieux mendiant de Blaincourt.

— C'est singulier, reprit-il, quelque chose me dit que le capitaine Lagarde, qui est certainement bien au-dessus de ce qu'il paraît être, aura une grande influence sur ma destinée ! Oui, oui, il faut que je le revoie ; dès demain je me mettrai en quête de renseignements.

Jacques employa toute sa matinée du lendemain à aller aux informations ; mais on ne put lui dire nulle part de quel coté se trouvaient les francs-tireurs du capitaine Lagarde.

Il s'en revenait vers son campement, fort contrarié d'avoir fait d'inutiles démarches, lorsque, au détour d'une rue, il se trouva face à face avec un officier de francs-tireurs dont la figure ne lui parut pas inconnue.

– Pardon, lui dit-il en l'arrêtant, il me semble que nous nous sommes déjà rencontrés.

– Ah ! fit l'autre en portant vivement la main à son képi, je vous reconnais ; c'est vous, mon officier, qui étiez à la ferme des Ayrelles.

– Ainsi vous êtes de la compagnie du capitaine Lagarde ?

– J'ai cet honneur.

– Vous ne refuserez pas, je pense, de me donner un renseignement ?

– Je suis à vos ordres.

– Où se trouve en ce moment votre capitaine ?

– Est-ce que vous désirez le voir ?

– Oui.

– C'est facile.

– Serait-il à Orléans ?

– Depuis trois jours. Je viens de le quitter après avoir pris ses ordres.

– Où demeure-t-il ?

– Dans cette rue. Venez, mon officier, je vais vous conduire à la porte de la maison.

Un instant après, Jacques Grandin montait au premier étage de la maison et frappait à la porte de la chambre qu'on lui avait indiquée.

– Entrez, dit une voix qu'il reconnut aussitôt.

Il tourna le bouton, la porte s'ouvrit et il entra.

Assis devant une table couverte de papiers, le capitaine Lagarde écrivait. Sans se déranger, il tourna la tête de côté pour jeter un regard sur le visiteur.

Mais, en reconnaissant Jacques Grandin, il laissa tomber sa plume et se leva précipitamment. Ses yeux s'étaient illuminés et sa physionomie exprimait la plus vive satisfaction.

— Ah ! mon capitaine, mon capitaine ! s'écria Jacques, en s'avançant vers lui les deux mains tendues.

M. Lagarde saisit les mains du jeune homme et les serra dans les siennes avec effusion.

— Mon capitaine, reprit Jacques très ému, je sais ce que vous avez fait pour moi, je viens vous remercier.

— Ce que j'ai fait pour vous ? fit le franc-tireur, ayant l'air surpris.

— Oh ! ne jouez pas l'étonnement, dit Jacques, je sais tout.

— Eh bien, voyons, que savez-vous ?

— Hier soir mon colonel m'a appris que j'avais un protecteur puissant et que ce protecteur était le capitaine de francs-tireurs Lagarde. Ce matin j'ai couru partout pour savoir où vous étiez ; on n'a pu me renseigner ; mais, il y a un instant, un heureux hasard m'a fait rencontrer un de vos lieutenants ; c'est lui qui m'a amené ici, et je vous apporte, mon capitaine, le témoignage de ma vive gratitude. Je vous le répète, je sais tout. Oh ! ne niez pas, cette croix, c'est à vous que je la dois !

— Jacques, répondit gravement le capitaine, vous devez votre croix à votre courage, à votre dévouement à la patrie, à votre seul mérite. Ah ! vous savez tout ! Eh bien, moi aussi je sais une chose que vous vous étiez bien gardé de me dire. Ah ! c'est à moi que vous devez la croix !... Et le drapeau de Sedan ? Et la ferme des Ayrelles ? Et votre belle conduite à Coulmiers ?

» Voyons, voyons, mon jeune ami, est-ce que vous croyez que cela compte pour rien ?

— Mille autres ont fait autant et plus que moi, répondit Jacques ; d'ailleurs, le grade de sous-lieutenant avait été une belle récompense ; donc mon capitaine, c'est vous...

— Assez, ne parlons plus de cela, interrompit le franc-tireur, et laissez-moi vous dire, enfin, combien je suis heureux de votre bonne visite. Mais ne restons pas debout ; venez vous asseoir près de moi sur ce canapé et nous causerons un instant.

» Votre bonne et loyale figure m'a plu tout de suite l'autre jour, continua le capitaine, quand ils furent assis, et je me suis senti attiré vers vous par une de ces sympathies qui font naître immédiatement l'affection. Je suis prompt à donner mon amitié, et je sais mieux aimer que haïr. Pourtant, j'ai souffert longtemps et beaucoup, et il y a une plaie saignante dans mon cœur, qui ne se cicatrisera peut-être jamais. Oui, je suis prompt à aimer ; je n'ai pas toujours eu à me louer de l'amitié des hommes ; j'ai rencontrée des ingrats, des hypocrites, des cœurs méchants, des âmes viles... Cela ne m'a ni rebuté, ni rendu trop défiant ; je donne mon amitié quand même ; je suis incorrigible, Jacques, voulez-vous être mon ami ?

— Oh ! mon capitaine ! fit le jeune homme ému jusqu'aux larmes.

— J'ai compris, merci. Votre seule amitié, Jacques, en remplacera beaucoup d'autres que j'ai perdues ou plutôt que j'ai cru posséder. Maintenant, parlons un peu de vous, qui avez l'avenir, les plus belles espérances. Je ne vous cache pas, mon ami, que ce que l'on m'a appris de vous me donne le plus vif désir d'en savoir d'avantage.

— Je n'ai rien de bien intéressant à vous dire.

— Quand il s'agit d'un ami, Jacques, tout intéresse. Avez-vous un peu de fortune ?

— Aucune.

— Que font vos parents ?

— Un an après ma naissance, mon père est mort. C'était un pauvre journalier ; ma mère m'éleva aussi bien qu'elle le put jusqu'à l'âge de douze ans.

— Alors ?

— Elle mourut aussi.

— Orphelin ! Mon pauvre ami !

— Mon parrain, un vieux capitaine de dragons, a pris soin de moi et m'a fait donner l'instruction que je possède. Je lui dois beaucoup, je lui dois tout ; il a été pour moi un véritable père. J'étais garçon de ferme quand le tirage au sort m'a fait soldat. Je suis parti, devançant l'appel, afin de pouvoir être incorporé au 10° régiment de dragons où mon parrain a été capitaine. Voilà toute mon histoire.

– Qui est des plus intéressantes, mon ami. Il y a peut-être certaines petites choses que vous me cachez. Jacques, avec ceux que j'aime, pour eux, dans leur intérêt, je suis curieux, j'aime à tout savoir, c'est une faiblesse, je le sais ; mais vous ne m'en voudrez point, parce que je veux lire dans votre pensée, voir au fond de votre cœur. Voyons, n'avez-vous pas laissé une fiancée au pays ?

Le front du jeune homme s'empourpra et il sourit.

– Ah ! vous voyez, Jacques, je ne me trompais pas, la fiancée existe.

– C'est vrai.

– Elle est jeune, jolie et sage.

– Dix-sept ans, belle à ravir les anges, quant à sa sagesse, nul dans le pays n'oserait en douter ; mon parrain, le vieux capitaine, est son père !

– À la bonne heure, voilà le véritable enthousiasme ; je n'ai plus à vous demander si vous l'aimez.

– Plus que tout le monde, plus que ma vie ! Oh ! oui, je l'aime, ma Jeanne adorée !

Ce nom de Jeanne fit tressaillir le franc-tireur.

– Jacques, dit-il, vous ne m'avez pas encore nommé le lieu de votre naissance.

– Je suis né à Mareille.

– Dans les Vosges ! exclama le franc-tireur, en pâlissant.

– Oui, mon capitaine, répondit le jeune homme, regardant son interlocuteur avec surprise.

Le front du franc-tireur s'était subitement assombri et son regard avait pris, malgré lui, une expression, douloureuse.

– Est-ce que vous connaissez Mareille, mon capitaine ? demanda Jacques.

– Non, j'y suis seulement passé... autrefois ; mais je connais quelqu'un dans une des communes voisines, répondit M. Lagarde, faisant de grands efforts pour dissimuler sa tristesse et calmer son agitation intérieure.

Jacques vit bien qu'il était en proie à une émotion extraordinaire et que rien ne paraissait justifier ; mais, respectueux et discret, il ne se permit point de l'interroger.

– Jacques, reprit le capitaine Lagarde, comme s'il eût deviné la pensée du jeune homme, je suis un peu agité, troublé, n'y faites pas attention... Cela m'arrive quelquefois ; c'est le souvenir d'une de mes anciennes douleurs qui se réveille brusquement, au moment où je m'y attends le moins.

Il se leva et fit deux fois le tour de la chambre, marchant lentement, la tête inclinée sur sa poitrine.

III

OÙ LE HASARD JOUE SON RÔLE

– Pauvre garçon ! se disait le capitaine Lagarde, il ne sait rien encore. Comment se fait-il ?... On ne lui a donc pas écrit ? Je pourrais lui dire... Mais non, ce serait lui porter un coup terrible, le tuer, peut-être... Oui, oui, jusqu'à nouvel ordre, je dois me taire...

Il revint vers Jacques, qui s'était levé aussi et attendait pour se retirer.

Le capitaine était parvenu à se rendre maître de lui ; sur son visage, toute trace d'émotion avait disparu.

– Asseyez-vous, mon ami, dit-il au jeune homme, d'un ton affectueux ; je ne vous renvoie pas ; nous avons encore à causer. Recevez-vous souvent des nouvelles de Marcille ?

Jacques laissa échapper un soupir.

– Je n'en reçois plus, répondit-il tristement. Que se passe-t-il au pays ? Je l'ignore complètement. Cela m'attriste profondément, et je suis inquiet, très inquiet.

– Tous nos départements de l'Est sont, vous le savez, occupés par l'ennemi.

– Hélas ! cela ne me rassure point, au contraire.

– Soit ; mais cela vous explique pourquoi vous ne recevez pas de lettres.

Jacques secoua la tête.

– Je sais, répliqua-t-il, que beaucoup de lettres envoyées des pays occupés arrivent à destination. Il y a des instants où je m'imagine qu'il est arrivé malheur à Jeanne ou à son père ; puis je parviens à me rassurer en me raisonnant, en me disant que s'il était arrivé quelque chose de grave j'en aurais été instruit d'une manière ou d'une autre.

Le capitaine Lagarde se sentait remué jusqu'au fond du cœur.

– À quelle époque avez-vous reçu la dernière lettre ? demanda-t-il.

– Trois jours avant le commencement des hostilités.

– C'était une lettre de Mlle Jeanne ?

– Elle était du capitaine Vaillant ; mais Jeanne y avait ajouté une page.

– Où étiez-vous alors ?

– À la frontière.

– Et vous, avez-vous écrit ?

– Oui, souvent, et toujours sans recevoir de réponse. J'ai écrit une lettre quand nous étions au camp de Châlons, deux pendant mon séjour en Belgique, une autre à mon arrivée à Tours, une autre encore huit jours plus tard, et hier soir j'ai écrit de nouveau.

– Eh bien, Jacques, voici ce que je suppose : vos lettres ne sont point parvenues à Mareille ; elles ont été saisies par les Prussiens.

– Il faut bien qu'il en soit ainsi ; c'est ce que je me dis tous les jours.

– Vos amis de là-bas, ignorant absolument où vous êtes, ne peuvent vous écrire.

– Oui, cela explique leur silence.

Ils restèrent un moment sans parler, tous deux ayant l'air de réfléchir.

– Jacques, reprit le capitaine Lagarde, votre parrain, le capitaine Vaillant, a-t-il plusieurs enfants ?

– Jeanne est sa fille unique.

– Est-ce que la femme du capitaine Vaillant existe encore ?

– Hélas ! non, la bonne Catherine est morte depuis quelques années.

– Ah ! elle se nommait Catherine ?

– Oui.

– Et c'était une Française ?

– Sans doute. Catherine Michel est née à Vaucourt, près de Mareille.

Il y eut un nouveau silence. Il y avait comme de l'anxiété sur le visage de M. Lagarde.

– Ce n'est point là ce que je pensais, se disait-il ; et pourtant, pourtant...

» Mon cher Jacques, reprit-il en plongeant son regard scrutateur dans les yeux du jeune officier, tout ce qui vous touche de près m'intéresse extrêmement ; permettez-moi donc de vous adresser encore quelques questions : Vous avez bien connu celle que vous appelez la bonne Catherine ?

– Elle était ma marraine et la meilleure amie de ma pauvre mère.

– Jacques, votre fiancée, la belle Jeanne, ressemble-t-elle à sa mère ?

Le jeune homme resta un moment interloqué et répondit :

– Ça, mon capitaine, je l'ignore.

– Comment vous l'ignorez ?

– Pardon, mon capitaine, mais je ne vous ai pas dit que Jeanne est seulement la fille adoptive du capitaine Vaillant.

Un éclair, qui s'éteignit aussitôt, sillonna le regard du franc-tireur.

– Oh ! alors, c'est différent, fit-il, restant très calme.

– Je n'ai pas connu la mère de Jeanne, continua le sous-lieutenant : la malheureuse est morte immédiatement après avoir mis son enfant au monde.

– Et le père de Jeanne ? interrogea M. Lagarde d'une voix qui tremblait légèrement.

– On venait de le trouver, mort, noyé, au bord de la rivière.

– Oh ! fit le franc-tireur, les lèvres crispées et avec un soubresaut nerveux.

Mais, se maîtrisant aussitôt, il reprit :

— Cela s'est passé à Mareille ?

— Non, à six lieues de Mareille, à Blaincourt.

— Enfin, le brave capitaine Vaillant a recueilli la pauvre petite orpheline et l'a adoptée ?

— Il lui a donné son nom et tout ce qu'il possède est à elle. Oh ! Jeanne est bien sa fille, allez !

— Votre parrain, Jacques, est un homme que j'aime déjà avant de l'avoir vu ; je serai heureux un jour de faire sa connaissance. Mais dites-moi, mon ami, quelle raison a-t-il eue de substituer son nom à celui du père de Jeanne.

— Une raison majeure, mon capitaine : les parents de Jeanne sont restés inconnus, malgré toutes les recherches qui ont été faites.

— Ah !

— Maintenant, vous comprenez : Jeanne n'avait pas de nom.

— Oui, oui, je comprends. À quoi a-t-on attribué la mort du père de Mlle Jeanne ?

— À un crime ! mon capitaine.

Celui-ci ne put s'empêcher de tressaillir.

— On a pu se tromper, dit-il.

— Non, non, on ne s'est pas trompé : il a été parfaitement prouvé que le père de Jeanne avait été jeté dans la rivière par deux scélérats.

— Pourquoi ?

— Évidemment parce qu'on avait intérêt à se débarrasser de lui.

— Soit. Mais le motif, Jacques, le motif ?

— On l'a cherché, on ne l'a pas trouvé.

– Et les criminels ?

– Il a été impossible de mettre la main sur eux.

– En vérité, tout cela est bien étrange ! Quoi, aucun papier, rien pour faire connaître le père et la mère de l'enfant ! Aucun indice pouvant mettre la justice sur la trace des misérables assassins !

– Dans cette affaire, mon capitaine, tout est mystérieux.

– Oui, tout, murmura le franc-tireur.

Et il ajouta, se parlant à lui-même :

– Mais, moi, je pénétrerai le mystère, je dissiperai les ténèbres et ferai jaillir, en pleine lumière, tout ce qui est enseveli dans l'ombre !

Après un court silence il reprit :

– Jacques, mon ami, vous paraissez savoir très bien ce qui s'est passé à Blaincourt, ne voulez-vous pas me le raconter ?

– Oh ! très volontiers, mon capitaine. Je dois vous dire, d'abord, que Jeanne ignore tout. Elle sait seulement que sa mère est morte en lui donnant le jour. Vous devez comprendre à quel sentiment son père adoptif a obéi en ne lui faisant aucune révélation qui aurait pu troubler sa tranquillité et lui enlever peut-être pour toujours sa douce et franche gaieté. Du reste, Jacques Vaillant a su si bien cacher le secret de la naissance de Jeanne, que les habitants de Mareille ne se doutent point qu'elle est la fille des deux inconnus, qui reposent l'un près de l'autre dans le cimetière de Blaincourt.

» Malgré l'affection de mon parrain, et je puis le dire, sa grande confiance en moi, moi-même je ne savais rien ; c'est seulement la veille de mon départ de Mareille, après avoir mis la main de Jeanne dans la mienne et nous avoir fiancés, qu'il m'a tout appris.

» Jacques Vaillant se trouvait à Blaincourt lors des événements, et nul ne peut savoir mieux que lui ce qui s'est passé et les suppositions qui ont été faites. Du reste, voici, autant que je vais pouvoir me souvenir, ce que le capitaine Vaillant m'a raconté.

Et Jacques Grandin fit à son auditeur, attentif, ému, captivé, le récit du drame qui, dix-sept ans auparavant, avait si vivement impressionné la population de Blaincourt et des communes voisines.

Il dit comment Jacques Vaillant s'était subitement intéressé, d'une façon extraordinaire, à la jeune femme inconnue, qui parlait une langue étrangère, en la voyant tomber foudroyée devant le cadavre de son mari, que des hommes rapportaient sur une civière.

D'une voix entrecoupée, pleine de larmes, il traça le tableau de la naissance de l'enfant, de la mort de la mère. Il parla ensuite de la démarche faite immédiatement par Jacques Vaillant pour que la petite orpheline lui fût confiée. Il termina en racontant comment l'enquête faite par les magistrats avait découvert que le noyé inconnu n'était point tombé accidentellement dans l'eau, mais qu'il y avait été précipité, au contraire, après avoir été attiré dans un guet-apens, par deux hommes venant probablement de loin, lesquels avaient disparu du pays aussitôt après le crime accompli.

– C'est horrible ! horrible ! prononça le franc-tireur d'une voix creuse, quand Jacques eut cessé de parler.

– Oui, horrible ! répéta le jeune homme. Voilà, continua-t-il, l'épouvantable malheur qui a frappé ma Jeanne bien-aimée au moment de sa naissance. Depuis, grâce à la bonne Catherine et à Jacques Vaillant, elle n'a connu que des jours de joie... Le vieillard descendra à son tour dans la tombe, mais je resterai, moi, pour continuer après lui, jusqu'à mon dernier jour, l'œuvre chère du bonheur de Jeanne !

Le franc-tireur soupira. En dépit des efforts qu'il faisait pour se contenir, ses yeux étaient pleins de larmes.

– Brave et noble garçon, pensait-il, comme il l'aime ! Oh ! non, je ne veux rien lui dire, je dois me taire.

– Vous êtes ému, vous pleurez ! mon capitaine, dit Jacques.

– Ah ! cela ne doit pas vous surprendre, répliqua M. Lagarde. Qui donc pourrait rester insensible en écoutant ce que vous venez de me raconter ? Ah ! Jacques, mon ami, c'est triste, c'est navrant !

– C'est vrai, fit le jeune homme.

Le capitaine essuya ses yeux.

– Ainsi, reprit-il, toutes les recherches ont été inutiles ! Que les assassins aient pu échapper à la justice, on le comprend encore, cela arrive malheureusement trop souvent ; mais ce que je trouve inouï, c'est qu'on ne soit pas parvenu à découvrir le nom du père et de la mère de Mlle Jeanne.

– Je vous l'ai dit, pas de papiers, le linge lui-même non marqué. Cependant, j'ai un espoir.

– Quel espoir ?

– Celui de connaître un jour le nom des parents de Jeanne et de savoir d'où ils venaient.

– Ah ! et comment cela ?

– Vous allez voir, mon capitaine ; il y a quelque chose que je dois vous raconter aussi.

– Quoi ! il y a une chose que vous ne me disiez point ? Je vous en prie, Jacques, ne me cachez rien, dites-moi tout !

– Après que Jacques Vaillant m'eût confié le secret de la naissance de Jeanne, nous déjeunâmes tous les trois dans la jolie petite salle à manger où je me transporte souvent par la pensée. Ensuite je les quittai pour retourner chez mon maître et faire mes petits préparatifs de départ. Sur mon chemin je rencontrai un vieux bonhomme de Blaincourt, un mendiant appelé Monot, à qui on a donné le sobriquet de La Bique.

» Il faut vous dire que le matin, couché derrière la haie du jardin du capitaine Vaillant, le père La Bique avait entendu une conversation que j'avais avec Jeanne.

» – À propos, garçon, me dit-il, on vient de m'apprendre tout à l'heure que vous partez pour sept ans ; à vous voir ainsi léger et gai comme un écureuil, on ne le dirait guère. C'est vraiment drôle et je n'y comprends plus rien. En vous entendant roucouler ce matin avec la belle demoiselle, je vous croyais à la veille du mariage. Et pas du tout, vous êtes soldat et vous partez demain. Je ne vous le cache pas, mon garçon, ça me contrarie un peu.

» – Et pourquoi ? fis-je étonné.

» – Parce que j'avais quelque chose à vous dire au sujet de la demoiselle…

» Vous comprenez, mon capitaine, que ma curiosité fut vivement excitée.

Par un mouvement brusque le franc-tireur s'était rapproché du sous-lieutenant.

— Continuez, mon ami, dit-il d'une voix agitée, continuez.

— Garçon, poursuivit le vieux mendiant, il s'agit d'un secret, mais je ne vous dirai la chose que quand vous serez le mari de la demoiselle.

» Vainement, je le priai, le suppliai de parler.

» — Ce n'est pas mon idée, me répondait-il.

» Il m'interrogea pour savoir si le capitaine Vaillant m'avait appris par suite de quelles douloureuses circonstances Jeanne était devenue sa fille.

» Je lui répondis que mon parrain m'avait raconté dans tous ses détails le drame de Blaincourt.

» Alors il me dit :

» — Le capitaine Jacques Vaillant et les gens de justice ne savent pas tout. Quand vous serez le mari de la belle Jeanne, l'enfant du malheur, comme on l'appelait à Blaincourt, le père La Bique vous dira ce qu'il sait lui : à l'aide de certaines indications que je vous donnerai, vous parviendrez peut-être à savoir le nom du père de Mlle Jeanne et à retrouver sa famille.

— Cet homme vous a dit cela ! exclama le franc-tireur, dont les yeux étincelaient.

— Oui, mon capitaine, mais cela seulement. J'eus beau le prendre de toutes les manières, le prier, le menacer, je ne pus lui arracher rien de plus.

» — Quand vous reviendrez, jeune homme, quand vous reviendrez, me répondit-il.

» Et il me quitta, en me disant :

» — Courage, jeune soldat, bon voyage et bonne chance !

— Voyez-vous, mon capitaine, continua Jacques, je me rappelle les paroles du vieux mendiant comme si ce qu'il m'a dit datait d'hier. Cela prouve qu'elles ont laissé en moi une impression profonde. Pourtant, j'ai pensé d'abord que le père La Bique avait voulu s'amuser un peu à mes dépens ; mais, depuis, j'ai beaucoup réfléchi, et maintenant je suis convaincu que le vieux mendiant de Blaincourt sait réellement quelque chose de plus que ce qui a été découvert par les magistrats.

Le franc-tireur était calme en apparence, mais il y avait une tempête dans son cerveau.

— Oui, Jacques, oui, mon ami, dit-il d'une voix oppressée, cet homme sait quelque chose. Il n'y a pas à en douter, il possède un secret qui lui a été confié ou qu'il a surpris, et ce secret est d'une importance capitale... pour vous, Jacques, pour vous, s'empressa-t-il d'ajouter.

Il resta un moment silencieux et reprit :

— Je vous remercie, mon ami, de votre très intéressante confidence ; merci aussi de m'avoir ouvert votre cœur... Un jour, quand le moment sera venu, je vous ouvrirai aussi le mien ; alors, Jacques, vous saurez qui je suis et vous me connaîtrez comme moi je vous connais maintenant. Nous allons nous séparer, mon ami ; Dieu seul sait quand nous nous reverrons.

— Est-ce que vous quittez Orléans ?

— Demain matin, et j'ignore si j'y reviendrai. Mais soyez tranquille, de loin comme de près je penserai à vous ; je vous ai donné mon affection, avant même de vous bien connaître, je ne vous la retirerai point. D'ailleurs, Jacques, à partir de ce moment, vous marchez à côté de moi vers le but que je veux atteindre.

Tous deux s'étaient levés.

— Jacques, mon enfant ! s'écria le franc-tireur avec une émotion singulière et en ouvrant ses bras, embrassons-nous.

Ils tombèrent dans les bras l'un de l'autre.

Un instant après, le jeune sous-lieutenant essuyait ses yeux en descendant lentement l'escalier.

Le capitaine des francs-tireurs des bois se promenait à grands pas dans sa chambre. Tout à coup, il s'arrêta, le regard illuminé.

– Prodige du hasard, jeux capricieux de la destinée, merveilleux enchaînement des choses ! s'écria-t-il. Dieu est là, Dieu est dans tout ! C'est lui qui conduit les hommes, qui les guide !... Il y a quelques jours je ne connaissais pas ce jeune homme ; je le rencontre, je le regarde : sa belle figure sympathique, pleine de franchise, son regard loyal, son attitude calme et digne, sa modestie, tout en lui me plaît ; et comme si j'eusse entendu une voix divine me crier : « Je suis la Providence, c'est moi qui mets Jacques Grandin sur ton chemin », je m'intéresse à lui et je sens que cet inconnu peut m'être utile, qu'il doit m'aider !... Ô pressentiment ! tu es donc en nous une mystérieuse révélation !

» Jacques vient ici, je l'interroge et il me répond simplement... Et quand j'ai cherché vainement aux quatre coins de la France, une trace, un atome de clarté, lui, sans se douter que je l'écoute haletant, frémissant, que je suis suspendu à ses lèvres, que chacune de ses paroles résonne au fond de mon cœur comme un bruit d'airain, il parle et m'ouvre une large route à travers l'inconnu, à travers le mystère... Oh ! le brave garçon ! Oh ! le brave enfant !

Il se remit à marcher, puis, au bout d'un instant, il s'arrêta de nouveau et reprit :

– Mais qu'allaient donc faire à Blaincourt, au fond des Vosges, Charles Chevry et sa femme ? Je le saurai... Quant à toi, vieux mendiant de Blaincourt, je te forcerai à parler ; il faudra bien que tu me livres ton secret.

IV

LA MAISON DE CHATOU

Nous franchissons un espace de sept mois. Que d'évènements terribles se sont passés en France pendant ce laps de temps ! Mais tout cela est du domaine de l'histoire et appartient à l'historien. Passons.

Transportons-nous à Chatou, à quelques lieues de Paris, dans une habitation blanche et coquette, gracieusement assise au bord de la Seine, dans un endroit charmant. Son mur, en bordure du chemin de halage, a une belle grille à fleurons dorés, qui ne s'ouvre jamais, et à côté une petite porte de service.

La maison est petite, mais bien bâtie et d'un joli aspect. De grands tilleuls l'ombragent ; toutefois, se glissant à travers les branches aux feuilles argentées, les rayons du gai soleil de mai jettent par endroits, sur sa façade, comme un crépi d'or pâle.

Le jardin, entouré de murs au long desquels courent des espaliers, est vaste, planté de massifs, jetés avec goût de tous les côtés, avec une belle pelouse au centre égayée par de magnifiques corbeilles de fleurs. Au milieu de la pelouse, un bassin avec un jet d'eau, qui fait tomber autour de lui comme une pluie de diamants.

Dans les massifs et sur les arbres les oiseaux chantent.

À droite, dans un érable au feuillage panaché, le pinson a construit son nid ; de l'autre côté, la fauvette a mis le sien dans une touffe de saphorine ; un peu plus loin, celui du merle est à peine caché dans un laricia ; au fond du jardin le rouge-gorge fait entendre ses trilles amoureuses, sa couvée doit être tout près, cachée dans des feuilles sèches sous une broussaille.

Les allées, bien entretenues, sont couvertes d'un sable fin sur lequel le râteau passe souvent.

Cet endroit est un véritable Éden ; on se croirait là dans un petit coin du Paradis.

Hélas ! ce délicieux séjour où il ne devrait y avoir que joie et gaieté, tendres regards, ravissants sourires, joyeux éclats de rire d'enfants ou doux murmure de deux voix amoureuses, est la demeure d'une folle, d'une pauvre jeune fille dont la raison semble s'être éteinte pour toujours.

Et pourtant les soins ne lui manquent point.

Elle a une femme de chambre d'une grande douceur, d'une admirable patience pour la servir, satisfaire tous ses caprices d'enfant malade et veiller sur elle sans cesse.

Près d'elle, pour elle seule et demeurant dans la maison, il y a un savant médecin aliéniste. C'est le docteur Legendre, un homme de cinquante ans, d'une grande expérience, dont le travail incessant a de bonne heure blanchi les cheveux.

Le docteur Legendre n'a jamais été directeur d'une maison de santé ; il n'a occupé aucune fonction dans un des hospices de l'État ou de la ville de Paris ; mais il est depuis longtemps célèbre par ses nombreux ouvrages sur les névroses et en général sur toutes les affections mentales.

On lui a offert de hautes positions, il ne les a pas acceptées, afin de garder sa liberté et de rester tout entier à ses travaux.

Le docteur Legendre a beaucoup écrit, trop même, si l'on considérait la fortune comme étant tout. Il a donné sa vie à la science et en se dévouant à l'humanité il ne s'est pas enrichi. Ses livres se vendent, mais les gros bénéfices sont pour ses éditeurs.

L'année précédente, un jour du mois d'août, un homme bien mis et de manières distinguées vint le trouver dans son modeste appartement de la rue du Vieux-Colombier.

— Monsieur le docteur, lui dit le visiteur, je me nomme Lagarde ; je suis envoyé près de vous par votre confrère et ami le docteur B... dont voici une lettre ; veuillez lire.

— Mon ami, monsieur, dit le docteur après avoir lu, vous recommande d'une façon très chaleureuse ; que dois-je faire pour vous être agréable ?

— Donner vos soins à une pauvre jeune fille frappée, récemment, d'aliénation mentale.

– Le docteur B... a dû vous dire que je donne tout mon temps à la science ; j'écris et ai renoncé depuis longtemps à entreprendre aucun traitement.

– Oui, oui, je sais ; mais quelque chose me dit que ma chère malade ne peut être confiée qu'à vous, qu'en dehors de vous je ne puis rien espérer. La jeune fille est très intéressante, docteur ; que vous la voyiez seulement et vous voudrez la guérir. Oh ! vous la guérirez, j'en suis convaincu. Écoutez-moi, docteur, écoutez-moi : j'ai acheté une petite maison et un jardin à Chatou ; c'est là qu'est la pauvre mignonne depuis trois jours. Je vous raconterai à la suite de quel choc terrible la pauvre créature a perdu la raison, mais voici ma proposition : Vous quitterez votre appartement et vous vous installerez dans la maison de Chatou, qui deviendra la vôtre, car je n'y demeure pas. Je ne vous enlève point à vos précieux travaux, docteur ; non, non. Vous emporterez vos livres, vos manuscrits ; et au bord de la Seine, au milieu du silence qui plaît à la pensée féconde, dans le calme d'une solitude charmante, ayant votre malade près de vous, sous vos yeux, vous pourrez travailler autant que vous le voudrez. Vous aurez à vos ordres autant de domestiques qu'il vous en faudra ; vous les choisirez vous-même.

» Je ne vous parle pas de vos honoraires, docteur, vous les fixerez. Dieu merci, je possède une fortune qui me permet de récompenser comme il convient les services qui me sont rendus.

» En attendant, pour l'entretien de votre maison, docteur, je vous remettrai une provision de vingt-cinq ou trente mille francs ; d'ailleurs, je puis aussi vous ouvrir un crédit illimité à la Banque de France.

Le docteur resta encore assez longtemps hésitant.

À la fin, séduit, non par la brillante promesse de M. Lagarde, mais par sa franchise, son grand air de loyauté, le ton affectueux de sa voix, et surtout la sympathie qu'il lui inspirait, il accepta.

Et le soir même, emportant ses livres, dont il ne pouvait se séparer, il quittait la rue du Vieux-Colombier pour aller s'installer dans la maison de Chatou.

Il était autorisé à prendre plusieurs domestiques. Ayant conservé sa vieille gouvernante, à laquelle il était habitué et qui, au point de vue culinaire, connaissait tous ses goûts, d'ailleurs très simples, il n'avait besoin que d'une autre femme pour veiller constamment sur sa malade. Cette femme lui fut envoyée par son ami le docteur B..., qui l'avait choisie parmi les plus méritantes de sa maison de santé.

Le docteur Legendre travaillait dans son cabinet ; pour l'instant il était absorbé par la lecture d'une page d'un livre gros comme un missel d'église.

La porte du cabinet s'ouvrit doucement. Le docteur leva la tête.

— Ah ! monsieur Lagarde, s'écria-t-il.

— Vous étiez en train de travailler, je vous dérange.

— Vous, me déranger ! Jamais !

Il ferma son gros livre, se dressa debout et prit la main que M. Lagarde lui tendait.

— Je pars demain, dit celui-ci, et je ne saurais dire pour combien de temps ; je n'ai pas voulu entreprendre ce nouveau voyage sans vous avoir serré la main et demandé si vous avez besoin d'argent.

— Mais vous savez bien que nous ne manquons de rien ici ; quand vous êtes venu, il y a quinze jours, j'avais encore près de vingt mille francs ; s'il y a quelques centaines de francs de moins aujourd'hui, c'est tout.

— Vous êtes bien économe, mon cher docteur !

— Mais je trouve, au contraire, que je dépense énormément.

— Oh !

— Ah ! ça, fit M. Legendre d'un ton très drôle, faudrait-il donc, pour vous faire plaisir, que je m'amusasse à lancer des louis d'or dans la Seine en guise de petits cailloux ?

M. Lagarde ébaucha un sourire.

— Allons, docteur, fit-il, ne vous fâchez pas.

— Mais c'est vrai, aussi, vous êtes toujours à me demander : « Docteur, voulez-vous de l'argent ? ». Vous êtes un homme généreux, magnifique, c'est très bien ; vous êtes un Crésus, un Nabab, plus que cela, peut-être, c'est très bien encore ; mais sacrebleu, monsieur, ce n'est pas une raison pour que les gens qui vous servent se jettent sur vos trésors comme des chiens à la curée ! Vous m'avez dit : « Ne regardez pas à la dépense ». Eh bien je dépense autant que je peux ;

je vis ici comme un grand seigneur ! Accordez-moi donc la grâce, monsieur, de ne plus me parler d'argent.

— Docteur, j'attendrai, maintenant, que vous m'en demandiez.

— À la bonne heure ; j'aime mieux cela.

— C'est convenu. Docteur, comment va la malade aujourd'hui ?

— Toujours la même, répondit M. Legendre, reprenant aussitôt sa gravité.

— L'autre jour vous me parliez de symptômes, que vous observiez, et qui vous paraissaient favorables ; est-ce qu'ils ont disparu ?

— Non, je continue à les observer, mais ils sont moins fréquents.

— Ce qui veut dire, docteur, répliqua M. Lagarde en soupirant, que le mieux espéré ne se réalise point.

— Il y a certainement une amélioration dans l'état général de la malade, mais si peu sensible...

— Que vous ne pouvez pas me dire encore : j'espère.

— Si je n'espérais plus, je ne serais plus ici.

— Docteur, vous me dites peut-être cela pour me tranquilliser.

— La folie de votre protégée, monsieur Lagarde, n'a point le caractère de celles qui, jusqu'ici, ont été reconnues incurables ; donc nous pouvons encore conserver l'espoir. Mais de cela à vous dire : elle guérira, il y a loin. Depuis cinquante ans, la science a fait d'immenses progrès ; si, dans beaucoup de cas, elle est absolument sûre d'elle-même, bien souvent aussi elle marche en tâtonnant. Celui qui pourrait dire : dans tant de temps, tel jour, à telle heure voici ce qui arrivera, celui-là, monsieur, serait plus qu'un grand médecin, plus que le plus illustre des savants, ce serait un dieu !

M. Lagarde laissa tomber sa tête sur sa poitrine.

— Pauvre Jacques ! Pauvre Jeanne ! murmura-t-il.

— Voulez-vous la voir ? demanda le docteur au bout d'un instant.

– Oui, docteur, oui.

– Elle est dans le jardin, venez.

Jeanne était assise sur un banc rustique à l'ombre d'un superbe acacia-boule. Elle était vêtue d'un délicieux peignoir de cachemire rose, serré à la taille par une ceinture de la même étoffe, et avait ses petits pieds chaussés de bottines de satin également roses. Ses magnifiques cheveux noirs tombaient jusque sur ses hanches en deux grosses nattes, arrêtés à leur extrémité par un nœud de rubans.

La tête penchée sur son épaule, elle avait une attitude pleine de mélancolie. Sa figure pâle était calme, mais sans expression. Ses grands yeux d'une douceur exquise toujours, n'étaient animés par aucune lueur. Comme la raison, le regard, qui est le reflet de la pensée, s'était éteint.

Sa main gauche tenait une rose, et pendant que les doigts de son autre main l'effeuillaient, d'une voix douce et dolente elle chantonnait :

> Ils sont gais, ils sont beaux, les garçons du village ;
> À Suzon, plus de vingt voudraient faire la cour.
> Mais Suzon ne veut pas qu'on parle mariage.
> Elle rit et leur dit : J'ai trop peur de l'amour !

Les deux hommes s'approchèrent. Elle se tut, redressa lentement sa tête et les regarda. Un sourire triste effleura ses lèvres.

– Bonjour, bonjour ! dit-elle.

– Me reconnaissez-vous, mon enfant ? lui demanda M. Lagarde.

– Oui, je vous reconnais. Pourquoi ne venez-vous pas souvent ? J'aime toujours voir ceux qui sont bons.

– Seriez-vous contente de voir Jacques ?

– Jacques, Jacques ! fit-elle tout bas.

– Elle cherche à se souvenir, dit M. Legendre.

– Oui, votre ami Jacques, le jeune soldat de Mareille.

– Jacques ! Jacques ! répéta-t-elle.

— Bientôt, Jacques viendra voir mademoiselle Jeanne.

Elle eut comme un tressaillement. Et, avec des larmes dans la voix :

— Jeanne dort là-bas, au fond de la rivière, dit-elle ; je l'ai connue, il y a longtemps de cela ; c'était une bonne jeune fille. Chut, ne faites pas de bruit, Jeanne dort au fond de la rivière... Ne la réveillez pas ; elle est si bien au fond de la rivière !

— Pauvre petite ! murmura M. Lagarde prêt à pleurer.

Soudain la jeune fille s'agita et un éclair traversa son regard.

— Avez-vous entendu ? s'écria-t-elle, quel coup de tonnerre ! Oh ! l'épouvantable nuit ! Écoutez, écoutez, entendez-vous ? On vient, c'est lui...

À mesure qu'elle parlait, ses yeux s'ouvraient plus grands et l'épouvante, l'horreur se peignaient sur son visage.

— Le voilà, le voilà ! exclama-t-elle en se dressant comme mue par un ressort. Ah ! Jean Loup ! Jean Loup !

Elle resta un instant effarée, toute tremblante, puis la lumière de son regard s'éteignit, sa figure reprit son calme habituel et elle s'affaissa sur le banc.

— Jeanne, lui dit alors M. Lagarde, ce Jean Loup, cet homme, qui vous cause une si grande frayeur, est celui qui vous a sauvée, celui qui a tiré la pauvre Jeanne du fond de la rivière.

Elle n'eut pas l'air d'avoir entendu. Sa tête reprit la position qu'elle avait précédemment, penchée sur l'épaule, et, continuant à effeuiller la rose, elle se remit à chanter :

Ils sont gais, ils sont beaux, les garçons du village...

— Venez, monsieur, venez, dit le docteur, prenant la main de M. Lagarde et l'entraînant ; c'est fini. Après la crise, le calme, l'insensibilité complète. Inutile de rester près d'elle plus longtemps ; maintenant elle ne ferait plus attention à nous.

— Hélas ! soupira M. Lagarde.

V

LE RETOUR AU VILLAGE

La France, après tant de jours de douleurs, avait enfin repris possession d'elle-même. On commençait à respirer et on entrevoyait l'avenir ayant un aspect moins sombre.

Les Allemands occupaient encore une partie du pays ; mais les fonctionnaires de l'État, dans l'ordre militaire, judiciaire et civil, avaient repris les services de l'administration. Les Allemands n'étaient plus que des hôtes, après avoir été des gouvernants.

Jacques Vaillant avait été emmené à Épinal, puis conduit à Coblentz comme prisonnier de guerre. On lui avait accordé, sans qu'il l'eût sollicitée, la faveur de ne pas être fusillé comme tant d'autres.

On l'oublia un peu dans sa prison. En effet, les soldats français étaient presque tous rentrés en France, que le maire de Mareille était encore à Coblentz. Il se trouva parmi les derniers à qui on rendit la liberté.

À Mareille, on le croyait mort. Inutile de dire que ses concitoyens, à son retour, l'accueillirent avec de grandes démonstrations de joie.

Jacques Vaillant rentra en pleurant dans sa maison, une nouvelle prison pour lui, condamné qu'il était à y vivre seul. Il avait beaucoup vieilli depuis le dernier malheur qui l'avait frappé ; lui qui naguère encore était si robuste et tenait sa belle taille si droite, il commençait à se voûter et à sentir chanceler ses jambes.

Gertrude vint avec empressement se mettre à sa disposition ; il l'embrassa et ils pleurèrent ensemble.

Gertrude lui remit un certain nombre de lettres. Elles étaient toutes de Jacques Grandin.

– Pauvre garçon ! murmura-t-il en soupirant.

Il décacheta les lettres, les rangea par ordre de dates et les lut. Il mit plus de deux heures à faire cette très intéressante lecture ; il est vrai qu'il s'était interrompu souvent pour essuyer ses yeux voilés de larmes.

— Lieutenant et décoré, dit-il d'une voix entrecoupée de sanglots ; et tout cela, c'était pour elle... De son côté, l'honneur, l'avenir brillant ; de celui-ci le déshonneur, le deuil, la ruine ! Voilà la destinée !... Il ne sait rien...

» Ah ! Jacques, Jacques, ne reviens jamais à Mareille ! Il est jeune, lui, il peut se consoler, oublier. Adieu, beaux rêves d'autrefois ! Pour moi, plus rien, je touche à la tombe ! Qu'il reste là-bas, où l'avenir lui sourit ; qu'il poursuive sa carrière, si brillamment commencée !

— Est-ce que vous n'allez pas lui répondre, monsieur ? demanda Gertrude.

— Je lui répondrai certainement.

— Quand, monsieur ?

— Dans quelques jours.

Le lendemain, grâce à Gertrude, qui était fière d'annoncer la grande nouvelle, tout le monde, à Mareille, savait que Jacques Grandin, l'ancien garçon de ferme, était lieutenant de hussards et chevalier de la Légion d'honneur.

La nuit était venue. Jacques Grandin, l'épée au côté, la taille serrée dans son uniforme d'officier de hussards, suivait d'un pas rapide et léger la route qui traverse le plateau rocheux entre Blignycourt et Mareille. Il avait obtenu, assez facilement, d'ailleurs, un congé de deux mois, et dans un instant il allait être à Mareille où, savourant d'avance la joie de surprendre Jacques Vaillant et Jeanne, il n'avait point annoncé son arrivée.

À un endroit de la route il s'arrêta. Ah ! il n'avait pas oublié : c'est à cette place que ses amis lui avaient serré la main, en lui souhaitant bonne chance ; à cette place qu'il avait mis un dernier baiser d'amour sur le front de sa Jeanne adorée !

— Chère Jeanne, chère Jeanne ! murmura-t-il.

Il jeta un regard sur la Bosse grise et eut un souvenir pour Jean Loup.

Il se remit en marche. Bientôt il se trouva en vue du village qui s'allongeait dans la vallée.

Ses yeux s'arrêtèrent sur la maison du vieux capitaine, un peu en avant des autres, et qui apparaissait grisâtre dans l'ombre.

Son cœur battait violemment. Il allait arriver, et cependant, à mesure qu'il avançait, la joie du retour faisait place à l'inquiétude qui l'avait si souvent agité depuis huit mois. Un pli se creusait sur son front et, en dépit de tout, ses pensées devenaient tristes. Il s'adressait de nouveau cette question :

– Pourquoi mes lettres sont-elles restées sans réponse ?

Il s'arrêta devant la porte de la cour, voulant se remettre de son émotion avant de frapper. Un silence profond régnait autour de lui ; il n'entendait aucun bruit dans la maison, mais il voyait la fenêtre éclairée de la salle à manger.

Gertrude restait maintenant près de son maître jusqu'à neuf heures pour lui tenir compagnie ; neuf heures n'étant pas sonnées, elle était encore là.

– Monsieur, disait-elle à Jacques Vaillant, il y a aujourd'hui huit jours que vous êtes revenu et vous n'avez pas encore répondu à votre filleul. Tous les jours vous dites demain, et les jours passent sans que vous écriviez.

Le vieillard laissa échapper un soupir.

– C'est vrai, Gertrude, c'est vrai, fit-il.

– Je sais bien que ça doit vous coûter de lui apprendre le grand malheur ; mais que ce soit un peu plus tôt ou un peu plus tard, il faut toujours que le pauvre enfant sache la chose.

– Oui, Gertrude, il le faut ; mais vois-tu, je ne peux pas. Chaque fois que je prends la plume, elle me tombe de la main.

– Monsieur, ce soir, vous pourriez peut-être. Voulez-vous essayer ?

– Soit.

En un instant Gertrude eut mis sur la table, devant le vieillard, papier, encre et plume.

Ayant mis d'abord la date en tête de la feuille de papier, le vieux capitaine écrivit :

« *Mon cher Jacques,* »

À ce moment, celui à qui le vieillard allait écrire, se décida à frapper.

– Allons, fit Gertrude, ne cherchant pas à cacher sa vive contrariété, il faut toujours qu'on soit dérangé ici ; encore un contretemps ; cette pauvre lettre ne sera jamais écrite.

– Qui donc peut venir me voir à cette heure ? dit le vieillard.

– Est-ce qu'on sait ? C'est drôle tout de même, il y a toujours des gens qui ne peuvent pas rester tranquillement chez eux.

– Va ouvrir, Gertrude.

– Oui, monsieur, j'y vais ; mais il peut être sûr, celui-là, que je ne le recevrai pas en lui faisant ma révérence.

Sur ces mots elle sortit, en grommelant des paroles peu flatteuses à l'adresse des importuns. Au bout d'un instant elle rentra dans la salle, effarée, comme une folle.

– Ah ! monsieur, ah ! monsieur, fit-elle, respirant à peine.

– Eh bien ?

– Lui, lui ! balbutia-t-elle.

Et elle laissa échapper les sanglots qui l'étouffaient.

Jacques Vaillant se dressa debout. Aussitôt le lieutenant entra dans la salle.

– Jacques ! exclama le vieillard.

– Mon parrain, mon père ! dit la voix vibrante du jeune homme, en se jetant dans les bras ouverts du vieux capitaine.

– Je venais de prendre la plume pour répondre enfin à tes lettres, dit le vieillard, se remettant peu à peu de son émotion ; mais te voilà, je n'ai plus à t'écrire. Jacques, je te félicite, je suis content de toi ; ah ! je puis te dire tout ce qu'il y a pour toi, dans mon vieux cœur, de sentiments affectueux et d'admiration !... Dans tes lettres, mon ami, tu ne me racontes point ce que tu as fait, mais je devine : tu t'es noblement conduit, comme un brave enfant de la France ! Tu m'en apportes la preuve Jacques : lieutenant, et là, sur ta vaillante poitrine, la croix d'honneur qu'on ne donne qu'aux plus braves !

Le jeune officier était un peu surpris de ne point voir Jeanne près de son père ; mais il n'osait pas encore parler d'elle. Il regardait le vieillard et se disait tristement :

— Comme il est changé, comme il a vieilli !

Au moment où Jacques Vaillant toucha la croix attachée sur sa poitrine, ses yeux tombèrent sur la boutonnière de la redingote du vieillard, où il avait toujours vu le ruban rouge. Il fut tellement étonné, en remarquant l'absence du bout de ruban, qu'il ne put s'empêcher de dire :

— Parrain, pourquoi donc n'avez-vous pas aujourd'hui votre décoration ?

Jacques Vaillant tressaillit. Puis secouant tristement la tête :

— Je ne la porte plus, répondit-il.

— Vous ne la portez plus ? s'écria le jeune homme ahuri, pourquoi ?

— Il faut que tu le saches, Jacques ; tu le sauras dans un instant, répondit le vieux capitaine.

Il se tourna vers sa domestique.

— Gertrude, lui dit-il, monte dans ma chambre ; tu sais où j'ai placé la copie de la lettre, tu me l'apporteras.

Gertrude sortit aussitôt.

Le vieillard se laissa tomber lourdement sur son siège. Devant lui, le jeune homme resta debout, immobile, silencieux, haletant, sentant son cœur serré comme dans une main de fer. Il comprenait qu'une révélation épouvantable allait lui être faite, que la foudre grondait au-dessus de sa tête, prête à éclater.

Gertrude reparut, apportant la copie de la lettre de Jeanne, pliée en quatre et précieusement conservée dans une enveloppe.

— Donne à Jacques, dit le vieillard.

D'une main fiévreuse, le jeune homme tira le papier de l'enveloppe, le déplia et lut.

Il poussa un cri rauque et chancela comme un homme ivre. Heureusement, il rencontra la table, qui lui servit d'appui ; il ne tomba point. Tous ses membres tremblaient ; il était devenu blanc comme un suaire ; il avait les traits contractés, les cheveux hérissés, le regard fixe d'un fou.

Quand le vieillard s'aperçut que le jeune homme commençait à ressaisir sa pensée, à reprendre ses forces, jugeant qu'il pouvait l'entendre, il lui dit :

— Jacques, ces lignes que tu viens de lire t'ont tout appris ; ce n'est que la copie de la lettre d'adieu que la pauvre Jeanne m'a laissée, la lettre véritable est entre les mains de la justice. Dans un autre moment, je te raconterai tout ce qui s'est passé.

» Jacques, le malheur épouvantable qui nous a frappés tous les deux ne m'a pas tué tout à fait, moi qui suis un vieillard ; tu es jeune, toi, mon ami, et tu as d'autres espérances ; tu résisteras mieux ; il faut te raidir pour ne point te laisser écraser, il faut te résigner. Si les jours de joie sont rares, les jours de douleur sont nombreux. Hélas, voilà la vie !

— Morte ! morte ! je ne la verrai plus ! dit le jeune officier d'une voix étranglée.

Il laissa échapper un sanglot, s'affaissa sur un siège et, voilant son visage de ses mains, il versa des larmes abondantes.

C'était un désespoir sombre, une douleur aiguë d'autant plus effrayants qu'il n'y avait pas d'explosion bruyante.

Jacques Vaillant le laissa pleurer.

Quand il se fut un peu calmé, il releva lentement la tête et regarda le vieillard avec une indicible expression de douleur.

— Jacques, reprit le vieux capitaine, comprends-tu, maintenant, pourquoi je ne porte plus ma décoration ? Après la mort de ma pauvre Jeanne, monstrueusement déshonorée, j'ai enlevé pour toujours de ma boutonnière le ruban rouge, signe de l'honneur !

Le jeune homme tressaillit et se dressa debout, comme poussé par un ressort.

– Oh ! oui ! je comprends, dit-il d'une voix creuse.

Par un mouvement fébrile il arracha sa croix.

– C'est à Jeanne que je l'apportais, prononça-t-il sourdement, en souvenir de Jeanne je la conserverai ; mais on ne la verra plus sur ma poitrine. Mon père, mon père, comme vous je veux porter éternellement le deuil de la mort de ma fiancée, le deuil de son honneur !

» Gertrude, continua-t-il, s'adressant à la femme de ménage, j'ai laissé des effets à la ferme, dans une armoire ; vous me les apporterez ici demain, n'est-ce pas ? je veux reprendre mes habits de garçon de ferme ; je ne veux pas qu'on me voie dans le village autrement habillé.

VI

JEAN LOUP EST PRIS

À minuit, assis en face l'un de l'autre, ayant les yeux rougis par les larmes, le vieux capitaine et le jeune lieutenant causaient encore.

— Ainsi, dit Jacques Grandin d'une voix brisée, il faut me rendre à l'évidence, c'est Jean Loup, c'est Jean Loup !

— Comme toi, Jacques, je doutais d'abord, répliqua le vieillard ; je ne pouvais pas, je ne voulais pas croire que le sauvage fût capable d'une chose pareille ; mais les lignes tracées d'une main tremblante par la malheureuse enfant étaient sous mes yeux ; on me fit voir aussi, sur le sol, les empreintes des pieds nus. Alors, je fus convaincu comme les autres. Si, après l'avoir pris dans la forêt, j'en eusse débarrassé la contrée en l'envoyant, à Épinal, comme c'était mon intention, cet immense malheur ne serait pas arrivé. Ah ! Jacques, en lui rendant la liberté, vous avez été bien mal inspirés, ma pauvre Catherine et toi.

— C'est vrai !

— Quel être étrange que cet homme ! Il y a en lui, à côté des plus nobles sentiments humains, la passion brutale, tous les instincts de la bête. Il retire de la rivière l'enfant de Blignycourt, qui se noyait ; il sauve M\ue de Simaise d'un horrible danger ; il s'apitoye sur le sort réservé à un agneau et tue un loup ; peu de temps après son crime, ainsi que je te l'ai raconté, il voit un Prussien me frapper et il l'assomme à moitié pour me venger !

— Vous vous souvenez sans doute que, sur la route, le jour de mon départ, il a pris la main de Jeanne et la mienne et les a mises l'une dans l'autre.

— Oui, et la chose m'a même beaucoup surpris.

— Évidemment, il avait deviné que j'aimais Jeanne et qu'elle était ma fiancée. Il savait cela et rien, rien ne l'a arrêté.

— La brute ne raisonne point ; ses instincts seuls la dirigent.

– Et vous dites que depuis quatre jours on cherche vainement à s'emparer de lui ?

– On traque la forêt dans tous les sens, et il y a je ne sais combien de brigades de gendarmes aux alentours de la Bosse grise.

– Il s'est peut-être réfugié d'un autre côté dans les montagnes.

– Ceux qui le cherchent sont certains, paraît-il, qu'il n'a pas quitté la forêt de Mareille. Comme ils l'ont aperçu, le premier jour, au milieu des rochers, ils pensent qu'il se tient caché dans quelque trou invisible de la Bosse grise.

» Comme on veut absolument l'avoir vivant, on craint que, ayant peur d'être pris, il ne sorte plus de son trou et s'y laisse mourir de faim. Ce n'est pas qu'on veuille avoir la satisfaction de le juger et de le condamner ; je sais que l'instruction a déjà conclu à une ordonnance de non-lieu. On veut le garder enfermé dans une prison, essayer de l'instruire et de développer son intelligence. On veut, enfin, que le sauvage soit un merveilleux sujet d'étude pour les savants.

– Le malheureux est capable, en effet, de se laisser mourir de faim, dit Jacques.

– Ah ! cela m'importe peu ! s'écria le vieillard.

– Non, répliqua le jeune homme, il faut qu'il vive pour connaître au moins le remords.

– Jacques, ne parlons plus de lui. D'ailleurs, continua-t-il en se levant, une heure va bientôt sonner, le moment de nous séparer est venu.

Le jeune lieutenant entra dans la chambre que Gertrude lui avait préparée, au rez-de-chaussée, et le vieux capitaine monta dans la sienne.

Le lendemain matin, Gertrude entra dans la chambre du jeune homme, lui apportant les effets d'habillement qu'il avait réclamés la veille.

– Bonjour, Gertrude, dit-il, je vous attendais.

– Ce que j'apporte est en bon état ; j'ai choisi.

– Merci !

– Avez-vous un peu dormi, monsieur Jacques ?

317/599

Le jeune homme secoua tristement la tête.

— Je ne dormirai pas de longtemps, fit-il d'un ton douloureux.

Gertrude poussa un soupir et se retira.

Jacques sauta à bas du lit, s'habilla très vite et rejoignit Jacques Vaillant, qui se promenait dans une allée du jardin.

Ils se serrèrent silencieusement la main, puis marchèrent l'un à côté de l'autre, sans se parler. Chacun s'entretenait avec ses douloureuses pensées.

Gertrude les appela. Le chocolat était versé dans les tasses. Quand il eut déjeuné, Jacques se leva et dit :

— Je sors.

— Tu vas chez le fermier ?

— Non.

— Voir tes amis ?

— Non.

— Ah !

— Je vais du côté de la Bosse grise.

— Que veux-tu faire là ?

— Voir.

— Jacques, tu as un projet.

— Je ne sais pas encore.

Il s'en alla.

Quand il arriva au pied de la Bosse grise, il vit qu'elle était investie comme s'il se fût agi d'affamer les défenseurs d'une forteresse. Tout autour des gendarmes en sentinelle, le fusil sur l'épaule ; ils étaient vingt-cinq ou trente, commandés par un sous-lieutenant de gendarmerie.

Jacques Grandin s'approcha de l'officier, qui ne paraissait pas être de bonne humeur.

— Eh bien, monsieur, lui dit-il, espérez-vous être plus heureux aujourd'hui ?

Le gendarme toisa avec une sorte de dédain ce paysan qui se permettait de l'interroger.

— D'abord, qui êtes-vous ? demanda-t-il.

— Je suis de Marseille, monsieur, et je me nomme Jacques Grandin. Comme vous, j'ai l'honneur d'être soldat.

Le sous-lieutenant devint écarlate.

— Quoi ! fit-il, vous êtes monsieur Jacques Grandin, lieutenant de hussards ?

— Oui, monsieur.

— Oh ! mon lieutenant, excusez-moi !

— C'est fait.

Et Jacques lui tendit la main.

— Je suis très contrarié, mon lieutenant, reprit le gendarme ; vraiment je ne sais plus que faire. C'est aujourd'hui le cinquième jour que nous sommes ici pour prendre ce terrible Jean Loup, et rien. Non, nous ne le prendrons pas !

— Peut-être.

— Il faudrait pour cela faire sauter la Bosse.

— Un travail de géants, lequel n'aurait pas, d'ailleurs, le résultat que vous voulez, car il vous est recommandé, m'a-t-on dit, d'amener Jean Loup vivant à Épinal.

— C'est vrai.

— Si vous le permettez, j'essayerai de vous venir en aide.

— Oh ! de grand cœur ; mais comment ?

— D'abord, croyez-vous qu'il est là ?

— Il y est sûrement.

— Sur quoi appuyez-vous cette certitude ?

— À la naissance du jour, deux gendarmes l'ont aperçu.

— À quel endroit ?

— Là, répondit le sous-lieutenant, indiquant de la main une des saillies du rocher.

— En ce cas, il n'y a pas à en douter, il est là. On vous a dit, peut-être, que Jean Loup m'avait pris en grande amitié.

— Oui, mon lieutenant, ce qui ne l'a pas empêché...

— Oh ! je vous en prie !... interrompit Jacques.

Il essuya furtivement deux larmes et reprit :

— Je vais faire une tentative sans avoir grand espoir, je l'avoue, de réussir ; mais enfin... Vous allez, s'il vous plaît, donner à vos gendarmes l'ordre de se retirer ; ils se tiendront à distance, cachés.

L'ordre fut aussitôt donné, transmis et rapidement exécuté.

Alors, par l'escalier naturel que nous connaissons, Jacques Grandin grimpa au flanc du rocher et ne tarda pas à apparaître debout au bord de la plate-forme.

Après avoir promené son regard autour de lui, on l'entendit crier tout à coup, d'une voix sonore :

— Jean Loup ! Jean Loup ! hé, Jean Loup !

320/599

Les échos des rochers et de la forêt répétèrent : « Jean Loup, Jean Loup », et tout retomba dans le silence.

Jacques attendit deux ou trois minutes et cria de nouveau :

— Jean Loup ! Jean Loup ! viens donc, mais viens donc !

Cette fois, après le dernier écho, une voix forte, qui sortait des entrailles de la Bosse grise, répondit :

— Jacques ! Jacques !

— Il a reconnu ma voix, murmura le jeune homme.

Et il cria encore :

— Jean Loup ! Jean Loup ! viens, viens !

Un instant après, Jean Loup apparut au-dessous de la plate-forme sortant de l'espèce de tunnel qui conduit à la redoutable crevasse. On put le voir bondir sur les aspérités du rocher et arriver sur la plate-forme, prêt à jeter ses bras autour du cou de son ami. Mais Jacques avait fait, en arrière, un mouvement de répulsion, et, devant son regard sévère, Jean Loup s'arrêta étonné et tout interdit. L'éclair de joie qui illuminait son regard s'éteignit, et, dans ses yeux, Jacques crut voir rouler deux larmes.

— Jacques, prononça tristement Jean Loup.

Le lieutenant avait entrepris une tâche dont le plus facile, seulement, était fait ; il comprit que, s'il laissait Jean Loup s'éloigner de lui, il ne parviendrait plus à le rappeler. Coûte que coûte, il devait faire tout ce qu'il fallait pour livrer le malheureux aux gendarmes.

Alors, surmontant sa répugnance, faisant taire les cris révoltés de son cœur, il tendit sa main à Jean Loup.

Celui-ci ne put retenir un cri de joie ; il se précipita sur la main de son ami, du seul homme qu'il aimait, et la pressa contre ses lèvres. Il avait un sanglot noué dans la gorge.

— Viens, lui dit Jacques, descendons.

Jean Loup se redressa et lança dans toutes les directions un coup d'œil rapide.

Ne voyant plus rien qui fût de nature à l'inquiéter, il suivit Jacques sans défiance.

Au bas de la dernière marche de l'escalier, le lieutenant prit la main de Jean Loup et l'entraîna rapidement à une centaine de mètres plus loin. Ils étaient à une assez grande distance de la Bosse grise, pour que les gendarmes pussent facilement couper la retraite à Jean Loup.

– Jeanne, eau, dit tout à coup le sauvage.

Et, avec ses bras, il fit les mouvements d'une personne qui nage.

Jacques ne comprit pas ce que Jean Loup voulait lui exprimer. Il crut qu'il lui disait : « Jeanne s'est jetée à l'eau et s'est noyée ».

Il sentit en lui comme une agitation de fureur et cria :

– Gendarmes, en avant !

Ceux-ci s'élancèrent aussitôt des endroits où ils s'étaient cachés et marchèrent au pas de course vers le sauvage.

Jean Loup tressaillit : il était entouré. Devant lui, derrière lui, à droite, à gauche, partout des gendarmes.

On s'attendait à une vigoureuse résistance. Point. Au grand étonnement de tous, Jean Loup se laissa saisir sans faire seulement une tentative pour s'échapper.

On aurait dit que, par un admirable sentiment d'affection pour Jacques, il devait – celui-ci le livrant aux gendarmes – se résigner à subir sa destinée.

Mais il regarda son ami avec un étonnement profond et une expression de reproche tellement douloureuse, que Jacques Grandin se sentit troublé jusqu'au fond ce l'âme.

– Mon lieutenant, disait l'officier de gendarmerie, je n'oublierai jamais l'immense service que vous venez de me rendre.

– Emmenez-le, emmenez-le ! s'écria Jacques en proie à une vive agitation.

Et il s'éloigna rapidement.

Tout son être était bouleversé ; il se sentait honteux comme s'il venait de faire une mauvaise action.

Quelques heures plus tard, on savait à Mareille et dans toutes les communes voisines que Jean Loup était pris. On disait :

— C'est grâce au lieutenant Jacques Grandin ; il a trouvé le moyen de faire sortir Jean Loup de l'endroit où il se tenait caché et il l'a mis entre les mains des gendarmes.

— Une belle action de plus à ajouter aux brillants états de service de ce brave jeune homme, dit M. de Violaine à sa fille, comme ils montaient à cheval pour se rendre à Vaucourt chez la baronne de Simaise.

Une belle action !

Jacques Grandin pensait autrement que M. de Violaine.

VII

RÉVÉLATION INATTENDUE

C'était le quatrième jour après l'arrestation de Jean Loup ; Jacques Vaillant, appelé à la mairie, venait de sortir. Gertrude était occupée au grand nettoyage de sa batterie de cuisine. Jacques Grandin était seul dans sa chambre. Il écrivait.

Soudain, sa porte s'ouvrit, et Gertrude entra, visiblement émue. Elle s'approcha du jeune homme avec un air de mystère et lui dit :

— C'est mademoiselle Henriette de Simaise qui désire vous parler.

— Mademoiselle de Simaise ! fit Jacques surpris, en se dressant sur ses jambes ; mais je ne puis la recevoir ici, dans ma chambre.

— Pourquoi donc, monsieur Grandin ? dit la jeune fille, se montrant sur le seuil de la porte.

— Oh ! mademoiselle ! balbutia Jacques.

— J'ai besoin de causer un instant avec vous, monsieur, dit Henriette ; pour cela nous serons mieux dans votre chambre que dans une autre pièce de la maison.

— Puisque vous le voulez, mademoiselle...

Elle entra.

Gertrude sortit aussitôt et referma la porte. Jacques s'empressa d'avancer l'unique fauteuil de sa chambre. La jeune fille l'examinait avec un regard singulier.

— Vous êtes étonnée, mademoiselle, dit Jacques, de me voir dans ce costume ; vous vous attendiez à vous trouver en présence, non d'un paysan, mais d'un lieutenant de hussards.

— Le costume ne fait pas le mérite de l'homme, monsieur : mais, je l'avoue, je suis surprise.

— Quand le cœur souffre, mademoiselle, et qu'on porte le deuil du bonheur à jamais perdu, il faut éloigner de ses yeux toutes choses qui peuvent exciter un sentiment d'orgueil ou de vanité.

— Ah ! je comprends, monsieur, je comprends ! s'écria la jeune fille en lui tendant la main.

Mlle de Simaise était pâle et tremblante ; son regard paraissait troublé et inquiet ; mais ce qu'on y lisait le mieux, comme sur sa physionomie, c'était une tristesse profonde.

La poussière, qu'on voyait sur ses bottines d'étoffe et sa robe mal secouée, indiquait qu'elle était venue à pied de Vaucourt à Mareille.

Sur une nouvelle invitation du jeune homme, elle s'assit. Il se plaça en face d'elle et attendit respectueusement.

La jeune fille reprit :

— M. Jacques Vaillant, m'a dit sa gouvernante, est à la mairie.

— Oui, mademoiselle, mais Gertrude peut aller le chercher immédiatement, répondit vivement le jeune homme.

— C'est à vous seul que je veux parler, monsieur Grandin, et je suis contente, au contraire, que M. Jacques Vaillant soit absent.

Après une pause :

— Oh ! ne soyez pas étonné, continua-t-elle, et surtout ne vous hâtez pas de juger ma conduite quand vous saurez que je suis venue ici à l'insu de ma mère, en me cachant presque. Mme de Simaise est allée à Haréville ; j'ai profité de son absence pour m'échapper du parc par une porte ouverte sur la campagne. Oh ! c'est mal, je le sais, de tromper ainsi sa mère ! Mais il y a des choses que je ne peux pas lui dire... Et puis, monsieur, le motif qui m'a amenée près de vous plaide en ma faveur et ma conscience m'excuse.

— Mademoiselle, dit Jacques, je n'ai le droit ni de juger, ni de mal interpréter aucune de vos actions.

– Monsieur Grandin, je suis venue ici pour vous parler de Jean Loup.

– De Jean Loup ! exclama Jacques en faisant un bond sur son siège.

– Les gendarmes l'ont pris et l'ont emmené ; il est en ce moment enfermé dans une prison de la ville.

» C'était prévu, il fallait cela. Mais il n'a rien à craindre ; on ne peut rien contre lui ; la justice, si sévère et si impitoyable qu'elle soit, ne peut pas le condamner, c'est impossible. D'ailleurs, s'écria-t-elle avec un mouvement d'exaltation superbe, je suis là, moi, pour le défendre !

Le jeune homme était stupéfié.

– Monsieur Grandin, continua Henriette avec une émotion croissante, vous savez ce que Jean Loup a fait pour moi, il m'a sauvé la vie ! Vous savez ce qu'il a fait pour d'autres... Et on l'accuse, on l'accuse !... On l'accuse parce qu'il ne peut pas se défendre. Parce qu'il ne peut pas crier : « Je suis innocent ! ». On le déclare coupable ! Eh bien, je suis venue vous dire, à vous qu'il aime, à vous qui lui avez autrefois témoigné de l'amitié : Jean Loup est innocent !

– Vous seule prenez sa défense, mademoiselle.

– Parce que moi seule je puis la prendre. Mais tout à l'heure sous serez avec moi et vous rendrez à Jean Loup votre amitié.

» Monsieur Grandin, une erreur a causé la mort de la malheureuse Jeanne. Jean Loup a voulu la sauver, comme il a sauvé le jeune garçon de Blignycourt, comme il m'a sauvée, moi, Henriette de Simaise ; malheureusement, hélas ! la rivière était forte, prête à déborder, comme on a dû vous le dire, le courant rapide a entraîné la pauvre Jeanne et Jean Loup n'a pas pu la sauver.

– Mais ce que vous me dites là, mademoiselle, nul autre que vous ne le sait !

– C'est possible ; il faisait à peine jour et personne ne se trouvait là. Mais qu'importe ? Ce que je tiens à vous prouver, monsieur Grandin, c'est que Jean Loup n'est point coupable, et que Jeanne Vaillant, avant de mourir, n'a subi aucun outrage.

– Vous dites ! exclama Jacques, bondissant sur ses jambes, pâle, frémissant.

Puis, secouant tristement la tête :

— Il y a la lettre de Jeanne, dit-il, et dans le jardin, au bas de l'échelle, on a vu les empreintes des pieds nus.

— Monsieur Grandin, répliqua la jeune fille d'un ton énergique, cela prouve que Jean Loup, dans cette nuit terrible, a joué un grand rôle ; cela prouve, en en montrant la cause, la déplorable erreur de Jeanne. La malheureuse était troublée, presque folle d'épouvante ; elle sortait d'un long évanouissement. Elle a vu le chien étendu sur le parquet ; elle a vu Jean Loup. Elle n'a pu se rendre compte de rien, elle avait perdu la tête. Oh ! j'aurais été comme elle ! Et Jean Loup ne pouvait pas parler... Vous savez ce qu'elle a supposé, ce qu'elle a cru... Elle ne vit que l'abîme profond creusé sous ses pieds. Saisie par un violent désespoir, elle écrivit la lettre d'adieu à son père et s'enfuit aussitôt de la maison, suivie de près par Jean Loup, qui avait deviné son funeste dessein.

Le jeune homme, les yeux démesurément ouverts, tremblant de tous ses membres, haletant, respirant à peine, écoutait avidement chaque parole qui tombait des lèvres de Mlle de Simaise.

— Eh bien, monsieur, interrogea-t-elle, comprenez-vous, maintenant, comprenez-vous ?

— Pas encore, mademoiselle.

— Quoi ! vous ne devinez pas ?

— Je cherche.

— Une horrible nuit d'orage, une chaleur étouffante ; les éclairs déchirent le ciel, le tonnerre gronde avec des éclats épouvantables. La fenêtre de la chambre de Jeanne est ouverte derrière la jalousie baissée. Elle a éteint sa lumière. Elle dort. Un homme s'est glissé dans le jardin, il applique une échelle contre le mur, il grimpe, il entre dans la chambre. Le chien veut défendre sa maîtresse, l'homme le tue. Jeanne se réveille, elle pousse des cris perçants, appelle à son secours. Un troisième personnage se précipite dans la chambre ; c'est Jean Loup, c'est le sauveur ! Il n'était pas loin, il rôdait autour de la maison, il avait entendu les cris de la fiancée de son ami. L'autre, le... lâche, frappé d'épouvante à son tour, s'enfui par où il est entré. Monsieur Grandin, voilà la scène, voilà le drame !

— Et cela est vrai ? s'écria le jeune homme éperdu.

— Monsieur Grandin, répondit Henriette avec dignité, je ne serais pas venue ici pour vous raconter un mensonge.

— Oh ! Jeanne, Jeanne, ma pauvre Jeanne ! prononça Jacques d'une voix pleine de tendresse, les yeux levés vers le ciel.

Il y eut un assez long silence. Jacques reprit la parole.

— Mademoiselle, me permettez-vous de vous adresser une question ? demanda-t-il.

— Certainement, monsieur.

— Ces révélations que vous venez de me faire ?

— Eh bien, monsieur ?

— Comment ces choses ont-elles été portées à votre connaissance ?

Après un moment d'hésitation, elle répondit :

— C'est Jean Loup lui-même qui m'a tout appris.

— Jean Loup, mademoiselle, Jean Loup qui ne parle pas ?

— Avec des gestes, avec son regard expressif qui parlait, avec les mots « Jeanne », « Jean Loup » souvent répétés, il m'a tout dit. Il m'a fait comprendre le désespoir de Jeanne, il m'a fait voir comment il avait lutté en vain contre le courant de la rivière pour sauver la malheureuse. J'ai tout compris, monsieur, j'ai tout vu, comme si ces effroyables choses se fussent passées sous mes yeux !

— Ainsi, mademoiselle, vous êtes convaincue de l'innocence de Jean Loup ?

— Et vous, monsieur Grandin, est ce que vous n'y croyez pas, maintenant ?

— Vous avez fait passer en moi votre conviction, mademoiselle.

Le regard de la jeune fille eut un rayonnement de joie.

— Ah ! s'écria-t-elle avec une exaltation qui surprit Jacques, je savais bien qu'après vous avoir parlé vous seriez avec moi !

– Sans doute, mademoiselle, puisque je crois, comme vous, que Jean Loup a été faussement accusé ; mais qu'allons-nous faire ? Que dois-je faire, moi ?

– Monsieur Grandin, il me suffit, pour le moment, que vous soyez convaincu et que vous rendiez votre amitié au pauvre sauvage.

– Vous vous intéressez bien vivement à ce malheureux, mademoiselle !

Une rougeur subite monta au front de la jeune fille et elle baissa les yeux.

– Qu'est-ce que cela veut dire ? pensa le lieutenant.

Il reprit à haute voix :

– J'ai douté de Jean Loup, je l'ai cru coupable, je lui rends mon amitié, mademoiselle ; mais c'est faire peu pour lui quand il est en prison, accusé d'un crime qu'il n'a point commis.

– C'est vrai, répondit Henriette tristement ; mais nous devons attendre, oui, il faut attendre. M. de Violaine a des amis à Épinal et, à Paris, des personnages haut placés, on adoucira le sort du malheureux autant qu'il sera possible.

» Je suis contente, monsieur Grandin, oui, contente, heureuse qu'il ne soit plus dans la forêt. C'est grâce à vous que les gendarmes ont pu le prendre ; oh ! je ne vous en veux pas pour cela, vous avez bien agi... Voyons, est-ce qu'il pouvait vivre toujours ainsi, misérablement ? On l'instruira, on fera de lui un être civilisé, un homme comme les autres... Je dis plus, monsieur, Jean Loup deviendra un homme supérieur ! Il est bon, généreux, dévoué, intelligent, son cœur a tous les nobles sentiments ; oui, Jean Loup possède toutes les qualités qui font les hommes grands !

» Ah ! s'écria-t-elle avec une sorte d'enthousiasme, je le connais, moi, je le connais !

Cette fois, Jacques ne pouvait plus douter. Obéissant aux impulsions de son cœur, Henriette venait de se trahir.

– Pardonnez-moi mes paroles, mademoiselle, dit le jeune homme, mais on croirait vraiment que vous avez pour Jean Loup un sentiment caché qui est plus que la reconnaissance que vous lui devez.

Henriette se dressa debout d'un seul mouvement, en proie à une agitation extraordinaire, et regarda autour d'elle avec effarement.

329/599

– Ne soyez pas offensée, mademoiselle, continua Jacques ; j'ai cru devoir vous avertir qu'en parlant de Jean Loup comme vous le faites, vous pourriez faire supposer à d'autres...

– Que je l'aime, n'est-ce pas ?

– Mademoiselle... balbutia Jacques.

Elle s'approcha de lui.

– Monsieur Grandin, dit-elle d'une voix lente et grave, vous êtes un officier français, c'est-à-dire un homme de cœur et d'honneur, en qui on peut avoir une entière confiance. À vous je veux confier mon secret, ce secret qui me ronge, qui me torture, que je cache à tous, à ma mère surtout, comme la chose la plus épouvantable. Ah ! il me semble qu'après vous avoir dit cela, à vous, qui avait tant aimé Jeanne, je me sentirai soulagée... Eh bien, oui, monsieur Jacques, j'aime Jean Loup, le misérable sauvage !

Jacques, silencieux, la regardait tristement.

– Je l'aime, et lui aussi, le malheureux, il m'aime, continua-t-elle en portant ses mains devant sa figure. C'est honteux, c'est de la folie, c'est à souhaiter de ne plus exister ! C'est incroyable, n'est-ce pas, monsieur ? Et cela est, pourtant, cela est !... Ah ! si je vous plains de la perte de votre bonheur, monsieur Grandin, vous pouvez me plaindre aussi, car je suis bien malheureuse.

» J'ai bien vu que je manquais de fierté, de dignité, que je n'avais plus le respect de moi-même ; indignée, furieuse contre moi, j'ai voulu arracher de mon cœur cet amour fatal dont je rougissais, qui me faisait peur, je n'ai pas pu...

» Dès le début de la guerre, nous sommes parties, ma mère et moi, nous sommes allées loin, près de l'Espagne. Je m'étais dit : « L'éloignement, voilà ce qui m'est nécessaire ; là-bas, je trouverai des distractions ; ne le voyant plus, n'entendant plus parler de lui, je l'éloignerai de mes pensées ; je l'oublierai !... ». Eh bien, non. Je suis revenue à Vaucourt plus malade encore qu'auparavant ! Toujours, toujours il occupe ma pensée !

» Ma mère s'inquiète, elle m'interroge, et je n'ose pas lui répondre. On ne sait pas ce que je souffre de mettre sur mon visage le masque du mensonge, de dissimuler sans cesse, de paraître gaie et de sourire quand j'ai envie de pleurer ! Ah ! tenez, monsieur Grandin, c'est à croire que je suis l'objet d'une vengeance de Dieu !

Elle se tut. Ses joues étaient inondées de larmes. Pour la première fois de sa vie peut être, le jeune officier se trouvait réellement embarrassé. Certes, il aurait préféré entendre tout autre chose que cette étrange confidence de jeune fille, qu'il n'avait point sollicitée.

– Mon Dieu, mademoiselle, dit-il, je voudrais pouvoir vous rassurer, vous montrer votre situation moins triste, moins désespérée ; mais je ne sais que vous dire. Je crois, cependant, que vous exagérez beaucoup. Il me semble que vous vous trompez sur la nature de vos sentiments ; ce que vous croyez être de l'amour me paraît être, à moi, le sentiment d'une reconnaissance excessive.

Elle secoua tristement la tête.

– Monsieur Jacques, dit-elle, je vous ai éclairé ; j'avais ce devoir à remplir ; me voilà tranquille de ce coté. Maintenant, je vous quitte en vous disant non pas adieu mais au revoir.

– Pardon, mademoiselle, mais j'ai encore une question à vous adresser.

– Laquelle, monsieur ?

– Jean Loup est innocent, mais il y a un coupable ?

La pâleur de la jeune fille augmenta encore.

– Oui, il y a un coupable, murmura-t-elle.

– Pouvez-vous me dire ?...

– Rien, monsieur Jacques, interrompit-elle, visiblement troublée ; Jean Loup, seul, plus tard, quand il parlera, pourra peut-être désigner l'homme inconnu ; s'il le connaît, il le dira.

» Au revoir, monsieur Jacques, continua-t-elle, laissant tomber sa petite main tremblante dans celle du jeune homme, au revoir ; je tiens à être rentrée au château avant le retour de ma mère.

Elle essuya rapidement ses yeux et son visage, fit de la tête un signe d'adieu à Jacques et sortit de la chambre.

Le jeune homme se laissa tomber sur son siège.

– Oh ! Jeanne, Jeanne ! gémit-il.

Et, la tête dans ses mains, il se mit à pleurer.

VIII

DEUX LARMES

Comme onze heures sonnaient à l'horloge de la paroisse de Blaincourt, un homme, vêtu ainsi qu'un paysan lorrain en voyage : pantalon de drap à grands carreaux, brodequins ferrés, chapeau de feutre gris à larges bords, chemise de calicot écru, blouse de toile bleue luisante, avec piqûres blanches aux poignets, aux épaules et autour du col, s'arrêtait sur la petite place de la commune, près de la fontaine, les yeux tournés vers l'auberge, toujours tenue par Claude Royer et Marie-Rose, son épouse.

L'homme dont nous parlons arrivait à pied de Verzéville où il avait été amené par la voiture des dépêches.

Après avoir eu l'air de se consulter un instant, il entra dans l'auberge, et à Marie-Rose, qui s'avança en lui demandant ce qu'il désirait il répondit :

– J'ai faim ; donnez-moi quelque chose à manger, n'importe quoi, ce que vous avez, je ne suis pas difficile.

La femme lui ayant montré une table près de laquelle il s'assit, elle s'empressa de le servir.

Or, pendant qu'il mangeait avec un appétit qui faisait grand plaisir à Marie-Rose, laquelle avait la prétention d'être un parfait cordon bleu, celle-ci regardait curieusement les mains de son client. Elle se disait :

– Ce monsieur a les mains bien petites et bien blanches pour un paysan des Vosges.

L'étranger surprit sa pensée dans son regard.

– Vous êtes la maîtresse ? lui demanda-t-il.

– Oui, monsieur.

– Et vous vous nommez ?

– Marie-Rose, femme de Claude Royer, pour vous servir, monsieur.

– Je devine pourquoi vous regardez ainsi mes mains, Marie-Rose ; vous vous dites, n'est-il pas vrai, que je n'ai point tout à fait l'air d'un paysan ?

Marie-Rose Royer ne put cacher combien elle était confuse.

– Si vous étiez une femme discrète, poursuivit l'étranger, je vous dirais volontiers ce qui m'amène à Blaincourt.

– Est-ce que monsieur a entendu dire que Marie-Rose Royer est une bavarde, toujours prête à répéter à tout venant ce qu'elle entend chez elle ?

– Non, on ne m'a point parlé ainsi de vous.

– J'ai aujourd'hui cinquante-deux ans, monsieur ; je ne suis pas arrivée à mon âge sans avoir appris à tenir ma langue, sans savoir qu'il faut parler le moins possible et ne dire jamais que ce qu'il faut dire.

– Alors, fit l'étranger, en souriant, je ne risque rien de vous faire ma petite confidence. Écoutez donc : J'en conviens avec vous, je ne suis pas un paysan, j'ai pris ce vêtement, d'abord parce qu'il me plaît de voyager habillé ainsi, et ensuite pour ne pas être trop remarqué par les gens curieux qui veulent toujours savoir le pourquoi de ceci, de cela et du reste.

– Je comprends, monsieur.

– J'habite à Paris, je suis un écrivain ou si vous aimez mieux, un homme qui écrit.

– Vous faites des romans ?

– Non, je ne suis pas romancier ; mais, par plus d'un côté, ce que j'écris touche au roman. Je me suis donné la tâche de rechercher et de recueillir, dans tous les pays de France, les récits de crimes plus ou moins mystérieux, dont les auteurs sont restés inconnus.

– Ah ! vraiment !

– J'ai appris qu'un crime, dans le genre de ceux que je cherche, a été commis ici, à Blaincourt, il y a dix-sept ou dix-huit ans.

– L'homme inconnu jeté dans le Frou, sa jeune femme morte le même jour, après avoir mis au monde une belle petite fille ?

– C'est cela même.

– Par exemple, monsieur, vous ne trouverez rien de pareil dans aucun autre pays. C'est là qu'il y en a du mystère ! C'est ici, monsieur, chez nous, que les pauvres gens étaient venus loger ; c'est dans la chambre au dessus de nos têtes que la petite fille est née, que sa mère est morte. Voyez-vous, je me rappelle cela comme si c'était d'hier, et quand j'y pense, je sens encore le frisson qui me court dans le dos.

– Il y a à Blaincourt un vieil homme, un mendiant...

– Vous voulez parler de Louis Monot, autrement dit le père La Bique.

– Oui. Existe-t-il toujours ?

– Je crois bien ! Depuis que le père La Bique est le plus misérable des misérables, il se porte comme un charme.

– Le père La Bique, comme vous l'appelez, va loin avec son bâton à la main et sa besace à son côté ; il pourra, m'a-t-on dit, me raconter des choses fort intéressantes au sujet du crime de Blaincourt.

– Le père La Bique ne vous racontera rien de plus que ce que je puis vous dire moi-même, répliqua Marie-Rose un peu piquée.

Et s'asseyant sans façon en face de l'étranger, elle se mit à lui faire le récit des dramatiques événements.

Son auditeur l'écouta gravement, sans témoigner la moindre impatience et sans avoir l'air d'être parfaitement au courant déjà de ce qui s'était passé.

– Comme vous le voyez, monsieur, ajouta Marie-Rose, après avoir parlé pendant une bonne demi-heure, vous n'avez pas besoin d'aller vous renseigner auprès du père La Bique.

– C'est vrai, madame Claude Royer ; cependant je ferai tout de même une visite au vieux mendiant ; sans doute il ne m'apprendra rien de plus : mais ce ne sera pas de trop pour moi, afin de le bien graver dans ma mémoire, d'entendre une seconde fois le récit terrible et touchant que vous venez de me faire avec une si bonne grâce.

– Monsieur sait mieux que moi ce qu'il doit faire.

L'étranger se leva et prit son chapeau.

– Ayez l'obligeance de me dire, madame, où je pourrai trouver Louis Monot.

– Dans sa cabane certainement, monsieur, car quand il ne va pas mendier de village en village, il s'éloigne rarement de sa demeure ; comme je l'ai vu ce matin, je sais qu'il n'est pas en tournée. Vous allez prendre la rue à droite, en face la fontaine, et vous arriverez au Frou ; vous suivrez le bord de la rivière jusqu'au moulin et même un peu plus haut ; alors vous verrez la cabane du vieux, couverte avec des joncs de la rivière.

– Je vous remercie, madame Marie-Rose ; ainsi renseigné, je trouverai facilement.

– Vous ne pouvez pas vous tromper.

– À ce soir, madame.

– Coucherez-vous à Blaincourt ?

– Je ne sais pas encore, dans tous les cas vous me préparerez une chambre.

– Je suis bien votre servante, monsieur.

Le voyageur enfonça son chapeau sur sa tête et sortit.

Le vieux mendiant se chauffait au soleil, couché contre le mur de sa cabane, sur un amas de roseaux secs, lorsqu'il vit l'étranger se diriger de son côté. Quand celui-ci ne fut plus qu'à quelques pas de lui, il se souleva, s'assit sur sa litière et examina le visiteur d'un œil soupçonneux et défiant.

– Vous êtes monsieur Louis Monot ? lui dit l'étranger, s'arrêtant devant lui.

– Oui. Après ? répondit-il d'un ton brusque.

– Je viens vous voir et causer un instant avec vous.

Le mendiant jeta un regard oblique sur l'inconnu.

– Me voir ? fit-il. Eh bien, vous me voyez. Quant à causer, c'est autre chose ; il faut que ça me plaise.

– Il paraît, monsieur Louis Monot...

– Oh ! c'est pas la peine de me donner du monsieur, interrompit-il en dévisageant l'étranger, vous pouvez m'appeler Monot, tout court, ou bien le père La Bique, puisque c'est ainsi qu'on me nomme à présent.

– Il paraît, père Monot, que je ne vous inspire pas beaucoup de confiance.

– Je ne dis pas ça, répliqua vivement le bonhomme, car vous avez une bonne et honnête figure.

– Alors vous ne refuserez pas de m'accorder un moment d'entretien.

– Ça dépend. D'abord, qu'est-ce que vous avez à me dire ?

– Pour commencer, père Monot, j'ai à vous dire que vous pouvez me rendre un immense service.

– Hein ! le père La Bique peut vous rendre un service ?

– Oui.

– C'est drôle !

– Oui, père Monot, vous pouvez, comme je viens de vous le dire, me rendre un immense service.

– Comment ça ? Voyons ?

– En me donnant des renseignements que je cherche et que j'espère trouver près de vous.

Le mendiant fit cligner ses yeux.

– Sur quelle affaire ? sur quelle chose ? demanda-t-il.

– Sur le crime mystérieux qui a été commis à Blaincourt il y a dix-huit ans.

– Tiens, vous avez donc besoin de savoir ça, vous ? fit le mendiant, jetant sur l'étranger un regard scrutateur.

– Oui, père Monot, j'ai besoin de savoir, de tout savoir.

– Eh ! je ne savais pas encore que les paysans de Lorraine fussent si curieux ! Mais qu'importe, ça m'est égal. Pourtant, je peux bien vous dire que ce n'était pas la peine de venir jusqu'ici pour ça. Tout le monde à Blaincourt pourrait vous conter la chose aussi bien et même mieux que moi.

– Père Monot, ce qu'on pouvait me raconter au village, je le sais. Je vais vous parler franchement, sans détour ; ce que je tiens à savoir, c'est ce que vous seul pouvez m'apprendre.

– Je ne sais rien de plus que ce que tout le monde sait.

– Père Monot, pourquoi n'êtes-vous pas franc avec moi ? Vous savez, au sujet de l'affaire en question, des choses restées inconnues, que vous n'avez pas révélées, vous seul savez pourquoi ; père Monot, vous possédez un secret !

– Qui vous a dit cela ? s'écria le mendiant.

Et il se dressa debout.

– Un jeune homme de Mareille, appelé Jacques Grandin.

– Ah ! le bavard ! fit le père La Bique.

– Vous avez dit à ce jeune homme : « Un jour je vous raconterai certaines choses au moyen desquelles vous parviendrez peut-être à retrouver la famille de Jeanne Vaillant, votre fiancée. »

– C'est vrai, je lui ai dit cela.

– Eh bien, père Monot, ces choses, ce secret, qui est enfermé dans votre cœur, j'ai le plus grand intérêt à le connaître. Ah ! je vous en prie, parlez, parlez !

– D'abord, monsieur, qui êtes-vous ?

– Je me nomme Lagarde.

– Lagarde, Lagarde, ça ne me dit pas grand chose.

– Jacques Grandin est mon ami.

– Où l'avez-vous connu ?

– Devant l'ennemi.

– Il a bien marché, le garçon ; j'ai appris hier qu'il était officier.

– Oui, lieutenant de hussards.

– Et qu'on lui a donné la croix.

– Tout cela est vrai.

– Vous étiez donc soldat aussi, vous ?

– Oui.

– Ah ! Maintenant, voyons un peu : si je vous disais ce que je sais, qu'est-ce que vous en feriez ?

– Ce que j'en ferais ? Ah ! père Monot, si votre révélation contient seulement la dixième partie des choses que je suppose, vous aurez jeté la clarté dans la nuit profonde au milieu de laquelle je marche ! Alors, grâce à vous, je retrouverai peut-être deux personnes que je cherche.

– Ces deux personnes sont donc de la famille de ceux qui sont morts ?

– Oui.

– Qu'est-ce que vous gagnerez à les retrouver ?

– Mais je vous l'ai dit, les retrouver est pour moi une chose capitale, du plus haut intérêt, c'est le but de ma vie ! Parlez, père Monot, je vous en supplie, parlez !

Le mendiant secoua la tête.

– Mon bon monsieur, fit-il, je ne vous connais pas ; vous me parlez de vos intérêts, qu'est-ce que vous voulez que ça me fasse à moi ?

— C'est vrai, je vous suis inconnu, mais vous connaissez le lieutenant Grandin, mon ami.

— Je ne vois pas en quoi tout cela peut intéresser le garçon.

— Pourtant, père Monot, c'est aussi dans son intérêt que je vous supplie de parler.

— Jacques n'a plus besoin de connaître la famille de la demoiselle.

— Parce que ?

— Parce que le garçon n'a plus de fiancée ; la demoiselle est morte !

— Rien ne le prouve.

— Hein ?

— A-t-on retrouvé son cadavre dans la rivière, dites, l'a t-on retrouvé ?

— Non, mais...

— Donc, il n'est pas suffisamment démontré qu'elle se soit noyée...

Le vieux secoua la tête.

— La pauvre petite est bien morte, allez, répondit-il tristement ; la rivière était haute, le courant furieux, les moulins avaient tous hissé leurs vannes ; le corps a été entraîné loin, loin, jusque dans la Saône.

— C'est ce qu'on a dit.

— Malheureusement, c'est la vérité.

— Père Monot, vous parleriez donc si vous étiez convaincu que Jeanne existe ?

— Oh ! pas sûr.

— Mais rien ne peut donc vous émouvoir, avoir raison de votre opiniâtreté ! s'écria M. Lagarde. Qu'avez-vous à craindre, dites ? Voyons, je vais vous parler autrement : vous mendiez ; à votre âge c'est dur.

– À tout âge, monsieur ; oui, le métier n'est pas précisément amusant, mais je m'y suis habitué, on se fait à tout ; je vais de ci, de là, ça me promène...

– On peut ne pas mendier et se promener tout de même, père Monot. Quel prix mettez-vous à votre secret ? Vous aurez ce que vous demanderez, une petite fortune, qui mettra vos vieux jours à l'abri du besoin.

– Dites donc, monsieur, pour un bon paysan de Lorraine, vous parlez bien facilement de donner la fortune.

– Hé ! vous savez bien que je ne suis pas un paysan, répliqua M. Lagarde avec un léger mouvement d'impatience ; si je vous offre l'aisance, c'est que je le peux.

Il plongea sa main dans une de ses poches et la retira pleine de pièces de vingt francs.

– Tenez, dit-il, voilà de l'or ; c'est un acompte, prenez.

Le mendiant repoussa doucement la main.

– Gardez votre or, monsieur, dit-il ; on n'a plus besoin de çà quand on arrive à ses derniers jours... Posséder de beaux louis jaunes comme ceux-là, c'est bon quand on est jeune et qu'on a des espérances.

– Oh ! raillerie amère ! s'écria M. Lagarde, vous parlez d'espérances, et vous m'enlevez celle que j'avais en venant vers vous !

Et deux larmes jaillirent de ses yeux. Le mendiant les vit, ces deux larmes.

– Père Monot, reprit M. Lagarde d'une voix vibrante d'émotion, vous avez été marié, vous avez eu des enfants ; au nom de votre femme qui n'est plus et que vous avez beaucoup aimée, je le sais ; au nom de sa mémoire qui vous est toujours chère, au nom de tout ce que vous avez chéri...

– Assez, monsieur, assez, interrompit le père La Bique en se redressant ; au nom de ces deux larmes, que je vois couler sur vos joues, je vais tout vous dire !

IX

CE QUE RACONTE LE PÈRE LA BIQUE

Le vieux mendiant entra dans sa cabane et reparut aussitôt avec deux escabeaux de bois probablement fabriqués par lui.

— Nous serons mieux ici que dans mon taudis pour causer, dit-il. Asseyons-nous à l'ombre de mon pommier. Ce bout de champ, la cabane que j'ai construite le mieux que j'ai pu, et l'arbre, voilà mon domaine. Si je n'ai pas d'ennemis dans le pays, je n'y possède pas d'amis non plus ; soyez tranquille, monsieur, nul ne viendra nous déranger.

Ils s'assirent, tournant tous deux le dos au soleil.

— Jacques Grandin vous a-t-il raconté tout ce qu'il sait de l'affaire ? demanda le vieillard.

— Oui. Et tout à l'heure, la femme de Claude Royer m'a fait le même récit, en y ajoutant quelques menus détails que j'ignorais.

— Marie-Rose a une excellente mémoire, elle vous a certainement mieux renseigné que je ne pourrais le faire, puisqu'elle a assisté la petite dame à ses derniers moments.

» Vous savez donc que l'enquête des magistrats a découvert que deux hommes, lesquels sont restés inconnus, devaient être les auteurs du crime. Ça c'est vrai, ils étaient deux et même trois. Vous êtes passé devant le moulin en venant ici ?

— Oui.

— Un peu plus haut, avez-vous remarqué une passerelle ?

— Parfaitement.

— C'est toujours la même, sauf les planches qui pourrissent et qu'on remplace. Eh bien, monsieur, c'est du haut de cette passerelle que le voyageur inconnu a été précipité dans le Frou par un des hommes qui l'attendait là. J'ai tout vu. Je n'étais pas loin de la passerelle, de ce côté-ci de la rivière. Il faisait cette nuit-là une tempête du diable ; un coup de vent avait emporté mon chapeau et je le cherchais dans l'obscurité quand mon attention fut attirée par un bruit de pas d'hommes. C'était la victime amenée par un des complices. Voilà comment j'ai été, par hasard, témoin du crime. Comme vous le voyez, c'est avec raison qu'on a dit que le noyé avait passé sous une des roues du moulin.

» Mais voici une chose qu'on ne sait pas : Au moment où la victime et celui qui la conduisait arrivaient près de la passerelle, la lumière d'une lanterne, se montra tout à coup de l'autre côté de l'eau, dans la direction du parc du vieux château. Le crime accompli, les deux assassins détalèrent et la lumière s'éteignit.

— Père Monot, pourquoi n'avez-vous pas dit cela tout de suite à la justice ? Peut-être votre déposition lui aurait-elle permis de pénétrer le mystère.

— Je n'ai rien dit aux magistrats parce que je n'ai pas voulu : ce n'était pas mon idée.

— Soit, continuez, je ne vous interromprai plus.

— Donc, je ne dis rien, je gardai pour moi ce que je savais. Mais il y avait cette sacrée lanterne qui me tarabustait. Inutile de vous dire que je cherchai à m'expliquer, dans ma tête, la présence de la satanée lumière au moment du crime. Bien sûr elle n'était pas là pour éclairer la passerelle. Mais, comme je ne pouvais pas supposer que ce fût une étoile descendue du firmament et suspendue par un fil, je conclus qu'il y avait un troisième complice, lequel avait pour mission d'attirer à lui la victime, en lui faisant traverser le Frou sur la passerelle.

» La lettre écrite au voyageur, portant la signature fausse d'un brave homme de Blaincourt, parlait d'un rendez-vous mystérieux, avec un individu qu'on ne nommait point. Cela m'expliqua la présence de l'homme à la lanterne de l'autre côté de la rivière ; il avait été l'appât tendu au malheureux.

» Mais toutes les maisons du village sont sur la rive droite du Frou ; il n'y a absolument sur la rive gauche que le vieux château. Je mis mon faible esprit à la torture afin de comprendre pourquoi on avait donné le rendez-vous, là, où il n'y a la nuit âme qui vive, plutôt que partout ailleurs.

» — Parbleu, me disais-je, pour faire monter la victime sur la passerelle et la jeter dans l'eau par un bon coup d'épaule.

» Mais cela ne me satisfaisait point ; car, si peu qu'il connût la localité, le voyageur devait savoir qu'il y avait seulement le château de l'autre coté de l'eau.

» Bref, j'en arrivai à me dire :

» — Voyons, voyons, est-ce que le père Grappier, cet ours mal léché, qui est le gardien du vieux château, aurait joué dans cette affaire un rôle de scélérat ?

» Je résolus de savoir à quoi m'en tenir. Je veux bien vous avouer, monsieur, que j'étais alors très curieux, et que je le suis encore un peu aujourd'hui.

» Je cherchai à me faire bien voir du père Grappier, à l'amadouer, à attirer sa confiance, enfin à jouer près de lui le rôle d'un ami, en flattant ses goûts, en paraissant convaincu que, sous tous les rapports, il était un homme bien supérieur à moi.

» — Un jour qu'il sera ivre de vin ou d'eau-de-vie, me disais-je, je le ferai babiller.

» Je parvins à capter sa confiance ; mais je vous assure, monsieur, que ce fut long et difficile. Ce vieux coquin, qui sortait on ne sait d'où, du bagne probablement — je puis parler de lui à mon aise aujourd'hui qu'il n'existe plus — n'était guère plus facile à aborder qu'une bête féroce dans sa tanière... Quand on l'approchait il roulait des yeux farouches, qui donnaient la chair de poule ; quand on avait la hardiesse de lui parler et qu'il voulait bien répondre, c'était par des paroles rauques, incompréhensibles souvent, qu'on aurait pu prendre pour le grognement d'un ours en colère.

» Tel était le gardien du château, un vrai cerbère, comme vous voyez, bien qu'il n'eut qu'une seule tête ; mais une tête si laide, si repoussante, qu'elle pouvait bien compter pour trois.

» Le château, qui appartient à M. Morandot, un richissime banquier, était abandonné aux hiboux et aux lézards depuis de longues années, lorsqu'il fut loué un jour par des gens inconnus, lesquels investirent le père Grappier des doubles fonctions de portier et de régisseur.

» J'arrivai donc à être l'ami, l'unique ami du vieux cerbère. Il me recevait avec plaisir et ne dédaignait pas de me faire, de temps à autre, une petite visite. Il me parlait de ses prouesses de jeune homme, de Paris, de Londres, où il avait habité, de ses longs voyages, mais il ne prononçait jamais un mot touchant les choses que je tenais à savoir. Si je le questionnais au sujet de ceux qu'il servait, il restait muet comme ce morceau de bois piqué en terre. Je le vis souvent gris, je puis dire ivre, n'ayant plus sa raison ; eh bien, même alors, il se renfermait dans son mutisme absolu. Mais plus je rencontrais de difficulté à satisfaire ma curiosité, plus je mettais d'acharnement à découvrir ce que le vieux me cachait.

» Mais voyez-vous, monsieur, j'en aurais été certainement pour mes frais, si, au moment où je m'y attendais le moins, et parce qu'il le voulut ainsi, le père Grappier ne m'eût appris une bonne partie des choses qu'il connaissait.

» Voici comment cela arriva :

» Un soir, le vieux vint me rendre visite.

» – Je ne me sens pas à mon aise, me dit-il ; mais je t'avais promis de venir, me voilà.

» J'avais dans une bouteille un restant de vieux marc ; je lui en versai la moitié d'un verre. Il en avala une gorgée.

» – Ah ! ah ! fit-il, ça me réchauffe l'intérieur, ça me fait du bien.

» À petits coups il vida son verre. Nous causâmes peu ; il était triste, sombre ; il me répondait à peine. À onze heures, quand il voulut s'en aller, il ne put mettre un pied devant l'autre.

» – Tonnerre ! fit-il, je crois bien que, cette fois, je vais passer l'arme à gauche.

» Je l'aidai à se déshabiller et le couchai dans mon lit. Moi, je restai debout toute la nuit, le soignant de mon mieux. Le lendemain matin il était beaucoup plus mal.

» – Veux-tu que j'aille chercher le médecin ? lui demandai-je.

» – Va, si tu veux, me répondit-il.

» Le médecin vint et prescrivit je ne sais plus quel remède.

» – Je ne vois pas qu'il y ait grand chose à faire, dit-il ; votre ami a le corps brûlé par les alcools ; il peut s'éteindre d'un moment à l'autre comme une lampe qui n'a plus d'huile.

» Le médecin n'avait pas parlé bien haut, mais Grappier, qui avait l'oreille extrêmement fine, entendit.

» – Qu'est-ce qu'il t'a dit, le croque-mort ? me demanda-t-il après le départ du docteur.

» – Il m'a dit que je devais te soigner et que tu irais mieux demain.

» – Je n'aime pas qu'on me blague, La Bique ; va, je sais bien que je suis foutu.

» J'essayai de rire. Il m'interrompit brusquement.

» – Le médecin t'a dit : « il est perdu », j'ai entendu.

» – Soit, mais tu sais bien que les médecins sont des ânes.

» – Possible ; mais, vois-tu, je me sens. La Bique, j'ai de l'amitié pour toi ; un autre m'aurait jeté à la porte comme un chien galeux, toi tu m'as mis dans ton lit, tu m'as soigné... La Bique, veux-tu faire le curé ?

» – Hein, le curé ?

» – Oui.

» – Je ne comprends pas.

» – Tu es donc bien bête, La Bique ?

» – Explique-toi.

» – Suppose que je veuille faire comme qui dirait ma confession.

» – Ah !

» – Eh bien ! tu t'assiéras là, près du lit, et je te raconterai quelque chose. Avant, donne-moi une goutte de ta bonne eau-de-vie.

» Je vidai le reste de la bouteille dans un verre, que je lui mis dans la main. Il but la liqueur d'un trait.

» – Maintenant, assieds-toi. Y es-tu ?

» – Oui.

» – Alors, écoute, curé La Bique.

» Maintenant, monsieur, voici autant que je vais pouvoir me le rappeler, ce que me dit le père Grappier :

» – Je suis un misérable, un affreux gredin, je le sais ; mais, que veux-tu, on n'est pas toujours ce qu'on aurait voulu être, enfin je me console en me disant qu'il en existe pas mal d'autres sur la terre qui sont encore bien plus canailles que moi.

» Si tu crois que je vais te raconter mon histoire du commencement à la fin, tu te trompes ; il y a dans ma vie un tas de choses que je ne veux pas dire. Pourtant, pour toi, afin de te distraire et aussi parce que ça va m'amuser de te dire ça, je vais prendre dans le tas et te raconter une histoire vraie, bien qu'elle ressemble à un conte genre Barbe-Bleue.

» Il y a de cela une dizaine d'années, j'étais en train de crever de misère à Paris, dans un chenil d'hôtel de la rue du Grenier Saint-Lazare. Un matin, un camarade vint me trouver. Il me dit :

» – Il paraît, l'ancien, que tu as une fière réputation parmi les gens huppés ; le grand chef, le maître, celui dont on ne sait pas le nom, qu'on ne voit jamais, a entendu parler de toi ; bref, je viens te trouver, envoyé par un chef, pour te demander s'il ne te plairait pas de devenir intendant d'un château.

» Comme tu le penses bien, La Bique, je ne refusai pas l'aubaine.

» Pas plus tard que le lendemain le camarade vint me prendre et nous voilà en route pour arriver bientôt au vieux château de Blaincourt. Le camarade me fit entrer dans la cambuse, qui avait été autrefois la demeure du portier, et me dit :

» – Voilà ton logement. Le lit est bon, tu as une armoire pour serrer tes frusques et deux chaises pour t'asseoir.

» Ça n'était guère cossu pour un intendant, mais un fonctionnaire de mon espèce n'est jamais difficile.

» – Maintenant, reprit le camarade, voici la consigne actuelle jusqu'à ce qu'il t'en soit donné une autre : tu dois être muet comme si l'on t'avait coupé la langue.

» La recommandation était assez cocasse, vu que j'aurais été bien embarrassé pour dire ce que je ne savais point.

347/599

» Le camarade, en me quittant pour retourner à Paris, me laissa deux cents francs.

» Naturellement, j'avais en mains toutes les clefs du château. Mon premier soin fut de visiter l'immeuble de mon intendance. De vastes pièces puant le moisi, avec des plafonds crevassés, troués, des boiseries pourries, le délabrement le plus complet, quoi. D'ailleurs, pas l'ombre d'un meuble. Cependant, dans la partie la plus reculée de cette vieille ruine, je trouvai deux chambres contiguës assez convenablement meublées. Dans chaque chambre il y avait un lit avec des draps blancs, des chaises, un fauteuil, une armoire et une commode-toilette. Tout cela était propret, mais on voyait que c'était du retapé, acheté au rabais chez quelque bric-à-brac. N'importe, je compris que je n'allais pas vivre seul longtemps au siège de mon intendance. Les deux chambres et surtout les deux lits m'annonçaient au moins deux locataires.

» Dans la grande cuisine on avait mis aussi quelques ustensiles : poêlons, casseroles, etc... On allait donc faire la popote. Je me léchai d'avance les babines. Je descendis dans les caves, des caves superbes, mais vides. Il n'y eut qu'un caveau où je ne pus pas entrer, n'en ayant point la clef ; c'est là qu'était enfermée la provision de vin pour plus tard.

» Au bout de cinq jours le camarade revint. Il était nuit et j'allais me coucher, n'ayant rien de mieux à faire.

» — Attention ! me dit-il, on t'amène cette nuit deux pensionnaires ; celui qui les accompagne est un gaillard devant lequel il ne faut pas broncher ; donc, attention !

» — Est-ce le maître ? demandai-je.

» — Es-tu fou, me répondit-il, tu sais bien qu'on ne voit jamais le maître.

» — Enfin, c'est un chef ?

» — Probable.

» — Comment se nomme-t-il ?

» — On ne sait jamais les noms des chefs. À ce sujet, je te donne un avis : il est dangereux d'être trop curieux dans la compagnie à laquelle tu appartiens. Quand on ne te dit pas d'écouter et de regarder, tu ne dois ni entendre, ni voir. Tu as compris ?

» – Oui.

» – À bon entendeur, salut !

» À deux heures après minuit, par un affreux temps noir, fait exprès par le diable, et un vent à décorner les bœufs, mes deux pensionnaires arrivèrent ; c'étaient deux femmes. L'une grande, forte, encore jolie, pouvait avoir trente-cinq ans : je devinai tout de suite qu'elle venait avec l'autre pour lui tenir compagnie et la servir. Celle-ci était beaucoup plus jeune que la première ; elle n'avait certainement pas plus de vingt ans. Elle était aussi moins grande que l'autre, mais une taille, une taille... faite au tour, quoi. Quoique très pâle, ayant les yeux égarés et l'air maladif, c'était la plus ravissante créature qu'on pût voir. Une merveille, La Bique, une merveille !

À ce moment, M. Lagarde s'agita sur son siège avec un malaise visible.

– Est-ce que ça vous ennuie, monsieur ? demanda le mendiant.

– Non, père Monot, non, je vous écoute au contraire avec la plus vive attention ; continuez, continuez.

» Je n'ai pas à te faire, mon vieux La Bique, le portrait de l'individu qui m'amenait les deux femmes. Je ne suis pas beau, n'est-ce pas ? Eh bien, il était encore plus vilain que moi. Il me regarda avec ses petits yeux gris, froids et perçants comme une lame, et moi, un dur à cuire, j'eus si peur que je sentis mon sang se figer dans mes veines.

» Mais passons. Quand les dames furent installées dans les chambres, l'homme terrible vint me retrouver dans ma niche.

» – Je sais que tu es discret, me dit-il de sa voix rude ; quand tu ne veux pas parler, un poignard piquant ta poitrine ou un fer rouge sur ton front ne te ferait pas remuer la langue ; on te connaît depuis longtemps ; on sait que tu as fait tes preuves ; c'est pour cela qu'on t'a placé ici. Tu es le gardien de ce château ; nul n'y doit entrer, aucun être humain ne doit s'en approcher. Il faut que tu sois un dogue à l'attache ; si ce n'est pas assez que tu sois un chien toujours prêt à mordre, sois un loup, une panthère, jaguar ou n'importe quelle autre bête féroce.

» – Tu as un défaut : tu bois et tu t'enivres ; mais quand tu es ivre, tu es plus cruel que jamais et ta férocité n'a plus de bornes. Dans ces conditions, ton défaut est une qualité pour ceux que tu sers. Tu pourras donc te livrer à ta passion d'ivrogne, et boire autant que tu voudras, car l'argent ne te manquera point.

» – Mais prends garde ! avec nous, la faute la plus légère est une trahison, un crime. Si tu laisses échapper seulement un mot que tu aurais du garder ou si tu manques de vigilance un seul instant, un poignard enfoncé dans ta gorge sera ta récompense. Si, au contraire, tu es dévoué et fidèle, tu recevras dix mille francs quand ta mission ici sera terminée.

» Il me mit quelques pièces d'or dans la main, puis, suivi de mon camarade, il monta dans la voiture qui attendait, et, bientôt tous deux disparurent. Je compris qu'ils ne tenaient pas à se faire voir dans le pays. Dès le lendemain, je compris également, et avec facilité, que la jeune dame était séquestrée, et que mes pompeuses fonctions d'intendant se réduisaient à être le gardien d'une prison.

» Bien que je ne visse presque jamais ma jeune pensionnaire, que sa compagne, également sa gardienne et sa geôlière, laissait rarement sortir de sa chambre, je ne tardai pas à savoir qu'elle était enceinte de plusieurs mois, et que, chose bien triste, elle était folle.

M. Lagarde laissa échapper une exclamation rauque. Livide, la figure décomposée, il ressemblait à un malheureux à l'agonie.

– Monsieur, monsieur ! s'écria le père La Bique, vous vous trouvez mal !

Ces paroles ranimèrent subitement M. Lagarde.

– Non, ce n'est rien, dit-il en se redressant ; mais voyez-vous, père Monot, votre récit est terrifiant.

Cet homme était tellement maître de lui, quand il le voulait, qu'il n'y avait déjà plus aucune trace d'émotion sur son visage.

– Si vous le voulez, monsieur, reprit le vieux mendiant, je ne vous en dirai pas davantage.

Les yeux de M. Lagarde étincelèrent.

– Dussé-je mourir d'épouvante et d'horreur en entendant ce que vous allez me dire, s'écria-t-il, je vous écouterai jusqu'au bout !

X

UNE CLARTÉ DANS L'OMBRE

Le père La Bique continua :

– Inutile de vous dire, monsieur, que c'est toujours, étant étendu sur mon lit, le père Grappier qui parle.

» La pauvre petite dame avait perdu la raison à la suite de je ne sais quelle catastrophe ; je n'ai jamais su le fin mot de l'affaire.

» Un beau jour ou plutôt au milieu d'une belle nuit étoilée, ma folle mit au monde un gros poupon du sexe masculin.

– Un fils ! exclama M. Lagarde, incapable de se contenir.

– Oui, monsieur, c'était un garçon.

– Continuez, père Monot, continuez, mon ami.

» Bien entendu, on n'avait pas appelé un médecin, c'est la gardienne – ah ! quelle gaillarde – qui fit l'office d'une sage-femme. Il va sans dire aussi qu'on n'alla point conter à la mairie de Blaincourt qu'il venait de naître au château un enfant de père inconnu et de mère folle.

» Cela n'empêcha pas le moutard de vivre, il se portait au contraire à merveille et il avait un appétit... Aussitôt après sa naissance on l'avait enlevé à sa mère, qui ne le revit plus. Je crois même – que le diable ne m'en veuille pas de dire cela – que la maman ne se douta même pas qu'elle avait donné le jour à un enfant.

Cette phrase fut ponctuée par un soupir de M. Lagarde.

» On m'avait fait acheter depuis quelque temps une belle chèvre blanche, qui vivait en liberté dans le parc : mais la bonne bête avait bien soin de venir, malin et soir, se faire débarrasser du lait qui la gênait. Tu comprends, père La Bique, que la chèvre blanche fut la nourrice du marmot. Ah ! le petit gueux, quand il fut assez grand pour courir, on n'eut plus besoin de traire la bête : il savait la trouver dans le parc et il la tétait.

» Quand la bique – ce n'est pas de toi que je parle – ne voyait pas arriver assez tôt son nourrisson, elle le cherchait en l'appelant : « bé, bé, bé... » Ah ! la mâtine. C'est égal, c'était une bonne bête !

» À voir ce qu'on faisait de la mère, je m'étonnai qu'on laissât vivre l'enfant. Vrai, je m'attendais à recevoir, d'un moment à l'autre, l'ordre de le fourrer dans un sac bien cousu et d'aller le jeter dans la rivière un jour qu'elle se transformerait en torrent. Je me trompais, on ne me donna point cet ordre que, peut-être, je n'aurais pas exécuté.

» Vois-tu, mon vieux La Bique, il arrive souvent que les plus scélérats eux-mêmes reculent devant un assassinat, surtout quand ils ne le jugent pas absolument nécessaire.

» Quelques années s'écoulèrent pendant lesquelles je ne vis qu'une seule fois l'homme au regard d'acier. Quant à mon camarade, plus de nouvelles.

» Un jour, au moment où je m'y attendais le moins, un personnage, vêtu en paysan, entra dans mon taudis ; c'était l'homme.

» – Ce soir, me dit-il, à onze heures et demie précises tu te trouveras, avec ta lanterne allumée, près du mur du parc, à cent pas de la petite porte, du côté de la rivière. Tu resteras immobile et tu attendras.

» – Dès que tu entendras pousser un cri, tu éteindras la lumière et tu rentreras chez toi. Surtout, sois exact. Je te recommande, dans ton intérêt, de ne pas te soûler ce soir.

» Après m'avoir dit cela, il me quitta brusquement.

» À onze heures et demie j'étais avec ma lanterne à l'endroit indiqué. J'entendis un cri, je soufflai le bout de chandelle et je regagnai mon gîte.

» Le lendemain, j'appris qu'on avait trouvé un homme noyé au bas du moulin. Avant même de rien savoir de l'enquête des magistrats, je me dis :

» – C'est mon homme qui a fait le coup. Pourquoi lui et l'autre ont-ils noyé ce pauvre homme ? Je n'en sais rien, mon vieux La Bique.

» Mais il faut bien croire qu'il était gênant pour quelqu'un.

» Peu de temps après, un soir, à la brune, une voiture s'arrêta devant ma porte. Un voyageur en descendit. C'était l'homme.

» – Grappier, me dit-il, je viens chercher vos pensionnaires.

» – Ah !

» – Et le môme, qu'en fais-tu ?

» – Rien. Il est dans le parc avec la chèvre. Il vit comme il l'entend et fait ce qu'il veut ; je ne m'en occupe guère. Toutefois, comme on me l'a ordonné, je le garde à vue. Il aime coucher à la belle étoile, je le laisse faire. Tous les jours je lui porte, dans un endroit du parc, un morceau de pain, qu'il vient prendre.

» – Prenez garde qu'il ne s'échappe.

» – Sous ce rapport, rien à craindre.

» – Oui, il est encore trop jeune pour escalader un mur.

» – Et puis il a bien trop peur du monde.

» – Est-ce que tu lui parles quelquefois ?

» – Jamais ! On me l'a défendu. D'ailleurs, du plus loin qu'il m'aperçoit, il se sauve comme un lapin qui sent le chien courant ; je suis son croquemitaine.

» – Bien, bien.

» – S'il cause, c'est avec sa chèvre.

» – Il est fort, vigoureux ?

» – Un jeune chêne.

» – Ainsi, il n'a pas envie de mourir ?

» – Quant à ça, non.

» L'homme resta un moment silencieux et murmura :

» – Laissons aller les choses, plus tard on verra.

» Il resta à peine une heure dans la maison. Il partit emmenant la folle et l'autre femme. Je n'ai jamais su où on avait conduit la pauvre insensée. Qu'est-elle devenue ? Je l'ignore...

M. Lagarde laissa échapper un nouveau soupir. Ce fut tout. Il conservait son impassibilité.

» Je n'avais plus ma prisonnière à garder : toutefois, il ne fut rien changé à ma consigne. Il y avait le petit qui grandissait comme un jeune pin ! Je répondais de lui sur ma vie. À la fin, on craignit que, vivant dans le parc en liberté, ainsi qu'un véritable petit sauvage, il ne prît la fuite un beau matin. Ordre me fut donné de le tenir enfermé dans un endroit bien clos, afin de prévenir toute tentative d'évasion. J'obéis. Je retins l'enfant, captif, dans une cour intérieure, assez vaste, que j'appropriai pour la circonstance.

» Il n'était pas difficile, le malheureux, je le nourrissais avec n'importe quoi : du pain, des pâtées de pommes de terre, des feuilles de chou, des carottes crues st autres légumes, qu'il croquait comme un lapin, des noix, des fèves, enfin des fruits de toutes sortes ; de la viande, jamais ; pour boisson de l'eau, qu'il buvait à même dans un baquet.

» Comme il avait de moi une peur bleue, je ne me montrais presque jamais à lui ; je lui passais sa nourriture par un trou que j'avais pratiqué au bas d'une porte.

» Je ne sais pas si on l'avait condamné à ce régime dans l'espoir qu'il dépérirait et, finalement, tournerait de l'œil : mais alors on s'était joliment trompé : loin de perdre sa santé, il devenait de jour en jour plus robuste.

— Oh ! les monstres ! les monstres ! murmura M. Lagarde.

— C'est bien vrai, monsieur, il fallait que ces gens-là n'eussent pas un cœur d'homme pour traiter ainsi un pauvre petit enfant. Ce que je vous raconte vous impressionne d'une façon terrible, monsieur : vous êtes pâle comme un mort, et à chaque instant je vois votre visage changer d'expression.

— Ne faites pas attention à mon agitation, père Monot ; vous devez voir aussi avec quel intérêt passionné je vous écoute ; oh ! oui, je vous écoute avec angoisse.

— Je continue.

» *Trois ans et quelques mois s'étaient écoulés depuis la dernière visite que m'avait faite l'homme mystérieux et terrible, lorsqu'il fit au château une nouvelle et dernière apparition. Cette fois il arriva encore dans la nuit, en voiture et accompagné d'un individu que je ne connaissais point.*

» *– Je viens te débarrasser du gosse, me dit-il.*

» *Je ne pus cacher ma joie.*

» *– Il paraît que cela te fait plaisir, reprit-il.*

» *– Oui.*

» *– Pourquoi ?*

» *– Parce que j'espère que ma mission est terminée.*

» *– Elle l'est, en effet ; mais, pour certaines raisons qu'il est inutile de te faire connaître, il faut que tu restes ici quelques mois encore.*

» *– Je resterai.*

» *– Nous allons prendre ton élève et tu viendras avec nous.*

» *– Où ?*

» *– Tu le verras.*

» *Une heure après, la voiture, attelée d'un excellent cheval, nous emportait sur la route. Pour venir à bout du petit, on avait été obligé de le garrotter et de le bâillonner afin de l'empêcher de crier. Au bout d'une heure on lui enleva le bâillon, mais on ne délia point ses membres.*

» *Pendant près de cinq heures le cheval trotta comme un enragé. Le jour commençait à paraître. Nous nous trouvions au milieu d'une forêt. Sur un signe de l'homme, le cocher arrêta son cheval ; l'homme sauta à terre, referma la portière et le cheval reprit le galop. Au bout d'un quart d'heure notre voiture s'arrêta de nouveau à quelques pas d'une autre voiture, venant en sens inverse et qui s'arrêta également.*

» *En même temps que nous mettions pied à terre, un homme et une femme descendaient de l'autre voiture. Ils vinrent à nous.*

» – Voilà la personne dont je vous ai parlé, leur dit mon compagnon, en me désignant.

» – Bien, fit l'homme. Et le sujet ?

» Le petit était resté dans la voiture. Mon compagnon le leur montra. Ils l'examinèrent avec attention, le palpèrent, lui passèrent les mains dans les cheveux.

» – Bien, bien, bien, fit l'homme évidemment satisfait.

» – Oui, très bien, appuya la femme.

» Ils causèrent un instant à voix basse ; mais j'entendis que l'homme disait :

» – C'est une mine d'or.

» À quoi la femme répondit :

» – Il faudra doubler le nombre des places de la baraque.

» Ce fut suffisant ; j'avais compris que nous étions en présence de deux saltimbanques, probablement le mari et la femme.

» – Eh bien, que concluez-vous ? demanda mon compagnon.

» Le saltimbanque tira de sa poche un rouleau d'or et dit :

» – Voilà.

» – Donnez à monsieur, dit mon compagnon, c'est pour lui que j'ai fait le marché.

» Et les mille francs tombèrent dans ma main.

– Oh ! vendu à des saltimbanques ! soupira M. Lagarde.

» – Ainsi que vous vous y êtes engagés, reprit mon compagnon, vous partez dès aujourd'hui pour aller exploiter dans le midi.

» – C'est notre intérêt, répondit l'homme.

» – Et vous ne reparaîtrez dans l'Est que dans quelques années.

» – C'est convenu.

» Alors l'enfant fut transporté de notre voiture dans celle des saltimbanques qui, un instant après, s'éloignaient rapidement.

» Le chef, que nous avions laissé plus loin, parce qu'il n'avait pas voulu se montrer aux saltimbanques, nous rejoignit.

» – Tu vas retourner à Blaincourt, me dit-il ; tu viens de recevoir mille francs : c'est en attendant qu'on te donne le reste de la somme qui t'a été promise. Bon voyage. Dans trois ou quatre mois tu me reverras.

» Lui et son compagnon remontèrent dans la voiture et ils partirent. Je m'acheminai pédestrement vers Blaincourt où j'arrivai dans la nuit, non sans avoir été obligé de demander plusieurs fois mon chemin.

» Que te dirai-je encore, mon vieux La Bique ? Depuis, on a cessé de me payer les honoraires de mes fonctions d'intendant. J'ai attendu trois mois, quatre mois ; l'homme n'a pas reparu ; j'attends toujours mes neuf mille francs et ma liberté. Et, en attendant cela, j'ai tant et tant écorné les mille francs du saltimbanque que ce qu'il en reste n'est presque plus qu'un souvenir.

» Le maître et les autres m'ont oublié ou ils sont morts. Bast, chacun à son tour il faut qu'on fiche le camp. Quant à moi il est grand temps que je fasse la grande culbute. Tiens, fouille dans mes poches, tu y trouveras trois pièces de cinq francs ; voilà ce qui reste de mon opulence, juste de quoi payer le fossoyeur qui creusera le trou où j'irai pourrir.

» Après un moment de silence, il se souleva sur le lit et reprit :

» – Es-tu satisfait d'avoir entendu ma confession, curé La Bique ? Oui, n'est-ce pas ? Je ne te demande point de me donner l'absolution ; va, je n'ai pas besoin de cette machine-là pour m'en aller au diable.

– Voilà, monsieur, acheva le vieux mendiant, ce que le père Grappier m'a raconté. Il est évident que l'homme inconnu jeté dans le Frou avait découvert que la jeune femme folle et son enfant étaient séquestrés dans le vieux château. Il pouvait agir, instruire la justice, réclamer la punition des coupables ; devenu très dangereux pour eux, les brigands se sont débarrassés de lui. Enfin, monsieur, j'ai toujours pensé et je pense encore que si la justice était instruite des choses qui se sont passées dans le vieux château, elle aurait dans les mains un fil conducteur qui lui ferait faire d'importantes découvertes.

» Le père Grappier mourut dans mon lit ; il s'éteignit tout d'un coup, ainsi que l'avait dit le médecin, comme la mèche desséchée d'une lampe.

XI

OÙ IL EST FAIT JUSTICE DE LA LÉGENDE DU SAUVAGE

Il y eut un assez long silence.

M. Lagarde repassait dans sa mémoire les choses aussi étranges que terribles qu'il venait d'entendre.

À force de volonté, il parvenait à se contenir, à ne point laisser deviner ce qui se passait en lui par des démonstrations extérieures.

— Père Monot, dit-il, j'ai encore quelques questions à vous adresser.

— Si je le peux, monsieur, j'y répondrai.

— Quand vous partez en tournée, vous allez quelque fois très loin ?

— À dix lieues d'ici et même plus.

— Avez-vous pu savoir si les saltimbanques, qui ont acheté l'enfant, ont reparu dans les Vosges ?

— Oui, monsieur, ils sont revenus dans nos pays au bout de quelques années.

— Avec l'enfant ?

— Avec l'enfant, monsieur, ou plutôt avec le jeune homme, car il avait vieilli et grandi. Je puis même vous dire qu'ils ont dû amasser une assez belle fortune, grâce à leur sauvage, qu'ils montraient au public les jours de fête et de foire.

— Est-ce que vous l'avez vu ? demanda vivement M. Lagarde.

— Non, monsieur ; mais à Remiremont, à Gérardmer, à Épinal et dans n'importe quelle autre ville de l'Est, vous trouverez facilement des gens à qui il a été offert en spectacle.

– Le malheureux enfant !

– Vous pouvez le dire, monsieur, malheureux sous tous les rapports.

– N'a-t-on point soupçonné, à Blaincourt, ce qui se passait au château ?

– On n'a jamais rien su, grâce à la prudence et aux précautions prises par les misérables.

– Pouvez-vous me fournir quelques renseignements au sujet de la pauvre folle ?

– Aucun, monsieur ; comme je vous l'ai dit, le père Grappier lui-même n'a jamais su ce qu'elle était devenue.

– Revenons à… au jeune sauvage. Les saltimbanques sont-ils toujours dans l'Est ?

– Longtemps avant la guerre, ils avaient tout à fait disparu du pays.

– Ah !… Mais n'importe, je les retrouverai.

– Ce n'est pas chose impossible ; toutefois, je dois vous dire qu'ils n'exercent plus leur métier. Se trouvant assez riches, sans doute, ils ont vendu leur baraque.

– Je me mettrai sur la piste de leur successeur.

– Est-ce pour retrouver le sauvage, monsieur ?

– Certainement.

– En ce cas il est inutile que vous couriez après les saltimbanques.

– Que voulez-vous dire ?

– Un beau jour, le sauvage a faussé compagnie à ceux qui l'avaient acheté. Las du rôle triste et misérable qu'on lui faisait jouer, il s'est échappé de sa cage et a pris la fuite.

– Et on ne sait plus ce qu'il est devenu ? exclama M. Lagarde.

— Attendez, monsieur, attendez. Quand le sauvage s'est échappé, les saltimbanques visitaient nos villes des Vosges. Or, un jour, un sauvage fut aperçu dans la forêt de Mareille.

— De Mareille ?

— Quoi ! vous ne savez pas cela ?

— Comment le saurais-je ?

— Jacques Grandin aurait pu vous raconter beaucoup mieux que moi l'histoire du sauvage de la forêt de Mareille. Mais puisque Jacques ne vous a point parlé de lui, je vais vous dire ce que je sais.

Et le vieux mendiant fit à M. Lagarde le récit d'une partie des faits que nous connaissons.

— On vous racontera dans la contrée des choses incroyables au sujet du sauvage de la Bosse grise, poursuivit-il : on vous dira qu'il est né à Voulvent et est le fils d'un bûcheron ; qu'un jour, à l'âge de deux ans, il fut enlevé par une louve, qui voulait le donner en pâture à ses petits ; que la louve n'ayant plus trouvé dans son repaire ses louveteaux, lesquels avaient été pris en son absence par des chasseurs, s'était prise d'affection pour l'enfant et l'avait élevé. Mais ça, c'est tout simplement stupide, un conte à faire dormir debout. Le sauvage de la forêt de Mareille est celui qui, enfant, vivait déjà à l'état sauvage, en compagnie d'une chèvre, dans le parc du château de Blaincourt, le malheureux que, plus tard, des saltimbanques exhibaient aux yeux du public comme une bête curieuse ou un phénomène.

M. Lagarde appuya fortement sa main sur son cœur comme pour en comprimer les battements.

— Maintenant, monsieur, ajouta le père La Bique, Jean Loup n'est plus dans les bois de Mareille.

— Il n'y est plus, fit M. Lagarde, où donc est-il ?

— Les gendarmes l'ont pris ; il est en prison !

— En prison ! exclama M. Lagarde, en se dressant comme mû par un ressort.

Cette fois, malgré son empire sur lui-même, il lui était impossible de se maîtriser.

— En prison, répéta-t-il, en prison ! Et pourquoi ?

Le vieux mendiant répondit en disant quelle grave accusation pesait sur Jean Loup.

— Ce malheureux n'a pas fait cela ! s'écria l'étranger : l'accuser est une infamie !

Le père La Bique le regarda avec une nouvelle surprise. Puis, secouant la tête :

— C'est la pauvre Jeanne Vaillant elle-même qui l'a accusé, répliqua-t-il, dans une lettre qu'elle a écrite au vieux capitaine Vaillant avant d'aller se jeter dans la rivière.

M. Lagarde prit sa tête dans ses mains et retomba lourdement sur son escabeau, comme un homme écrasé.

— Que de malheurs, mon Dieu, et que de monstruosités ! murmura-t-il.

Il resta longtemps immobile, silencieux, absorbé, perdu dans le dédale de ses pensées.

— Singulier personnage ! se disait le vieux mendiant ; il est impossible de deviner ce qu'il pense. Quel intérêt peut-il avoir à connaître ce que je viens de lui dire ? C'est drôle, c'est drôle... Je voudrais bien savoir qui il est. J'aurais bien la hardiesse de le lui demander ; mais à quoi bon ? il ne me répondrait point.

M. Lagarde releva la tête.

— Quelle heure peut-il être ? demanda-t-il d'un ton presque calme.

— Bientôt quatre heures.

— Où se trouve le cimetière de Blaincourt ?

— À l'entrée du village, à droite, sur la pente.

— Peut-on y entrer librement ?

— Certainement, monsieur, il n'y a qu'une simple petite porte de fer, à claire voie, qui tourne sur ses vieux gonds rouillés et qu'on ne ferme jamais à clef.

— Je vais aller au cimetière. Trouverai-je facilement l'endroit où ont été enterrées les deux victimes ?

— Oui, monsieur, facilement. Notre cimetière est un petit carré de terre, entouré de quatre murs, et non un grand parc comme le cimetière du Père-Lachaise. Au fond de l'enclos, contre le mur de l'Ouest, vous verrez deux grosses pierres carrées, plantées l'une près de l'autre et qui ne sont pas encore entièrement cachées par le lierre qui grimpe autour ; sur chaque pierre une même date est gravée, c'est tout. C'est là, monsieur, sous ces pierres, qu'on a mis les deux cercueils.

M. Lagarde se leva.

— Père Monot, dit-il en serrant la main du mendiant, je vous remercie de votre complaisance, de votre bon vouloir, de m'avoir appris tant de choses terribles, malgré votre répugnance à parler ; vous pouvez compter sur mon éternelle reconnaissance. Votre existence tranquille ne sera pas troublée, je vous le promets ; non, vous n'aurez pas à répéter vos paroles devant un juge d'instruction.

» Père Monot, je vous dois beaucoup : mais je saurai m'acquitter envers vous. En attendant, vous allez accepter ces quelques pièces d'or.

Le mendiant commença une phrase de refus.

— Vous me désobligeriez, interrompit l'étranger ; prenez, prenez ceci. À votre âge on a besoin de bien des choses, de certaines douceurs.

— Enfin, monsieur, puisque vous le voulez absolument.

— À la bonne heure. Maintenant, je vous quitte ; au revoir !

L'étranger s'éloigna rapidement.

— C'est égal, grommela le père La Bique entre ses dents, je voudrais bien savoir qui il est, ce généreux monsieur.

Un quart d'heure après, M. Lagarde entrait dans le cimetière de Blaincourt.

Plusieurs personnes le virent ouvrir la porte de la nécropole et se glisser à travers les tombes ; mais il n'attira pas autrement leur attention, et ils ne s'étonnèrent point qu'un personnage qui leur était inconnu rendit visite à leurs morts.

Sans avoir cherché longtemps, M. Lagarde s'arrêta devant les deux pierres noircies par le temps et la pluie, et grossièrement taillées dans des blocs de granit.

Il se découvrit et s'agenouilla.

– Pauvre Charles, pauvre Zélima ! prononça-t-il d'une voix lente, pleine de larmes ; vous aussi, frappés tous les deux, vous avez été victimes de votre affection et de votre dévouement !... Je ne sais pas encore quel sera le châtiment des infâmes ; mais vous serez vengés !

» Votre chère orpheline est devenue mon enfant ; ah ! c'est le moins que je vous devais ! Du haut des cieux continuez de veiller sur la pauvre Jeanne... Que vos deux âmes unies à la mienne demandent à Dieu de lui rendre la raison !

Il resta encore un instant la tête inclinée, comme en prière, puis il se releva, prononça le mot : « Adieu ! » et sortit du cimetière.

XII

LES DEUX AMIS DE L'ARMÉE DE LA LOIRE

Le surlendemain, vers trois heures de l'après-midi, M. Lagarde arrivait à Mareille.

Il ne portait plus sa défroque de paysan ; il l'avait remplacée par un vêtement de drap d'Elbeuf, qui lui donnait l'aspect d'un bon bourgeois de province.

— Veuillez, je vous prie, m'indiquer la demeure du vieux capitaine Jacques Vaillant, dit-il à la première personne qu'il rencontra dans le village.

— Monsieur, vous n'avez qu'à suivre la rue jusqu'au bout ; la dernière maison à gauche, bien facile à reconnaître, est celle du capitaine.

— Je trouverai probablement le lieutenant Grandin chez M. Vaillant ?

— Sûrement, monsieur. L'officier Grandin est le filleul du capitaine, et naturellement, n'ayant plus aucun parent à Mareille, c'est chez son parrain qu'il est venu passer son congé.

L'étranger remercia et continua son chemin.

Il se trouva bientôt devant la maison. Il frappa. Voyant qu'on ne venait pas lui ouvrir, il tourna le bouton, poussa la porte et entra. Il n'avait pas eu le temps de traverser la petite cour, que Gertrude parut sur le seuil de l'habitation pour le recevoir.

— Vous êtes sans doute l'excellente Gertrude, la gouvernante de M. Jacques Vaillant ? dit-il.

La brave femme n'essaya pas de cacher sa surprise.

— Monsieur sait mon nom ! fit-elle ; oui, monsieur, je suis Gertrude.

— Le lieutenant Grandin est-il ici en ce moment ?

— Oui, monsieur.

— J'en suis heureux, car n'ayant pas l'honneur d'être connu de votre maître, c'est le lieutenant que je désire voir d'abord.

— Puis-je vous demander, monsieur ?...

— Mon nom ? Je me nomme Lagarde.

— Vous, monsieur, c'est vous ! exclama Gertrude. Mon Dieu, vont-ils être contents ! Mais dix fois, vingt fois par jour, monsieur, on parle ici de vous ! Venez, venez vite, monsieur : tous deux sont dans le jardin ; ah ! vont-ils être contents !

Gertrude était dans tous ses états. Elle courut devant en criant :

— Monsieur Jacques, monsieur Vaillant, c'est M. Lagarde.

Au fond du jardin deux exclamations répondirent. Puis Jacques Grandin s'élança comme un trait et vint tomber, palpitant d'émotion, dans les bras de son ami le franc-tireur.

Le vieux capitaine arriva près d'eux.

— Monsieur Lagarde, dit Jacques, je suis heureux de vous présenter le capitaine Jacques Vaillant, mon parrain.

— Et votre second père, mon cher Jacques, ajouta M. Lagarde : c'est vous qui me l'avez dit.

— Oh ! oui, mon second père, fit le jeune homme.

Jacques Vaillant et M. Lagarde se serrèrent la main.

— Moi, dit Gertrude, toujours à la hauteur des circonstances, je cours chercher des provisions.

— Monsieur Vaillant, reprit M. Lagarde avec un accent d'émotion profonde, je sais quelles sont vos douleurs ; des paroles de consolation seraient superflues. Allez, il existe d'autres malheurs, j'en connais, plus grands encore que les vôtres.

On entra dans la maison et les trois hommes causèrent intimement dans la salle à manger jusqu'au retour de Gertrude.

— Je pense, monsieur Lagarde, dit Jacques Vaillant, que vous resterez quelques jours avec nous.

— Plusieurs jours, c'est impossible ; mais je puis vous donner la journée de demain tout entière. Cependant, si je devais vous occasionner le moindre dérangement...

— En aucune façon, répliqua vivement l'ancien dragon : nous n'avons qu'une chambre à vous donner et c'est celle de notre pauvre Jeanne.

— Je coucherai dans ce lieu plein de douloureux souvenirs.

Jacques Vaillant se leva en disant qu'il avait quelqu'un à voir dans le village. C'était un prétexte pour sortir. En réalité, il voulait ménager à ses hôtes une causerie en tête à tête.

— Jacques, mon cher Jacques, dit M. Lagarde au jeune officier, quand ils furent seuls, avant de venir à Mareille, je me suis informé et j'ai tout appris ; ah ! mon ami, je vous plains sincèrement ; comme vous avez dû souffrir !

— Je souffre encore, et je souffrirai toujours. Ici, devant ce vieillard, qui vient de nous quitter et que ce coup terrible a écrasé, j'ai encore la force de contenir mon désespoir pour ne pas envenimer les plaies de son cœur ; mais plus tard... Vous me disiez naguère : « Vous pouvez avoir de belles espérances, l'avenir vous promet beaucoup... » Sans doute, un chemin facile m'est ouvert et, par le travail, je pourrai arriver à une position enviable. Mais pourquoi, pour qui puis-je avoir de l'ambition maintenant ? Ai-je besoin de la fortune, quand je n'ai plus le bonheur à espérer ? Hélas ! ce qui me donnait la force et le courage n'existe plus ! Je suis anéanti ; en moi, tous les ressorts se sont brisés, toute flamme est éteinte... Tenez, si un nouveau danger menaçait la France, je crois que je manquerais de patriotisme !

M. Lagarde resta un moment silencieux et répondit :

— Vous vous plaignez bien amèrement, Jacques ; ah ! je comprends votre douleur ! Mais, permettez-moi de vous le dire, mon ami, votre malheur n'est rien, entendez-vous ? rien, à côté des miens. Et pourtant je ne me laisse pas abattre, je reste debout ; je conserve ma force, mon courage, et j'espère !

Le jeune homme tressaillit et se redressa :

— Je serais comme vous si je pouvais espérer ! s'écria-t-il.

– Eh bien, espérez donc !

– Elle est morte ! soupira Jacques.

M. Lagarde fut sur le point de lui crier :

– Jeanne existe !

Mais il se retint, car ce n'était pas une demi-joie, un espoir conditionnel qu'il voulait lui donner.

– Non, se dit-il, attendons encore.

Après un moment de silence, il reprit, touchant légèrement le bras de Jacques qui, la tête entre ses mains, paraissait absorbé dans ses tristes pensées :

– Avant d'aller se jeter dans la rivière, votre fiancée a écrit une lettre ?

– Oui, une lettre.

– Où elle accuse un homme sauvage appelé Jean Loup ?

– Oui.

– Vous aviez, m'a-t-on dit, de l'affection pour ce Jean Loup ?

– C'est vrai.

– Et ce sauvage avait, lui aussi, une grande amitié pour vous ?

– Je le crois.

– Jacques, croyez-vous ce malheureux coupable de la chose dont votre fiancée l'a accusé ?

– Jeanne, dans son trouble, s'est méprise, monsieur ; c'est à tort qu'elle a accusé Jean Loup.

La physionomie de M. Lagarde s'éclaira et ses yeux rayonnèrent.

– D'abord j'ai cru, comme tout le monde, que Jean Loup avait commis ce crime ; mais j'ai appris ensuite ce qui s'est passé dans cette horrible nuit. Loin d'être coupable, c'est Jean Loup qui est accouru au secours de la pauvre Jeanne et l'a sauvée de l'agression brutale d'un misérable, qui est resté inconnu ; c'est lui encore qui a fait des efforts désespérés pour l'arracher au courant rapide qui, hélas ! l'a entraînée !...

» Pauvre Jeanne ! Elle s'est crue déshonorée, et cette fatale erreur l'a poussée au suicide, à la mort !

— Jacques, comment avez-vous appris tout cela ?

— Jean Loup ne parle pas, monsieur, et pourtant c'est lui qui a fait comprendre à une jeune fille qui, seule pouvait le comprendre, le récit complet de l'épouvantable drame. Cette jeune fille est venue me trouver ici même, il y a quelques jours, et c'est elle qui m'a instruit.

— Alors, Jacques, cette jeune fille a dû déjà faire savoir au parquet d'Épinal...

— Rien encore.

— Pourquoi ?

— Elle attend.

— Elle attend ! Mais que peut-elle donc attendre ? Quoi ! on accuse ce malheureux, elle sait qu'il est innocent et elle ne proteste pas !

— Monsieur, répondit Jacques avec un embarras visible, cette jeune fille aime Jean Loup !

— Elle l'aime ! exclama M. Lagarde ; mais c'est une raison plus forte que toutes les autres pour proclamer son innocence !

Le jeune homme fut frappé de la logique de ces paroles.

— C'est juste, vous avez raison, dit-il.

— Jacques, si cette jeune fille se tait, c'est qu'il y a une cause.

L'officier ne put s'empêcher de tressaillir.

— Mais, poursuivit M. Lagarde, dans l'intérêt de la justice et de la vérité, surtout, nous la forcerons à parler ! Jacques, comment se nomme cette jeune fille ?

369/599

— Pardon, monsieur, mais après vous avoir révélé son secret, si je vous dis son nom...

— Je suppose, Jacques, que vous ne me croyez pas capable d'abuser d'un secret de cette nature ; cependant si cette jeune fille vous a fait promettre de ne dire son nom à personne...

— Elle n'a exigé de moi aucune promesse.

— En ce cas, Jacques, ce n'est point la trahir que de me le confier, à moi...

— Elle se nomme Henriette de Simaise.

M. Lagarde bondit sur ses jambes.

— Henriette de Simaise ! exclama-t-il, le visage bouleversé, des flammes dans les yeux.

Le jeune homme le regardait stupéfié.

M. Lagarde se rassit. Déjà les lueurs de son regard s'étaient éteintes et son visage avait repris son expression habituelle.

— Je comprends maintenant, dit-il d'un ton tranquille, ce qui empêche Mlle de Simaise de faire une démarche qui la forcerait à révéler ce qu'elle veut tenir caché ou la mettrait, tout au moins, en face du danger de laisser deviner le secret de son cœur.

» Jacques, je n'ai pas besoin de vous dire que je m'intéresse au sort du malheureux Jean Loup ; vous l'avez compris. Vous devez trouver extraordinaire que je m'occupe de cet être misérable, dégradé... Évidemment, mon ami, il y a à cela une raison. Quelle est-elle ? Vous la connaîtrez plus tard.

Un instant après, Jacques Vaillant rentra, ramené vers ses hôtes par l'heure du dîner.

Ce soir-là, on se coucha de bonne heure chez le vieux capitaine. M. Lagarde étant très fatigué – il ne s'était pas étendu sur un lit depuis cinq jours – on voulait lui donner tout le temps de se reposer.

Quand il se leva, à sept heures du matin, bien qu'il n'eût eu qu'un sommeil agité, fréquemment interrompu, il se sentit fort pour de nouvelles fatigues.

Il y avait une heure déjà que le lieutenant était debout. M. Lagarde le trouva se promenant dans les allées du jardin.

– Avez-vous bien dormi, monsieur ? demanda Jacques.

– Suffisamment, mon ami, puisque je ne me sens plus fatigué. Je désire faire ce matin une promenade dans la campagne, voulez-vous m'accompagner ?

– Avec plaisir !

– En ce cas, Jacques, mettez vos souliers.

Jacques Vaillant, prévenu de l'intention de ses hôtes, s'empressa de descendre, et Gertrude avança le déjeuner.

À huit heures les promeneurs étaient au milieu des champs. Ils gagnèrent le chemin du bord de l'eau, qu'ils suivirent, allant vers la montée de Blignycourt.

Tout à coup, Jacques s'arrêta, et montrant un endroit de la rivière :

– C'est là, dit-il d'une voix oppressée, ayant peine à retenir ses larmes, que ma pauvre Jeanne...

– Ah ! c'est là ? fit M. Lagarde.

Ils sautèrent la berge de la route et s'avancèrent vers le bord du Frou, qui était, ce jour-là, à son étiage. Et pendant que Jacques, prêt à sangloter, regardait le tournoiement de l'eau, M. Lagarde, concentré en lui-même, retrouvait dans son souvenir la scène du sauvetage de la jeune fille.

La branche du saule à laquelle s'était accroché Jean Loup était toujours là ; il voyait encore Jeanne, étendue sur l'herbe, revenant peu à peu à la vie, et Jean Loup, ruisselant d'eau, debout, immobile, contemplant avec anxiété le visage livide de celle qu'il venait d'arracher à la mort. M. Lagarde passait successivement par les mêmes impressions, les mêmes émotions qu'il avait senties alors.

– Jacques, dit-il, après une station de quelques minutes, éloignons-nous de cette place qui vous rappelle de trop douloureux souvenirs.

– C'est là qu'elle s'est précipitée, là, qu'elle a disparue pour toujours ! prononça le jeune homme avec un accent désolé.

– Venez, mon ami, venez, dit M. Lagarde.

Et il entraîna le jeune officier.

Quand ils eurent fait une centaine de pas, M. Lagarde reprit la parole.

– À quelle distance sommes-nous de la Bosse grise ? demanda t-il.

– Trois quarts de lieue environ.

– C'est là que Jean Loup avait fixé sa demeure ?

– Oui, dans une grotte naturelle au pied du rocher.

– Sauriez-vous la trouver, cette grotte ?

– Parfaitement ! J'y ai fait, il y a quatre jours, une sorte de pèlerinage.

– Ah !

– Après avoir cru à l'accusation portée contre Jean Loup, après l'avoir traîtreusement livré aux gendarmes, j'ai obéi, en allant visiter sa demeure, à un sentiment de regret et de reconnaissance.

– Oui, je comprends.

– La grotte était autrefois inabordable ; son entrée, cachée par un large enchevêtrement de ronces et d'épines, était invisible à tous les yeux. Mais les Prussiens ont mis le feu à ces broussailles.

– Les Prussiens ?

– Ils ont essayé de prendre Jean Loup.

– Pourquoi, Jacques ?

– Parce que, indigné de la façon odieuse dont l'ennemi se conduisait dans le pays, Jean Loup, devenu partisan, leur faisait une guerre acharnée.

Le lieutenant continua en racontant à M. Lagarde comment, possédant un fusil qu'il avait trouvé dans le bois, Jean Loup s'était procuré de la poudre et des balles grâce à une pièce d'or de vingt francs, qu'il avait probablement trouvée aussi sur quelque sentier.

Voyant que son compagnon l'écoutait avec une attention qui indiquait un intérêt extraordinaire, le jeune officier prit plaisir à lui faire le récit de toutes les belles actions du sauvage.

– Jacques, mais c'est superbe, ce que vous venez de m'apprendre ! s'écria M. Lagarde avec une sorte d'enthousiasme.

– Jean Loup est de la pâte dont on fait les héros !

Un éclair rapide traversa le regard de M. Lagarde.

– Dans tous les cas, Jacques, répliqua-t-il, c'est un homme d'un grand cœur que ce malheureux.

Bien que M. Lagarde n'eût pas encore dit de quel côté il voulait aller, les deux hommes avaient quitté la route et s'étaient engagés sur un sentier qui se dirigeait vers la Bosse grise, en longeant la lisière de la forêt.

– Jacques, où va nous mener cette route ? demanda M. Lagarde.

– Au plateau des Roches.

– Où se trouve la Bosse grise ?

– Oui, monsieur. J'ai compris que vous désiriez voir la grotte de Jean Loup et je vous y conduis.

– Merci, mon ami.

Après une demi-heure de marche pénible, car ils avaient à chaque instant à se débarrasser des ronces et des viornes qui s'entortillaient autour de leurs jambes, les deux promeneurs se trouvèrent au pied de l'énorme rocher, à l'entrée de la grotte.

– À cet endroit où nous sommes, dit Jacques, étaient les broussailles inextricables brûlées par les Prussiens.

– On voit encore, de tous les côtés, de nombreuses traces de l'incendie.

– Le jour où les gendarmes se sont emparés de Jean Loup, il y avait encore à l'entrée de la grotte et à l'intérieur des paniers de plusieurs dimensions, avec lesquels le pauvre garçon allait faire ses provisions dans le bois, et des petites claies, qui lui servaient à faire griller au soleil la viande des animaux dont il parvenait à s'emparer. Ces objets, fabriqués par lui, ont été enlevés depuis par des personnes qui veulent, probablement, les conserver comme des reliques.

» Jean Loup aimait les colimaçons et il en mangeait des quantités, ainsi que l'indiquent ces nombreuses coquilles qui jonchent le sol. Mais entrons dans la grotte. J'ai des allumettes sur moi ; une poignée de feuilles sèches, que nous brûlerons, nous éclairera suffisamment pendant un instant, pour que nous puissions voir l'intérieur de la demeure.

Le jeune homme fit craquer une allumette et ils pénétrèrent sous la voûte. Arrivés dans la grotte, le lieutenant prit des fougères sur l'amas de feuilles qui avait été le lit de Jean Loup et y mit le feu. La fumée s'échappa par le trou de la voûte et la flamme jeta une faible et blafarde clarté sur les blocs de rocher entassés.

M. Lagarde regarda avidement. Il vit d'abord la couche du sauvage, puis, sur le sol, dans tous les coins, et dans les niches des murs, le reste des provisions d'hiver de Jean Loup : des châtaignes, des noisettes, des foènes, des glands, des écorces, des racines, des herbages secs.

Pendant qu'il se livrait à son travail d'inspection, Jacques entretenait la flamme qui les éclairait.

Tout à coup, M. Lagarde laissa échapper un gémissement.

– Oh ! le malheureux, le malheureux enfant ! s'écria-t-il.

Et, n'étant plus maître de son émotion, ses larmes jaillirent, et il sanglota.

Jacques, les yeux fixés sur son protecteur, se disait :

– Ce n'est pas à un intérêt ordinaire pour Jean Loup que répond cet excès de sensibilité ; son émotion a une autre cause !

– Jacques, dit M. Lagarde d'une voix entrecoupée, j'ai vu, j'ai vu... Venez, mon ami, partons.

Ils sortirent de la grotte, tournèrent silencieusement autour de la Bosse grise et rejoignirent la grande route, en passant à travers les roches du plateau.

M. Lagarde avait eu le temps de se calmer.

— Dites-moi, Jacques, fit-il, que pense-t-on à Mareille, à Vaucourt et dans les autres communes voisines de Mme la baronne de Simaise ?

— Le plus grand bien, monsieur. Mme la baronne et sa fille font beaucoup de bien ; elles sont les deux anges protecteurs de la contrée ; aussi n'est-ce pas trop de vous dire qu'elles sont adorées.

— Mme de Simaise n'a-t-elle pas aussi un fils ?

— Oui, monsieur ; mais on le connaît à peine dans le pays ; il vient rarement à Vaucourt, trois ou quatre fois chaque année, et seulement pour quelques jours.

— Et monsieur le baron ?

— Oh ! lui, il n'y vient jamais.

— Ce qui signifie qu'il y a rupture entre lui et sa femme ?

— Évidemment, puisqu'ils vivent éloignés l'un de l'autre.

— Vous croyez donc, Jacques, que la baronne de Simaise n'a pas revu son mari depuis tant d'années qu'elle est venue se fixer à Vaucourt ?

— Sur ce point, monsieur, je ne saurais vous répondre ; mais ce que je peux vous dire, c'est que Mme la baronne ne quitte jamais son château, si ce n'est pour aller à Haréville chez M. de Violaine, qui est son ami, et à Épinal une ou deux fois par an lorsque des affaires d'intérêt ou des achats à faire l'y appellent.

— Mme la baronne de Simaise, qui est encore jeune, et qui a été très jolie, m'a-t-on dit, reprit M. Lagarde, a une existence bien triste, bien monotone !

— C'est vrai, monsieur !

— Je plains sincèrement Mlle de Simaise, condamnée à partager la retraite et la solitude de sa mère.

— La jeune demoiselle ne m'a point caché qu'elle était très malheureuse.

— Est-elle jolie ?

— Adorable, monsieur ! et gracieuse, affable et bonne comme sa mère !

– Alors, on comprend que, pouvant être facilement aimée, elle ait inspiré de l'amour au pauvre Jean Loup.

M. Lagarde, cessant d'interroger le jeune officier, tomba dans une profonde rêverie.

XIII

LE PROCUREUR DE LA RÉPUBLIQUE

Nous retrouvons M. Lagarde à Épinal, dans un appartement meublé de l'hôtel du Duc-de-Lorraine.

Assis devant une table-bureau couverte de papiers, il a déjà écrit trois ou quatre lettres qui sont là, prêtes à être jetées dans une boîte de l'administration des postes ; maintenant il copie des notes et met, en même temps, de l'ordre dans les papiers étalés devant lui.

La demie de huit heures sonne à la pendule placée sur le marbre de la cheminée. Presque aussitôt, on frappe légèrement à la porte de la chambre.

– Entrez, dit M. Lagarde.

Un domestique paraît, apportant des lettres sur une assiette de porcelaine. C'est le courrier du matin : quatre lettres.

Le domestique n'est pas un garçon de l'hôtel : nous le connaissons : il se nomme Landry.

M. Lagarde prend les lettres.

– Une de Londres, une de Liverpool, dit-il, en les jetant sur la table, je sais ce qu'elles contiennent. Ah ! deux lettres de Paris, probablement celles que j'attends. Merci, mon brave Landry.

Le serviteur se retira.

M. Lagarde décacheta d'une main fiévreuse les deux lettres venant de Paris et les lut rapidement ; elles n'étaient pas longues, d'ailleurs.

– Bien, très bien, murmura-t-il.

Sa physionomie exprimait une vive satisfaction.

Il ramassa ses papiers et les enferma dans un meuble dont il mit la clef dans sa poche.

Cela fait, il revêtit un élégant costume de ville : pantalon, gilet et redingote noire, et glissa ses pieds dans de fines bottines de chevreau. Quand il fut ainsi habillé, bien cravaté et bien ganté, il sonna Landry.

— Mon fidèle Landry, lui dit-il, je vais faire une visite ; je reviendrai le plus vite possible. À mon retour, je te donnerai probablement l'ordre de louer immédiatement la maison. Voilà des lettres que tu porteras au bureau des postes.

Sur ces mots, M. Lagarde mit son chapeau, jeta son pardessus sur son bras, prit sa canne et sortit.

Un quart d'heure après, il entrait dans une grande et belle maison et sonnait bientôt à la porte d'un appartement du premier étage.

— Je désire voir M. le procureur de la République, dit-il au domestique qui vint lui ouvrir.

— Qui dois-je annoncer ?

— M. Lagarde.

Le valet de chambre s'éloigna et revint au bout d'un instant, disant :

— M. le procureur de la République vous attend.

Le magistrat s'avança jusqu'à la porte du cabinet pour recevoir le visiteur ; il le fit entrer avec empressement, le pria de prendre place dans un fauteuil et s'assit lui-même en face de M. Lagarde.

— Je vous attendais, monsieur, dit-il ; j'ai reçu hier la lettre du ministre m'annonçant votre visite.

— N'avez-vous pas reçu, monsieur, une seconde lettre, moins officielle, mais d'un personnage également haut placé ?

— Parfaitement.

— Alors vous savez de quoi il s'agit.

— Et je vous prie de croire que je suis tout disposé à vous être agréable.

— Merci, monsieur, merci. Avant de vous dire ce que je désire obtenir du parquet, il n'est pas inutile que vous soyez complètement édifié au sujet du malheureux auquel je m'intéresse. Je commence donc par vous apprendre que Jean Loup est innocent.

Le magistrat fit un mouvement brusque.

— Oui, monsieur, l'accusation portée contre ce malheureux est fausse ; elle est le résultat d'une déplorable erreur.

Un sourire effleura les lèvres du procureur.

— Nous avons la lettre de la jeune fille, dit-il.

— Oui, je sais que vous avez une lettre de Jeanne Vaillant, et j'en connais le contenu ; mais cette lettre, écrite dans un moment d'égarement, de folie, ne peut faire foi à elle seule.

— Il y a eu d'autres constatations qui prouvent surabondamment que Jean Loup s'est introduit dans la chambre de la malheureuse jeune fille.

— Oui, monsieur, Jean Loup a grimpé à l'échelle, a escaladé la fenêtre ; mais il n'a point joué dans ce drame nocturne le rôle qu'on lui attribue ; son rôle dans la chambre, monsieur, a été celui de sauveur !

— Devant votre affirmation, monsieur, je ne veux rien opposer. Mais il y a eu un attentat...

— Non suivi d'exécution.

— Qui peut le dire ?

— Jean Loup, quand il parlera, et ceux qui, comme moi, sont convaincus de l'innocence du prisonnier.

— Enfin vous prétendez que Jean Loup n'est pas coupable ?

— Oui, monsieur.

— Et vous reconnaissez qu'il y a eu, tout au moins, une tentative de crime ?

— Je le reconnais.

— Qui donc alors est le coupable ?

— Jusqu'à présent, monsieur, ce misérable est inconnu.

Le magistrat eut un nouveau sourire.

— Oui, il est inconnu, continua M. Lagarde ; mais, soyez tranquille, un jour on saura son nom.

— Comment ?

— J'ai des moyens pour cela, monsieur. Du reste, comme je vous l'ai déjà dit, Jean Loup parlera.

— C'est douteux.

— Il parlera, monsieur, il parlera, il le faut !... Mais laissons de côté, pour le moment, le coupable inconnu.

— Pourtant, monsieur, la justice a tout intérêt à être éclairée.

— Elle ne peut l'être, puisqu'on ne saurait lui dire : voilà le coupable. Mais n'est-ce donc pas l'éclairer que de venir lui déclarer : vous avez incarcéré un innocent !

— Malheureusement, monsieur — permettez-moi de vous le faire remarquer — vous ne me présentez aucune preuve de sa non culpabilité ; il y a votre conviction : c'est quelque chose, sans doute, mais ce n'est pas assez.

» Ce qu'il faut à la justice, ce sont des preuves irrécusables.

— Jean Loup vous les fournira lui-même.

— Je le souhaite, je le désire. En attendant, monsieur, pouvez-vous me dire sur quoi vous basez votre conviction ?

— Le passé du pauvre sauvage de la forêt de Mareille, ce qu'il a fait, ses actions héroïques protestent éloquemment contre l'accusation. Vous n'ignorez pas, sans doute, quelle a été sa conduite dans plusieurs circonstances ?

— Oui, je sais qu'il a accompli certains actes...

– Admirables, monsieur, surtout quand on considère que ces actes ont été l'œuvre d'un pauvre sauvage obéissant à ses seuls instincts ! Et l'on voudrait qu'il fût coupable d'une chose monstrueuse, cet homme qui a sauvé un enfant qui se noyait, qui a tué un loup ravisseur d'un agneau, qui a arraché Mlle Henriette de Simaise à une mort horrible, certaine ! Serait-ce lui, un coupable, qui, indigné de voir un Prussien frapper Jacques Vaillant, le père de Jeanne, un vieillard, aurait fait sentir immédiatement à l'insulteur que son action était odieuse et lâche ?

» Voilà des faits, monsieur, qui, pour le défendre, parlent haut ! Celui qu'on voit toujours inspiré par les plus nobles sentiments du cœur ne peut pas être un monstre !

» Je suis allé à Mareille où je me suis livré, de mon côté, à une enquête. Eh bien, monsieur, c'est ce que j'ai recueilli dans le pays qui m'a convaincu de l'innocence de Jean Loup. Mon affirmation n'est pas suffisante, je le sais : oui, je le comprends, ce sont des preuves qu'il faut à la justice. Quand le moment sera venu de les fournir à la justice, ces preuves, je les aurai, je les aurai !... Laissons le temps accomplir son œuvre.

» Ce que je veux est ce que vous désirez vous-même, monsieur : mettre le plus vite possible Jean Loup en état de répondre à l'accusation. Comment va-t-il ? Que fait-il ?

Le magistrat secoua la tête.

– Il n'est malheureusement point tel que nous le voudrions, répondit-il.

– Serait-il malade ?

– Non, mais le médecin, qui le visite souvent, a des craintes sérieuses pour sa santé.

– C'est l'air de la prison qui ne lui convient point, n'est-ce pas, monsieur ?

– Je le crois, bien que le régime de la captivité ait été adouci pour lui d'une façon particulière. En réalité, il n'est pas en prison...

– Habitué à vivre dans les bois, à courir libre, au grand air, il est en prison du moment qu'il est enfermé et n'a pas toute sa liberté. Hélas ! si vaste que soit l'espace qu'on peut lui donner, pendant longtemps encore il le trouvera trop étroit. Vous dites donc, monsieur, que le médecin craint pour sa santé ?

– Oui, il est toujours dans un état de prostration qui inquiète le docteur.

– Mange-t-il ?

– Les deux premiers jours, il a absolument refusé toute espèce de nourriture ; mais la faim a eu raison de sa résistance ; le troisième jour il a mangé un morceau de pain et bu un verre d'eau. Depuis, il mange un peu chaque jour ; mais toujours des pommes de terre, des haricots et autres légumes ; on n'a pu encore vaincre la répugnance qu'il paraît avoir pour les viandes de boucherie.

» Je n'ai pas besoin de vous dire qu'on évite de le contrarier et qu'on le traite avec douceur ; malgré cela il reste sombre, taciturne, concentré en lui-même. Très doux, d'ailleurs, il ne témoigne ni impatience, ni colère : mais il est tellement absorbé qu'il n'a pas l'air d'entendre quand on lui parle. Accroupi dans un coin de sa cellule, tenant sa tête dans ses mains, il reste des heures entières sans faire un seul mouvement.

» Parfois, on l'entend pousser des plaintes, des gémissements et il pleure souvent. Comme je viens de vous le dire, il n'a jamais ni emportement, ni colère. Seulement, il est impossible de lui faire prononcer un mot, et je crois bien qu'on n'a pas encore entendu le son de sa voix. Mais nous savons qu'il connaît la signification d'un certain nombre de mots, qu'il prononce, et qu'il comprend assez facilement ce qu'on lui dit.

» Nous avons mis en sa présence un maître de français ; cet homme a employé tous les moyens possibles pour faire sortir Jean Loup de son mutisme ; il n'a pas réussi. Est-ce mauvaise volonté ou tout autre motif ? Jean Loup paraît être insensible à tout et rien ne peut le tirer de sa torpeur, de son espèce d'engourdissement. Nous avons dû renoncer, quant à présent, à commencer l'œuvre difficile de son instruction.

» Le directeur de la prison a un jardin réservé : on y a conduit Jean Loup une fois ; mais on a remarqué qu'il était inquiet, tout prêt à s'effrayer, et qu'il se dirigeait constamment vers la porte pour sortir de l'endroit ; on n'a pas renouvelé cette tentative de distraction. Du reste, il faut la croix et la bannière pour faire sortir Jean Loup du sa cellule ; on pourrait laisser la porte ouverte sans avoir à craindre qu'il cherche à s'échapper.

» Il n'a l'air de se trouver bien, de se plaire, que dans sa cellule, et les coins les plus sombres sont ceux qu'il préfère, comme si le grand jour lui fatiguait les yeux et lui faisait peur.

» Il n'aime pas la société, c'est la solitude complète qu'il lui faut ; il s'est habitué au gardien chargé de le servir et de veiller sur lui ; mais si un autre homme entre dans sa cellule, aussitôt il devient inquiet, s'agite, regarde autour de lui avec une sorte d'effroi, en ayant l'air de chercher un endroit pour se cacher.

» Voilà, monsieur, tout ce que je peux vous dire du malheureux auquel vous vous intéressez.

— Eh bien, monsieur le procureur de la République, d'après ce que vous venez de me dire, j'ai la certitude que Jean Loup serait mort dans trois mois, s'il restait dans sa prison.

— Ce n'est pas ce que nous voulons.

— Je le sais.

— À moins de le reconduire dans la forêt de Mareille, ce qui est impossible, que pouvons-nous faire ?

— Je vais vous le dire, car c'est là, précisément, l'objet de ma visite.

— Je vous écoute.

— Faire parler Jean Loup, l'instruire, lui donner une éducation aussi complète que possible, voilà le but à atteindre, n'est-ce pas ?

Le magistrat approuva par un mouvement de tête.

— Assurément, l'entreprise est difficile.

— Je la crois malheureusement impossible.

— Oui, dans les conditions actuelles, mais changez ces conditions et la réussite est assurée ; j'ai un moyen dont je réponds.

— Dites, monsieur.

— Il faut d'abord que Jean Loup sorte de prison.

— Mais...

— Écoutez-moi, monsieur, écoutez-moi : Je ne viens pas pour vous dire : Faites ouvrir toutes les portes devant lui et laissez-le aller où il lui plaira. Je vous demande seulement de me confier votre prisonnier. C'est sous ma responsabilité, une liberté apparente et conditionnelle que vous lui donnerez. Il ne quittera point la ville, et vous et les autres membres du parquet pourrez le voir aussi souvent qu'il vous plaira. Il sera placé dans une maison que j'ai visitée hier et que je suis prêt à louer aujourd'hui même.

» Cette maison, suffisamment spacieuse, a un beau et grand jardin entouré de murs et planté d'arbres magnifiques. Bref, l'habitation est convenable sous tous les rapports, et elle répond à toutes les exigences du projet que je veux mettre à exécution.

» La maison aura besoin de domestiques des deux sexes, je vous prierai de les désigner vous-même ; si un médecin est nécessaire, je ne repousserai pas celui de la prison ; je me réserve seulement le droit de choisir les maîtres que je donnerai à Jean Loup.

» Je n'ai pas besoin d'ajouter, monsieur le procureur, que l'administration des prisons n'aura à participer dans aucun frais ; c'est moi qui payerai les maîtres, les domestiques ; enfin je me charge de toutes les dépenses.

Le magistrat avait écouté avec un étonnement facile à comprendre.

Sans doute, ce M. Lagarde était immensément riche et pouvait s'offrir n'importe quelle fantaisie ; mais ce millionnaire, recommandé en haut lieu, n'était certainement pas un personnage ordinaire. Ce qu'il voulait faire pour Jean Loup, un être misérable, semblait indiquer qu'il y avait entre lui et le sauvage, un lien, une attache quelconque.

Le magistrat sentait très bien qu'il était en face d'un mystère ; mais, homme du monde, il ne se permit point d'adresser une question, qui eût peut-être embarrassé l'étranger.

— Eh bien ! monsieur, quelle réponse me faites-vous ? demanda M. Lagarde.

— J'ai eu l'honneur de vous dire que j'étais disposé à vous être agréable.

— Alors ?

— Je ne vois pas que votre proposition puisse être repoussée.

Le regard de M. Lagarde eut un éclair de joie.

— Seulement, continua le magistrat, il y a quelques formalités à remplir ; il faut une décision du parquet.

— Je le comprends.

— Vous voudrez bien adresser votre demande écrite.

— J'ai pensé à cela, monsieur, répondit M. Lagarde, tirant un papier de sa poche ; voici ma demande.

Le magistrat prit le papier, l'ouvrit, le parcourut rapidement des yeux et lut la signature : Antonin Lagarde, ex-capitaine de francs-tireurs.

— C'est bien, dit-il, aujourd'hui même nous nous occuperons de l'affaire.

— Pour tout ce qu'on pourra exiger de moi, je me mets entièrement à la disposition de messieurs du parquet.

— C'est entendu !

— Je ne veux pas abuser plus longtemps de vos instants ; mais, avant de me retirer, j'ai une faveur à vous demander.

— Laquelle ?

— Je vous prie de m'accorder l'autorisation de faire aujourd'hui une visite au prisonnier.

— Seul ?

— Oui, monsieur, seul.

Le magistrat prit un feuillet de papier sur lequel il écrivit quelques lignes et le remit à M. Lagarde.

— Monsieur, je vous remercie infiniment, dit celui-ci en se levant.

Les deux hommes se saluèrent courtoisement et M. Lagarde sortit du cabinet.

XIV

LA CELLULE N° 2

En rentrant chez lui, M. Lagarde dit à Landry :

— Comme je l'espérais, j'ai réussi dans ma démarche ; nous pouvons louer la maison dès aujourd'hui. Tu verras le notaire, tu le prieras de préparer le bail de trois ans ; ce soir je passerai à l'étude pour le signer.

» Quand tu auras vu le notaire, tu iras trouver le tapissier et tu lui diras de se mettre à l'œuvre immédiatement : on travaillera jour et nuit ; s'il ne lui est pas possible de faire tout à lui seul, il se fera aider par ses confrères ; il faut que dans trois jours la maison soit meublée et toutes les tapisseries posées.

» Tu lui remettras cette note, que j'ai préparée hier soir : elle lui dit quel mobilier il doit acheter, il n'aura qu'à suivre exactement ces indications pour meubler et arranger chaque pièce ; qu'il apporte surtout tous ses soins à l'ameublement et à la décoration de l'appartement des deux dames.

Le déjeuner était prêt. M. Lagarde se mit à table.

Aussitôt après avoir pris son repas, il sortit et se rendit à la prison.

Les lourdes portes de fer s'ouvrirent devant lui ou plutôt devant le permis dont il était porteur. Le directeur de la prison se trouvant absent, on le fit entrer au greffe. Le greffier prit le permis, s'inclina respectueusement devant le visiteur et appela un gardien.

— Vous allez conduire monsieur à la cellule n° 2, lui dit-il.

M. Lagarde suivit le gardien.

On traversa une première cour, puis une seconde, après avoir passé sous une voûte ; par un escalier étroit, faiblement éclairé, on monta au premier étage du corps de bâtiment.

Le gardien s'arrêta.

– Monsieur, demanda-t-il, désirez-vous voir le sauvage avant que rien ne l'ait averti de votre présence ?

– Est-ce que c'est possible ?

– Oui, monsieur.

– Alors, faites.

Le gardien s'approcha d'une porte, fit glisser doucement dans sa rainure un petit panneau d'un décimètre carré, qui mit à découvert un judas, à peine grand comme le quart du panneau.

– Regardez, monsieur, dit le gardien à voix basse ; vous allez le voir dans sa position habituelle ; c'est ainsi qu'il est tous les jours ; c'est à peine s'il change d'attitude deux ou trois fois dans la journée.

M. Lagarde se baissa à la hauteur du trou et regarda.

Le prisonnier était dans un coin de la cellule, accroupi, le corps courbé, tenant dans ses mains sa tête appuyée sur ses genoux.

M. Lagarde se redressa en poussant un soupir, et le gardien ouvrit la porte. Le prisonnier ne fit pas un mouvement.

– Il croit que je suis seul, dit le gardien, sans cela il serait déjà debout.

Il s'approcha de Jean Loup et lui posa la main sur l'épaule.

La tête du prisonnier se redressa lentement et il jeta autour de la cellule un regard rapide qui rencontra le visiteur. Aussitôt ses yeux brillèrent et il bondit sur ses jambes, montrant les signes d'une grande inquiétude.

M. Lagarde paraissait en proie à une émotion extraordinaire.

– Peut-être ne me reconnaîtra-t-il point, pensa-t-il.

Lentement il s'avança vers Jean Loup, qui fixait vers lui ses yeux étincelants.

Soudain, le visage du prisonnier changea d'expression et il fit deux pas en avant, en criant :

— Jeanne, Jeanne !

— Ah ! il m'a reconnu ! se dit M. Lagarde.

Et il répondit à l'exclamation de Jean Loup, en disant :

— Henriette, Henriette !

Jean Loup tressaillit, et son regard ardent courut vers la porte, comme s'il se fût attendu à voir paraître celle dont le nom venait d'être prononcé. Mais, aussitôt, comme s'il eût compris que son espoir était insensé, il fit entendre un gémissement et laissa tomber sa tête sur sa poitrine.

Alors, le prisonnier se trouvant devant la fenêtre, dans la nappe de lumière, M. Lagarde se mit à l'examiner avec une attention singulière. Il était facile de voir que le malheureux sauvage bouleversait tout son être. Il y avait dans son regard comme du ravissement et il paraissait prêt à manifester son admiration.

— Laissez-nous, je vous prie, dit-il au gardien.

Celui-ci sortit de la cellule.

Jean Loup restait à la même place, immobile, comme galvanisé. Cependant un léger frémissement de son corps et les soulèvements de sa poitrine trahissaient son agitation intérieure.

Physiquement, Jean Loup n'était plus le même. Il n'avait plus l'aspect farouche et terrible du sauvage de la forêt de Mareille, qui avait été, dans un temps, la terreur de toute la contrée. Maintenant., plus rien ne le distinguait des autres hommes.

Les ciseaux avaient passé dans ses cheveux, qui étaient coupés ras, et le rasoir avait entièrement nettoyé son visage. Alors, sa barbe et ses cheveux flottants ne cachant plus ses traits, on pouvait remarquer la coupe correcte, le dessin très pur de sa belle et virile figure de jeune homme. La partie rasée, d'un blanc mat et bleuâtre, contrastait avec le reste d'un ton cuivré, mais n'enlevait rien au caractère de la physionomie. Tous les traits se détachaient, s'accusaient nettement. Le nez, plutôt long que court, était beau. La bouche était un peu grande, peut-être ; mais on ne s'en apercevait point, on ne voyait que ses lèvres roses, dont le pli indiquait la bonté, de même que l'expression du regard, dont l'éclat était singulièrement adouci.

Il paraissait avoir maigri ; mais sa vigueur, pouvant résister à toutes sortes de chocs, on ne remarquait chez lui aucun signe d'affaissement.

On l'avait dépouillé de ses peaux de bêtes et des misérables loques qui complétaient son pittoresque costume d'homme des bois. Il avait une chemise de grosse toile et portait un vêtement de gros drap marron, pantalon, gilet et vareuse, le tout taillé dans la même pièce.

On n'avait pu encore l'obliger à garder une coiffure sur sa tête, une cravate autour du cou et à emprisonner ses pieds dans des chaussures quelconques. Le pantalon, long et large des jambes, tombait sur ses pieds nus.

— Jean Loup ! prononça M. Lagarde d'une voix tremblante.

Le prisonnier releva brusquement la tête.

— Tu me reconnais, n'est-ce pas ?

— Jeanne, Jeanne ! fit Jean Loup.

— Jeanne, qui te doit la vie, Jeanne, que nous avons sauvée des eaux de la rivière... Tu la reverras, j'espère, et elle te remerciera. Dis-moi, Jean Loup, mon ami, tu voudrais bien revoir aussi Henriette !

— Henriette ! murmura le malheureux avec un accent de tendresse indicible.

— Jean Loup, tu reverras Henriette, je te le promets.

Le prisonnier regarda fixement M. Lagarde, comme s'il eût voulu lire dans ses yeux. On voyait à la contraction de ses traits qu'il faisait, hélas ! de vains efforts pour comprendre.

— Malheureuse victime ! dit M. Lagarde d'un ton douloureux.

Et il tendit ses mains à Jean Loup. Le prisonnier les saisit avec humilité et les porta à ses lèvres.

— Ah ! mon cœur se brise ! murmura M. Lagarde.

Il jeta un regard sur la porte, puis, ouvrant ses bras :

— Viens, viens ! dit-il.

Jean Loup comprit. Son regard eut un éclair de bonheur, et il se jeta dans les bras de M. Lagarde.

L'homme riche colla ses lèvres sur le front du pauvre déshérité.

Jean Loup pleurait. M. Lagarde avait des sanglots noués dans la gorge. Il eut peur de son émotion.

– À bientôt, mon ami, à bientôt, dit-il au prisonnier.

Et il sortit précipitamment.

Le gardien attendait dans le corridor ; il ferma la porte de la cellule.

Quand il fut hors de la prison, M. Lagarde respira bruyamment, à pleins poumons. Toujours très agité, il ne parvenait pas à se calmer. Il gagna le faubourg et continua de marcher loin des maisons, sur des chemins déserts. Il avait besoin de solitude, de se trouver un instant seul avec lui-même, au grand air, afin de se reconnaître dans le désordre de ses pensées.

En rentrant dans la ville, deux heures plus tard, son visage avait repris son calme habituel.

Il se rendit chez le notaire. Le bail était prêt. Il le signa. Il passa ensuite chez le tapissier. Celui-ci avait reçu les ordres définitifs de M. Lagarde, transmis par Landry. Déjà, lui et ses ouvriers étaient à l'ouvrage. Il promit que dans trois jours, quatre jours au plus tard, la maison pourrait recevoir ceux qui devaient l'habiter. Il avait reçu de Landry, de la part de son maître, une avance de six mille francs.

M. Lagarde rentra chez lui.

Landry lui remit un pli cacheté de cire rouge, qu'un homme avait apporté un instant auparavant.

M. Lagarde ouvrit la dépêche et lut :

» J'ai l'honneur de vous informer que votre demande, adressée au parquet d'Épinal, a été favorablement accueillie. Dès que vous le désirerez, Jean Loup vous sera confié.

« Recevez, monsieur, etc. »

M. Lagarde eut en même temps un sourire et un soupir.

— Monsieur est satisfait ? hasarda le domestique.

— Oui, mon brave Landry ; enfin, je commence à espérer que j'arriverai au but.

On n'entendait plus aucun bruit dans la ville, et l'hôtel du Duc-de-Lorraine, où l'on se couche tard, était lui-même silencieux. Toutes les lumières, à l'exception d'une seule, s'étaient éteintes les unes après les autres.

L'unique lumière qui persistait à briller à travers les vitres, malgré l'heure avancée de la nuit, éclairait la chambre de M. Lagarde.

Le protecteur mystérieux de Jean Loup écrivait des lettres.

XV

LA SOEUR ET LE FRÈRE

Un beau matin, Raoul de Simaise arriva à Vaucourt pimpant et joyeux. Sans doute, après les graves événements des mois précédents, il se sentait heureux de revoir sa mère et sa sœur ; toutefois, il ne venait pas au château sans avoir l'espoir que, comme toujours, au moment de son départ, son excellente mère remplirait ses poches, toujours vides, hélas !

Mme de Simaise reçut son fils comme d'habitude avec beaucoup de tendresse.

L'accueil fait au frère par la sœur fut tout différent. Henriette témoigna à Raoul une froideur marquée et ne lui permit même pas de l'embrasser. Le jeune homme s'étonna ; ce fut tout. Un autre aurait éprouvé une peine réelle ; lui, point.

La baronne fut surprise également. Elle vit bien qu'Henriette avait quelque chose contre son frère. Quoi ? Elle ne pouvait le deviner ; mais elle se réserva d'interroger plus tard sa fille à ce sujet.

Mme de Simaise n'avait pas été inquiète sur le sort de son fils pendant la guerre. Elle avait appris par M. de Violaine, qui les avait rencontrés à Gênes, que le baron de Simaise et Raoul avaient tranquillement passé les six mois terribles en Italie, à l'abri des bombes et des balles prussiennes.

C'est aussi par M. de Violaine que Raoul avait su le triste dénouement du drame de Mareille. Après sa tentative criminelle, il s'était empressé de quitter Vaucourt : mais effrayé par le cri de sa conscience, il était très inquiet, car il redoutait, avec raison, les conséquences terribles de son odieuse action ; pendant plusieurs jours il fut en proie aux plus noires appréhensions : il voyait le châtiment suspendu sur sa tête comme l'épée de Damoclès. Aussi quand son père eut manifesté son intention de se réfugier en Italie, le pressa-t-il vivement de mettre ce projet à exécution.

Or, quand il apprit que Jeanne s'était noyée et qu'avant de se jeter dans la rivière elle avait, par une lettre, accusé Jean Loup, toutes ses craintes s'évanouirent. Enfin, il respirait. Jeanne ne l'avait pas reconnu, elle l'avait pris pour Jean Loup. En vérité, c'était une fière chance. Maintenant, il pouvait être tranquille, dormir sur ses deux oreilles, le secret de l'épouvantable nuit resterait enseveli dans l'ombre.

Certainement, Jean Loup serait arrêté ; mais Jean Loup ne parlait pas... Non, non, il n'avait plus rien à redouter. Le sauvage serait jugé, condamné, probablement. Mais que lui importait, à lui, qu'un innocent portât la peine du coupable ?

Nous n'avons plus à nous étonner, en voyant Raoul de Simaise reparaître dans le pays avec son air vainqueur d'autrefois, le front haut, l'œil brillant, le sourire aux lèvres.

Dans l'après-midi, profitant d'un moment où la baronne donnait audience à un de ses fermiers, Henriette dit à son frère :

— Si vous voulez me suivre dans ma chambre, Raoul, j'ai quelque chose à vous remettre.

— Tout de suite, petite sœur, je te suis.

Ils montèrent au premier. La jeune fille fit entrer son frère dans sa chambre dont elle ferma soigneusement la porte.

— Avoue, ma sœur, dit Raoul, que tu m'as fait ce matin une singulière réception.

— Ah ! vous trouvez ? répondit froidement Henriette.

— Tu ne m'as pas habitué à tant de froideur, à tant de sévérité ; autrefois, tu me tutoyais — c'est charmant entre frère et sœur — aujourd'hui tu m'envoies des vous en veux-tu en voilà. Est-ce que tu m'en veux parce que je ne t'ai pas écrit pendant notre séjour en Italie ? Mais tu sais bien que j'ignorais où vous étiez, ma mère et toi.

Henriette secoua la tête.

— Si ce n'est pas cela, qu'est-ce donc ? Tu as quelque chose contre moi, c'est certain. Voyons, que t'ai-je fait ?

— Rien.

— Alors, tu es de mauvaise humeur, tu as tes nerfs ; mais si tu es contrariée, pourquoi t'en prendre à moi ?

– Je vous ai prié de monter dans ma chambre pour vous remettre quelque chose, dit Henriette, coupant court aux interrogations de son frère.

– C'est vrai !

Elle ouvrit un tiroir, plongea sa main jusqu'au fond et en retira un petit paquet enveloppé dans un chiffon de soie. Elle enleva l'enveloppe et, montrant à Raoul le portefeuille et l'anneau rapportés par Jean Loup :

– Connaissez-vous ces objets ? demanda-t-elle.

– Assurément, c'est mon portefeuille et ma bague que j'ai oubliés ici l'année dernière.

– Ah ! vous croyez les avoir oubliés ici ?

– Dans ma chambre.

– En êtes-vous bien sûr ?

– Dame, non ; je puis les avoir perdus dans le parc.

– Ou ailleurs.

– Ou ailleurs, répéta-t-il. Est-ce vous qui avez trouvé ces objets ?

– Non.

– Qui donc ?

– Jean Loup.

Raoul tressaillit et changea de couleur.

– Où donc les a-t-il trouvés ? demanda-t-il en balbutiant.

– Vous le saurez, Raoul, en vous rappelant où vous les avez perdus.

Le misérable perdait contenance.

– Je ne vois pas à quel endroit... bégaya-t-il.

– Ah ! vous ne voyez pas l'endroit, dit Henriette avec ironie ; eh bien, je vais vous le désigner, moi ; vous avez perdu ce portefeuille et cette bague à Mareille, dans la chambre d'une jeune fille, sanctuaire sacré, inviolable pour un homme d'honneur.

Raoul recula, blême de terreur.

– Eh bien, reprit Henriette, vous demanderez-vous encore pourquoi je ne vous ai pas accueilli comme autrefois, les bras ouverts ?

» Misérable, misérable ! s'écria-t-elle, ne pouvant plus contenir son indignation, voilà ce que vous avez fait !... Et vous êtes mon frère ! Et vous êtes le fils d'une femme qui a toutes les vertu ! Elle ne sait rien, la pauvre mère ; j'ai eu la force de lui cacher l'horrible vérité... Ah ! mon Dieu, si elle avait seulement un doute, un soupçon, ce serait sa mort !

Raoul essaya de nier.

– Arrêtez ! exclama la jeune fille en le foudroyant du regard, n'ajoutez pas à votre infamie le mensonge lâche ! Ce qui s'est passé dans la chambre de Jeanne Vaillant, je le sais... Jean Loup ne parle pas, c'est vrai ; et pourtant c'est lui qui est venu m'apprendre que mon frère est un misérable ! Il ne parle pas ; mais il se fait comprendre, puisqu'il a su tout me dire... Et vous oseriez nier ! Non, non, vous ne pouvez avoir cette audace !

Raoul était écrasé.

– Henriette, dit-il, croyant pouvoir se justifier ainsi, je vous le jure, je n'ai pas touché à Jeanne Vaillant.

– Oui, mais la malheureuse est morte ! C'est vous qui l'avez poussée au suicide. Oui, vous avez tué Jeanne Vaillant, la fiancée aimée, adorée d'un brave jeune homme, qui est aujourd'hui chevalier de la Légion d'honneur et officier dans l'armée française ! Voilà ce qui fait de vous un misérable, ce qui imprime sur votre front la marque ineffaçable des infâmes !

Éperdu, il se laissa tomber sur ses genoux et, tendant vers sa sœur ses mains frémissantes :

– Henriette, grâce, grâce ! s'écria-t-il.

– Ah ! tenez répliqua-t-elle avec une sorte de dégoût, vous me faites pitié !... Relevez-vous, continua-t-elle, ce n'est pas à moi qu'il faut demander grâce ; je ne suis pas votre juge. Relevez-vous !

Il obéit. La jeune fille poursuivit :

– Jeanne Vaillant n'a pas reconnu son lâche agresseur, le savez-vous ?

– Oui.

– C'est Jean Loup, accouru à son secours, c'est Jean Loup innocent, qu'elle a désigné comme étant le coupable ; le savez-vous ?

– Oui.

– Eh bien, si vous l'ignorez encore, je vous apprends que Jean Loup, faussement accusé, a été pris par les gendarmes et traîné en prison.

– Je savais cela, Henriette, je le savais.

– Ah ! vous le saviez !... Et ce matin vous êtes arrivé à Vaucourt joyeux, le cœur léger... Raoul de Simaise n'a donc ni conscience, ni honneur, ni cœur !... Vous le saviez !... Et vous n'avez pas eu honte de vous montrer dans ce pays où vous entendrez dire à chaque pas que vous ferez : « Jean Loup est un misérable ! Jean Loup est un assassin ! ». Car on a vite oublié le bien qu'il a fait pour ne plus voir en lui qu'une espèce de monstre, capable de tous les crimes !

– Henriette, ma sœur, je regrette amèrement ma folie, je vous le jure !

– Ah ! vous appelez cela simplement une folie ! Mais qu'importe ! Vous regrettez... il y a loin du regret au repentir. Malheureusement, le mal que vous avez causé est irréparable... Enfin, Jean Loup est en prison, qu'allez-vous faire ?

– Ce que je vais faire ?

– Oui.

– Mais, mais... balbutia-t-il.

– Répondez donc.

– Que puis-je faire ? Que voulez-vous que je fasse ?

– Ah ! oui, c'est vrai, vous ne pouvez rien faire, fit amèrement la jeune fille.

Raoul reprit un peu d'assurance.

– Je ne peux pourtant pas, dit-il, m'en aller crier partout : « Jean Loup est innocent ; le coupable, c'est moi ! » et courir ensuite prendre sa place dans la prison d'Épinal.

– Et pourtant voilà ce que le devoir ordonnerait, répliqua la jeune fille, car un homme qui a le cœur haut placé ne permet pas qu'on condamne à sa place un innocent. Mais il y a la baronne de Simaise... Vous ne pouvez rien faire, rien. Si ma pauvre mère apprenait... Ah ! ce serait un coup épouvantable qui la tuerait !

– D'ailleurs, Henriette, M. de Violaine m'a affirmé que Jean Loup ne serait pas condamné.

– Et cela vous tranquillise et vous met en paix avec votre conscience, n'est-ce pas ? Eh bien, je vous dis, moi, tremblez ! Jean Loup dans sa prison est menaçant pour vous.

– Il ne parlera pas.

– Ne vous bercez point dans cette illusion. Jean Loup apprendra à parler et à lire ; sans doute, cela demandera du temps, mais la justice est patiente, les années ne sont rien pour elle, car elle est éternelle. Le jour où Jean Loup parlera, comprendra, il se révoltera contre l'accusation dont il est l'objet et protestera de son innocence. Alors il dira ce qui s'est passé dans la chambre de Jeanne Vaillant, et il expliquera l'erreur de la malheureuse jeune fille.

» Peut-être rencontrera-t-il des incrédules ; mais il y a les deux objets qu'il m'a rapportés ; on invoquera mon témoignage et je ne mentirai pas : courbée sous le poids de la honte, j'accuserai mon frère !

» Allez, j'ai examiné la situation sur toutes ses faces. J'admets qu'on ne parvienne pas à apprendre à parler à Jean Loup. Qu'arrivera-t-il, alors ? Il lui sera impossible de prouver son innocence. Mais comme on ne peut pas le garder éternellement en prison préventive, il faudra, pour continuer à le détenir, un jugement, une condamnation. Et le malheureux, incapable de se défendre, sera traîné comme un vil malfaiteur devant une cour d'assises ou un tribunal correctionnel. Eh bien, croyez-vous, si je suis encore de ce monde, alors, croyez-vous que moi, Henriette de Simaise, sachant ce que je sais, je serai assez misérable, assez lâche pour laisser flétrir un innocent ?

» Une autre hypothèse : Je suppose que, ayant appris à parler, Jean Loup pour une cause ou pour une autre, ne veuille point éclairer la justice, c'est-à-dire faire connaître le coupable : il comparait également devant les juges, condamné d'avance. Eh bien, croyez-vous que j'aurai le triste courage de laisser Jean Loup accomplir ce sacrifice ? Croyez-vous que, dans ce cas comme dans l'autre, je laisserai condamner l'innocent ?

» Raoul de Simaise est mon frère ; mais Jean Loup m'a sauvé la vie !

» Et puis, il y a en moi ma conscience et le sentiment du devoir !

» Maintenant, dites, dites, malheureux, voyez-vous l'abîme effroyable que vous avez ouvert sous vos pieds, sous les miens ?

Raoul ne répondit pas. Il était terrifié. Un tremblement convulsif secouait ses membres et il restait le front courbé, n'osant plus lever les yeux sur sa sœur.

— Je n'ai plus rien à vous dire, reprit la jeune fille, et je ne puis, malheureusement, vous donner aucun conseil. Cependant, vous ferez bien de changer de vie ; je sais, depuis quelque temps, quelle est votre existence à Paris ; elle est déplorable et j'en suis honteuse. Vous ne faites rien, vous êtes un oisif, un inutile : vous gaspillez sottement les jours de votre jeunesse.

» Raoul, repentez-vous, corrigez-vous, il en est temps encore, et devenez meilleur si vous voulez que, plus tard, ceux qui auront à vous juger soient indulgents pour vous !

Il releva lentement la tête. Les adjurations de sa sœur l'avaient vivement impressionné ; ses yeux étaient pleins de larmes.

— Pardon, ma sœur, pardon, dit-il d'une voix brisée ; oui, vous avez raison, je suis un indigne, un misérable ! Jusqu'à présent, je le reconnais, j'ai suivi une mauvaise voie ; mais vous le savez, Henriette, abandonné à moi-même, il n'y avait personne pour me crier : « Prends garde ! Arrête-toi !... ». Henriette, je me repens... Pour notre bonne mère et pour vous, je changerai de conduite, je vous le promets, je vous le jure !

— Nous verrons, dit sèchement la jeune fille.

Et elle lui fit signe de se retirer.

Il sortit, la tête basse, en chancelant comme un homme ivre.

Henriette se laissa tomber sur un siège et se mit à pleurer à chaudes larmes.

XVI

LA MÈRE ET LA FILLE

La sœur exerçait-elle réellement une influence salutaire sur le frère ? Henriette avait lieu de le croire, car il s'était opéré chez Raoul un changement subit. Il ne quittait pas sa mère, près de laquelle il se montrait respectueux, attentif, prévenant, affectueux.

La baronne était ravie.

— C'est la guerre, pensait-elle, qui a agi ainsi sur le caractère léger de mon fils ; Raoul a été touché au cœur par les malheurs immérités de la France. L'étourdi, le fou d'autrefois s'est amendé ; il est maintenant sérieux, réfléchi, plus digne. Allons, l'espoir me revient : Raoul ne marchera pas sur les traces de son père.

Et l'excellente mère, à qui il fallait si peu pour beaucoup de joie, ajoutait :

— En vérité, je ne comprends pas Henriette ; pourquoi, quand son frère nous revient complètement changé sous tous les rapports, se montre-t-elle avec lui si réservée, si froide ? Ils sont contraints, gênés, quand ils sont en face l'un de l'autre. Évidemment, c'est la faute d'Henriette, qui a presque repoussé son frère quand il est arrivé. Qu'a-t-elle donc ? Ah ! elle aussi est bien changée depuis quelques mois. Elle n'a plus cette gaieté charmante qui égayait le silence de notre solitude ; elle est souvent triste, songeuse ; son sourire est forcé ; on dirait qu'il y a en elle une souffrance secrète qu'elle s'étudie à me cacher.

Et la baronne, qui n'avait plus autre chose à désirer au monde que le bonheur de ses deux enfants, devenait pensive.

Raoul paraissait bien un peu triste, mais il n'avait point cet air ennuyé qu'il apportait au château à chacune de ses précédentes visites. Il était à Vaucourt depuis quatre jours et il n'avait pas encore manifesté l'intention de faire une promenade au dehors.

Ce fut sa mère qui, après le déjeuner, lui conseilla de monter à cheval pour aller faire une visite à M. et Mme de Violaine. Tous deux seraient certainement enchantés de le voir.

– M. de Violaine, chère mère, m'a toujours témoigné de l'amitié, répondit Raoul, j'irai chez lui avec plaisir. Du reste, je désire lui parler de moi.

– De toi ?

– Oui, chère mère, et lui demander en même temps un service.

– Ah !

– M. de Violaine a de grandes relations.

– Plusieurs amis intimes parmi les députés les plus influents.

– Il faut que je fasse quelque chose, ma mère ; je prierai M. de Violaine de m'aider à me trouver une position en rapport avec mes aptitudes.

– Bien, Raoul, bien, dit Mᵐᵉ de Simaise en embrassant le jeune homme avec émotion. Va, mon ami, continua-t-elle, va causer avec M. de Violaine de tes projets d'avenir.

Raoul partit. Mᵐᵉ de Simaise rejoignit sa fille, qui était restée seule dans le salon. Henriette était rêveuse. La baronne s'assit en face de sa fille et l'enveloppa de son regard plein de tendresse.

– Henriette, demanda au bout d'un instant Mᵐᵉ de Simaise, comment trouves-tu ton frère ?

– Mieux pour vous, chère mère.

– N'est-il pas affectueux pour toi aussi, Henriette ?

– Si, ma mère.

– Raoul n'est plus du tout le même : aussi je n'ai pas besoin de te dire toute la joie que j'en éprouve : je sens se dissiper toutes mes inquiétudes à son sujet et je commence à être rassurée sur son avenir. Il a pris une résolution dont je suis ravie : il a honte de son oisiveté ; il veut travailler, se rendre utile. C'est bien, cela, c'est très bien. C'est le désœuvrement qui perd la plupart des jeunes gens. Raoul, occupé, n'aura plus de mauvaises fréquentations, ne fera plus de folies. Il n'est pas méchant, je le constate avec bonheur ; il n'était que léger. Il a subi les entraînements de la jeunesse ; ce sont les conseils sages et une bonne direction qui lui ont manqué. Aujourd'hui, il s'aperçoit qu'il marchait sur une route dangereuse, semée de périls, et il retourne en arrière. Enfin, Henriette, si je suis contente de Raoul, tu dois être, toi aussi, satisfaite de ton frère.

— Certainement, chère mère.

— Cependant, tu es pour lui d'une froideur... Tu lui parles à peine et je m'aperçois qu'il est gêné avec toi ; il n'ose pas t'adresser la parole et il y a dans ton regard quelque chose qui semble paralyser les élans de tendresse de ton frère. On dirait que tu lui gardes rancune ; voyons, dis, est-ce qu'il t'a fait quelque chose ?

— Rien, ma mère.

— Alors, Henriette, permets-moi de te dire que je ne comprends rien à ta manière d'agir envers Raoul ; lui-même, le pauvre garçon, ne sait que penser, et cela le rend inquiet, triste... Je veux bien qu'il soit devenu plus réfléchi, plus grave ; mais l'on peut être sérieux sans perdre entièrement sa gaieté.

Des larmes, qu'elle ne put retenir, jaillirent des yeux de la jeune fille.

— Encore des larmes ! s'écria Mme de Simaise. Henriette, ma fille, mon enfant chérie ! Qu'as-tu, mais qu'as-tu donc ?

Les larmes de la jeune fille coulèrent plus abondamment.

— Ah ! j'en suis sûre maintenant, continua la mère d'un ton douloureux, tu me caches quelque chose, et cela depuis longtemps. Il y a en toi une douleur, une souffrance secrète...

Elle s'approcha vivement d'Henriette, l'entoura de ses bras et poursuivit d'une voix câline :

— Est-ce que tu n'aimes plus la mère, dis ? Si tu l'aimes toujours, pourquoi n'as-tu plus de confiance en elle ? Il n'y a pas encore bien longtemps de cela, tu me disais tous tes petits secrets, la fille n'avait rien de caché pour sa mère... Henriette, ma bien-aimée, dis-moi la cause de tes larmes afin que je puisse les essuyer comme autrefois, tu sais, quand tu étais toute petite !... Tu souffres, je le vois, je le sens... Parle, mon enfant, parle ; je t'en conjure, fais-moi connaître le motif de ton chagrin. À qui donc confieras-tu ta peine, si ce n'est à ta bonne mère ? N'est-ce donc pas dans mon cœur seulement que tu peux verser tes douleurs ?

La jeune fille se laissa glisser sur ses genoux, joignit les mains et, d'une voix faible, presque craintive :

— Ma mère chérie, dit-elle, je désire vous quitter.

Mme de Simaise se redressa, frappée de stupeur.

— Me quitter ! exclama-t-elle, tu veux me quitter !

— Il le faut.

— Henriette, où donc veux-tu aller ?

— Au couvent.

La mère tressaillit et devint affreusement pâle.

— Au couvent ! s'écria-t-elle éperdue, au couvent, toi, Henriette de Simaise !

— Oui, ma mère. J'ai beaucoup réfléchi depuis quelque temps et j'ai senti que je devais me faire religieuse. Je vous en prie, ma bonne mère, ma mère chérie, permettez-moi de partir, laissez-moi consacrer ma vie à Dieu.

La baronne resta un instant immobile, sans voix, les bras ballants. Elle était atterrée.

— Ma mère, ma bonne mère, je vous en prie ! ajouta la jeune fille d'une voix défaillante.

— Henriette, Henriette ! s'écria la baronne de Simaise, vous n'aimez plus votre mère !

— Oh ! ma mère ! ma mère ! gémit la jeune fille.

Un sanglot lui coupa la voix.

— Mais quelle chose affreuse, épouvantable s'est donc passée ici ! reprit la baronne avec une sorte de fureur ; quel horrible démon s'est donc introduit dans ma maison ! Ma fille veut m'abandonner, ma fille n'aime plus sa mère !

Elle resta un instant silencieuse, haletante, les yeux hagards fixés sur sa fille, toujours agenouillée.

— Henriette, Henriette ! reprit-elle avec véhémence, tu me dois une explication ; il faut que ta mère connaisse la raison qui te fait prendre une pareille détermination.

— Au nom de Dieu, ma mère, ne m'interrogez pas ! s'écria la jeune fille.

Ella se cacha la figure dans ses mains.

Mᵐᵉ de Simaise, bouleversée, sentit un frisson courir dans tous ses membres.

— Malheureuse enfant ! exclama-t-elle ; mais tu ne vois donc pas qu'en refusant de répondre tu me permets de supposer les choses les plus épouvantables ?

Henriette poussa un gémissement. Par un mouvement brusque, fiévreux, sa mère lui écarta les mains et l'obligea à relever la tête.

— Allons, dit-elle, regarde-moi en face, bien en face, tes yeux dans les miens.

— Oh ! maman, maman, fit Henriette avec un accent douloureux, douterais-tu de ta fille !

— Non, non, répondit vivement Mᵐᵉ de Simaise ; comme autrefois je lis dans tes yeux, et ton regard reflète toujours la pureté de ton âme ! Mais pourquoi ne veux-tu pas répondre à ta mère ?

Henriette resta silencieuse.

— Et tu crois, reprit la baronne, que je vais consentir à me séparer de toi ?

— Maman, répliqua la jeune fille, pour ma tranquillité, mon bonheur, cette séparation, si cruelle qu'elle soit, est nécessaire.

— Pour sa tranquillité, pour son bonheur, murmura Mᵐᵉ de Simaise.

— Oui, ma mère.

— Ah ! ingrate, ingrate !

— Mais vous savez bien que je vous aime !

– Tu parles de ton bonheur, et le mien, Henriette, le mien ! Ah ! ma fille, ma fille, vous avez une singulière manière d'aimer votre mère !... Mais non, mais non, c'est impossible ce que tu veux faire, c'est de l'exaltation, un accès de fanatisme d'enfant malade !

– Ma mère chérie, écoutez-moi : à vous, qui m'avez tant aimée, je ne veux point mentir : ce n'est pas par vocation que je veux entrer dans la vie religieuse ; mais j'ai besoin de prier, de m'exiler du monde. Croyez-moi, ma mère, je ne puis être heureuse, je ne puis vivre qu'en me consacrant à Dieu, en me donnant tout entière aux pratiques de la religion.

– Et c'est là seulement que tu vois ton devoir ! Après avoir été la plus malheureuse des épouses, tu veux que je sois la plus malheureuse des mères ! Pour toi, j'ai fait sans faiblesse tous les sacrifices, et voilà ma récompense !... Ma vie était brisée, devant ton berceau j'ai puisé la force de l'abnégation et du dévouement ; n'ayant plus rien à espérer pour moi, j'espérai pour toi ; j'avais à remplir une tâche nouvelle : travailler à l'œuvre de ton bonheur. Tu sais comment je t'ai élevée, tu sais si je t'ai donné toute la tendresse que peut contenir le cœur d'une mère... Et à côté de tant de plaies saignantes faites à mon cœur, c'est toi, ma fille, l'enfant de mon âme, ma dernière espérance, c'est toi qui ouvres, dans mon cœur déchiré, une nouvelle plaie plus terrible encore que toutes les autres !... Ton frère ne m'appartient pas, tu le sais bien ; je n'ai que toi, que toi... Et tu veux m'abandonner ! Ah ! autant vaudrait me dire : Je n'ai plus besoin de toi ; va, pauvre femme, tu peux mourir !

– Oh ! fit la jeune fille en se courbant jusqu'à terre.

– Ah ! continua Mme de Simaise d'une voix oppressée, *je croyais trouver plus de reconnaissance dans le cœur de mon enfant ! C'est mal, ce que vous voulez faire, Henriette, oui, c'est bien mal !*

Et la pauvre mère éclata en sanglots.

Henriette se traîna sur ses genoux jusqu'à la baronne, lui prit les mains et les couvrit de larmes et de baisers. Après un moment de douloureux silence, Mme de Simaise reprit d'une voix lente et grave :

– Henriette, que te manque-t-il donc ici ? Que peux-tu avoir à désirer ?

– Mais rien, ma mère chérie, rien !

— Henriette, presque toujours, quand une jeune fille de notre monde, belle comme toi, se retire dans un cloître, c'est qu'elle a l'âme désespérée.

La jeune fille tressaillit.

— Henriette, poursuivit la baronne, souvent aussi quand une jeune fille belle et tendrement aimée de sa mère comme tu l'es, songe à s'enfermer entre les murs sombres d'un cloître, c'est qu'il y a dans son cœur une blessure inguérissable, un amour malheureux, sans espoir !

— Ma mère ! exclama la jeune fille.

— Si tu aimes, Henriette, pourquoi ne le dirais-tu pas à ta mère ? Quand je pense à ton bonheur, à ton avenir, est-ce que tu crois que je ne te vois pas la jeune femme radieuse et aimée d'un bon et loyal jeune homme, à qui tu auras donné ton cœur ? Est-ce que je ne te vois pas mère à ton tour, penchée, les yeux irradiés, ravie, sur le berceau d'un enfant rose endormi ?

» Henriette, mon enfant, si tu aimes, dis-le moi. Mais je suis prête à lui ouvrir mes bras, à celui que tu aimeras !... Il est pauvre, peut-être, d'une famille obscure... Eh, qu'importe ! Ce n'est pas dans les salons dorés qu'on rencontre les hommes les meilleurs ; on peut en trouver de bons sous le toit d'une chaumière !... Henriette, je ne suis pas de ces femmes qui considèrent la pauvreté comme un vice ; tu as le droit de choisir ton fiancé ; la moitié de ce que je possède t'appartient.

— Je n'aime pas, ma mère, je n'aime pas ! s'écria la jeune fille d'une voix désespérée.

— Ah ! ton accent donne un démenti à tes paroles.

— Je ne veux pas aimer, ma mère, je ne veux pas aimer ! Le cloître, le cloître !

La malheureuse enfant se tordait convulsivement les bras.

À ce moment, on frappa à la porte du salon.

Henriette se releva vivement.

La baronne passa rapidement son mouchoir sur sa figure et alla ouvrir elle-même la porte, donnant ainsi à sa fille le temps de se remettre.

– Madame la baronne, dit le domestique, c'est un monsieur, un étranger, qui demande à parler à madame la baronne.

– Mais...

– Il s'agit, m'a-t-il dit, d'une affaire très importante.

– Ce monsieur a-t-il dit son nom ?

– Il se nomme M. Lagarde.

– Ce nom m'est tout à fait inconnu.

– Chère mère, dit Henriette, je vous laisse recevoir cette personne ; je monte dans ma chambre.

La mère jeta sur sa fille un regard brûlant de tendresse et lui dit :

– Va, mon enfant ; ce soir ou demain matin nous causerons encore.

Henriette sortit.

– Faites entrer M. Lagarde, dit la baronne au domestique.

XVII

L'AMI DES MALHEUREUX

Derrière le visiteur, qu'il venait d'introduire dans le salon, le domestique referma la porte.

M. Lagarde était très élégamment vêtu et tenait son chapeau à la main. Il s'inclina respectueusement devant la baronne, puis ils restèrent un instant immobiles, silencieux en face l'un de l'autre, se regardant.

Il y avait dans le regard du visiteur un mélange de curiosité et de compassion ; celui de Mᵐᵉ de Simaise était étonné et révélait une vague inquiétude.

La belle figure sympathique de l'étranger et son grand air de distinction rassurèrent un peu la baronne, tout en augmentant encore son étonnement.

— Veuillez vous asseoir, monsieur, dit-elle, montrant un fauteuil au visiteur, et en s'asseyant elle-même.

M. Lagarde posa son chapeau sur le guéridon et prit place dans le fauteuil.

— Je vous écoute, monsieur, reprit la baronne ; vous venez me trouver au sujet d'une affaire très importante, m'a-t-on dit ?

— D'une importance capitale, madame la baronne, vous en serez convaincue quand je vous aurai dit de quoi il s'agit.

— Est-ce que cette affaire intéresse quelqu'un des miens ? demanda la baronne dont la voix trembla légèrement.

— Vous et les vôtres, madame, plus ou moins directement.

— Parlez donc, monsieur, je suis prête à vous entendre.

— Je comprends votre impatience, madame la baronne, cependant, avant de vous faire connaître le but de ma visite, avant de vous dire ce que je réclame de vous, j'ai besoin de certains renseignements que vous seuls pouvez me donner. Si vous le voulez bien, madame la baronne, nous ferons ensemble une excursion dans votre vie privée.

Mme de Simaise fit un bond sur son siège et le rouge monta à son front.

— En vérité, monsieur, s'écria-t-elle avec calme et dignité, je me demande si j'ai bien entendu !

— Oui, madame la baronne, vous avez bien entendu ; mais, je vous en prie, ne soyez ni offensée, ni effrayée ; j'aurai tout à l'heure quelques explications à vous donner ; avant je désire savoir si vous pourrez me comprendre.

— Tout cela est fort bien, monsieur ; mais vous vous arrogez un droit que je ne puis vous reconnaître ; vous vous présentez chez moi un peu trop comme un juge d'instruction, me menaçant d'un interrogatoire. Enfin, monsieur, je n'ai pas l'honneur de vous connaître.

— Il est vrai que madame la baronne de Simaise me voit aujourd'hui pour la première fois ; le serviteur qui m'a annoncé a dû dire mon nom, je me nomme Lagarde.

— J'ai beau chercher dans mes plus anciens souvenirs, monsieur, votre nom m'est inconnu.

— Si j'avais besoin de références, madame la baronne, je pourrais invoquer le nom du vieux capitaine Jacques Vaillant, de Mareille, qui me connaît, et celui de son filleul, Jacques Grandin, lieutenant de hussards, qui est mon ami.

— Jacques Vaillant et Jacques Grandin sont estimés entre tous, monsieur, dit Mme de Simaise.

— Maintenant, fit M. Lagarde en souriant, madame la baronne me permet-elle de jouer mon rôle de juge d'instruction ?

— Quoi, monsieur, vous avez la prétention !

— De connaître au moins un de vos secrets ? Oui, madame la baronne.

— Mais qui êtes-vous donc, monsieur, pour oser me parler ainsi ?

M. Lagarde se dressa debout.

– Madame, répondit-il d'une voix lente et grave, je suis l'ennemi des méchants, des infâmes ! je suis l'ami des bons, le protecteur, le défenseur des malheureux, et le vengeur des victimes !

La baronne tressaillit et devint affreusement pâle.

– Interrogez-moi, monsieur, je répondrai, dit-elle d'une voix défaillante.

– Merci, dit M. Lagarde en se rasseyant. Vous avez compris, madame la baronne, que, étant vous-même une femme malheureuse, je suis nécessairement votre ami, et il faut bien que cela soit, puisque vous me voyez ici, devant vous.

» Ce n'est pas l'histoire de votre vie, le récit de vos souffrances imméritées, que je vais exiger de vous ; cela, madame la baronne, je le connais. Je sais quelles blessures profondes ont été faites à votre dignité, à votre honneur par un époux indigne.

La baronne baissa la tête. M. Lagarde continua :

– Le baron de Simaise n'a respecté en vous ni l'épouse, ni la mère ; il vous a abreuvée de toutes les amertumes ; par lui vous avez connu tous les chagrins, toutes les douleurs. Vous êtes malheureuse parmi les plus malheureuses, madame, et, croyez-le, je vous plains sincèrement, de tout mon cœur. Je sais comment vous avez été noblement élevée, ici même, à Vaucourt, par des parents qui vous adoraient ; je sais comment, devenue orpheline, vous avez épousé le baron de Simaise, un peu pressée, peut-être, par la volonté d'un tuteur peu clairvoyant, pour ne pas dire aveugle.

» Votre jeunesse, votre beauté, votre esprit et toutes vos autres qualités n'ont été pour votre mari que ce que sont des jouets dans les mains d'un enfant capricieux et volontaire. Vite fatigué, à la sollicitude, aux petits soins, aux adulations, aux semblants d'affection sincère des premiers jours ont succédé la froideur, l'indifférence, le dédain, et monsieur le baron est retourné à ses anciennes habitudes et s'est livré plus que jamais à de honteux excès.

» Bref, votre situation étant devenue intolérable, vous avez quitté votre mari, avec son consentement, sans doute – et toujours jeune et belle, renonçant entièrement au monde, vous êtes venue vous réfugier à Vaucourt avec l'un de vos deux enfants, votre fille Henriette.

» Depuis – il y a de cela plus de dix-sept ans – vous n'avez pas revu M. de Simaise, vous n'êtes pas allée une seule fois à Paris où, cependant, il vous reste encore quelques amis, qui ne vous ont pas oubliée.

» Je sais également quelle est votre existence depuis que vous êtes revenue à Vaucourt ; il suffit d'interroger le premier paysan qu'on rencontre pour savoir le bien que vous faites autour de vous. Venir en aide aux malheureux est de tradition dans votre famille. Votre charité est inépuisable comme votre bonté. Henriette de Simaise est la digne fille de sa mère : elle marche sur vos traces. Vous êtes les deux fées bienfaitrices de la contrée.

» Comme vous le voyez, madame la baronne, je suis assez bien instruit.

— C'est vrai, monsieur, aussi n'ai-je plus rien à vous apprendre.

— Peut-être, madame la baronne : je me permettrai tout à l'heure de vous poser une question délicate ; mais, auparavant, si vous le voulez bien, nous parlerons de M. Raoul de Simaise.

— De mon fils ? Qu'avez-vous donc à me dire de lui, monsieur ?

— Vous le voyez rarement et il n'a point pour vous le respect, l'affection et la tendresse qu'il vous doit...

— Mais, monsieur, fit Mme de Simaise essayant de protester.

— Vous voulez le défendre, c'est le droit respectable d'une mère ; mais si indulgente que soit une mère pour les défauts de ses enfants, si ingénieuse qu'elle soit à se les cacher à elle-même, vous ne vous êtes pas fait illusion au sujet de Raoul de Simaise. De ce côté-là aussi vous souffrez. Il est impossible, d'ailleurs, que vous ignoriez complètement ce que votre fils fait à Paris.

— Je sais, en effet, monsieur, répondit la baronne avec des larmes dans les yeux, que la conduite de Raoul, dans ces dernières années, n'a pas été exempte de reproches. Sans doute, le sachant mal entouré, mal conseillé, je me suis inquiétée, alarmée et j'ai souffert ; mais, comme vous le dites, monsieur, une mère est indulgente, elle ne se hâte point de désespérer. Aussi ai-je toujours conservé l'espoir que Raoul changerait, qu'il reviendrait à des sentiments meilleurs.

» Eh bien, monsieur, je ne m'étais pas trompée, j'ai eu raison d'espérer : aujourd'hui, Raoul n'est plus ce qu'il était il y a un an encore, un changement radical s'est opéré en lui.

— Ah !

— Il est ici depuis quatre jours, et c'est avec bonheur que j'ai remarqué qu'il n'est plus le même. Une mère ne se trompe pas, ne peut pas se tromper, monsieur, quand son cœur affirme l'exactitude de son jugement. Ah ! si mon fils n'a pas toujours été aussi respectueux et affectionné que je l'aurais voulu, la vive tendresse qu'il me témoigne maintenant m'a déjà fait oublier les inquiétudes qu'il m'a données, les larmes que j'ai versées pour lui.

» Son existence passée lui fait horreur et il a honte de son oisiveté ; il veut travailler, se rendre utile, devenir un homme, enfin. Tenez, en ce moment, il est à Haréville, chez un de nos vieux amis, M. de Violaine. Il lui fait part de ses projets, et, comme M. de Violaine a beaucoup d'amis, de nombreuses relations, il le prie de l'aider à lui trouver une position convenable, surtout en vue de l'avenir.

— J'apprends cela avec plaisir, madame la baronne, j'en suis heureux pour vous et votre fils.

— Oui, je suis rassurée maintenant au sujet de Raoul ; mais, hélas ! le bonheur est pour moi le fruit défendu ; il faut que je subisse successivement les plus cruelles épreuves ; une nouvelle douleur m'est réservée !

— Que voulez-vous dire ?

— Quand vous êtes entré ici, vous avez peut-être remarqué mon agitation et sur mon visage des traces de larmes mal essuyées. Je venais d'avoir avec ma fille une conversation pénible et j'étais, et je suis encore, sous le coup d'une émotion terrible.

— Causée par Mlle de Simaise ?

— Oui, monsieur.

— Puis-je savoir ?

— À vous, monsieur, qui connaissez si bien tout ce qui me concerne, je sens que je ne dois rien cacher ; n'ai-je pas pris, d'ailleurs, l'engagement de répondre à vos questions ? Et puis, ce que je refuserais de vous dire aujourd'hui, vous l'apprendriez dans quelques jours. Eh bien, monsieur, tout à l'heure, quand vous vous êtes fait annoncer, Henriette venait de me déclarer qu'elle avait l'intention de me quitter pour se retirer dans un cloître.

— Oh ! oh ! fit M. Lagarde.

– Oui, continua la baronne, laissant couler ses larmes, Henriette veut abandonner sa mère pour aller ensevelir sa jeunesse entre les sombres murailles d'une maison religieuse !

Elle poussa un gémissement et laissa tomber sa tête dans ses mains.

– Pauvre femme ! pauvre mère ! murmura M. Lagarde.

Après un moment de silence, il reprit :

– Mlle de Simaise a-t-elle fait connaître à sa mère le motif de sa grave détermination ?

– Non, monsieur, non ; elle n'a point voulu répondre à mes questions ; mais, à certaines paroles qui lui sont échappées, j'ai deviné.

– Vous avez deviné ?

– Que ma fille aime, que son amour est sans espoir, qu'elle en est honteuse, peut-être même épouvantée !... Voilà pourquoi, j'en suis convaincue, la malheureuse enfant veut renoncer au monde, à l'avenir, à tout !

– Vous avez bien deviné, madame la baronne ; mais je me hâte de vous rassurer : Mlle Henriette de Simaise n'ira pas s'enfermer dans un cloître : elle renoncera à son projet, c'est moi qui vous le promets. Soupçonnez-vous quel est le jeune homme qui a su se faire aimer de Mlle de Simaise ?

– Non, monsieur.

– En cherchant bien vous trouveriez certainement ; mais je ne veux point vous donner cette peine. Celui qui est aimé de votre fille aime ardemment aussi Mlle Henriette de Simaise ; malheureusement il ne se trouve point, quant à présent, dans des conditions ordinaires. Ce jeune homme, madame la baronne, vous le connaissez, vous l'avez vu.

– Je le connais ?

– Oui. Il se nomme Jean Loup !

– Jean Loup ! exclama Mme de Simaise en faisant un soubresaut sur son siège. Ah ! mon Dieu ! mon Dieu ! je comprends enfin !... Ma pauvre fille, ma pauvre enfant ! Quel malheur épouvantable ! C'est horrible !...

— Calmez-vous, madame la baronne, et permettez-moi de vous dire que vous exagérez beaucoup le mal.

— Jean Loup, Jean Loup ! répliqua Mᵐᵉ de Simaise en proie à une agitation fébrile ; Jean Loup, un sauvage, un misérable, un être dégradé... Mais, monsieur, le bonheur de ma fille est à jamais détruit ; c'est épouvantable, vous dis-je... Ah ! la malheureuse, la malheureuse enfant !

— Laissez-moi vous dire une fois encore, madame la baronne, que les choses ne m'apparaissent point sous des couleurs aussi sombres que vous les voyez. Attendez avant de juger. Sans doute, Jean Loup est un sauvage, un être déshérité, et au premier abord on se révolte contre cette idée qu'une jeune fille bien élevée, charmante et distinguée comme Mˡˡᵉ de Simaise, puisse aimer un pareil homme. Mais ce sauvage se civilisera, et ni vous ni moi, madame la baronne, ne pouvons dire aujourd'hui ce qu'il y a sous sa rude enveloppe. Donc, je vous le répète, avant de juger l'homme et les choses, attendez. Ce que vous considérez en ce moment comme un effroyable malheur peut se transformer pour vous, bientôt peut-être, en une chose heureuse.

Mᵐᵉ de Simaise secoua tristement la tête.

— Tenez, poursuivit M. Lagarde, le moment est venu de vous faire connaître le but de ma visite. Il s'agit de Jean Loup.

La baronne eut un mouvement de surprise.

— Ne soyez pas étonnée, continua M. Lagarde ; vous ne tarderez pas à savoir pourquoi je m'intéresse à ce malheureux. Vous savez — je vous l'ai dit — que je suis l'ami des malheureux. Je suis le protecteur et le défenseur de Jean Loup malheureux, et en même temps son vengeur, car il est une victime !

» Jean Loup a été arrêté et emprisonné, bien qu'il soit innocent du crime dont on l'accuse.

Nouveau mouvement de la baronne.

— Oui, madame, innocent, reprit M. Lagarde, en appuyant sur les mots, et cela sera prouvé le moment venu. Je poursuis : Protecteur, défenseur et vengeur de Jean Loup, j'ai résolu de le rendre à la société, non pas tel qu'il était, tel qu'il est encore aujourd'hui, mais transformé. Je veux que le sauvage disparaisse, je veux enfin, dans un espace de temps aussi court que possible, faire l'éducation complète de Jean Loup afin qu'il puisse paraître dans le monde avec le nom que j'ai à lui donner, un nom qui lui appartient !

– C'est une œuvre méritoire que vous voulez accomplir, monsieur.

– Je le crois, madame la baronne ; mais il y a des difficultés sérieuses à surmonter. La première, la plus grande, est de vaincre la sauvagerie de Jean Loup, d'avoir raison de sa volonté afin de le rendre soumis et docile. J'ai cherché le moyen d'obtenir cela, madame la baronne, je l'ai cherché et je l'ai trouvé. Pour m'aider dans mon œuvre, pour que je réussisse sûrement, j'ai compté, je compte sur la collaboration de deux personnes : la première est madame la baronne de Simaise.

– Moi, monsieur ?

– Oui, madame, vous et mademoiselle votre fille.

– Je ne comprends pas bien, monsieur ; que pouvons-nous faire, ma fille et moi, pour vous aider ?

– Oh ! rien de bien difficile, madame la baronne ; vous et Mlle de Simaise quitterez le château de Vaucourt et irez habiter à Épinal dans une maison que j'ai louée et fait meubler et où, depuis hier, Jean Loup est déjà installé.

– Quoi, monsieur ! s'écria la baronne stupéfiée, vous avez pu espérer un instant que ma fille et moi...

– Je vous arrête, madame, pour vous empêcher de prononcer des paroles que vous pourriez regretter. Non seulement j'ai espéré que madame la baronne de Simaise ne me refuserait pas son précieux concours ; mais, vous connaissant, madame, je suis sûr de votre consentement.

– Oh ! fit la baronne, regardant son terrible interlocuteur avec effarement.

XVIII

LE SECRET DE LA BARONNE

Après un court silence M. Lagarde reprit :

– Je vous en prie, madame, restez calme et surtout ne vous effrayez point. Ai-je donc besoin de vous répéter que je suis votre ami ? Assurément, ce que je viens vous demander, exiger de vous, vous paraît étrange, inouï ; c'est audacieux, j'en conviens ; mais je n'ai pas le choix des moyens. Du reste, après le mal qu'on a fait à Jean Loup, on lui doit bien quelque chose en réparation.

– Monsieur, répliqua vivement la baronne, vos paroles semblent m'accuser.

– Non, madame, non. Eh ! mon Dieu, de quoi pourriez-vous être coupable ?... La présence de Mlle Henriette près de Jean Loup est absolument nécessaire ; vous devez le comprendre facilement, sachant que Jean Loup l'aime. Privé du concours de Mlle Henriette, des années s'écouleraient avant que j'arrive au but, et encore y arriverais-je ?... Grâce à elle, toutes les difficultés seront aplanies et nous obtiendrons des résultats rapides ; ce qui aurait demandé une année de peine sera obtenu en un mois, en quelques jours seulement, peut-être.

» Mlle de Simaise dominera Jean Loup, lui imposera sa volonté et il lui obéira comme un enfant docile obéit à sa mère. C'est tout ce qui résiste en lui qu'il faut dompter, c'est sa nature, enfin, qu'il faut changer avant de commencer son éducation, avant d'entreprendre de l'instruire. Oh ! la tâche sera rude, je le reconnais ; mais l'amour a déjà accompli bien des miracles ; je veux lui demander un nouveau prodige !

Mme de Simaise était complètement ahurie.

– Votre proposition est insensée, monsieur ! s'écria-t-elle, jamais ma fille et moi...

– Je vous interromps encore, riposta M. Lagarde, pour la même raison que je vous ai donnée tout à l'heure... Remarquez que je ne vous ai pas adressé cette question : Acceptez-vous ? Cette question, mais je ne vous la ferai point, madame la baronne, car tout à l'heure, de votre propre mouvement vous me direz : « Ma fille et moi nous sommes à votre disposition, je suis prête à faire tout ce que vous voudrez. »

— En vérité, monsieur, je ne sais que penser ! balbutia Mme de Simaise.

— Je vous en prie, madame, soyez patiente et écoutez-moi : La maison que j'ai louée à Épinal, ayant derrière un assez vaste jardin, est très confortable ; vous y serez bien et vous vous y plairez, je vous assure. Les appartements qui vous sont destinés ont été décorés et meublés à votre intention et comme il convient. Ils sont d'ailleurs complètement indépendants du logement de Jean Loup ; Jean Loup occupe une aile du bâtiment, qui n'a aucune communication avec le corps principal de l'habitation.

» Vous aurez, cela va sans dire, des domestiques pour vous servir : une cuisinière, un valet de chambre, une femme de chambre — celle que vous avez ici, s'il vous est agréable de l'emmener avec vous — et enfin un cocher, car il y a deux chevaux dans l'écurie et deux voitures sous la remise.

» Vous pourrez, si cela vous convient, garder l'incognito pendant le temps que votre séjour dans la ville sera reconnu nécessaire. Cela vous sera d'autant plus facile que deux ou trois personnes seulement à Épinal seront dans le secret. Ainsi, en prenant un nom bourgeois, n'importe lequel, celui que vous choisirez, vous et Mlle Henriette serez parfaitement à l'abri de certaines curiosités malveillantes.

» Vous serez la maîtresse absolue dans la maison ; le personnel n'obéira qu'à vos ordres et à ceux de Mlle Henriette. Vous aurez la haute main, aussi bien sur le précepteur de Jean Loup et les autres professeurs appelés à lui donner des leçons, que sur les domestiques. Nous examinerons dans quelques jours, quand vous serez installées à Épinal, quels devront être vos rapports et ceux de Mlle de Simaise avec Jean Loup. Forcément, ils seront fréquents, puisque les heureux résultats que nous obtiendrons sûrement seront dus à l'influence de Mlle Henriette.

— Réellement, pensait Mme de Simaise, on croirait entendre parler un aliéné.

— Vous voyez, monsieur, dit-elle, que je vous écoute patiemment et aussi avec beaucoup de complaisance.

— C'est vrai, madame la baronne, et je vous en remercie.

— Assurément, monsieur, votre plan est très bien imaginé, seulement...

— Je sais ce que vous allez dire, madame, interrompit vivement M. Lagarde ; je vous coupe encore une fois la parole, parce que je ne dois pas vous laisser formuler une seule objection.

— Pourtant, monsieur, j'ai bien le droit...

— Vous avez tous les droits, madame la baronne, excepté celui de refuser ce que je vous demande.

— Oh !

— Vous trouvez mon plan bien imaginé ; j'en suis heureux ; il me reste, maintenant, à vous le faire approuver complètement.

Mme de Simaise eut un imperceptible sourire.

— Madame la baronne, continua M. Lagarde, quand vous vous êtes séparée de votre mari, la surprise de vos amis a été très grande, car rien ne leur avait fait prévoir votre brusque résolution. Outragée ouvertement par M. de Simaise, qui ne craignait pas de faire parade de sa conduite honteuse, vous étiez très malheureuse ; mais la situation était la même depuis au moins trois ans, et, dans l'intérêt de vos enfants, vous vous étiez résignée. Il y a donc lieu de supposer que ce n'est pas seulement la conduite scandaleuse de M. de Simaise qui a motivé votre retraite. Quant à moi, madame, je suis convaincu que vous avez fait quelque découverte terrible, dont la conséquence a été la séparation immédiate.

Mme de Simaise devint de nouveau très pâle et regarda l'étranger avec terreur.

— Eh bien, madame la baronne, voulez-vous me dire quelle chose horrible vous avez découverte ?

— Monsieur... monsieur... balbutia-t-elle.

— Oh ! je sais quel combat doit se livrer en vous en ce moment et quelle répugnance vous devez avoir à me répondre ; mais il est important, il est de toute nécessité que je sois instruit des choses que vous savez.

» Mais, tenez, je veux bien vous aider, et pour vous mettre un peu plus à votre aise, je commence par vous dire que je connais tous les crimes du baron de Simaise.

La jeune femme se dressa éperdue, folle de terreur.

— Mais encore une fois, monsieur, qui êtes-vous donc ? s'écria-t-elle.

— Je vous l'ai dit, madame, je suis votre ami, parce que vous êtes malheureuse, je suis le vengeur des victimes ! Ah ! croyez-le, madame, croyez-le bien, si vous et votre fille n'aviez pas trouvé grâce devant moi, il y a plus d'un an que l'infâme baron de Simaise serait au bagne !

La pauvre femme poussa un gémissement et retomba lourdement sur son siège.

— Allez, madame, vous pouvez parler, reprit M. Lagarde, je suis sûr que vous ne savez pas tout ; mais ce que vous ignorez encore, je vous l'apprendrai, moi. Avez-vous entendu parler d'un crime, qui a été commis à Blaincourt dans des circonstances très mystérieuses, à l'époque même où vous êtes venue vous réfugier à Vaucourt ?

— Oui, monsieur, oui, répondit la baronne.

Et cachant sa figure dans ses mains, elle se mit à sangloter. Après un silence, M. Lagarde reprit :

— Les auteurs de ce crime sont restés inconnus, de même que la victime ; n'avez-vous pas soupçonné qui pouvait avoir armé les mains des scélérats qui ont échappé aux recherches de la justice ?

— C'est horrible, horrible ! gémit la baronne.

— La victime se nommait Charles Chevry.

— Oui, monsieur, Charles Chevry ; ah ! je n'ai pas oublié son nom. Le malheureux !… Sans le vouloir, c'est moi, hélas ! qui l'ai livré à ses assassins !

— Ah ! Et comment cela ?

— Il faut donc que je parle, monsieur ?

— Il le faut absolument.

— Un jour, un homme bien mis et jeune encore se présenta à l'hôtel de Simaise, demandant à parler à mon mari. Sur la réponse qui lui fut faite que M. de Simaise était absent, il témoigna le désir de me voir. Je le reçus. Il m'apprit qu'il se nommait Charles Cherry, qu'il arrivait des Indes avec sa femme et qu'il était à Paris depuis quelques jours seulement.

» – Ma femme et moi, me dit-il, nous devons notre bonheur, notre position, tout ce que nous possédons à M. le marquis et à Mme la marquise de Chamarande.

» Je crus d'abord qu'il s'agissait de la mère de mon mari, laquelle avait épousé en premières noces le marquis de Chamarande. Mais le visiteur ne me laissa pas longtemps dans mon erreur. Je fus donc étrangement étonnée en apprenant que le marquis de Chamarande, frère aîné de mon mari, mort en mer quelques années auparavant, s'était marié à Batavia.

» Comme M. de Simaise, en me parlant de son frère, ne m'avait jamais dit qu'il se fût marié, je témoignai un doute à cet égard. Aussitôt M. Charles Cherry plaça sous mes yeux un contrat et un acte de mariage. Je restai confondue.

» Alors M. Charles Cherry m'apprit que l'année même de sa mort, après avoir réalisé une partie de sa fortune, soit près de quatre millions, le marquis de Chamarande avait conduit sa jeune femme en France, où il avait résolu de se fixer définitivement.

» – Depuis la mort de M. le marquis, continua Charles Cherry, nous avons écrit, ma femme et moi, plusieurs lettres à madame la marquise. Elles sont toutes restées sans réponse. Nous avons écrit aussi à M. le baron de Simaise : il n'a pas répondu. Nous avons passé plusieurs années très inquiets au sujet de Mme la marquise et de son enfant, car dans la dernière lettre qu'elle nous a écrite, pendant que M. le marquis faisait la traversée dans laquelle il a péri, elle nous annonçait que, bientôt, elle serait mère. Enfin, nous trouvant assez riches avec quatre cent mille francs, nous avons cédé notre maison de commerce et nous nous sommes embarqués sur un bâtiment de la compagnie des Indes pour venir en France, afin de savoir ce qu'est devenue Mme la marquise de Chamarande.

» Avant de me présenter chez M. le baron de Simaise, j'ai cru devoir faire prendre quelques renseignements. Ces renseignements ne m'ont pas appris grand chose. On n'a jamais entendu parler de la marquise de Chamarande, amenée en France par son mari et confiée par lui à son frère. Mais il paraît que la situation de fortune de M. le baron a subitement changé, et cela immédiatement après la mort de M. le marquis.

» Que conclure de cela ? Je ne vous cache pas, madame, que je soupçonne le baron de Simaise d'avoir fait disparaître sa belle-sœur afin de s'emparer de sa fortune. Dans tous les cas, il y a là un mystère, une chose ténébreuse que je veux

éclaircir. Peut-être aurais-je déjà dû m'adresser aux tribunaux ; je serai probablement forcé de le faire. Mais en souvenir de M. le marquis de Chamarande,
mon bienfaiteur, je crois devoir, avant de saisir la justice, demander des explications à M. le baron de Simaise.

» Autant que je puis me rappeler, monsieur, c'est ainsi que me parla le
malheureux Charles Cherry. Je l'avais écouté avec une émotion, un saisissement
faciles à comprendre. Pendant assez longtemps, je fus incapable, de lui répondre : la voix me manquait, j'étouffais... J'étais terrifiée, écrasée ! Hélas ! je
ne pouvais me faire aucune illusion ; il m'était prouvé d'une façon éclatante que
le baron de Simaise était un misérable !

» Je remerciai Charles Cherry de la confiance qu'il m'avait témoignée, et,
après lui avoir vivement recommandé d'éviter un scandale public en s'adressant à
la justice, je l'engageai à continuer secrètement ses recherches et je lui promis
que, de mon côté, je mettrais tout en œuvre pour l'aider à savoir ce qu'était devenue la marquise de Chamarande.

» Il se retira en me laissant son adresse et en me donnant l'assurance qu'il
ne ferait aucune démarche pouvant nuire au baron de Simaise, sans m'avoir
d'abord consultée. Hélas ! je ne devais plus le revoir !

» Quand mon mari rentra, je l'interpellai avec violence, lui montrant toute
mon indignation ; je lui dis de quel crime monstrueux Charles Cherry l'accusait
et je le sommai de me dire ce qu'il avait fait de sa belle-sœur.

» Sous mon regard je le vis pâlir, perdre contenance, chanceler ; il était
haletant, de grosses gouttes de sueur perlaient sur son front.

» Si, alors, j'eusse encore conservé un doute, son attitude seule m'aurait
confirmée qu'il était coupable.

» Mais il se remit promptement et il me répondit d'un ton léger, presque
ironique, et avec une audace qui me révolta et remplit mon cœur de dégoût.

» – En effet, me dit-il, mon frère a amené en France une créole qu'il avait
ramassée je ne sais où ; mais cette créature était sa maîtresse et non sa femme.

Un sombre éclair sillonna le regard de M. Lagarde.

– L'infâme ! murmura-t-il.

» – Cette créole, monsieur, répliquai-je avec emportement, dont vous parlez avec tant de dédain, et que vous semblez vouloir assimiler à une fille perdue, était marquise de Chamarande ; j'ai tenu dans mes mains l'extrait de son acte de mariage !

» Il resta un instant interloqué, puis il répondit !

» – Vous m'apprenez, madame, qu'une noire machination est dirigée contre moi par des misérables ; je vois ce que me veulent ces gens-là, c'est une affaire de chantage ; mais ils se trompent s'ils me prennent pour un imbécile capable de tomber dans leurs filets. Ce fameux acte de mariage qu'on vous a fait voir est faux : c'est une pièce fabriquée par des coquins, qui espèrent me soutirer quelques billets de mille francs, en me menaçant d'un scandale. Certes, ce n'est pas la première fois que des fripons se servent de ce moyen pour remplir leurs poches.

» Je compris que tout ce que je pourrais dire encore serait inutile.

» – Enfin, m'écriai-je, votre frère a amené en France une femme ! Marquise de Chamarande ou non, qu'est-elle devenue ? Je veux le savoir !

» – Est-ce que je le sais, me répondit-il en haussant les épaules. Votre question est étrange ; croyez-vous que je me suis donné la peine de me renseigner sur les faits et gestes de cette femme ? Immédiatement après la mort de mon frère, elle a quitté l'endroit où elle demeurait, et, depuis, je n'en ai plus entendu parler.

» Sur ces mots, il me quitta, ayant la certitude qu'il n'avait pas réussi à me convaincre.

» Je ne vous dirai pas dans quel état je me trouvais ; j'étais comme folle. Je voyais le nom de Simaise et celui de Vaucourt traînés dans la boue, mon mari jugé, condamné, flétri... C'était, pour mes enfants, le déshonneur, leur tranquillité, leur avenir à jamais perdus !

» J'avais fait une promesse à Charles Chevry ; mais comment l'aider dans ses recherches ? Quel moyen employer pour savoir ce qu'était devenue la malheureuse marquise de Chamarande ? Je le cherchais vainement. Tout à coup il se fit une clarté dans mon cerveau.

» Je me souvins d'un homme qui était venu voir mon mari plusieurs fois. Cet homme, dont je n'ai jamais su le nom, petit et fort laid, au regard sournois, au teint bilieux, avait la ruse et l'hypocrisie peintes sur le visage. Le baron et lui s'enfermaient mystérieusement et causaient longuement.

» Un jour qu'ils étaient ensemble, j'entrai par hasard dans une petite pièce contiguë au cabinet de M. de Simaise, où je ne mettais jamais les pieds. Quelques paroles arrivèrent à mon oreille. Poussée par une curiosité invincible, je m'approchai de la porte et j'écoutai. Malheureusement cette porte, bien fermée, était encore masquée à l'intérieur par une épaisse tapisserie, qui arrêtait le son de la voix. Je ne pus entendre que quelques mots de la conversation.

» Ce sont ces mots, auxquels je n'avais attaché alors aucune importance, qui venaient de me frapper d'une clarté subite, en surgissant de ma mémoire. Voici ces mots : « L'enfant vivra, toujours folle, folie incurable, vieux château, pays perdu dans les Vosges, Blaincourt. »

» C'était peu, et cela me disait tout. La marquise de Chamarande était mère ; mais elle avait perdu la raison ; elle et son enfant étaient enfermés, séquestrés dans le vieux château de Blaincourt.

» C'était un précieux renseignement à donner à Charles Chevry.

» Je m'empressai de lui écrire et je remis ma lettre à un domestique, sur la fidélité duquel je croyais pouvoir compter, avec ordre de la porter immédiatement à son adresse.

» Hélas ! j'ignorais que, déjà, le baron de Simaise avait pris ses précautions pour surprendre la correspondance qui pourrait s'établir entre Charles Chevry et moi.

» Le misérable valet porta ma lettre, mais après que son maître l'eut ouverte et en eut pris connaissance.

» M. de Simaise a nié le fait effrontément. Mais s'il n'avait pas décacheté et lu ma lettre, comment deux bandits seraient-ils allés attendre le malheureux Chevry sur la route de Blaincourt ?

» Six jours après, je lus dans un journal de Paris, qui l'empruntait à une gazette du département des Vosges, le récit épouvantable du crime de Blaincourt.

» La mesure était comble. Mais j'étais mère. Ah ! si je n'avais pas eu mes enfants !... Il ne m'était pas possible de dénoncer mon mari, de le livrer à la justice, je ne pouvais que le fuir avec horreur.

» La scène qui eut lieu entre nous fut terrible. Que lui ai-je dit ? Je ne me le rappelle plus. Mais j'ai dû lui reprocher son ignominie avec une extrême violence, car, à un moment, il leva sa main sur moi ; cependant, il n'osa point me frapper.

» Après lui avoir jeté à la face le mépris, l'horreur et le dégoût qu'il m'inspirait, je lui déclarai que tout était fini entre nous, que je ne le connaissais plus, que j'allais immédiatement me retirer à Vaucourt avec mes enfants.

» — Soit, me dit-il en contenant sa fureur, mais en grinçant des dents, j'accepte cette séparation, je vous rends votre liberté entière ; seulement je ne vous abandonne pas nos deux enfants ; prenez votre fille, je le veux bien ; moi, je garde mon fils.

» Je m'emportai de nouveau. Je ne voulais pas laisser Raoul à un père indigne.

» Il m'interrompit brutalement.

» — Je garde mon fils, et c'est à cette condition seulement que je vous laisse libre !

» Je le menaçai.

» Il eut un éclat de rire strident, qui glaça mon sang dans mes veines.

» — Eh bien, me dit-il avec un calme féroce, dénoncez-moi si vous l'osez ! Au fait, ajouta-t-il avec une ironie qui me perçait le cœur comme la pointe d'un poignard, c'est le seul moyen que vous ayez d'être la maîtresse du sort de vos deux enfants.

» Je savais le baron de Simaise capable de tout ; j'eus peur, j'étais désarmée, vaincue. Je me résignai. Oh ! ce fut un douloureux sacrifice !

» Dans la nuit, je remplis plusieurs malles des objets qui m'appartenaient, et le lendemain matin, à la première heure, sans avoir prévenu personne, sans avoir dit adieu à la comtesse de Maurienne, ma meilleure amie, je quittai Paris, serrant ma fille dans mes bras et la couvrant de baisers et de larmes.

» Il y a de cela bien des années, monsieur, mais la plaie de mon cœur n'est pas fermée, elle est toujours saignante.

XIX

LE DERNIER MARQUIS DE CHAMARANDE

Mme de Simaise avait achevé son récit.

M. Lagarde paraissait absorbé dans ses pensées.

La baronne pleurait silencieusement. Les souvenirs faisaient revivre en elle toutes ses douleurs. Elle regardait l'étranger, cet homme mystérieux, à qui rien ne semblait caché, avec une sorte de respect craintif.

— Oui, dit M. Lagarde en relevant la tête, vous avez horriblement souffert. Vous aussi, madame, vous êtes une victime. Vous savez sans doute comment est morte, dans l'unique auberge de Blaincourt, la femme de Charles Chevry ?

— Hélas ! oui, monsieur. Je suis allée voir plusieurs fois la pauvre petite orpheline chez sa nourrice, sans me faire connaître. On avait donné à l'enfant le nom de Rose. Elle était bien chétive, la chère mignonne ; mais elle ne demandait qu'à vivre ; du reste, je constatai avec joie que les meilleurs soins ne lui manquaient point.

» Voulant réparer le mal autant que cela m'était possible, j'avais l'intention de me charger de l'orpheline, de la faire instruire et enfin de lui faire une donation afin d'assurer son avenir. Je fis à ce sujet plusieurs démarches qui furent malheureusement inutiles.

» D'abord, on m'avait dit à Blaincourt que je ne pouvais obtenir ce que je demandais. Déjà on s'était occupé de l'avenir de la petite Rose, et ce qui serait fait pour elle était décidé.

» Je fis prendre des informations à Épinal ; ce qui m'avait été dit à Blaincourt me fut confirmé. Je compris alors que c'était l'administration elle-même qui se chargeait de l'avenir de l'orpheline. Elle fut reprise à sa nourrice, et depuis, malgré les recherches que j'ai faites, je n'ai jamais pu savoir où elle a été placée.

— Le secret a été bien gardé.

– Trop bien, monsieur ; j'aurais été si heureuse de pouvoir faire quelque chose pour cette malheureuse enfant !

– Avez-vous cherché à savoir si la marquise de Chamarande avait été réellement emprisonnée au château de Blaincourt ?

– Oui, monsieur, et j'ai pu me convaincre qu'on ne savait absolument rien à Blaincourt. Ah ! ils avaient bien pris leurs précautions, allez, les misérables dont le baron de Simaise s'est servi pour commettre cette infamie ! Il eût fallu pénétrer de force dans le vieux château, y faire une perquisition ; un magistrat seul avait ce droit, au nom de la loi. Malheureusement, j'étais forcée d'agir avec prudence et une extrême réserve ; je ne pouvais point m'adresser à la justice.

– Oui, je comprends. De sorte, madame la baronne, que vous ignorez absolument ce que sont devenus la marquise et son enfant !

– Hélas !

– Eh bien, madame la baronne, je vais à mon tour vous dire ce que je sais des choses que vous ignorez.

» Le jour où le cadavre de Charles Chevry fut trouvé au bord de la rivière, le jour où sa femme mourait après avoir mis au monde l'enfant que vous avez vu chez sa nourrice, cette petite fille qu'on appelait Rose et aussi l'enfant du malheur, un brave homme que vous connaissez, madame, se trouvait de passage à Blaincourt.

– Un homme que je connais ?

– Oui. Cet homme, touché du malheur de l'orpheline demanda qu'elle lui fût confiée, déclarant que sa femme et lui étant sans enfant, ils l'adopteraient aussitôt que le délai exigé par la loi serait expiré.

– Alors, monsieur ?

– L'orpheline fut confiée à cet honnête et excellent homme, qui l'a adoptée et lui a donné son nom.

– Et vous dites que je le connais, monsieur ?

– Parfaitement. Devenue grande, jolie, gracieuse, instruite, charmante sous tous les rapports, vous avez eu plus d'une fois l'occasion de voir la fille de

Charles Cherry et de Zélima, ainsi se nommait la femme de l'homme lâchement assassiné à Blaincourt.

— Oh ! mon Dieu, est-ce possible ?

— Le père adoptif de l'orpheline se nomme Jacques Vaillant.

— Jacques Vaillant ! exclama la baronne. Ainsi, monsieur, Jeanne ?...

— S'appelait Rose chez sa nourrice.

La baronne poussa un sourd gémissement et baissa la tête.

— Et elle est morte, morte !... murmura-t-elle.

— Non, madame, non, Jeanne n'est pas morte, dit M. Lagarde.

Mme de Simaise eut un haut-le-corps.

— Que dites-vous, monsieur ? s'écria-t-elle.

— Jeanne n'est pas morte, madame.

La jeune femme leva ses yeux vers le ciel, en joignant les mains.

— Oui, continua M. Lagarde, Jeanne existe ; mais la malheureuse enfant a perdu la raison.

— Oh ! mon Dieu, mon Dieu !

— C'est pour cela que je n'ai point dit encore à Jacques Vaillant et à Jacques Grandin que Jeanne a été sauvée au moment où le courant rapide de la rivière l'entraînait. J'espère toujours qu'on la guérira ; alors seulement je rendrai à Jacques Vaillant sa fille et à Jacques Grandin sa fiancée, j'ai confié Jeanne à un savant médecin aliéniste ; si la raison ne lui est pas rendue c'est que Dieu ne le voudra point.

» Je n'ai dit qu'à vous, madame la baronne, que Jeanne existe, et je vous prie de vouloir bien garder ce secret. Vous comprenez, n'est-ce pas, à quel sentiment j'obéis en laissant pendant quelque temps encore le père et le fiancé dans leur erreur ?

» Jeanne a été sauvée, non pas miraculeusement, mais par une cause toute providentielle. Voici, d'ailleurs, ce qui s'est passé : Je me trouvais dans le pays, j'y étais venu pour vous, madame la baronne.

— Pour moi ?

— Oui. Je voulais savoir comment vous et votre fille viviez à Vaucourt, quelle réputation vous aviez dans la contrée, de quelle façon vous étiez considérée par les paysans. Après avoir pris mes renseignements, c'est-à-dire quand on m'eût parlé partout de votre bonté, de votre bienfaisance, de vos rares vertus, je résolus de rentrer vite à Paris, car je pressentais les malheurs et les désastres de la France. Avant le lever du soleil, j'étais entre Mareille et Blignycourt, sur la route qui longe le Frou. Je n'avais avec moi qu'un seul domestique, un homme dévoué en qui j'ai une entière confiance. Il conduisait la voiture et nous marchions rapidement. Arrivés à la côte de Blignycourt, le cheval dut forcément ralentir le pas. À ce moment, mon domestique me fit remarquer un mouvement singulier qui se faisait dans la rivière. Je mis la tête à la portière et je reconnus bientôt qu'il y avait là un homme, lequel, luttant contre le courant, faisait des efforts surhumains pour s'approcher de la rive et saisir une branche ou une racine.

M. Lagarde raconta à la baronne comment lui et Landry avaient porté secours à Jean Loup et sauvé Jeanne.

— Oh ! oui, dit Mme de Simaise, c'est bien la divine Providence qui veillait sur la pauvre enfant ! Mais folle, folle !... Ah ! Dieu qui a voulu qu'elle fût sauvée, Dieu ramènera son regard vers elle !

— J'attends et j'espère, madame.

— Elle guérira, monsieur, elle guérira !

— Vous prierez pour elle, madame la baronne, et votre prière sera bien accueillie au ciel.

» Je vais vous parler maintenant de la marquise de Chamarande et de son fils, car c'est un enfant du sexe masculin qu'elle a mis au monde au château de Blaincourt, où elle a été réellement séquestrée pendant plus de cinq ans.

» Ici encore, madame la baronne, il s'agit d'une pauvre folle.

— Quoi, monsieur, la marquise était folle !

– Je dois le croire, d'après les renseignements que j'ai pu recueillir.

– Que de malheurs, mon Dieu !

– J'ignore quelle a été l'existence de la marquise pendant les quelques mois qui ont précédé son arrivée à Blaincourt, et par conséquent ce qu'elle a souffert et comment elle a été traitée par le baron de Simaise à qui le marquis, obligé de retourner aux Indes, l'avait confiée. Toutes les recherches que j'ai faites à ce sujet ont été sans résultat. J'ignore également comment la marquise a perdu la raison. Je veux croire encore, jusqu'à preuve du contraire, que sa raison s'est éteinte subitement par suite du choc terrible qu'elle a reçu en apprenant la mort du marquis.

» C'est alors, sans doute, que le baron de Simaise songea à s'emparer de la fortune de son frère, fortune qui appartenait à sa veuve et, à l'enfant qu'elle allait mettre au monde. Pour commettre ce crime, un autre crime plus monstrueux encore était nécessaire. Rien n'arrêta le baron. La malheureuse marquise, qui parlait à peine le français, qui ne connaissait personne en France, que nul ne pouvait défendre et protéger, fut enfermée au château de Blaincourt, sous la surveillance d'une femme et d'un misérable appelé Grappier, lequel avait pour mission principale de défendre l'entrée du vieux château, comme un de ces effroyables dragons dont parle la fable. Ce sinistre coquin n'existe plus aujourd'hui ; c'est grâce à une sorte de confession qu'il a faite avant de mourir, que j'ai pu obtenir des renseignements dont vous connaîtrez tout à l'heure l'importance.

» Lorsque Charles Chevry fut attiré dans un guet-apens, comme vous le savez, et précipité dans la rivière, la malheureuse marquise était encore au château de Blaincourt. Elle y avait été amenée par un inconnu, qui, selon toutes les apparences, était l'instrument du baron de Simaise. Peut-être, cet homme, dont ses complices eux-mêmes ne connaissaient pas le nom, était-il le même personnage que vous avez vu rendant au baron de mystérieuses visites.

» Quelques jours après le meurtre de Charles Chevry, cet individu, que j'espère retrouver un jour, malgré tout le soin qu'il met à se cacher, arriva nuitamment au château de Blaincourt. Il venait chercher la marquise pour la conduire dans un autre endroit. Mes renseignements au sujet de la malheureuse femme s'arrêtent là.

» Du moment qu'on ne s'était pas débarrassé d'elle par le poison, le poignard ou par tout autre moyen, je ne puis admettre qu'on l'ait enlevée du château de Blaincourt pour l'assassiner. Je suppose donc que le baron de Simaise et ses complices, craignant que la justice, dans ses recherchas au sujet du meurtre de Charles Cherry, ne songeât à voir ce qui se passait au château de Blaincourt, ont cru devoir, par mesure de précaution, transférer la marquise dans une autre prison.

» Depuis cela, bien des années se sont écoulées. La malheureuse marquise séquestrée, manquant de soins, d'air et d'espace, a-t-elle pu vivre jusqu'à ce jour ? Et si elle n'est pas morte, où est-elle ?

» Ces deux points d'interrogation se dressent devant moi. Je suis en face de l'inconnu. Mais je veux savoir, je saurai.

» L'enfant, le fils du marquis et de la marquise de Chamarande, était resté au château sous la garde de Grappier. On avait sans doute trouvé le moyen de le bien cacher, si l'on était menacé d'une descente de justice.

» Le pauvre petit vécut, grâce à sa constitution robuste. Mais comment fut-il élevé ! Presque tout de suite après sa naissance, il fut séparé de sa mère. Il eut pour nourrice une chèvre : cet animal eut toute son affection d'enfant, car son gardien, une véritable bête fauve, lui inspirait une terreur profonde. Obéissant aux ordres qui lui étaient donnés, Grappier ne parlait jamais à l'enfant ; il lui jetait sa nourriture comme à un chien. Quand il fut assez fort pour suivre la chèvre, qui vivait dans le parc en toute liberté, il ne la quitta presque plus. Ils dormaient la nuit l'un près de l'autre, au pied d'un arbre, sur un lit de mousse ou de gazon. La chèvre donnait son lait à son nourrisson, et quand cette nourriture était insuffisante, l'enfant calmait sa faim en mangeant les fruits qu'il trouvait sous les arbres. Des semaines, des mois souvent, se passaient sans que son gardien l'aperçût. Naturellement, et peu à peu, l'enfant devenait sauvage.

» C'est ainsi qu'il grandit. Grâce à la liberté entière qu'on lui laissait, pouvant obéir à ses instincts, se livrer à tous les exercices du corps, ses forces physiques se développèrent d'une façon merveilleuse.

» Il arriva à l'âge de huit ou neuf ans. Alors, comme il devenait difficile à garder, comme il était dangereux de le laisser courir dans le parc, attendu qu'il pouvait à un moment donné franchir les murs et prendre la fuite, on résolut de se débarrasser de lui.

» Le personnage inconnu reparut au château de Blaincourt. L'enfant fut saisi, garrotté, bâillonné et jeté dans une voiture, qui roula une partie de la nuit. Enfin, on s'arrêta au milieu d'une forêt, et là le pauvre enfant fut livré, vendu pour la somme de mille francs à des saltimbanques.

– Oh ! oh ! fit Mme de Simaise.

— Oui, madame, continua M. Lagarde, voilà ce qui fut fait. Les saltimbanques se hâtèrent de quitter le pays – cette condition leur avait été imposée – pour aller exercer leur profession dans les départements du midi de la France. Leur nouveau pensionnaire fut, paraît-il, enfermé dans une cage de fer et présenté au public, sur les champs de foire, comme un jeune sauvage pris chez les cannibales d'une île de l'archipel polynésien.

» Les saltimbanques parcoururent ainsi toute la France, exhibant partout leur sauvage, et ne cessant de se féliciter de l'excellente acquisition qu'ils avaient faite, car leur pensionnaire attirait la foule et leur faisait gagner beaucoup d'argent. Ils reparurent dans les départements de l'Est au bout de quelques années. L'enfant était devenu un homme ; en dépit de tout il avait grandi et conservé sa santé. On le vit à Metz, à Nancy, à Épinal, à Remiremont, à Vesoul, à Gray, à Langres, à Dijon, à Strasbourg, à Mulhouse, enfin dans toutes les principales villes de la région.

» Un jour, cependant, le sauvage parvint à s'échapper. Il faut croire qu'il ne lui plaisait plus d'être donné en spectacle. Craignant de retomber entre les mains de ses maîtres, pour lesquels il n'avait probablement pas une bien grande affection, il se réfugia dans les bois.

— Alors, monsieur, alors ? interrogea Mᵐᵉ de Simaise palpitante d'émotion.

— Alors, madame, ayant reconquis sa liberté, il vécut complètement à l'état sauvage, fuyant les hommes dont il avait peur, cherchant pour s'y cacher les plus épais fourrés, mangeant des limaçons, des racines, des œufs trouvés dans des nids d'oiseaux, des noisettes, des faînes, des cornouilles, des mûres, des sorbes et jusqu'à des glands.

» Après avoir, pendant dix-huit mois ou deux ans, mené une existence nomade, il fixa définitivement sa demeure au milieu des roches de la forêt de Mareille.

— Grand Dieu ! exclama la baronne, en se dressant d'un seul mouvement, pâle comme une morte et les yeux démesurément ouverts.

— Les gens du pays lui donnèrent le nom de Jean Loup.

Mᵐᵉ de Simaise tomba à genoux, les mains jointes.

— Jean Loup ! Jean Loup ! murmura-t-elle.

– Jean Loup, madame, est le dernier marquis de Chamarande !

Mme de Simaise laissa échapper un gémissement et se releva.

– Monsieur, dit-elle d'une voix ferme, quel jour ma fille et moi devons-nous être à Épinal ?

XX

LE CONSENTEMENT

M. Lagarde arrêta sur la jeune femme son regard doux et affectueux.

— Madame la baronne, dit-il, j'attendais votre réponse, et avec d'autant plus de tranquillité, que je la connaissais d'avance. N'ai-je pas eu raison tout à l'heure de vous interrompre ? Vous le voyez, je n'ai pas même eu besoin de vous dire : Acceptez-vous ?

— Ce que vous me demandez, monsieur, je dois le faire.

— Sans doute, c'est un sacrifice...

— Monsieur, interrompit vivement la baronne, il n'y a pas de sacrifice dans l'accomplissement d'un devoir.

— Bien, madame, bien.

— Je suis à votre disposition, monsieur, et prête à vous obéir ; au jour et à l'heure que vous indiquerez, ma fille et moi nous serons à Épinal.

— Merci. Je veux vous laisser le temps de prévenir vos amis, de donner vos ordres, de régler enfin vos affaires d'intérieur.

— La journée de demain me suffira.

— Prenez deux jours, madame la baronne. C'est aujourd'hui mercredi ; samedi, à deux heures de l'après-midi, je vous attendrai à Épinal.

— J'y serai.

— Ne craignez-vous pas de trouver Mlle de Simaise peu disposée à vous accompagner ?

— Non, monsieur. Comme moi, ma fille fera son devoir.

Le regard scrutateur de M. Lagarde interrogea l'expression de la physionomie de la jeune femme.

— Madame la baronne, dit-il, pour décider Mlle de Simaise à vous accompagner, vous avez pris une bien grave résolution.

— Vous lisez dans ma pensée, monsieur ?

— Oui.

— N'est-ce donc pas ce que je dois faire ?

— Non, madame. Ah ! c'est là qu'il y aurait un véritable et douloureux sacrifice ! Certainement, il ne serait pas au-dessus de vos forces décuplées par le sentiment de justice et de réparation : mais je ne l'exige point de vous, au contraire. Gardez, madame, gardez ce terrible secret de famille. Le révéler à Mlle de Simaise pourrait avoir de funestes conséquences. Les illusions, filles de l'espérance, chères à tout âge, sont les gardiennes de la sérénité de la jeunesse ; gardons-nous de toucher à celles de Mlle de Simaise.

La baronne baissa tristement la tête. Elle sentait la justesse des paroles de M. Lagarde, et comprenait qu'elle était allée trop loin dans son héroïsme.

— Eh bien, madame, reprit M. Lagarde, trouvez-vous un autre moyen ?

— Je cherche, monsieur... Mais que lui dire ?...

— La chose est, en effet, très délicate.

— Oui, et très difficile pour moi, qui sais qu'elle l'aime.

— Je crois pouvoir vous tirer d'embarras.

— Comment ?

— En obtenant moi-même, si vous le voulez, le consentement de Mlle Henriette.

— Faites donc, monsieur, faites.

— Alors, madame, veuillez faire dire à Mlle de Simaise de venir ici.

— Est-il nécessaire que j'assiste à votre conversation ?

– Nullement ; il est même préférable que Mlle Henriette et moi nous soyons seuls.

La baronne sonna. Un domestique parut.

– Ma fille doit être dans sa chambre, dit Mme de Simaise, veuillez aller lui dire que je la prie de descendre immédiatement au salon.

Un instant après la porte du salon s'ouvrit et la jeune fille entra pâle, les traits fatigués, les yeux rougis par les larmes. Elle parut surprise de ne pas trouver sa mère seule ; mais elle s'avança lentement et salua l'étranger par un gracieux mouvement de tête.

– Elle est charmante, se disait M. Lagarde, et son doux regard reflète la pureté de son âme.

– Henriette, dit Mme de Simaise, je te présente M. Lagarde, un vieil ami de ma famille.

La jeune fille s'inclina de nouveau.

– M. Lagarde, continua la baronne, désire causer un instant avec toi ; il a quelque chose à te demander.

Henriette se tourna vers l'étranger, laissant voir son étonnement.

– C'est vrai, mademoiselle, dit M. Lagarde, j'espère obtenir de vous une très grande faveur.

– M. Lagarde, ajouta Mme de Simaise, m'a déjà fait, à moi, la même demande.

– Et Mme la baronne, obéissant comme toujours aux bonnes inspirations de son cœur, a bien voulu l'accueillir.

– Henriette, reprit Mme de Simaise, je te laisse causer avec M. Lagarde.

La mère mit un baiser sur le front de sa fille et sortit du salon.

Henriette était toute tremblante, l'inquiétude se peignait sur son visage.

— Je vous en prie, mademoiselle, lui dit M. Lagarde, rassurez-vous ; vous êtes inquiète, vous tremblez, pourquoi ? Votre mère vous l'a dit, je suis son ami et je suis aussi le vôtre. Allons, soyez sans crainte, remettez-vous.

Ils s'assirent.

— Maintenant, reprit M. Lagarde, nous allons causer comme de bons amis. Êtes-vous disposée à m'écouter ?

— Oui, monsieur.

— Votre mère vient de m'apprendre une chose qui, je vous l'avoue franchement, m'a causé une surprise extrême : Mme de Simaise m'a dit que vous vouliez la quitter, renoncer au monde et vous retirer dans un cloître.

— C'est mon intention, monsieur.

— Permettez-moi de croire que vous n'avez pas suffisamment réfléchi. Ce n'est pas quand elle est riche et belle, quand elle a une mère qui l'adore, quand l'avenir radieux s'ouvre devant elle et qu'elle a toutes les espérances de la jeunesse, qu'une jeune fille se ferme les horizons lumineux, en se précipitant dans la nuit du tombeau. Certes, vous n'êtes pas une illuminée, et, heureusement, nous ne sommes plus au temps où le fanatisme religieux poussait à l'ascétisme. Sans doute, il y a toujours des fanatiques, et il le faut bien, puisque nous voyons encore des hommes et des femmes qui se vouent à la vie ascétique. Vous n'êtes pas de celles-là, vous. Aller, ce n'est point pour qu'ils soient prosternés devant lui, dans une adoration perpétuelle, que Dieu a créé l'homme et la femme : Dieu n'exige pas de nous des sacrifices contraires aux lois de la nature qu'il a faites lui-même ; il ne nous demande pas de remplir une autre mission que celle qu'il nous a donnée dans la famille. Qu'on reconnaisse sa toute-puissance et qu'on obéisse à ses commandements, cela suffit ; il ne demande pas davantage à la créature humaine.

» Vous, mademoiselle, vous, enfermée dans un cloître ! Est-ce que c'est possible ? Je ne cherche pas à savoir ce qui a pu vous faire prendre cette singulière résolution ; cela ne me regarde point. S'il y a un secret dans votre cœur, je veux le respecter. Je vous dirai seulement : À votre âge, les chagrins et les peines passent et les mauvais souvenirs s'effacent ; à votre âge, enfin, mademoiselle, on n'a pas le droit de désespérer, et ce n'est pas être agréable à Dieu que de douter de son inépuisable bonté.

» À vous, mademoiselle, qui avez été élevée chrétiennement, je dirai encore : Rien n'arrive en ce monde sans la permission de Dieu et ses desseins sont impénétrables.

» Si j'ai été surpris en apprenant que vous voulez entrer dans un couvent, je vais vous étonner à mon tour en vous disant que j'ai promis à Mme la baronne de Simaise de vous faire renoncer à votre projet.

Henriette fit, en effet, un mouvement de vive surprise, puis elle secoua tristement la tête.

— En promettant cela à votre mère, continua M. Lagarde, j'ai pensé que je pouvais faire hardiment et en toute confiance appel à votre cœur reconnaissant.

La jeune fille regarda fixement M. Lagarde, cherchant à deviner sa pensée.

— Écoutez-moi, mademoiselle, j'ai entrepris une œuvre à laquelle sont attachés des intérêts moraux d'un ordre très élevé ; cette œuvre est difficile et j'ai acquis la certitude que je ne pouvais l'accomplir sans votre concours. Or, si vous vous enfermez dans un cloître, il ne vous est plus possible de m'aider, mon œuvre reste à l'état de projet, j'échoue misérablement. C'est assez vous dire, n'est-ce pas, qu'il faut absolument que je vous fasse changer d'idée ?

— Vous ne réussirez pas, monsieur, dit Henriette.

— Attendez, mademoiselle, attendez, vous ne savez pas encore de quoi il s'agit. Un jour, il y a de cela trois ans je crois, un homme, un malheureux qu'on appelle Jean Loup, vous a sauvé la vie.

Une nouvelle tombée de neige se fit sur la figure de la jeune fille, qui s'agita avec malaise.

— Eh bien ! mademoiselle, poursuivit M. Lagarde, c'est au nom de celui qui vous a sauvée, c'est au nom du pauvre Jean Loup que je viens implorer votre pitié.

— Mais que puis-je donc faire, monsieur ?

— Me prouver, d'abord, que vous n'êtes pas ingrate, en ne refusant point de vous associer à l'œuvre que j'ai entreprise.

— Cette œuvre, monsieur ?

— Consiste à tirer le pauvre Jean Loup de l'état déplorable dans lequel il est tombé, à rendre à ce déshérité le rang auquel il a droit dans la société, enfin à réparer, envers ce malheureux, les injustices de la fortune.

— Ah ! monsieur, s'écria Henriette avec animation, nul ne désire cela plus ardemment que moi ! Mais comment puis-je vous aider, dites, comment ?

— Je vais vous le dire. Grâce à des amis puissants, j'ai fait sortir Jean Loup de sa prison et j'ai obtenu qu'il me fût confié. Il est à Épinal dans une maison où seront appelés successivement, pour l'instruire, d'excellents professeurs. Malheureusement, enlevé trop brusquement à sa vie libre, il regrette les grands arbres de la forêt et les roches sombres au milieu desquelles il vivait.

» Une personne, une jeune fille, qu'il semble avoir prise en grande affection, occupe constamment sa pensée.

La pâleur d'Henriette disparut sous une teinte de pourpre.

— Cette jeune fille, mademoiselle, c'est vous. Vous exercez sur le malheureux une influence extraordinaire. Quelle en est la cause mystérieuse ? Je l'ignore. Mais le fait existe. Privé de sa liberté, éloigné de vous, qu'il n'espère plus revoir, le pauvre Jean Loup n'a plus ni force, ni courage, ni volonté. Dans ses longues heures de rêverie, écrasé, anéanti, absorbé en lui-même, c'est vers vous que s'élance sa pensée et tout bas il vous appelle.

» Le seul nom d'Henriette suffit pour le tirer de sa noire mélancolie. Aussitôt que ce nom frappe son oreille, il se redresse, sa physionomie s'anime, son front s'éclaire, ses yeux brillent ; il regarde autour de lui, ayant l'air de chercher ; puis au bout d'un instant, ne vous voyant pas apparaître, de grosses larmes roulent dans ses yeux, il pousse un gémissement et retombe dans son effrayante insensibilité.

La jeune fille ne put s'empêcher de soupirer et deux larmes tombèrent sur ses joues.

— Eh bien, mademoiselle Henriette, continua M. Lagarde, n'aurez-vous pas pitié de ce malheureux ? Ne voulez-vous donc rien faire pour celui qui vous a sauvé la vie ? Ah ! si vous ne vous associez pas à mon œuvre, si vous me refusez votre concours, que je réclame, le pauvre Jean Loup est perdu !

Henriette se mit à sangloter.

— Qu'exigez-vous donc de moi ? s'écria-t-elle éperdue.

– Que vous éloigniez de vous d'abord la pensée d'entrer au couvent.

– Je vous le promets, monsieur.

– Bien. Maintenant, il faut que vous consentiez à faire pour Jean Loup ce que je vais vous demander.

– Dites, dites.

– Vous irez, votre mère et vous, demeurer à Épinal, près de Jean Loup.

– Près de lui !

– Sans doute, puisque sans cela vous ne pourriez exercer l'heureuse influence que vous avez sur lui. Mme la baronne de Simaise, qui a accepté ma proposition, sous la réserve de votre consentement, bien entendu, vous dira dans quelles conditions aura lieu votre installation.

– Ma mère a accepté cela, monsieur ?

– Oui, mademoiselle. Je n'ai plus que votre consentement à obtenir.

La jeune fille regarda autour d'elle avec effarement.

– Oh ! oh ! fit-elle, en voilant son visage de ses mains.

– Eh bien, mademoiselle ? interrogea M. Lagarde.

– Ah ! monsieur !

– Vous seule pouvez le sauver !

– Je ferai ce que ma mère voudra, répondit-elle d'une voix oppressée.

Et ses larmes, trop longtemps contenues, coulèrent en abondance.

M. Lagarde l'enveloppa de son regard plein de tendresse.

– Pauvre enfant ! murmura-t-il.

Il lui prit la main, la serra doucement et d'une voix douce et caressante :

— Vous êtes un ange, lui dit-il ; je sais ce que vous coûtera ce que vous allez faire ; mais vous en serez récompensée, je vous le promets !

Elle le regarda avec une sorte de terreur.

— Je suis votre ami, ajouta-t-il, le croyez-vous ?

— Oui.

— Eh bien, ayez confiance ; votre tranquillité ne sera point troublée, je veille sur votre bonheur et celui de votre mère. Vous possédez un secret terrible, qu'il reste à jamais enseveli au fond de votre pensée. Jean Loup, qui vous l'a révélé, reconnaissant de ce que vous aurez fait pour lui, Jean Loup le gardera.

— Quoi ! monsieur, vous savez ?...

— Qu'importe, puisque c'est comme si je ne savais rien. Je vous l'ai dit et je vous le répète : rien n'arrive en ce monde sans la permission de Dieu. Si Dieu vous a mise un jour en danger de mort, c'est qu'il a voulu que vous fussiez sauvée par Jean Loup. Déjà, croyez-le, vous étiez désignée pour la mission que vous allez remplir. Encore une fois, mademoiselle, ayez confiance, et attendez avec calme, le cœur plein d'espoir, ce que l'avenir inconnu vous réserve.

À ce moment on entendit le bruit des pas d'un cheval, trottant dans l'avenue du château. M. Lagarde se leva.

— Au revoir, mademoiselle, et à bientôt, dit-il.

Il salua respectueusement la jeune fille et sortit du salon.

Il arriva sur la terrasse, où attendait la baronne, comme Raoul mettait pied à terre. Le jeune homme, ayant confié le cheval à un domestique, s'avança vers sa mère avec empressement. Ils échangèrent quelques paroles. Pour ne point les gêner, M. Lagarde voulut s'éloigner ; mais la baronne l'aperçut et l'arrêta par ces mots :

— Mon fils, monsieur, que j'ai l'honneur de vous présenter.

M. Lagarde s'approcha, en rendant à Raoul son salut.

— Eh bien, monsieur ? lui demanda tout bas Mme de Simaise.

– Elle consent, répondit-il. Allez, madame la baronne, allez lui témoigner votre satisfaction. Pendant ce temps, je me permettrai de donner quelques conseils à votre fils. Vous me retrouverez ici.

Mme de Simaise rentra.

M. Lagarde revint près du jeune homme et lui dit :

– Monsieur Raoul, bien que vous ayez été élevé loin de votre mère et qu'elle vous ait vu très rarement, elle a pour vous une vive tendresse. Tout à l'heure elle me parlait de vous avec une émotion qui me montrait tout ce qu'il y a de noble, de fier et de grand dans son amour maternel ; elle me disait combien elle était heureuse du changement qui s'est opéré en vous.

» Vous avez pris, m'a-t-elle dit, la sage et courageuse résolution de rompre complètement avec le passé. Tous ceux qui vous connaissent, qui vous portent intérêt ou qui vous aiment, vous féliciteront. Courage donc. Il faut que vous fassiez oublier ce qui s'est passé l'année dernière, au mois d'août, dans la maison du vieux capitaine Jacques Vaillant.

Le jeune homme tressaillit et devint affreusement pâle. M. Lagarde continua :

– Ceux qui seraient sans pitié pour Raoul de Simaise, viveur et débauché, se trouveront désarmés devant Raoul de Simaise, ayant reconnu ses erreurs, ses fautes, et faisant tout pour se les faire pardonner. N'importe à quel prix, monsieur, il vous faut racheter le passé... Encore une fois, courage ; votre mère et votre sœur vous protègent.

» Vous venez d'Haréville, vous avez vu M. de Violaine, vous l'avez consulté ; ce vieil ami de votre mère a une grande expérience, êtes-vous satisfait des conseils qu'il vous a donnés ?

– J'ai fait part à M. de Violaine d'un projet dont je n'avais pas cru devoir parler à ma mère, et il l'a approuvé.

– Ah ! quel est ce projet ?

– Je sens, monsieur, qu'il faut que je m'éloigne de Paris.

– Oui, c'est nécessaire.

– Et même que je quitte la France.

– Eh bien ?

– Eh bien, monsieur, j'ai pris la résolution de m'engager dans un régiment d'Algérie, soit dans les spahis, soit dans les chasseurs d'Afrique.

– C'est bien ! Quand mettrez-vous votre projet à exécution ?

– Demain je dirai adieu à ma mère et à ma sœur, et après-demain je serai soldat.

– Vous êtes instruit et vous travaillerez encore ; vous ferez certainement un chemin rapide dans la carrière des armes. Avant deux ans, si vous le voulez, vous serez officier. M. de Violaine à des amis haut placés, j'en ai aussi quelques-uns. Vous serez recommandé et on aura les yeux sur vous. Marchez, monsieur Raoul, marchez hardiment dans cette voie nouvelle. Faites votre devoir et on pensera à vous.

Trois jours après, la baronne de Simaise, sous le nom de Mme Sandras, s'installait avec sa fille dans la maison louée par M. Lagarde à Épinal.

Le même jour, un train rapide emportait Raoul de Simaise, qui se rendait à Marseille où il allait s'embarquer pour l'Algérie.

XXI

CHAMARANDE

La maison de Chamarande compte parmi les plus nobles et les plus anciennes de France. Le sire de Joinville, historien de saint Louis, roi de France, parle dans ses chroniques d'un chevalier de Chamarande, qui se rendit illustre en Palestine et en Égypte, au temps des dernières croisades, par maints hauts faits d'armes et grandes prouesses.

« Je l'ai vu, dit le sénéchal de Champagne, je l'ai vu, avec forte vaillance, se jeter vingt fois dans la mêlée, repousser les Sarrasins et en faire grand carnage. »

Ce chevalier de Chamarande est-il un ancêtre des marquis de Chamarande dont nous allons raconter brièvement l'histoire ? Nous ne pouvons l'affirmer. Quoi qu'il en soit, nous voyons un marquis de Chamarande très en faveur à la cour du roi Henri IV et, plus tard, sous Louis XIII, gouverneur de la Franche-Comté.

Originaire de la Haute-Bourgogne, la famille de Chamarande a été, sous nos rois, entièrement dévouée à la royauté. Sa fortune, qui était considérable, avait été la récompense de nombreux services rendus à la France.

En 1789, le marquis Pierre de Chamarande occupait une charge importante à la cour. Il était marié et père d'un fils unique auquel on avait donné le prénom de Louis.

Tout à coup, la révolution éclata comme un coup de tonnerre, menaçant la royauté chancelante. Bientôt, donnant une première preuve de sa force, le peuple fit tomber les murs de la Bastille. On ne savait pas encore jusqu'à quels excès se porterait la colère populaire ; mais déjà on pressentait les malheurs qui allaient fondre sur la France, frapper le roi et ceux qui lui étaient dévoués. En effet, la révolution ne tarda pas à prendre un aspect terrible. Les nobles, effrayés, songèrent à se mettre à l'abri du danger. L'émigration commença.

Peut-être plus dévoué encore à la royauté, depuis le triomphe des idées nouvelles, le marquis de Chamarande ne voulut point, comme tant d'autres, abandonner le roi ; il resta à son poste. Mais si son devoir lui ordonnait de ne point quitter Versailles, il sentit qu'il ne devait pas faire partager à sa femme et à son fils les dangers qu'il courait. Il obligea la marquise à se réfugier en Allemagne avec le jeune comte Louis de Chamarande.

Après l'arrestation de la famille royale à Varennes et son emprisonnement dans la tour du Temple, le marquis se retira dans son château de Chamarande. Alors il pouvait quitter la France et rejoindre la marquise qui s'était fixée dans une petite ville de Saxe. C'était, du reste, le conseil que lui donnaient beaucoup de gens. Mais, toujours fidèle à son roi, il ne voulait point partir tant que l'espoir de sauver la royauté existerait.

Les Vendéens et les Bretons commençaient à s'agiter.

Les princes, disait-on, allaient rentrer en France à la tête d'une puissante armée étrangère ; ils s'empareraient de Paris, et Louis XVI, délivré, ressaisirait le sceptre royal et remonterait sur son trône, vainqueur des hommes et des choses.

La vérité était que l'Europe entière, effrayée de ce qui se passait en France, déclarait la guerre à la révolution.

Le marquis de Chamarande, prêt à mettre son épée et sa fortune au service de ses maîtres, crut devoir attendre les événements.

L'espoir un instant caressé par les fidèles amis du roi et de la reine ne devait point se réaliser. La coalition fut repoussée par les soldats de la République, et le malheureux Louis XVI paya de sa tête les erreurs et les fautes des rois capétiens.

Le marquis de Chamarande fut dénoncé à la Convention comme ayant des relations avec les ennemis du gouvernement. Il fut arrêté, conduit à Paris et enfermé à la Conciergerie, dont on ne sortait guère que pour aller à l'échafaud.

En ce temps-là les tribunaux faisaient vite leur besogne. Trois jours seulement après son arrestation, le marquis comparaissait devant ses juges, était condamné à mort, et sa tête tombait sous le couteau de la guillotine.

Tous ses biens furent confisqués et vendus au profit de l'État, et la marquise et son fils furent portés sur la liste des émigrés.

En apprenant la mort de son mari, la douleur de madame de Chamarande fut immense : d'abord son âme fut en proie à un sombre découragement, et elle sentit en elle comme le dégoût de la vie. Mais son fils était là, lui défendant de mourir, pendant que le devoir lui ordonnait impérieusement de vivre. Elle se raidit contre sa faiblesse et se rendit forte contre sa douleur pour ne pas se laisser briser par elle.

Elle fit elle-même l'éducation du jeune Louis de Chamarande, et, grâce à l'argent qu'elle avait emporté et à ses diamants qu'elle vendit sans aucun regret, elle put ne rien négliger pour que son fils reçût une instruction solide. Toutefois, l'avenir étant très incertain, elle vécut avec beaucoup d'ordre et d'économie, afin de ménager ses modestes ressources jusqu'au jour où le jeune marquis, devenu homme, pourrait se procurer des moyens d'existence par son travail.

Douze années s'écoulèrent. De graves événements s'étaient accomplis en France. Le général Bonaparte s'était emparé du pouvoir. Le calme succédait à l'affolement. Il n'y avait plus de proscription ; les émigrés, las de vivre sur la terre d'exil, rentraient en France.

La marquise de Chamarande avait déjà fixé le jour de son départ, lorsqu'elle tomba malade subitement. Le mal s'aggrava rapidement et, neuf jours après s'être alitée, elle mourut.

Le marquis pleura sa mère, qui l'avait tant aimé, puis, tristement, il se demanda :

» Que vais-je faire ?

Il examina sa situation et la trouva peu enviable. Il avait un beau nom ; mais qu'est-ce que c'est qu'un nom quand on n'a pas la fortune qui aide à le porter ?

Il avait trouvé une dizaine de mille francs dans la bourse maternelle. Dix mille francs ! C'était tout ce qui lui restait de l'immense fortune de ses ancêtres.

Cependant il fallait prendre une résolution. Après avoir longuement réfléchi, il se dit :

— Avant tout, je suis Français ; maintenant que j'ai perdu ma pauvre mère, que je suis seul au monde, il importe peu que je fasse ceci ou cela. Les marquis de Chamarande ont toujours fidèlement servi la France et plusieurs d'entre eux ont versé leur sang pour la patrie ; mon père lui-même avait dans l'armée le grade de capitaine. Je serai soldat comme mes ancêtres.

» Oui, ajouta-t-il, s'affermissant dans sa résolution, voilà ce que je dois faire.

Huit jours après il était à Paris. Il n'y resta que le temps nécessaire pour s'engager. Il fut incorporé dans un régiment de ligne dont le dépôt était alors à Grenoble.

Nous ne le suivrons pas sur les champs de bataille d'Europe. Son père avait été un fidèle serviteur de la royauté ; il fut, lui, un fidèle serviteur de l'empire.

Nous le retrouvons, au retour des Bourbons, lieutenant-colonel et officier de la Légion d'honneur. Pendant les Cent jours il fut nommé colonel.

Sa conduite à Waterloo fut celle d'un héros : on le releva sur le champ de bataille grièvement blessé.

Cependant il guérit vite : en moins de deux mois il fut sur pied.

On sait comment le gouvernement de Louis XVIII traitait alors les officiers supérieurs qui s'étaient attachés à la fortune de Napoléon... Le colonel de l'empire put craindre un instant d'être mis en suspicion et rayé des cadres de l'armée. Il n'en fut rien. On n'avait probablement pas oublié que son père était mort sur l'échafaud révolutionnaire. Non seulement il fut maintenu dans son grade, mais quelques mois plus tard il était promu au grade de maréchal de camp.

Alors, s'il l'eût voulu, le marquis de Chamarande aurait pu prendre part à la curée sur laquelle se précipitaient les anciens émigrés et refaire facilement sa fortune.

Mais, trop fier pour solliciter quoi que ce soit, il se tint à l'écart et ne demanda rien. Il était soldat, il n'était pas courtisan.

L'idée de se marier ne lui était jamais venue ; du reste, il avouait volontiers qu'aucun regard de femme n'avait eu le pouvoir de faire battre son cœur. Mais, pour qu'on n'eût pas de lui une trop mauvaise opinion et qu'on ne crût point à une insensibilité de parti pris, il s'empressait d'ajouter en souriant :

– Nous étions toujours en guerre sous l'empire, et vraiment, on n'avait pas le temps d'aimer.

À cela on répliquait :

– Soit. Mais maintenant, monsieur le marquis ?

– Maintenant, répondait-il d'un ton grave, maintenant je ne suis plus jeune : le temps de l'amour est passé.

Il disait cela, le général, mais souvent il s'attristait et un pli se creusait sur son large front, quand il pensait qu'après lui son nom serait éteint, qu'il y aurait en France une grande et illustre famille de moins.

Cependant le cœur du général de Chamarande n'était pas resté fermé à toute affection ; le marquis aimait paternellement une enfant, une pupille, qu'il considérait comme sa fille. Elle se nommait Cécile Baubant. Cécile avait perdu sa mère deux ans après sa naissance. Son père, officier sans fortune, mortellement blessé à Wagram, était mort dans les bras du marquis de Chamarande, son ami, en lui disant :

– Ma petite Cécile va être seule au monde ; Louis, en souvenir de notre sincère amitié, n'abandonne pas la pauvre orpheline, sois son protecteur, son père.

– Je te le promets, répondit Chamarande.

Et le capitaine Baubant avait rendu le dernier soupir en prononçant ce mot : « Merci ! »

C'est ainsi que la petite Cécile, alors âgée de dix ans, était devenue la pupille du marquis. Celui-ci plaça l'orpheline dans un pensionnat de son choix, où il allait la voir souvent, et veilla sur ses besoins, son éducation et son instruction avec toute la sollicitude d'un père.

Cécile grandit, devint instruite, gracieuse, charmante sous les rapports. Elle avait une grande affection pour son protecteur qu'elle appelait son père. Ce nom de père, que Cécile lui donnait pour bien exprimer sa gratitude, causait au vieux soldat un indicible ravissement.

Quand la jeune fille eut atteint sa seizième année, elle quitta le pensionnat sans regret et vint égayer la demeure du marquis. Subitement, la vie de M. de Chamarande fut changée ; autour de lui, le bruit, les joyeux éclats de rire succédaient au monotone silence ; la jeunesse souriante de Cécile était un rayon de soleil dans l'existence du général.

– Bientôt, pensait-il, il va falloir songer à la marier.

Mais le mariage de Cécile serait leur séparation, et le marquis s'était déjà si bien habitué à avoir la jeune fille près de lui, qu'il envisageait comme un malheur la nécessité de confier à un autre le soin de la rendre heureuse. Cette idée, qu'elle le quitterait un jour, que de nouveau il se trouverait seul, lui faisait éprouver une émotion singulière : il lui semblait que quelque chose se déchirait en lui ; son cœur se serrait, des larmes lui venaient aux yeux et une tristesse indéfinissable s'emparait de lui.

– Ah ! si j'étais plus jeune, si j'étais plus jeune ! se disait-il amèrement.

Que de choses étaient contenues dans ces paroles !

Le marquis de Chamarande demeurait à Toulouse, une ville des plus aristo-cratiques de France. Vieux garçon, il recevait rarement ; mais, très recherché par la haute société toulousaine, il ne se donnait pas une soirée, pas une fête à la-quelle il ne fût invité. Il se faisait un plaisir de conduire Cécile dans le monde où elle était admirée, où elle faisait une ample moisson de compliments flatteurs, où elle recueillait les hommages dus à sa grâce et à sa beauté.

Quand ils restaient à la maison, ils passaient la soirée dans le petit salon, assis en face l'un de l'autre, aux deux coins de la cheminée.

Un soir de décembre, à sa place habituelle, pelotonnée dans un fauteuil, Cécile travaillait à une broderie. Le marquis tenait un journal qu'il ne lisait point. Perdu dans un rêve, il contemplait la jeune fille avec une admiration pas-sionnée et comme en extase. Machinalement il plia le journal et le jeta sur un guéridon. Puis, évoquant les souvenirs du passé, il s'enfonça peu à peu dans une sombre rêverie.

– Hélas, se disait-il, une étrange fatalité s'attache à certaines destinées. Je suis né dans l'opulence et je devais vivre heureux. Raillerie du sort !... Ma fortune m'a été enlevée ; je me suis courageusement résigné ; mais le bonheur que j'aurais voulu, le bonheur s'est toujours éloigné de moi. J'arrive à la fin de ma carrière, triste, désolé, voyant mes jours sans espoir. Après moi, plus rien, le néant !...

Il laissa échapper un soupir.

La jeune fille entendit. Elle leva ses grands beaux yeux qui se fixèrent sur le visage de son père adoptif. Il avait le front assombri, des larmes roulaient dans ses yeux.

— Père, dit Cécile d'une voix inquiète, depuis quelque temps je vous vois triste souvent ; qu'avez-vous donc ?

— Rien, rien, je t'assure, répondit-il visiblement troublé.

— Je ne vous crois pas, répliqua-t-elle en secouant la tête et avec une petite moue charmante ; si j'ai fait quelque chose qui vous ait contrarié, ayez le courage de me gronder ; voyons, dites, avez-vous à vous plaindre de votre petite Cécile ?

— Pourquoi aurais-je à me plaindre de toi ?

— Je ne sais pas, moi.

— Chère petite, ne sais-tu pas depuis longtemps que tu es à toi seule toutes mes joies ? Tu es toute ma vie, Cécile, le doux rayon du ciel qui me réchauffe et qui m'éclaire.

— Alors, pourquoi êtes-vous triste ?

Le marquis resta silencieux.

Mais la jeune fille, inquiète de le voir soucieux, tenait à connaître la cause de sa tristesse. Elle se leva, s'approcha toute gracieuse du marquis et lui mit un baiser sur le front.

Le vieux soldat sentit tressaillir son cœur.

— Père, reprit Cécile d'une voix caressante, tout à l'heure, quand vous avez poussé un soupir, à quoi pensiez-vous ?

— À quoi je pensais ? fit-il embarrassé.

— Oui, à quoi ?

— Je pensais à toi.

— À moi ?

— Oui, Cécile, à toi, à ton avenir. Je me disais que j'étais bien heureux de t'avoir près de moi.

— À la bonne heure !

– Mais qu'un jour tu me quitterais.

– Jamais !

– Tu te marieras.

– C'est vrai, fit-elle, toutes les jeunes filles se marient.

Le marquis éprouva une sensation douloureuse.

– Et c'est pour cela que vous êtes triste ? demanda Cécile.

– Oui, parce que, mariée, tu suivras ton mari ; je resterai seul, moi ; je ne t'aurai plus, je serai privé de tes doux regards, de tes sourires. Mais, va, je ne suis pas égoïste dans mon affection pour toi, je sais ce qu'il faut à ta jeunesse ; ton bonheur, Cécile, est au-dessus de mes petites satisfactions personnelles. Je pense donc à toi souvent, et j'examine comment je pourrai t'assurer un heureux avenir. Ah ! si j'étais riche, pouvant te donner une belle dot, je serais moins embarrassé ; mais je suis pauvre... Avec beaucoup de peine, j'ai économisé environ soixante mille livres ; cet argent est pour toi, mais qu'est-ce que cela ? presque rien. Car je vois que la dot devient de plus en plus la chose importante du mariage. Sans doute, ta jeunesse, ta beauté et tes autres qualités personnelles doivent compter pour quelque chose ; mais celui à qui tu donneras ton cœur saura-t-il reconnaître ce que tu vaux ! Je me demande cela, Cécile ; voilà ce qui m'inquiète, voilà pourquoi, parfois, tu me vois triste.

La jeune fille était devenue rêveuse.

– Cécile, continua le marquis, tu rencontres fréquemment dans le monde de beaux jeunes gens, n'en as-tu pas remarqué un, déjà, qu'il te serait agréable d'avoir pour mari ?

La jeune fille releva lentement la tête.

– Non, fit-elle.

– Alors, tu ne penses pas encore à te marier ?

– Pas du tout.

– Ton cœur est libre ?

— Il n'y a dans mon cœur qu'une seule grande affection, celle que j'ai pour vous.

— Ah ! fit M. de Chamarande.

Et il se mit à tisonner le feu.

Après un moment de silence, Cécile reprit :

— Je n'ai jamais pensé à l'avenir ; heureuse près de vous, autant qu'on peut l'être, je n'ai rien à envier, rien à désirer, puisque j'ai tout. Rester près de vous toujours, voilà ce que je veux. Je ne songe nullement à me marier. Me marier pour me séparer de vous ! Non, non. Mais vous, monsieur le marquis, pourquoi ne vous mariez-vous pas ?

— Monsieur le marquis ! Pourquoi m'appelles-tu maintenant monsieur le marquis, Cécile ?

— Mais... je... je ne sais pas, balbutia la jeune fille, dont le front devint pourpre.

— Je ne me marie pas, Cécile, pour deux raisons : d'abord parce que je ne connais pas la femme qui voudrait unir sa destinée à la mienne, et ensuite parce que je trouve que ce serait folie de me marier maintenant, à quarante trois ans.

— Quarante trois ans ! répéta lentement Cécile.

— Ah ! si j'avais dix ans de moins, murmura le général, en laissant échapper un soupir.

— Si vous aviez dix ans de moins ?

— Eh bien, Cécile, je te dirais...

— Que me diriez-vous ?

— Je te dirais : Cécile, pour que nous ne soyons pas séparés, pour qu'un autre ne t'enlève point à mon affection, veux-tu être ma femme ?

La jeune fille resta un moment silencieuse, puis, avec émotion :

— Dites-moi cela tout de même, monsieur le marquis.

M. de Chamarande laissa tomber les pincettes.

– Quoi ! s'écria-t-il éperdu, tu consentirais ?...

– Oui, répondit simplement Cécile.

Et elle mit sa main tremblante dans celle de son protecteur.

Le marquis porta la main à ses lèvres et la couvrit de baisers.

Trois semaines après, Cécile était marquise de Chamarande.

XXII

LA MARQUISE CÉCILE

Onze mois après le mariage, la marquise mit au monde un fils auquel on donna le nom de Paul.

Le marquis faillit devenir fou de joie. Cette fois, son bonheur était complet, son souhait le plus cher étant exaucé ; le nom de Chamarande ne s'éteindrait pas. Que d'espérances, déjà, sur la tête de l'enfant ! Il serait le digne héritier des mâles vertus de ses ancêtres ; comme eux il aurait la bravoure, la vaillance, la noblesse du cœur, et sa devise, à lui, serait aussi : « Tout pour l'honneur ! » Il était appelé à redorer le blason de l'illustre famille.

Le marquis ne pouvait plus avoir d'ambition pour lui ; sa mission était terminée, il le sentait. S'il avait encore l'esprit et le cœur vaillants, son corps manquait de souplesse et de vigueur. Il vieillissait vite. Les rudes années de guerre l'avaient usé. Maintenant il souffrait horriblement de ses anciennes blessures ; les rhumatismes s'emparaient de toutes les parties de son corps et les accès de goutte devenaient de plus en plus fréquents.

Sur sa demande il fut mis à la retraite...

Toujours souffrant, il ne sortait presque plus. Il y avait des instants où il éprouvait comme le regret ou le remord d'avoir rivé la jeunesse de Cécile à son existence d'infirme.

Mais pouvait-il condamner la jeune marquise, alors dans l'épanouissement complet de sa radieuse beauté, à une monotone et ennuyeuse solitude ? Pourrait-il lui défendre de se livrer aux plaisirs de son âge ? Non, certes. Aussi lui-même obligeait-il Cécile à voir ses amies, à aller dans le monde. Et pendant que sa femme s'amusait, se faisait admirer comme toujours, et écoutait peut-être avec trop de complaisance les compliments flatteurs chuchotés à ses oreilles, lui impotent, perclus, restait cloué sur son fauteuil ou, étendu sur sa couche, il hurlait de douleur comme un damné.

Cécile avait épousé son tuteur sans réflexion, par reconnaissance de ce qu'il avait fait pour elle, sans songer qu'elle enchaînait sa vie et qu'elle pourrait avoir un jour à le regretter. Du reste, ne connaissant de l'amour que le nom, elle n'avait point pensé que pour être heureuse, il faudrait à son cœur quelque chose de plus que l'amitié dévouée et reconnaissante qu'elle avait pour le marquis. Et puis, avec cette subtilité de pénétration que possèdent la plupart des femmes, elle avait deviné la nature du sentiment qui s'était substitué, dans le cœur de son tuteur, à la tendresse paternelle dont il l'avait entourée, dans son enfance.

Elle le voyait triste, soucieux, redoutant comme un malheur terrible de la voir un jour s'éloigner de lui. En consentant à devenir sa femme, elle avait évidemment obéi à un sentiment généreux, elle n'avait trouvé que ce moyen de le rassurer et de lui prouver en même temps son affection et sa reconnaissance.

Cécile avait un excellent cœur et des qualités réelles, mais elle était femme. Il arriva ce qui devait arriver. C'était fatal. M. de Simaise, beau jeune homme de vingt-huit ans, devint amoureux d'elle et employa tous les moyens pour se faire aimer. Aucune autre conquête ne pouvait mieux flatter son amour-propre et sa vanité. Il fit à la marquise une cour assidue, et la jeune femme, sans soupçonner le danger qu'elle courait, se plut à écouter un langage tout nouveau pour elle.

Peu à peu elle subit le charme, et les paroles du jeune homme, brûlantes, passionnées, l'enivrèrent.

Quand elle s'aperçut qu'elle glissait sur une pente dangereuse, quand elle voulut résister à la séduction et se défendre contre ses sensations intérieures, il était trop tard. L'amour avait pris son cœur d'assaut. Elle aimait !

Toutefois, la victoire de M. de Simaise ne fut point complète. Que voulait-il ? Avoir la belle marquise pour maîtresse. Mais Cécile était avant tout une honnête femme. Elle n'avait pu garantir son cœur, mais elle entendait faire respecter et respecter elle-même le nom qu'elle portait ; elle connaissait ses devoirs envers son mari, envers son enfant et elle ne voulait pas qu'il y eût une tache à un honneur intact depuis des siècles. Elle eut la force de résister aux supplications, aux prières, aux larmes, aux menaces même du séducteur qui, dans le délire de sa passion, lui disait qu'il se brûlerait la cervelle ou se poignarderait sous ses yeux.

Elle résista. Mais ce qu'elle souffrit, Dieu seul le sait. Il y a dans l'amour, presque toujours, plus de larmes que de joies.

Cécile était malheureuse. Cécile pleurait, la nuit surtout, pendant de longues heures d'insomnie. Elle ne se sentait un peu tranquille, un peu rassurée que quand elle tenait le petit Paul dans ses bras. Alors elle serrait fiévreusement l'enfant contre son cœur, l'embrassait avec frénésie et lui demandait tout bas de la protéger contre elle-même. Son enfant seul, elle le sentait, était son égide. Il lui donnait la force de supporter son malheur ; il la défendait contre toute défaillance.

Beaucoup de femmes, en ce temps-là – il y en a encore aujourd'hui – avaient l'habitude de prendre le papier pour confident de leurs plus secrètes pensées. Le carnet de madame ou de mademoiselle, mémento des mystères du cœur, de certaines aventures qu'on n'aurait pas oubliées, mais qu'on éprouvait le besoin de confier au papier, confident plus ou moins discret, le carnet contenait presque toujours des choses fort curieuses.

Cécile avait son carnet sur lequel, tous les soirs, avant de se coucher, elle écrivait ses pensées intimes. Son carnet était l'unique confident de son secret, elle ne lui cachait rien ; à lui elle osait tout dire : son amour, ses angoisses, ses douleurs, ses luttes, les déchirements de son âme.

Un jour que la jeune femme était sortie pour faire des visites, le général eut besoin de consulter un papier qu'il savait être dans la chambre de la marquise ; il se rendit dans la chambre clopin-clopant et chercha inutilement le papier, qui n'était point à l'endroit où il pensait le trouver.

Il allait se retirer, lorsque sa main, s'appuyant sur la tablette de la cheminée, toucha une petite clef, qui ouvrait les tiroirs d'un meuble dans lequel Cécile serrait ses menus objets de toilette.

– Le papier est peut-être là, se dit le marquis.

Il prit la clef et ouvrit le premier tiroir. Ses yeux tombèrent sur le carnet.

– Tiens, tiens, fit-il en souriant.

Ce qui semblait dire : ma femme aussi a son carnet.

Toujours souriant, il ouvrit le recueil des pensées secrètes. À peine eut-il lu quelques lignes qu'il tressaillit et devint affreusement pâle.

– Oh ! oh ! fit-il.

Haletant, frémissant, le front couvert d'une sueur froide, il poursuivit sa lecture, dévorant les pages qu'il tournait successivement d'une main fiévreuse.

Il ne lut pas tout, il n'en eut pas le courage.

Il ferma le carnet, le remit à sa place, poussa le tiroir, tourna la clef et replaça celle-ci où il l'avait prise sur la tablette de la cheminée. Il sortit de la chambre en chancelant, en se traînant.

Une heure après, quand la marquise rentra, il l'accueillit comme toujours avec un regard de tendresse et un doux sourire. Le soir, avant de se retirer dans sa chambre, il se fit apporter son fils ; très ému, mais ne le laissant point voir, il embrassa l'enfant à plusieurs reprises ; ensuite, comme d'habitude, il mit un baiser sur le front de Cécile et la quitta en lui disant :

– À demain !

La marquise s'était couchée un peu avant minuit ; mais elle n'avait pu encore fermer les yeux quand les premières lueurs du jours pénétrèrent dans sa chambre. Cependant elle finit par s'endormir. À huit heures elle dormait d'un profond et lourd sommeil.

Tout à coup, une forte détonation la réveilla en sursaut.

Elle entendit un bruit de pas précipités, des portes s'ouvrir, puis des exclamations, des cris terribles frappèrent son oreille. Épouvantée, elle sauta à bas du lit, passa rapidement un peignoir et s'élança, affolée, vers la chambre du marquis d'où partaient les cris.

Les domestiques relevaient leur maître qu'ils venaient de trouver, couvert de sang, étendu sur le parquet.

Là marquise poussa un cri rauque, étranglé, et tomba sans connaissance.

Le marquis était mort. Une balle lui avait traversé le cœur. Il tenait encore le pistolet dans sa main droite crispée.

L'événement fit grand bruit dans la ville. On se demandait :

– Comment donc le général s'est-il tué ?

Les avis étaient partagés. Les uns disaient :

– Depuis longtemps ses douleurs étaient vraiment intolérables ; pour mettre un terme à ses souffrances, il s'est suicidé.

Les autres, ceux qui connaissaient mieux le marquis, son courage et son stoïcisme, attribuaient sa mort à un accident.

La marquise ne se douta de rien et nul ne sut jamais la vérité.

Cécile pleura son mari qui, toujours bon et affectueux, avait été son ami et son père, en même temps que son époux ; peut-être même eut-elle des regrets sincères.

L'année suivante, le baron de Simaise perdit sa mère et se trouva, par ce fait, maître d'une assez jolie fortune, environ trente mille francs de rente.

La passion du baron pour la marquise ne s'était pas apaisée. Quand il pensa que le moment était venu de se présenter devant Cécile, il vint la trouver et lui dit :

— Vous êtes libre et je vous aime toujours ; vous êtes presque pauvre et je suis riche ; je vous offre mon nom et ma fortune.

La marquise ne pouvait pas refuser ce que lui offrait l'homme à qui son cœur appartenait.

Quinze mois après la mort du marquis de Chamarande, Cécile épousait le baron de Simaise.

Ils quittèrent Toulouse, où le mariage de la jolie veuve n'avait pas été approuvé par tout le monde, et allèrent s'installer à Paris.

Le petit Paul avait alors quatre ans et demi.

Bientôt Cécile fit une découverte qui atteignit cruellement son cœur. Ce fut une première blessure. Le baron de Simaise n'aimait pas son fils, il semblait même l'avoir pris en aversion. Pourquoi ce sentiment que rien n'expliquait ni ne justifiait ? L'enfant était doux, caressant, soumis, et avait le don de se faire aimer de tous ceux qui le connaissaient. Le baron seul s'obstinait à ne pas voir sa gentillesse. Ce n'était qu'en se contraignant qu'il supportait la présence du petit Paul, et il lui arriva plus d'une fois, sous les yeux de la mère, de repousser le cher innocent avec rudesse.

— Mon mari est-il donc un homme sans cœur ? se disait douloureusement Cécile.

Elle commençait à avoir de vagues appréhensions, et l'avenir ne lui apparaissait plus sous d'aussi riantes couleurs que naguère.

Elle se rappelait les conseils que quelques vrais amis lui avaient donnés et auxquels elle avait fermé les oreilles.

On lui avait dit :

— Prenez garde, réfléchissez. M. de Simaise a passé plusieurs années à Paris, et on prétend que sa conduite n'y a pas été très exemplaire : il a dissipé rapidement la partie de l'héritage de son père, qui fut mise à sa disposition à sa majorité ; peut-être ne vous rendra-t-il pas heureuse.

Cécile en était déjà à regretter de ne pas avoir fait assez de cas de ces avertissements.

Elle devint mère une seconde fois. Le baron parut enchanté d'avoir un fils. Paul manifesta de toutes les manières sa joie d'avoir un petit frère, et tout de suite il se mit à l'aimer de toute la force de son jeune cœur, Cela aurait dû lui mériter l'affection du baron. Il n'en fut rien. L'étrange aversion dont il était l'objet augmenta encore, et le baron finit par exiger que le jeune marquis fût éloigné de la maison.

Cécile pleura et se résigna, comprenant que se séparer de son fils était un sacrifice qu'elle devait faire pour le soustraire à de mauvais traitements. Paul fut mis en pension.

Cependant le baron ne tarda pas à se montrer tel qu'il était. Son grand amour n'existait plus ; sa froideur, ses dédains, ses dures paroles firent trop bien comprendre à la baronne qu'elle n'était plus aimée. Froissée dans son amour maternel, blessée dans sa dignité, elle ne voulut pas même essayer de ramener son mari à elle. Elle eut aussi la fierté de ne pas se plaindre. Elle s'était trompée et elle avait été trompée par l'homme à qui elle avait confié le soin de la rendre heureuse, à qui elle avait trop aveuglément, hélas ! donné sa confiance.

Elle se contenta de gémir et de pleurer secrètement.

Heureusement, elle avait ses enfants sur lesquels elle pouvait reporter toute sa tendresse, tout son amour.

M. de Simaise avait retrouvé à Paris d'anciennes connaissances, dont il redevint le joyeux compagnon de plaisir. On le rencontrait dans tous les lieux où l'on s'amuse. Il était l'hôte assidu de ces salons du monde interlope, où se coudoient les déclassés de tous les mondes, les décavés de la finance et de la Bourse, les coureurs de femmes galantes ; où se rencontrent les filous, les escrocs, les aventuriers, gredins de toutes les catégories et de toutes les nations.

Le baron aimait le jeu. Il jouait. Il aimait les femmes faciles, de mœurs légères, lesquelles avaient d'autant plus d'attraits pour lui qu'elles étaient plus éhontées. Il eut des maîtresses. Il passait de la brune à la blonde, d'une vicomtesse plus ou moins authentique à une marquise d'occasion.

Relativement à sa fortune, il dépensait des sommes énormes. Son revenu ne pouvant suffire, la première brèche faite au capital allait toujours s'élargissant.

Cécile voyait avec terreur le gouffre que son mari creusait sous ses pieds. Mais depuis longtemps elle n'osait plus faire aucune observation à l'irritable baron. La malheureuse continuait de gémir en pensant à l'avenir plus que jamais incertain de ses enfants. C'était au sujet de Paul, surtout, qu'elle était inquiète et tourmentée.

Il allait avoir quinze ans ; bientôt il sortirait de pension ; elle n'espérait pas que la maison du baron, où déjà la gêne était entrée, lui serait ouverte ; mais pourrait-elle lui faire continuer ses études ? Ne fallait-il pas qu'il lui fût possible, plus tard, de se choisir une carrière et de se créer une position honorable ? Sans doute, grâce à son nom, il trouverait des protecteurs ; mais encore faudrait-il que ceux-ci pussent s'appuyer sur son intelligence et ses capacités.

Autrefois, un gentilhomme était tout par droit de naissance ; mais la grande Révolution avait fait justice des privilèges. Maintenant, pour parvenir, ce n'était plus assez des services rendus par les aïeux, il fallait le mérite personnel.

Cécile pensait à toutes ces choses. Quelle serait donc la destinée de son fils ? Que de craintes, que d'angoisses maternelles dans cette question que la jeune femme s'adressait souvent ! Elle comptait les difficultés, les obstacles que le jeune marquis de Chamarande allait rencontrer au début de sa vie, et voyait avec une sombre tristesse les incertitudes de son avenir.

— Tant que je vivrai, se disait-elle, ma tendresse le protégera ! Mais si je mourais, mon Dieu ! Que deviendrait-il ?

Cécile souffrait, Cécile était malheureuse, mais, sentant combien elle était encore nécessaire à ses enfants, elle tenait à la vie. La pensée qu'elle pouvait mourir la faisait frissonner. Elle avait peur de la mort.

XXIII

UN PARENT D'OUTRE-MER

Cécile pleurait. Ce jour-là elle était plus que jamais en proie à de sombres pensées.

Le matin, après s'être armée de courage, elle avait parlé de Paul à M. de Simaise et lui avait demandé ce qu'il convenait de faire pour son fils aîné, le moment étant venu de le retirer de l'institution où il ne pouvait faire de sérieuses études.

— Cela ne me regarde en rien, avait répondu brutalement le baron ; s'il a travaillé depuis sept ans qu'il est en pension, il en sait assez ; faites-lui apprendre un état.

Et M. le baron avait tourné le dos à sa femme.

Cécile avait senti son cœur se briser.

Faire apprendre un état à son fils, au marquis de Chamarande ! Quelle dérision ! Voyez-vous le petit-fils des anciens preux cordonnier ou tailleur, vendant de la mélasse et de la bougie, ou armé d'une aune derrière le comptoir d'un mercier !

Cécile pleurait.

Un domestique ouvrit doucement la porte de la pièce où elle se trouvait.

— Un monsieur, un étranger, demande à parler à madame la baronne, dit le domestique.

— Qui est ce monsieur ?

— Il n'a pas dit son nom ; c'est un homme âgé, qui a l'air fort bien.

— C'est bien, faites entrer, dit Cécile en essuyant rapidement ses yeux.

Un homme bien vêtu, ne manquant pas de distinction, ayant la figure ouverte, sympathique, l'air bon, et qui paraissait avoir cinquante ans, parut devant la baronne, qu'il salua très respectueusement.

Mme de Simaise lui montra un siège ; mais, avant de s'asseoir, il dit :

— Madame la baronne, vous ne me connaissez pas puisque vous me voyez pour la première fois ; mais le nom que je porte est peut-être resté dans un coin de votre mémoire : je me nomme Philippe de Villiers.

— La mère de M. le marquis de Chamarande, mon premier mari, répondit Cécile avec émotion, était une demoiselle de Villiers.

— Parfaitement, madame la baronne. Berthe de Villiers, marquise de Chamarande, avait un frère dont je suis le fils.

— Alors, monsieur, vous êtes...

— Je suis, madame la baronne, si vous le voulez bien, toutefois, votre cousin.

— Oh ! monsieur ! s'écria Cécile, se rapprochant de Philippe de Villiers et lui tendant la main.

M. de Villiers, s'inclinant, mit un baiser sur la main de la baronne.

— Mon cousin, dit Cécile, ne voulez-vous pas vous asseoir ?

— Mais si, mais si, d'autant mieux que nous allons causer longuement, car j'ai beaucoup de choses à vous dire.

Ils s'assirent.

— La famille de Villiers, reprit Philippe, est de petite noblesse et bien au-dessous de celle de Chamarande, féconde en hommes illustres. Pourtant, cela n'empêcha point un marquis de Chamarande d'épouser Berthe de Villiers, qui n'était point de grande maison, et qui, de plus, n'avait aucune fortune.

— Le fils de Berthe de Villiers m'a prise moi-même...

— Je sais, je sais... Les marquis de Chamarande ont souvent agi ainsi. Mon aïeul s'était ruiné, je ne sais trop comment, et mon père, le frère de Berthe, avait été forcé d'aller chercher fortune à l'étranger, en Hollande, où il se maria et où je suis né.

» Je ne vous raconterai pas l'histoire de mon père. Deux fois il fit fortune et deux fois il perdit ce qu'il avait gagné ; il mourut pauvre. J'avais alors vingt ans. J'étais en Malaisie, dans l'île de Java, commis aux écritures d'une importante maison de commerce, dont le siège était et est encore à Amsterdam. Mon père avait été marchand, ma destinée était d'être marchand comme mon père. Je ne m'en plains pas. Depuis le grand bouleversement qui s'est fait en France, tout est bien changé dans les cinq parties du monde.

» La découverte de la force et de la puissance de la vapeur est une chose merveilleuse : avant qu'il soit longtemps, les continents seront sillonnés de chemins de fer ; sur les mers, les navires, malgré bourrasques et tempêtes, passeront sans s'écarter de la ligne tracée pour eux et qu'ils doivent suivre. L'hélice, une autre merveille, aura remplacé les voiles. Toutes les distances seront rapprochées. Tous les mondes échangeront les produits de leur sol et de leur industrie. Aujourd'hui, ma cousine, l'avenir appartient au commerce et à l'industrie.

» L'époque théocratique est loin de nous, nous sortons de l'époque philosophique, voici venir l'époque scientifique. La science est la source intarissable des découvertes et des inventions ; elle est le phare vers lequel tous les yeux sont tournés ; on ne peut même pas juger, par ce qu'elle a fait déjà, ce qu'elle fera encore ; elle nous conduit, elle nous pousse vers la réalisation de tous les progrès.

» Excusez-moi, ma cousine, je me suis éloigné de mon sujet : j'y reviens. Je me suis marié à Batavia, à l'âge de trente-cinq ans, avec la fille unique d'un négociant dont je devins l'associé. J'ai eu deux enfants. Je les ai perdus, ma femme est morte aussi. Je suis toujours dans les affaires. Cela me plaît. Je pourrais me retirer maintenant avec deux millions, peut-être davantage : ce n'est pas une grande fortune, mais c'est quelque chose. Je ne me retire pas ; je veux travailler encore ; que voulez-vous, on a ses habitudes.

» Les intérêts de ma maison m'ont appelé en Europe. J'aurais pu facilement, continua-t-il en souriant, me dispenser de traverser les mers, mais j'étais désireux, depuis longtemps, de revoir la Hollande et de visiter la France pour la première fois. Je suis un étranger en ce pays, ma cousine ; mais, bien que je sois né en Hollande, je sens que la France est ma vraie patrie.

» Je n'ai pas voulu retourner en Océanie sans savoir si j'avais encore des parents en France et, dans ce cas, sans les avoir vus.

» Je me suis informé et, sans trop de peine, j'ai appris ce que je désirais savoir.

Il resta un moment silencieux et poursuivit :

— Ma cousine, vous êtes une noble femme et une bonne mère ; vous devriez être heureuse, et vous ne l'êtes point.

Cécile retint un soupir, rougit et baissa les yeux. Philippe de Villiers continua :

— Pardonnez-moi de vous parler ainsi, avec une franchise un peu brutale peut-être ; je n'ai jamais appris l'art de dissimuler, de ne pas dire, comme je le sens, ce que je pense. Je sais ce qu'est et ce que vaut M. le baron de Simaise. Je me suis présenté chez vous avec la certitude de ne pas rencontrer votre mari, car je ne tiens nullement à faire sa connaissance.

» Ceci dit, parlons de vous, ma cousine. Vous avez deux enfants, deux fils ; l'un est encore un enfant, l'autre est déjà grand et sera bientôt un homme ; c'est à celui-ci, au petit-fils de Berthe de Villiers, que je m'intéresse. Il est charmant, le jeune marquis de Chamarande.

— Oh ! oui, dit vivement Cécile, et quand vous le verrez...

— Je l'ai vu, ma cousine.

— Vous avez vu Paul ?

— Oui.

— Où donc ?

— À sa pension. Ne le trouvez pas mauvais, ma cousine, c'est à Paul de Chamarande que j'ai cru devoir faire ma première visite. Il ignore que je suis son parent ; je lui ai dit seulement que j'étais un ami de sa mère. Nous avons causé pendant plus de deux heures et, sans s'en douter, le cher enfant m'a donné certains renseignements qui me manquaient. Voulez-vous savoir quelle impression votre fils a faite sur moi, ma cousine ? Eh bien, il m'a mis dans le ravissement. Paul est très sérieux pour son âge ; il a le jugement sain, l'esprit pénétrant, la pensée profonde : il pense, réfléchit et raisonne déjà comme un homme fait. Apprenez, ma cousine, qu'en moins d'une demi-heure Paul a fait ma conquête ; en vérité, c'est un charmeur ! Ce n'est pas une affection ordinaire qu'il a pour vous, non, c'est de l'adoration ; il aime beaucoup aussi son petit frère ; quant à M. de Simaise...

– Oh ! monsieur, monsieur ! interrompit Cécile d'une voix suppliante.

– Je comprends ; mais vous ne pouvez faire qu'il en soit autrement. Paul sait que vous souffrez, et il a deviné les causes de vos souffrances. Vous ne pouvez exiger de votre fils qu'il ait de l'affection pour l'homme qui rend sa mère malheureuse et qui ne lui a jamais témoigné, à lui, autre chose que de la haine.

La baronne ne put retenir ses larmes et elle cacha sa figure dans ses mains.

– Ma cousine, ma chère cousine, pourquoi pleurez-vous ?

– Avez-vous besoin de me le demander, puisque vous savez tout ?

– Peut-être avez-vous encore quelque chose à m'apprendre. Mais le moment est venu de vous dire pour quoi je suis venu vous trouver. Vous êtes, vous et votre fils, mes seuls parents, toute ma famille ; si vous avez besoin d'un ami véritable, ma cousine, il est devant vous ; je me mets à votre disposition, si votre fierté ou toute autre raison ne vous conseille pas de repousser la main que je vous tends.

Cécile laissa voir son pâle et beau visage inondé de larmes.

– Oh ! mon cousin, mon cousin ! dit-elle avec un accent intraduisible.

– Bien, fit M. de Villiers. Maintenant, dites-moi ce que je puis faire pour vous et pour Paul de Chamarande.

– Ah ! vous êtes l'envoyé de Dieu ! exclama la baronne avec une sorte d'exaltation.

– Je n'ai point cette prétention, répliqua M. de Villiers avec un doux sourire.

– Et pourtant, au moment où j'étais désespérée, vous arrivez pour dissiper les ténèbres qui m'environnaient, pour me rassurer et me rendre la confiance et l'espoir. Vous ne pouvez rien faire pour moi, mon cousin, car rien, maintenant, ne peut changer ma destinée ; mais Paul, dont vous êtes l'unique parent, Paul a besoin de vous !

– Ne venez-vous pas de me dire que vous étiez désespérée ?

– Oui. Car moi, dans la situation où je me trouve, je ne peux rien, rien pour mon fils. Tenez, je sens que je ne dois rien vous cacher, il faut que vous sachiez tout.

Et Cécile fit à M. de Villiers le récit de sa douloureuse existence depuis qu'elle avait épousé M. de Simaise. Elle lui dit quels étaient ses appréhensions, ses doutes, ses craintes, ses angoisses perpétuelles au sujet de l'avenir du jeune marquis, et elle termina en rapportant les paroles échangées le matin même entre elle et son mari.

– Mais c'est monstrueux, cela ! s'écria M. de Villiers indigné.

– Vous savez maintenant, mon cousin, pourquoi j'étais désespérée.

Il y eut un long silence. Philippe de Villiers réfléchissait.

– Voyons, reprit-il, êtes-vous forte ? Aurez-vous du courage pour un sacrifice qui vous coûtera beaucoup ?

– Ah ! que ne ferais-je pas pour mon fils !

– Alors vous ne reculeriez, devant aucun sacrifice ?

– Pour son avenir ?

– Oui, pour son avenir.

– Quel sacrifice puis-je donc faire ?

– Vous séparer de Paul.

– Oh ! fit-elle.

Et elle devint plus pâle encore.

– Cela vous effraye, je le comprends, reprit M. de Villiers ; mais il y a dans la vie des nécessités qu'il faut accepter. D'après ce que vous m'avez dit, vous n'avez rien à attendre, rien à espérer de M. de Simaise. Ma cousine, confiez-moi votre fils, donnez-le moi. Sans doute cette séparation sera pour votre cœur une nouvelle douleur, mais vous serez enfin rassurée sur l'avenir de ce cher enfant. Paul sera mon fils, et il fera fortune, je vous le promets. Dans quelques années il reviendra près de vous heureux, riche, ayant l'expérience de la vie, et il pourra prendre alors, dans la société qui se transforme, la place et le rang qui appartiennent à tout homme intelligent qui veut être utile à son pays.

La baronne était très irrésolue. Laisser emmener son fils si loin ! Déjà elle sentait naître en elle d'autres appréhensions, d'autres inquiétudes.

M. de Villiers ajouta encore quelques paroles, qui eurent raison des dernières hésitations de la mère.

— Oui, oui, dit-elle, vous avez raison, je dois l'éloigner ; c'est une nécessité cruelle à laquelle il faut me soumettre ; je pleurerai son absence, mais du moins je serai tranquille... Je vous donne mon fils ; oui, c'est dit, vous l'emmènerez. J'aurai du courage... Oh ! pour son bonheur !...

— Nous partirons dans trois jours.

— Si vite que cela !

— Je suis impatiemment attendu à Batavia.

— Vous l'aimerez bien, n'est-ce pas ?

— Comme mon fils.

— Et Paul vous respectera et vous aimera comme son père.

Les trois jours passèrent vite.

Cécile, tenant son jeune fils par la main, accompagna M. de Villiers et son cher Paul jusqu'au bureau de la diligence.

Les adieux furent touchants, on pleura beaucoup. Paul se jeta plusieurs fois dans les bras de sa mère, qui le serrait fortement contre son cœur. Il embrassa aussi son frère. Celui-ci seul avait les yeux secs. Il regardait, en écarquillant les yeux, le lourd véhicule, attelé de quatre forts chevaux, sur lequel on chargeait les malles des voyageurs.

Une voix cria :

— Mesdames et Messieurs, en voiture !

On s'embrassa une dernière fois. Le postillon était sur son siège. Les voyageurs prirent leurs places.

– Adieu ! Adieu ! Adieu !

La diligence roulait déjà avec grand bruit sur le pavé de la rue. Le soir, Cécile dit à son mari, qui ne savait rien encore :

– Paul est parti.

– Où cela ? demanda le baron avec indifférence.

– En Océanie.

– Ah ! Et que va-t-il faire par là ?

– Apprendre un état.

XXIV

À BATAVIA

Franchissons un espace de douze années.

Cécile est veuve une seconde fois. Le baron de Simaise est mort d'une paralysie du cerveau, les excès l'ont tué. Les dettes payées, il reste à la veuve et à son fils environ huit mille francs de rente. C'est peu. En entamant successivement son capital, le défunt avait donc dévoré les trois quarts de sa fortune. Cinq cent mille francs employés à ruiner sa santé, à user son corps pour mourir à la fleur de l'âge !... Ah ! ils coûtent cher à Paris les plaisirs qui tuent !

S'il eût vécu trois ou quatre ans de plus, le baron de Simaise aurait laissé sa femme et son fils dans la misère. Qui sait, peut-être eût-ce été un bien pour le jeune homme. Forcé de travailler pour pourvoir aux besoins de son existence, Léon de Simaise n'aurait pu prendre des habitudes de paresse et de plaisir ; il se serait soustrait plus facilement à certains entraînements dangereux et aux fréquentations malsaines des désœuvrés.

Léon était né avec une mauvaise nature, il ressemblait à son père. Cécile essaya bien de faire naître dans son cœur de bons sentiments ; ce fut en vain, il n'y avait point là d'engrais pour la bonne semence.

Jusqu'à présent, par son autorité, par le respect qu'il avait encore pour elle, la mère était parvenue à maintenir son fils, à l'empêcher de se lancer en avant comme un cheval fougueux, au risque de se casser le cou à la première culbute. Mais elle sentait diminuer son autorité ; Léon commentait à ne plus tenir compte de ses conseils, à oublier le respect qu'il lui devait ; elle voyait, la pauvre mère, venir le jour où son fils lui échapperait. Alors que deviendrait-il ? Hélas ! il tomberait fatalement dans le gouffre !

– Il a tout de son père et rien de moi ! se disait-elle amèrement.

Entre Léon et Paul, quelle différence ! Comme les deux frères se ressemblaient peu ! La nature avait donné à l'aîné tout ce qu'elle avait refusé à l'autre. L'un causait à la mère des larmes continuelles, l'autre était sa consolation. Avec quelle impatience elle attendait une lettre ! Avec quels transports de joie elle la recevait !

Quand Léon lui avait causé un chagrin, une douleur – cela arrivait souvent – pour échapper à une sombre tristesse, elle se transportait par la pensée à Batavia, près de son cher Paul. Il lui semblait alors qu'une rosée du ciel descendait dans son cœur, et elle sentait son âme rassérénée.

On travaillait beaucoup à Batavia. Depuis que cette grande ville des îles de la Sonde avait été reconstruite et assainie, le commerce y avait pris une extension considérable. On y voyait arriver de toutes les parties du monde, d'Europe principalement, de nombreux navires appartenant à de grands armateurs. De nouveaux comptoirs, de nouvelles factoreries s'installaient et prospéraient, pendant que la richesse des anciens établissements augmentait dans des proportions extraordinaires.

Pour alimenter son exportation, Batavia n'a pas seulement les riches produits de l'île de Java et des autres îles de la Sonde, mais ceux aussi des Îles de Bornéo et de Célèbes.

Les Bouguis, qui passent pour le peuple le plus éclairé, le plus actif et le plus entreprenant de Célèbes, pourraient, à eux seuls, approvisionner les comptoirs européens de Batavia. Sur de frêles embarcations mal équipées, ils croisent dans toutes les directions de l'immense archipel océanien, depuis Malacca jusqu'à la Nouvelle-Guinée, visitent la terre des Papous et les côtes de l'Australie. Ils s'occupent surtout du commerce de la poudre d'or, de l'écaille, des nids d'oiseaux et des bîches de mer ; ils recueillent ces riches produits le long des côtes, dans des réduits secrets, dont ils ont seuls connaissance. Ils sont en possession de l'approvisionnement exclusif de l'île de Bornéo ; ils apportent aux peuplades de cette île toutes sortes de marchandises provenant des manufactures d'Europe, de l'Inde et de la Chine, qu'ils échangent contre des diamants bruts, des oiseaux au plumage merveilleux, de la poudre d'or, du camphre, du benjoin et autres produits précieux. Leur chargement fait, ils se dirigent vers Batavia et Singapore où ils arrivent avec des cargaisons qui ont, souvent, une valeur de cent mille piastres.

Depuis cinq ans déjà, Paul de Chamarande était le quatrième associé de la maison de son cousin, dont la raison sociale était Philippe de Villiers et Cie.

Très connu des Bouguis et en relation directe avec eux depuis longtemps, M. de Villiers réalisait chaque année des bénéfices énormes par l'échange des produits de l'ancien monde contre ceux des îles Océaniennes. Il recevait ses approvisionnements de Hollande, de France et d'Angleterre ; mais souvent il était forcé de s'adresser à une maison anglaise du Bengale, vaste entrepôt de toutes sortes de marchandises, dont le principal associé, William Glandas, était son ami.

Un jour, un bâtiment de la maison Glandas arriva à Batavia. Le capitaine était porteur d'une lettre pour Philippe de Villiers. En la lisant, le négociant pâlit.

— Eh ! bien ? demanda-t-il au capitaine.

— M. William Glandas n'est plus. Sentant sa fin prochaine, il a eu encore la force d'écrire cette lettre, qui m'a été remise par sa fille. Mlle Lucy est dans la désolation.

— Devez-vous rester plusieurs jours à Batavia ?

— J'espère pouvoir lever l'ancre demain soir.

— Vous rendez-vous directement à Calcutta ?

— Oui, directement.

— En ce cas, je prendrai passage à bord de votre navire.

La lettre de William Glandas disait :

» Je suis condamné par les médecins, je vais mourir : quand vous recevrez ces lignes, que je trace d'une main déjà glacée, votre vieil ami Glandas aura cessé de vivre. Si Dieu m'avait accordé deux ans de plus d'existence, j'aurais eu le temps de marier ma bien-aimée Lucy, qui va se trouver seule au monde. Que va-t-elle devenir, ma fille adorée ? Cette pensée me fait cruellement souffrir. Ah ! je voudrais ne pas mourir !

» Je cherche autour de moi à qui je peux confier mon enfant et je ne vois que vous, mon cher Philippe, car en vous seul j'ai une entière confiance. Écoutez la voix qui, au bord du tombeau, prête à s'éteindre, vous crie : « Venez, venez ! »

» Mais je vous connais, Philippe, vous ne resterez pas sourd à ma prière, vous veillerez sur le sort de Lucy. Je la confie à l'honnête homme, à l'ami. Vous serez son tuteur, son protecteur, son père !

« Venez, venez vite, mon cher Philippe ; dans quelques jours, dans quelques heures, peut-être, je ne serai plus, et ma fille a besoin de vous. »

M. de Villiers partit le lendemain. Son absence dura un mois. Il revint à Batavia, amenant Lucy Glandas et une jeune fille indoue âgée de quatorze ans, qui appelait Lucy sa petite mère.

Zélima, ainsi se nommait la jeune indoue, était la fille d'un misérable paria. Son père et sa mère étaient morts, à quinze jours de distance, plus encore de misère que de maladie. M. Glandas l'avait trouvée mourant de faim dans la hutte de terre de ses parents, l'avait apportée à Calcutta et donnée à sa fille pour l'amuser.

L'amitié rapprocha vite la distance qui existait entre la jeune créole et sa petite compagne. Zélima adorait sa maîtresse et celle-ci ne pouvait plus se passer de Zélima.

Elles s'aimèrent davantage encore en grandissant, elles étaient inséparables et comme les deux sœurs.

Aussi M. de Villiers avait-il été obligé d'amener également Zélima à Batavia.

— Lucy, disait-elle, est ma maîtresse, mon amie, ma sœur, ma petite mère ; si on m'avait séparée de ma chère Lucy, n'ayant plus rien à aimer au monde, je serais allée chercher la mort dans les eaux du Gange.

Lucy avait trois ans de plus que Zélima. Plutôt grande que petite, elle avait la taille souple, svelte, élégante.

Elle était bonne, gracieuse, pleine d'amabilité et délicieusement jolie. Bien qu'elle eût le regard doux et langoureux de la créole, il y avait dans ses mouvements de la vivacité et quelque chose d'imprévu qui donnait à sa personne un charme incomparable. Sa voix douce, harmonieuse, était caressante comme son regard. Elle était douée d'une sensibilité exquise. Tout en elle était charmant. Les vêtements de deuil qu'elle portait, loin de lui nuire, semblaient la rendre plus ravissante encore, en faisant mieux ressortir les traits caractéristiques de sa beauté idéale.

Dès le premier jour, elle fit sur le cœur de Paul de Chamarande une impression profonde. Elle s'en aperçut sans doute, car elle rougit, baissa les yeux et resta pendant un instant visiblement troublée.

Paul, arrivé à l'âge de vingt-sept ans, n'avait pas encore aimé. Il aima Lucy avec toute l'ardeur de sa jeunesse ; il l'aima comme l'homme ne peut aimer qu'une fois dans sa vie. La fortune, le retour en France, sa place, dans la société, reconquise, l'éclat rendu à son nom, tout ce qu'il avait rêvé jusqu'alors, tout cela n'était plus que chimère. Lucy seule était la réalité. Le vol de son ambition s'était subitement arrêté ; maintenant, son ambition se bornait à la conquête d'une femme ; il est vrai que cette femme était peut-être la plus adorable créature qui fût née en Hindoustan. Il sentait que sans Lucy le bonheur n'était plus possible pour lui. La jeune fille était son idole, sa religion ; il adorait avec l'enthousiasme d'un fanatique cette nouvelle divinité d'un culte nouveau.

Cependant il eut la force de cacher son amour pendant un an. Il avait voulu laisser à Lucy tout le temps de pleurer son père.

La jeune fille savait-elle qu'elle était aimée ? Nous pouvons admettre qu'elle avait depuis longtemps surpris le secret de Paul.

M. de Villiers, lui aussi, s'était certainement aperçu de quelque chose, car il ne parut nullement étonné lorsque le jeune homme lui dit un jour :

— J'aime Lucy ; elle est votre pupille, je vous demande sa main, en vous jurant que je la rendrai heureuse.

Le négociant serra la main de Paul et répondit :

— Le jour même où j'ai appris la mort de William Glandas, en pensant à Lucy, j'ai pensé à toi. Ils se conviennent, me suis-je dit ; s'ils peuvent s'aimer, ils seront l'un à l'autre. Ta demande, mon cher Paul, me comble de joie. As-tu parlé de ton amour à Lucy ?

— Par respect pour elle et pour vous, mon cousin, j'ai gardé le silence.

— Alors tu ignores si tu es aimé ?

— Hélas ! oui.

— En ce cas, mon ami, je dois consulter Lucy avant de te rien promettre. Retire-toi, tu reviendras dans un instant.

Paul s'étant éloigné, le vieillard fit appeler Lucy.

— Ma chère enfant, lui dit-il, je suis vieux, et d'un moment à l'autre, la mort peut me frapper comme elle a frappé votre père, qui était beaucoup plus jeune que moi ; en vous confiant à moi, son meilleur ami, William Glandas m'a imposé le devoir d'assurer votre bonheur, votre avenir. Je puis faire cela en vous mariant, c'est à dire en remettant entre les mains d'un honnête homme le soin de vous rendre heureuse.

La jeune fille ne put s'empêcher de tressaillir. Elle devint toute tremblante.

– Aujourd'hui même, continua M. de Villiers, un de mes associés m'a demandé votre main.

– Lequel, monsieur ? demanda Lucy.

– Le plus jeune, celui qui partage avec vous toute mon affection.

– Paul !

– Oui, Paul de Chamarande.

– Vous êtes mon tuteur, vous êtes devenu mon père ; je dois vous obéir comme une fille respectueuse.

– Nullement, Lucy, nullement, mon enfant, vous êtes entièrement libre ; vous devez avant tout consulter votre cœur ; si vous n'aimez pas mon jeune cousin, si rien ne vous attire vers lui, il ne faut pas l'épouser ; nous attendrons qu'il se présente un autre mari.

Les yeux de la jeune fille rayonnèrent et elle eut un délicieux sourire.

Elle se rapprocha de M. de Villiers et lui dit d'une voix vibrante d'émotion :

– J'aime Paul !

Le vieillard l'attira contre son cœur et lui mit un baiser sur le front.

Le jeune homme fut rappelé.

Paul lut son bonheur dans les yeux limpides de Lucy.

– Vous êtes les enfants chéris de mon cœur, dit le vieillard en unissant leurs mains !... Ce jour est un des plus beaux de ma vie, car je fais deux heureux.

Quatre mois après eut lieu le mariage du marquis Paul de Chamarande et de miss Lucy Glandas.

Il avait fallu tout ce temps pour faire venir de France et de Calcutta les papiers nécessaires.

À cette occasion, Paul avait écrit plusieurs lettres à sa mère et à son frère. Léon lui répondit très affectueusement, comme toujours, et avec une habileté machiavélique qui aurait rendu des points au célèbre Machiavel lui-même. Le jeune homme savait que Paul reviendrait en France avec une grande fortune, et déjà, connaissant le caractère, la nature confiante et l'excellent cœur du marquis, il prenait ses dispositions pour pouvoir abuser de sa générosité.

Paul, croyant à l'affection sincère de l'hypocrite, s'attendrissait en lisant ses lettres où s'exaltait la fausse tendresse du fourbe. Certes, s'il eût su comment Léon se conduisait, il aurait été frappé de stupeur et son cœur se serait soulevé de dégoût.

La baronne seule aurait pu lui apprendre la vérité, mais la pauvre mère n'avait garde de se plaindre ; elle cachait, au contraire, les chagrins que son indigne fils lui causait.

Un matin, il y eut entre M. de Villiers et Paul une longue conversation.

— Mon cher Paul, dit le vieillard, le jour où j'ai demandé à la baronne de Simaise de me confier son fils aîné, je lui ai promis que tu reviendrais près d'elle heureux et riche. Aujourd'hui ta fortune est faite et tu as trouvé le bonheur en épousant Lucy. Le moment de nous séparer est venu ; je te rends ta liberté. Tu vas retourner en France, où ton excellente mère t'attend depuis des années. Dans un an, si je vis encore, j'irai probablement te rejoindre ; il me serait doux de finir mes jours entre toi et Lucy, mes deux enfants. Nous verrons. Avant tout, il faut procéder à une liquidation et cela demandera du temps.

» J'ai tout préparé pour ton départ ; sachant combien tu aimes peu les discussions d'intérêts, je t'ai évité cet ennui en réglant tes comptes moi-même avec nos associés. Dans ce portefeuille, que je te remets, il y a quatre millions en lettres de change, moitié sur Paris, moitié sur la maison Van Ossen, d'Amsterdam.

— Quatre millions ! exclama le jeune homme.

— Oui, répondit le vieillard en souriant.

— Mais ma part dans les bénéfices n'a pu atteindre ce chiffre.

– Depuis ton entrée dans la société ; mais, à partir du jour où tu as quitté ta mère pour me suivre, je t'ai considéré comme mon associé.

– Dites plutôt, mon généreux cousin, répliqua Paul très ému, que c'est un don que vous me faites.

– Qu'importe ! Ce qui est dans ce portefeuille, mon ami, est à toi, bien à toi. D'ailleurs, n'es-tu pas mon héritier ? Aujourd'hui, nous partageons, car j'espère bien avoir encore quatre millions le jour où je laisserai la maison à mes associés.

» J'aurai aussi à rendre mes comptes à Lucy avant votre départ ; je lui remettrai l'héritage de son père, tout près de cinq cent mille francs.

Paul se jeta dans les bras du vieillard et ils s'embrassèrent, serrés dans les bras l'un de l'autre.

Le jour même, tout le monde sut dans la maison et le quartier commerçant de la ville que Paul et Lucy allaient bientôt partir.

Parmi les employés de la maison Philippe de Villiers et Cie, il s'en trouvait un que Paul affectionnait particulièrement. C'était un Français ; il se nommait Charles Cherry. Celui-ci avait pour le marquis une amitié profonde et lui était entièrement dévoué.

Quand il apprit, comme les autres, que Paul était à la veille de quitter Batavia, il l'alla trouver et lui dit :

– Grâce à vous, monsieur Paul, j'ai ici une position très belle ; mais je me vois forcé d'y renoncer.

– En avez-vous donc trouvé une meilleure ?

– Non, mais vous partez.

– Eh bien ?

– Je veux retourner aussi en France.

– Vous n'y avez plus aucun parent.

– C'est vrai.

— Alors, pourquoi ne pas rester à Batavia où, d'ici à quelques années, vous aurez gagné une petite fortune ?

— Parce que vous parti, je le sens, je ne pourrais plus vivre ici ; j'y serais malheureux.

Paul le regarda fixement, en souriant.

— Et si nous n'emmenions pas Zélima ? dit-il.

Charles Cherry eut un mouvement de surprise.

— Ah ! balbutia-t-il, vous avez deviné...

— Oui, mon brave Cherry, j'ai deviné ton secret ; tu aimes Zélima.

— Oh ! oui, je l'aime ! mais elle ne restera pas, elle voudra suivre sa maîtresse.

— Bien que Zélima ait une grande amitié pour Lucy, Zélima restera à Batavia, parce qu'elle aime Charles Cherry.

— Elle m'aime, dites-vous, elle m'aime ?

— Oui.

— Est-ce possible ?

— Zélima n'a rien de caché pour Lucy. Maintenant, mon cher Cherry, écoutez-moi : M. de Villiers a pour vous beaucoup d'estime, car il a pu apprécier comme moi votre grande loyauté ; il sait qu'on peut compter sur votre dévouement. En récompense des services que vous avez déjà rendus à la maison et de ceux que vous êtes appelé à lui rendre encore, vous allez être intéressé dans les affaires. M. de Villiers vous mariera, comme il nous a mariés, Lucy et moi, et dans quelques années, quand vous aussi vous aurez fait votre fortune, vous viendrez nous retrouver en France. Alors nous serons de nouveau et pour toujours réunis.

Quelques jours après, Paul et Lucy s'embarquèrent sur un navire français qui allait faire voile vers la France.

Zélima pleura. Mais Charles Cherry était là pour la consoler.

XXV

RETOUR EN FRANCE

La traversée fut longue, difficile, périlleuse même. Il y avait quatre mois que le navire était en mer lorsque la vigie signala enfin les côtes de France.

Paul et Lucy avaient quitté Batavia le 8 février ; ils arrivèrent au Havre le 12 juin.

En ce temps-là on ne faisait pas encore le tour du monde en quatre-vingts jours. Notre marine se transformait lentement. L'isthme de Suez, percé et canalisé, n'avait pas encore ouvert entre l'Europe, l'Inde et la Chine, une voie nouvelle à la navigation, et nous n'avions pas le service régulier des paquebots, qui existe aujourd'hui, principalement au Havre.

Un jeune homme attendait sur le port. Il vit jeter l'ancre, tourner le cabestan, amarrer le navire, puis placer la passerelle du débarquement. Mais, déjà, il avait remarqué sur le pont un grand et beau jeune homme de haute mine, de manières distinguées, très empressé auprès d'une jeune femme d'une beauté merveilleuse.

Le jeune homme qui attendait cherchait vainement à retrouver dans sa mémoire une image effacée. Il ne reconnaissait pas le passager ; mais qu'importe, il ne doutait pas que ce ne fût le marquis de Chamarande.

Quand Paul et Lucy furent à terre, le jeune homme s'avança vers eux, tenant respectueusement son chapeau à la main.

— Mes yeux ne vous reconnaissent point, dit-il, s'adressant au marquis, mais je sens aux battements de mon cœur que vous êtes mon bien-aimé frère, Paul de Chamarande.

— Léon ! mon cher frère ! s'écria Paul, ouvrant ses bras.

Ils s'embrassèrent dans une chaleureuse étreinte.

— Lucy, reprit Paul, parlant en anglais à la jeune femme, c'est mon frère, Léon de Simaise, dont je t'ai souvent parlé.

La belle créole sourit gracieusement et tendit ses joues sur lesquelles Léon mit deux gros baisers.

– Lucy ne connaît pas encore la langue française, dit le marquis, elle ne parle bien que l'anglais et l'indou.

– Je ne connais pas la langue indoue, mon frère, répondit Léon, mais j'ai appris l'anglais, et si vous le voulez bien, nous parlerons dans cette langue.

Paul serra la main de Léon pour le remercier.

– Comment va notre bonne mère ? demanda-t-il.

Léon baissa tristement la tête et laissa échapper un soupir, qui semblait venir du fond de son cœur.

– Ah ! s'écria le marquis, ton silence m'annonce un malheur ! Notre mère, Léon, notre excellente mère...

– Morte !

Le marquis pâlit, chancela et des larmes jaillirent de ses yeux.

Lucy soupira.

– Paul, mon Paul, dit-elle de sa douce voix, moi aussi j'ai perdu ma mère et mon père ; tu m'as consolée, à mon tour je te consolerai.

Elle prit une des mains de son mari pendant que Léon s'emparait de l'autre.

– Frère, dit le baron avec des larmes dans la voix, nous la pleurerons ensemble.

Le fourbe se garda bien de dire à son frère que la baronne de Simaise était morte de chagrin.

– Oui, répondit Paul, nous la pleurerons, elle mérite d'être pleurée, car elle nous a bien-aimés.

Il se redressa et passa à plusieurs reprises sa main sur son front.

– *Où allons-nous ?* demanda-t-il.

– *À l'hôtel Frascati, où je vous ai retenu un appartement. J'ai aussi commandé à dîner ; nous pourrons nous mettre à table en arrivant.*

– *Nous avons nos bagages.*

– *Ne vous en préoccupez point, mon frère : je me suis chargé du soin de les faire transporter à l'hôtel.*

– *Merci, Léon, merci. Comment te trouves-tu si heureusement ici à notre arrivée ?*

– *Depuis trois semaines je suis au Havre, vous attendant.*

– *Oh ! cher frère !*

– *Jugez de mon bonheur quand, ce matin, le bâtiment venant de Batavia a été reconnu en mer. Aussitôt, j'ai pris vite mes dispositions pour vous recevoir.*

– *Bien, très bien.*

– *Dans la dernière lettre que vous lui avez écrite, vous chargiez notre mère de trouver pour Mme la marquise...*

– *Dis, ma sœur, Léon, Lucy veut que tu lui donnes ce nom.*

– *Oui, appelez-moi votre sœur,* dit Lucy.

– *De trouver pour ma sœur une femme de chambre anglaise connaissant parfaitement le français, et ayant déjà servi à Paris.*

– *En effet.*

– *La mort n'a pas permis à notre mère de répondre à votre désir ; j'ai dû me charger moi-même de ce soin. J'espère que ma sœur sera contente de sa femme de chambre anglaise. Et puis,* continua-t-il, *sachant quelles étaient vos intentions, je me suis occupé de votre première installation. Mais je vous dirai dans un autre moment ce que j'ai fait.*

On arrivait à l'hôtel.

Paul et Lucy prirent possession de leur appartement, pendant que le jeune baron, déployant une activité merveilleuse, hâtait le transport des bagages. Les voyageurs eurent leurs malles assez à temps pour pouvoir changer de costume avant de se mettre à table.

— Madame la marquise est servie, vint dire en anglais un garçon de l'hôtel, qu'il était facile de reconnaître pour un fils d'Albion.

C'était une nouvelle attention de Léon. Le marquis sourit d'un air satisfait. La marquise gratifia son beau-frère d'un doux regard de gratitude.

— Comme elle est belle ! pensait le baron, que la radieuse beauté de la créole éblouissait.

On passa dans la salle à manger. Le repas fut silencieux. Paul était triste ; il pensait à sa mère. Quand on eut servi le café, voulant faire diversion à ses douloureuses pensées, le marquis dit à son frère :

— Tu t'es occupé de notre installation, m'as-tu dit ; te plaît-il de nous apprendre comment tu as arrangé notre existence ?

— Mon frère, je n'ai fait quelque chose que si j'ai votre approbation.

— Tout ce que tu as fait, Léon, je l'approuve d'avance. Je reviens en France tout à fait dépaysé, dans l'ignorance absolue des habitudes et des usages du monde. Toi, Léon, vrai Parisien, appartenant à la haute société, tu sais certainement mieux que moi ce qu'il faut, ce qui est nécessaire, ce qui est bien. Je possède une fortune qui me permet de faire beaucoup ; néanmoins je ne tiens pas à me faire remarquer par mon luxe, à faire grand bruit par mon train de maison. Je tiens, au contraire, au moins pendant quelque temps, à ne pas attirer l'attention sur nous. Il faut d'abord nous reconnaître, prendre pied. Il faut que ma Lucy apprenne la langue française, et se familiarise peu à peu avec les usages d'un monde qu'elle ne connaît point. Toutefois, je sais ce que je dois à la mémoire de mes aïeux, à mon nom, que je veux porter dignement.

— Ceci me rassure, mon frère, et je suis heureux d'avoir bien compris ce que vous désirez. Avant tout, cher frère, je dois vous apprendre que nous sommes, en France, en pleine révolution. Comme Charles X, Louis-Philippe a été détrôné.

— En vérité !

— Paris révolté a chassé des Tuileries la famille royale, qui s'est réfugiée un peu partout. Le roi, la reine et les princesses ont trouvé un asile en Angleterre. Pour la seconde fois la France est en République. Mais nous n'avons pas pour cela la tranquillité. De même qu'autrefois, les républicains qui nous gouvernent sont toujours prêts à se dévorer entre eux. Le commerce est mort, les grands travaux de l'industrie se sont subitement arrêtés ; Paris est en état de révolte continuelle. Que veut-on ? On ne le sait pas.

» Partout la misère est grande. Le peuple réclame du travail, les mères demandent du pain pour leurs enfants. Enfin, personne n'est satisfait, tout le monde se plaint. Paris est devenu inhabitable ; les gens riches l'ont déserté ; on a peur. Il y a dans l'air des menaces d'orage, des grondements de tonnerre. On s'attend d'un moment à l'autre à voir les horreurs d'une guerre civile.

— Nous arrivons mal, dit le marquis en hochant la tête.

— Vu la situation, mon frère, vous devez comprendre que je n'ai pas songé à vous préparer une demeure à Paris.

» En cherchant, j'ai découvert à Port-Marly, dans un endroit ravissant, au bord de la Seine, une charmante villa, presque un petit château. La propriété est suffisamment grande. Il y a des massifs épais où nichent les merles, des ormes séculaires, une magnifique futaie, de belles pelouses à travers lesquelles serpente une jolie petite rivière anglaise alimentée par des eaux vives. Les fleurs ne manquent pas. Ma sœur Lucy aura là, à volonté, du soleil et de l'ombre. Elle respirera les parfums des roses pendant que, accompagnés par le doux murmure de la source, les oiseaux chanteront pour charmer ses oreilles.

— Mais voilà un séjour délicieux, dit Lucy.

— Un nouveau paradis terrestre, ajouta Paul en souriant.

— C'est un nid de verdure et de fleurs où il vous sera facile de vous isoler, continua Léon ; Port-Marly n'est qu'à quinze kilomètres de Paris, vous serez donc là en même temps à la campagne et à la ville. Pas de bruit autour de vous, mais le calme, la tranquillité, le silence.

» J'ai pensé, mon frère, qu'il vous conviendrait de vivre dans la solitude pendant quelque temps.

— Mon cher Léon, tu es allé au-devant de tous mes désirs.

— Nés de la même mère, j'ai pensé que vos goûts ressemblaient aux miens, répondit hypocritement le baron.

Le marquis lui tendit la main.

— La propriété est entourée de murs, poursuivit Léon, de sorte qu'on peut se promener partout, dans les larges allées, sans être importuné par des regards curieux. L'habitation avait besoin de certaines réparations peu importantes ; je les ai fait faire ; j'ai fait également décorer l'intérieur de l'appartement destiné à ma sœur, en m'inspirant, le mieux que j'ai pu, du goût oriental.

La jeune femme témoigna sa satisfaction par un gracieux mouvement de tête.

— Enfin, je me suis adressé à un tapissier en renom de Paris, qui a meublé et arrangé les appartements d'une façon convenable, sans grand luxe, mais avec tout le confortable qui convient.

» La femme de chambre anglaise est là depuis un mois attendant sa maîtresse, en compagnie d'un maître d'hôtel et d'une autre femme, une cuisinière. J'ai également arrêté un cocher. J'ai acheté une calèche et un coupé, dont je n'ai pas encore pris livraison : de même pour les chevaux, qui seront conduits à Port-Marly aussitôt que vous le voudrez, mon frère.

— Enfin, mon cher Léon, je vois que tu n'as rien oublié ; tu as pensé à tout.

— J'ai tâché de faire de mon mieux pour vous être agréable, répondit modestement le baron.

— Et moi je te dis : Merci, Léon, merci, mon bon frère !

— Tu as le compte de ce que tu as dépensé ?

— Sans doute, mon frère.

— Je te réglerai cela, Léon, dès que j'aurai de l'argent de France. Je sais que tu n'es pas riche.

— C'est vrai. Mon père n'a pas ménagé sa fortune ; mais il n'appartient pas à son fils de le juger. Je veux fermer les yeux sur les fautes qu'il a pu commettre et n'oublier jamais le respect que je dois à sa mémoire.

— C'est bien, cela, Léon.

— D'ailleurs, grâce à notre excellente mère, qui veillait, tout n'a pas été englouti ; j'ai pu recueillir les épaves du naufrage. J'ai juste assez pour ne pas mourir de faim ; mais, Dieu merci, je suis jeune, j'ai du courage, de la volonté, je travaillerai !

— Oh !

— Quant à nos comptes, mon frère, ils ne seront pas, je crois, difficiles à régler. Vous ne me devez rien, puisque c'est moi, au contraire, qui vous dois.

— Comment cela ?

— Quand la marquise de Chamarande a épousé le baron de Simaise, elle possédait cent mille francs, votre héritage, mon frère ; je vous dois cette somme.

— Généreux, désintéressé, pensa le marquis.

» Tu es un bon et brave garçon, répliqua-t-il avec une émotion profonde. Ah ! tu ne sais pas combien je suis heureux de t'entendre parler ainsi. Mon frère est tel que le voulait mon cœur ! Tu crois être mon débiteur, soit ; mais je te donne quittance de ce que tu me dois. Je ne parle plus de te rembourser ce que tu as dépensé pour moi ; c'est autrement que j'entends m'acquitter envers mon frère. Je reviens en France avec quatre millions et demi.

— Quatre millions ! exclama le baron, qui voyait miroiter ce pactole à travers un éblouissement.

— Ce que je voulais faire pour notre mère et pour toi, continua le marquis, je le ferai pour toi seul ; tu es presque pauvre, je te donnerai une fortune.

— Oh ! mon frère !

— Est-ce que le marquis de Chamarande pourrait vivre dans l'opulence et sentir le baron de Simaise dans la gêne ? Non, non. Ce serait l'amertume dans notre bonheur, n'est-ce pas, Lucy ?

— Oui, mon Paul.

— Quand tu te marieras, Léon, tu sauras ce que j'ai l'intention de faire pour toi. En attendant, tu resteras près de nous, nous vivrons en famille et ma bourse, sera la tienne. Écoute, j'aurai souvent besoin de tes conseils et aussi de tes services dans une infinité de circonstances. Je serais fort embarrassé, je t'assure, si je ne t'avais pas près de moi, pour procéder au placement de mon capital. Tu dois connaître les choses de la finance ?

– Un peu, mon frère.

– Ce qui veut dire – ta modestie étant connue – que tu t'y entends très bien. Moi, je n'ai guère appris autre chose qu'à échanger les produits coloniaux de l'archipel Indien contre les marchandises diverses de l'ancien continent. Je suis un commerçant. Tu m'aideras, Léon, tu seras mon guide.

– Tout ce que je pourrai faire pour vous, mon frère, je le ferai.

– J'en suis convaincu. J'ai certains projets, nous les examinerons ensemble. On commence à exécuter en France de grands travaux : dans ces dernières années, l'industrie nationale a pris un nouvel essor extraordinaire. Les journaux français qu'on reçoit à Batavia m'ont appris cela. Le mouvement en avant s'est arrêté, viens-tu de me dire ; mais ce n'est qu'un moment de crise ; dans quelques mois, sans doute, nous verrons la reprise des affaires. Les travaux commencés s'achèveront et on mettra la main à ceux qui sont à l'étude. Eh bien, Léon, je ne resterai pas inactif ; à défaut de connaissances spéciales, je pourrai, grâce à mon capital, être utile à notre pays ; j'apporterai, dans la mesure de mes moyens, mon concours aux grandes conceptions ayant pour but la prospérité et la grandeur de la France.

XXVI

L'OISEAU NOIR

Le marquis et la marquise sont installés à Port-Marly.

Léon n'a rien exagéré. La propriété est ravissante. Ce petit coin de terre où l'air est embaumé, où des fleurs magnifiques s'épanouissent sous les rayons caressants du soleil, semble avoir été créé exprès pour deux jeunes époux qui s'adorent.

Lucy est enchantée, et elle dit souvent, pour exprimer sa satisfaction :

— Je crois me retrouver au Bengale.

L'habitation est charmante, c'est un petit palais. Un goût parfait a présidé à sa décoration intérieure et à son ameublement. Tout est délicieux. La chambre et le boudoir de la jeune femme sont deux merveilles.

Habitué à l'élégance et aux raffinements de la vie parisienne, Léon a bien fait les choses. C'est avec un accent plein de gratitude que Lucy l'a remercié et complimenté.

Deux voitures sont sous la remise et il y a trois beaux chevaux dans l'écurie.

Presque chaque jour, quand la grande chaleur est passée, on attelle, et les deux frères et Lucy font de ravissantes promenades dans les environs ; ils visitent les sites pittoresques, partout ils admirent les magnifiques points de vue, les paysages splendides.

— C'est beau, c'est beau ! ne se lasse point de répéter Lucy. Ah ! c'est avec raison qu'on entend dire dans tous les pays du monde : La belle France !

Des promenades aux environs de Versailles, de Saint-Germain, de Saint-Cloud, sont les seules sorties du marquis et de la marquise. Ne connaissant personne, ils vivent dans la solitude. Ils s'y plaisent. Ils se trouvent si bien dans leur nid d'amoureux ! Ils n'ont pas un instant d'ennui. Est-ce qu'on peut jamais s'ennuyer quand on s'aime ?

Pour le moment, ils ne voient et ne reçoivent personne. Dans quelques mois, on ne pensera plus à Paris aux mauvaises journées de juin, la tranquillité sera complètement rétablie. Ceux que la crainte a éloignés de Paris y reviendront. Alors on verra. Léon a des relations, il présentera le marquis et la marquise dans quelques maisons ; mais on a le temps, on ne se pressera pas de faire des connaissances ; car le monde est exigeant : quand il s'empare de vous, vous ne vous appartenez plus.

Près de son frère et de sa belle-sœur, le baron de Simaise continue à jouer son rôle en parfait comédien. Certes, ce n'est pas lui qui poussera le marquis à voir du monde ; il le tiendra, au contraire, éloigné de Paris le plus longtemps qu'il pourra.

Il a réussi à gagner l'affection de son frère, à capter sa confiance, c'est bien ; mais, pour que cela dure il y a des choses que le marquis ne doit pas savoir. Si on lui ouvrait les yeux, s'il découvrait qu'il est la dupe d'un abominable hypocrite, toutes ses combinaisons seraient déjouées, il aurait pris une peine inutile ; l'échafaudage de sa fortune s'écroulerait d'un seul coup, comme un château de cartes.

Tromper son frère, l'enlacer dans les réseaux invisibles de son machiavélisme, voilà ce qu'il fallait ; et ce résultat était d'autant plus facile à obtenir, que la confiance du marquis était plus grande, plus entière.

Paul jugeait les autres, son frère particulièrement, d'après lui-même ; il croyait Léon bon, dévoué, sincère en tout. Comment aurait-il pu soupçonner seulement sa précoce perversité ? C'est toujours parce qu'ils sont confiants et qu'ils ne peuvent croire au mal, que les hommes d'une nature loyale et généreuse sont victimes des méchants.

Léon était trop adroit, trop rusé pour se laisser deviner. Il avait changé son caractère, l'expression de sa physionomie, celle de son regard, jusqu'au timbre de sa voix. Sa volonté avait mis un masque sur son visage, il le gardait.

Il calculait ce que son jeu devait lui rapporter. L'amitié et la reconnaissance de son frère lui vaudraient tant, il aurait tant pour son dévouement et les services qu'il rendait au marquis ; il comptait bien se faire payer aussi la contrainte qu'il s'imposait, le mal qu'il se donnait pour ne pas se montrer tel qu'il était. Dame, toute peine mérite salaire, et quand on calcule, il faut surtout, pour obtenir un calcul juste, ne rien oublier.

Le marquis possédant plus de quatre millions, sans compter la fortune de M. Philippe de Villiers, qui lui viendrait un jour, il ne pouvait pas donner à son frère chéri moins d'un joli petit million. Mais qui sait, en s'y prenant bien, s'il était tout à fait adroit, Paul irait peut-être de deux millions. Mon Dieu, oui, deux millions ! Cela n'aurait rien d'extraordinaire.

Et déjà le baron se sentait lesté de deux millions ; il se lançait dans le tourbillon de la vie parisienne ; il éclipsait ses amis, il brillait, il éblouissait, il était superbe ; il avait pour maîtresses les plus belles femmes de Paris ; il était l'homme du jour, on ne parlait que de lui dans tout Paris.

Tel était le rêve du baron. En attendant que tout cela devînt une réalité, l'activité de Léon était admirable. Il se multipliait. Pour être agréable aux deux époux, il aurait fait tout au monde. Aucune peine ne paraissait lui coûter. Il se montrait aimable, gracieux, empressé, attentif, respectueux.

– C'est un cœur d'or ! disait Paul à Lucy.

Devenu commerçant par circonstance, le marquis était resté un véritable gentilhomme et, comme tel, il avait le dédain des affaires d'argent : il n'aimait pas compter. Aussi s'était-il empressé, courant ainsi au-devant des secrets désirs du baron, de lui confier le soin de ses intérêts. De ce côté, Léon suppléait son frère en tout.

Tout entier à son amour pour Lucy, Paul se trouvait heureux de n'avoir à s'occuper que d'elle, à ne penser qu'à elle.

Les lettres de change avaient été converties en espèces. Deux millions étaient en dépôt à la Banque de France, en attendant qu'on eût décidé qu'il serait fait de ce capital tel ou tel emploi. Les affaires étaient toujours languissantes ; mais leur reprise ne pouvait tarder longtemps. Léon attendait le moment propice pour prendre part à une grande entreprise.

Profitant de la baisse des fonds publics et de toutes les valeurs mobilières, le baron avait successivement acheté, et toujours dans d'excellentes conditions, des titres de rente sur l'État, des actions et des obligations au porteur. Les deux autres millions avaient ainsi trouvé leur placement.

Certaines opérations, celles principalement de la conversion des lettres de change en espèces, avaient exigé que le baron eût en main une procuration ; le marquis la lui avait donnée aussi étendue que possible. Mais ayant le maniement des fonds sans contrôle, la liberté entière d'opérer comme il l'entendait, Léon, par suite d'un autre calcul, sans aucun doute, se servait le moins possible de sa procuration et agissait en son propre nom. De cette façon, le marquis n'était plus le maître de sa fortune et se trouvait sous la dépendance de son frère.

– Je tiens l'argent, pensait le mandataire, attendons et laissons venir.

Un événement imprévu, qui devait être suivi bientôt d'un épouvantable malheur, allait changer la face des choses et forcer le baron à se livrer à de nouvelles combinaisons.

Un jour le marquis reçut, venant de Batavia, un paquet cacheté de cire noire. Il y avait sous l'enveloppe, que Paul déchira d'une main tremblante, plusieurs lettres. La première qu'il ouvrit et lut était de Charles Chevry.

Le marquis était très pâle, de grosses larmes roulaient dans ses yeux.

– Mon pauvre cousin, mon cher bienfaiteur ! murmura-t-il.

La lettre de Charles Chevry lui annonçait la mort de M. de Villiers. Le vieillard avait été foudroyé par une attaque d'apoplexie, dans sa chambre, au moment où il allait se mettre au lit. Il n'avait pas eu le temps d'appeler à son secours ; c'est le lendemain matin seulement qu'on l'avait trouvé étendu sans vie, roide, sur le parquet.

La lettre disait encore :

» M. de Villiers a fait son testament en votre faveur ; à l'exception de quelques legs, qui ne s'élèvent pas, réunis, à plus de cinq cent mille francs, vous êtes son unique héritier. On ne sait pas encore exactement quel est le chiffre de sa fortune, mais on parle de cinq à six millions.

» Pour régler les affaires de succession et celles de la liquidation, qui est commencée, votre présence à Batavia est indispensable. Il faut absolument que vous veniez.

» L'officier ministériel entre les mains duquel a été déposé le testament vous écrit ; il vous dit qu'il vous attend. Les lettres des deux associés de la maison Philippe de Villiers et Cie vous prient également de venir sans retard à Batavia.

» J'aime toujours Zélima ; je l'aime comme vous aimez votre chère Lucy. Aimer et être aimé, voilà le suprême bonheur ! Je ne puis douter de l'amour de ma Zélima adorée, car c'est un grand, un bien grand sacrifice qu'elle a fait en restant à Batavia. Elle a été la consolatrice de M. de Villiers, qui a été longtemps bien triste et comme une âme en peine après votre départ.

» En attendant l'heureux jour où nous serons unis, Zélima m'apprend la langue indoue ; quand je connaîtrai suffisamment l'indou, j'entreprendrai, à mon tour, d'apprendre le français à Zélima. Mais, quand ? Je suis furieux contre moi, en voyant comme je fais peu de progrès ; il paraît que quand le cœur est tendre la tête est dure. Je suis toujours distrait près de Zélima ; je ne pense qu'à l'admirer, je suis en extase. Jugez comme je suis disposé à apprendre la langue passablement mystique des brahmanes et des rajahs.

« M. de Villiers devait nous marier ; quelques jours avant sa mort il avait fixé l'époque du mariage. Notre bonheur est retardé ; nous nous résignons ; nous ne pouvons penser à la joie sur le bord de la tombe à peine fermée de notre bienfaiteur. Heureusement, un sourire et un doux regard de ma Zélima suffisent pour me faire prendre patience. »

Les autres lettres n'étaient que de quelque lignes, mais toutes se terminaient par ces mots :

« Votre présence ici est absolument nécessaire ; venez vite, nous vous attendons. »

Ainsi, il fallait partir.

— Paul, mon Paul, s'écria Lucy en pleurant, je veux t'accompagner !

Le marquis secoua tristement la tête.

— C'est impossible, dit-il.

Lucy était enceinte.

Mais la jeune femme ne voulait rien entendre. La séparation l'effrayait. On aurait dit qu'elle avait le pressentiment des malheurs qui allaient fondre sur elle.

Il fallut toute l'autorité du marquis pour qu'elle se rendît à ses bonnes raisons. Elle finit par comprendre que, dans la position où elle se trouvait, il serait imprudent et même dangereux de faire ce long voyage en mer. Cette séparation forcée de cinq à six mois était un sacrifice qu'il fallait faire. Déjà Lucy se devait au cher petit être qu'elle portait dans son sein.

La jeune femme ne cessa pas de pleurer, elle avait toujours le cœur gros, mais elle était résignée. Plus encore que les raisonnements du marquis, le sentiment maternel, qui commençait à parler en elle, lui faisait comprendre qu'elle ne pouvait pas accompagner son mari.

Un bâtiment de la marine hollandaise, chargé de marchandises pour les îles de la Sonde, était en partance dans le port de Marseille.

C'est à Marseille que le marquis s'était embarqué la première fois. Il résolut, pour ne pas perdre de temps, de prendre passage à bord du navire étranger.

— Allons, ma Lucy, dit-il à la jeune femme en l'embrassant tendrement au moment de partir, sèche tes larmes et pense que bientôt tu seras mère ; je hâterai mon retour près de toi, je te le promets.

— Oh ! oui, mon Paul bien-aimé, reviens vite ; je compterai les longues heures de ton absence.

Et, manquant de force, la pauvre Lucy se mit à sangloter.

— Léon, mon frère, reprit le marquis, Lucy est ce que j'ai de plus précieux au monde ; je te confie mon cher trésor.

Le baron, ayant la mine piteuse commandée par la circonstance, forçait des larmes rebelles à mouiller ses yeux.

— Mon frère, répondit-il d'un ton pénétré, vous pouvez partir tranquille : je veillerai sur ma sœur comme une tendre mère veille sur son enfant, et je lui obéirai ainsi qu'un serviteur fidèle et dévoué obéit à son maître.

L'heure de partir était venue. Les pieds des chevaux impatients, attelés au coupé, frappaient le sol. Le marquis s'arracha des bras de Lucy et se jeta dans la voiture, qui partit aussitôt comme un trait.

À ce moment une corneille vint se percher à la cime d'un orme et fit entendre son cri sinistre.

La jeune femme tressaillit et éprouva un malaise indéfinissable, comme si quelque chose se déchirait en elle.

Lucy était superstitieuse, comme le sont généralement les créoles.

Pourquoi cet oiseau de mauvais augure était-il venu se percher là, au-dessus de sa tête ? il lui sembla que le croassement de l'oiseau noir lui annonçait un malheur.

La voiture avait disparu et on n'entendait plus son roulement sur le pavé de la chaussée.

Lucy poussa un long soupir, rentra précipitamment dans la maison et courut s'enfermer, pour pleurer à son aise, dans son boudoir parfumé, encore tout plein du bruit des baisers de tout à l'heure.

* * * * *

Elle pleura souvent, la pauvre Lucy, il lui semblait qu'autour d'elle tout se faisait ombre. L'inquiétude était dans ses yeux et son cœur avait des soupirs qui faisaient s'envoler le sourire de ses lèvres. Étendue, languissante, sur son ottomane moelleusement capitonnée, elle regardait tristement, à travers les vitres, tomber les feuilles d'automne. Ainsi qu'elle l'avait dit, elle comptait les heures. Ah ! comme les jours et les nuits étaient longs.

Et puis, malgré elle, en dépit de tous ses raisonnements, elle pensait constamment à l'oiseau noir qui s'était perché sur la plus haute branche de l'orme. Sans cesse elle croyait entendre le cri guttural qui l'avait si étrangement impressionnée. Vainement elle se raillait de sa faiblesse et avait beau se dire : « c'est absurde, je suis ridicule ! » rien ne pouvait lui ôter de l'idée qu'un malheur inconnu la menaçait.

Lucy était frappée. Et voilà pourquoi, quoi qu'elle fît, elle pensait toujours à l'oiseau noir.

Le baron était parfait. Il s'absentait rarement. Certes, cela lui coûtait beaucoup de partager la solitude de sa belle-sœur ; mais il tenait à jouer sa comédie jusqu'au bout. Après tout, s'il se privait maintenant de quelques plaisirs, il saurait se dédommager le moment venu.

Plein d'attentions charmantes, toujours aux petits soins auprès de Lucy, lui tenant compagnie, cherchant à la distraire, à l'égayer, il avait pour elle une sollicitude d'amant respectueux.

Quand la jeune femme, à bout de forces, laissait voir son chagrin, il la consolait avec de douces paroles ; quand elle lui disait ses craintes, il la grondait doucement et s'efforçait de la rassurer.

Malgré tout, Lucy restait triste et inquiète. Ce n'est qu'au bout de quatre longs mois, en recevant une lettre de son mari, qu'elle se sentit moins tourmentée.

Après une heureuse traversée, le marquis était arrivé à Batavia.

« En moins de quinze jours, disait-il, j'espère que les affaires pour lesquelles ma présence est nécessaire seront terminées ; alors je reprendrai la mer. »

Or, la lettre avait mis deux mois pour venir en France. Si le marquis avait pu quitter Batavia au bout de quinze jours, comme il l'espérait, il était en mer depuis six semaines, il arriverait bientôt ; sans doute, on ne tarderait pas à recevoir une nouvelle lettre du marquis, annonçant son départ de Batavia.

– Allons, tout va bien, dit le baron à la jeune femme ; maintenant vous allez redevenir gaie.

Un sourire effleura les lèvres de la marquise.

– Pas encore, répondit elle.

Lucy n'était pas complètement rassurée. Lucy pensait toujours à l'oiseau noir.

XXVII

LE NAUFRAGE

En quinze jours, quand on ne veut pas perdre de temps, et quand, surtout, on se sait attendu par une personne aimée, en quinze jours on fait bien des choses.

Le marquis de Chamarande avait donné les signatures nécessaires et répondu à toutes les exigences du notaire, d'abord, et ensuite des associés de la maison Philippe de Villiers et Cie.

Mis en possession de l'héritage, on lui avait délivré, à la banque de Batavia, deux lettres de change, représentant la somme déposée à cette banque par M. de Villiers.

D'après l'inventaire qui avait été fait immédiatement après le décès du vieux négociant, les deux associés reconnaissaient devoir trois millions à l'héritier de Philippe de Villiers.

Pour n'entraver en rien la marche toujours ascendante des affaires, de la maison, et ne pas procéder, hâtivement, à une liquidation, qui pourrait être désastreuse pour eux, les associés demandèrent à ne payer cette somme de trois millions, augmentée des intérêts capitalisés à dix pour cent qu'au bout de quatre années. Cela leur fut gracieusement accordé.

Pour le représenter à Batavia, il était nécessaire que le marquis eût un mandataire. Il choisit Charles Cherry, auquel il fit accepter, non sans peine, toutefois, la moitié des intérêts de la somme laissée entre les mains des associés, soit cinq pour cent par an.

Toujours généreux, le marquis avait trouvé ce moyen facile d'enrichir son fondé de pouvoir sans froisser sa susceptibilité.

En onze jours seulement, tout avait été arrangé, terminé. Comme on le voit, le marquis avait bien employé son temps.

Presque chaque jour, un et même plusieurs navires européens, ayant pris leur cargaison, quittaient le port de Batavia. Le marquis aurait pu reprendre immédiatement le chemin de la France ; mais, avant de partir, il voulait assister au mariage de Charles Chevry et de Zélima. D'ailleurs son départ ne serait retardé que de cinq jours.

Tout en s'occupant fiévreusement de ses affaires, le marquis avait pensé aux deux jeunes gens qui s'adoraient, et il s'était dit :

— Je ne quitterai pas Batavia sans avoir fait deux heureux. Mon cousin de Villiers devait les marier, eh bien, c'est moi qui ferai ce que mon cousin n'a pu faire.

La veille du mariage, il écrivit deux lettres, une à la marquise, l'autre au baron de Simaise.

Ces deux lettres arrivèrent à Port-Marly dix-sept jours après la première.

La lettre adressée au baron renfermait les deux lettres de change de la banque de Batavia. Acquittées par le marquis, et d'un million chacune, elles étaient payables, après présentation, à la maison de banque Rothschild, de Paris, à un mois de distance.

— Deux nouveaux millions ; mon frère s'est donc embarqué avec au moins trois millions encore. Quelle merveilleuse fortune ! Si j'en avais seulement la moitié ! Nous verrons, nous verrons !

Et ses yeux gris étincelaient. Et il sentait sur tout son corps un frémissement étrange.

Paul écrivait à Lucy :

« Je pense, mon cher trésor, que tu as reçu ma première lettre ; je l'ai écrite le jour même de mon arrivée à Batavia, ne voulant pas remettre au lendemain pour t'apprendre que j'avais fait une heureuse traversée, et pour te dire que je n'ai pas cessé un instant de penser à ma bien-aimée Lucy.

» Les grosses affaires qui m'ont amené ici sont maintenant terminées, et, enfin, je respire. Grâce à la bonne volonté de tous autour de moi, j'ai mené tout cela rondement. Il est vrai que le bon Charles Chevry, qui s'entend bien mieux que moi à ces sortes d'affaires, m'a beaucoup aidé.

» Demain, il épouse Zélima ; oui, ma chérie, demain Zélima sera la femme de Charles Chevry. C'est moi qui ai hâté le mariage. J'ai voulu, avant de partir pour revenir vers toi, être témoin de leur bonheur.

» Charles et Zélima s'aiment comme nous nous aimons et ils seront heureux comme nous le sommes.

» Un navire de la grande compagnie hollandaise va quitter le port dans une heure ; il emportera cette lettre et une autre que j'écris à mon frère.

» Je m'embarquerai dans trois jours ; j'ai déjà assuré mon passage à bord du bâtiment français le *Téméraire*, du port du Havre.

» Quand tu recevras ma première lettre, ma bien-aimée Lucy, je serai loin déjà de Batavia, et quand celle-ci te parviendra, je serai bien près de la France. Il n'y aura plus entre nous, j'espère, que quatre ou cinq jours de distance. Ah ! retourner près de toi, te tenir dans mes bras, contre mon cœur, quelle joie, quelle ivresse !

» Soigne-toi bien, ma Lucy, ménage-toi et prends les plus grandes précautions ; il faut que tu conserves ta chère santé. Tu ne dois pas oublier que, bientôt, tu seras mère. Notre enfant sera notre joie ; ah ! comme nous allons l'aimer !

» À bientôt, ma chérie ! Je voudrais être déjà près de toi pour mettre un long baiser d'amour sur tes lèvres roses et m'enivrer de la douceur de ton regard.

» Ton mari qui t'adore.

» PAUL DE CHAMARANDE. »

Avec un attendrissement facile à comprendre, la marquise relut plusieurs fois cette lettre qu'elle mouilla de ses larmes.

Quelques jours encore à attendre et elle le reverrait, et il serait près, d'elle, pour ne plus la quitter, cette fois !

Il lui sembla qu'elle était enfin délivrée de ses noires appréhensions ; elle sentait que son cœur s'ouvrait aux douces émotions de la joie.

Pour la première fois depuis des mois elle accueillit son beau-frère avec un air souriant. Léon parut enchanté de l'heureux changement qui venait de s'opérer en elle. Ils parlèrent longuement du prochain retour de Paul. La marquise s'animait ; peu à peu ses yeux fatigués par les larmes reprenaient leur éclat ; le nuage qui naguère obscurcissait son front avait disparu.

Ce ne fut qu'un rapide éclair de gaieté, une éclaircie momentanée dans un ciel orageux.

Cinq jours s'écoulèrent, puis cinq autres, puis une semaine encore.

Lucy avait senti renaître ses craintes et était retombée dans ses sombres pensées. D'abord elle avait versé de nouvelles larmes ; puis, brisée par d'horribles angoisses, anéantie, elle n'avait même plus eu la force de pleurer. Elle allait et venait machinalement, n'ayant conscience de rien, comme si la pensée eût été absente ; ou bien, affaissée sur un siège, dans un état de prostration complet, elle restait des journées entières pâle, sans voix, les yeux fixes, immobile comme un corps paralysé. Cette douleur muette, concentrée, avait quelque chose de lugubre. C'était navrant.

Vainement son beau-frère essayait encore de la rassurer ; il ne parvenait même pas à la tirer de sa torpeur.

— Vous ne devez pas vous désespérer ainsi, lui disait-il ; Paul n'a pu nous dire exactement le jour de son arrivée ; le bâtiment a très certainement fait escale quelque part, dans un port de la mer des Indes ou de l'océan Atlantique.

Et il lui expliquait de son mieux les différentes causes qui pouvaient retarder la marche d'un navire. Mais il lui disait tout cela sans conviction, car lui-même commençait à croire que le Téméraire avait fait naufrage.

Il y avait eu quatre ou cinq jours de violentes tempêtes, et déjà on parlait de nombreux sinistres en mer. Mais on ne savait rien encore de précis, on attendait des nouvelles.

Le baron se gardait bien d'entretenir sa belle-sœur de tous les bruits qui couraient. Du reste, la jeune femme restait insensible à tout ce qu'il pouvait lui dire ; elle ne l'écoutait pas. Le corps de Lucy seul était à Port-Marly, son âme et sa pensée s'en allaient bien loin, à travers les flots de l'Océan, à la recherche du bien-aimé ; et quand ses yeux mornes semblaient errants dans le vague de l'infini, peut-être essayaient-ils de sonder la profondeur des eaux mugissantes où se cachent les effroyables abîmes sous-marins.

Tous les matins, Léon lisait avidement les journaux qui venaient à Port-Marly, s'attendant toujours à y trouver le récit du naufrage du Téméraire. Dans l'après-midi, il faisait atteler et se rendait à Paris pour se mettre en quête de renseignements.

On enregistrait successivement les sinistres, on en comptait déjà plus de vingt. Toutes les nations avaient été plus ou moins éprouvées. Tel bâtiment avait péri corps et biens ; d'un autre, l'équipage avait été sauvé. Mais on était loin encore de connaître toutes les pertes ; chaque jour on signalait de nouveaux sinistres. On était sans aucune nouvelle de plusieurs navires ; au nombre de ces derniers se trouvait le *Téméraire*, bâtiment appartenant à M. Desprez, un des plus riches armateurs du Havre.

— Attendons, attendons, se disait le baron de Simaise.

Le *Téméraire* s'était-il perdu ? Le marquis avait-il trouvé la mort au milieu des flots de la mer furieuse ? Le baron osait à peine penser à cela, non parce que la mort de son frère lui causerait un grand chagrin, mais parce que cela lui donnait des idées singulières, lui faisait entrevoir un avenir trop éblouissant, la réalisation d'un rêve ténébreux.

Déjà il songeait à trouver le moyen d'être le maître absolu de l'immense fortune du marquis de Chamarande. Était-ce possible ? Pourquoi non ? Il se sentait capable de tout, assez fort, assez audacieux pour ne reculer devant rien. Un autre que Léon aurait été épouvanté d'avoir une pareille pensée ; mais lui ne s'effrayait pas pour si peu ; s'il ne s'abandonnait pas à cette pensée, si même il l'éloignait de lui, c'est qu'il ne savait pas encore si son frère ne reviendrait plus. Il craignait une déception.

— Attendons, attendons, répétait-il.

Quelques jours s'écoulèrent encore. Un matin, à la troisième page du premier journal qu'il ouvrit, ces mots ; « naufrage du *Téméraire* » lui sautèrent aux yeux. Il laissa échapper une exclamation et éprouva un tel saisissement, que ses yeux se voilèrent et que la feuille trembla entre ses doigts. Mais il se remit promptement.

— Enfin ! murmura-t-il.

Et les yeux brillants, haletant d'émotion, il lut avidement.

Deux matelots du *Téméraire* avaient été recueillis en mer par un bâtiment de la compagnie des Indes, lequel avait lui-même beaucoup souffert de la tempête, ainsi que l'attestait le piteux état de ses agrès.

Après avoir été conduits à Plymouth, d'abord, les deux matelots, seuls survivants de l'équipage du *Téméraire*, s'étaient embarqués sur un navire marchand, qui les avait ramenés au Havre ou ils venaient d'arriver. Ce sont eux qui avaient raconté le naufrage du *Téméraire*.

Le navire voguait à pleines voiles dans les eaux du golfe de Guinée et n'allait pas tarder à passer la ligne de l'équateur, lorsqu'on vit tout à coup de gros nuages noirs se former à l'horizon, puis monter, s'étendre et couvrir le ciel tout entier. Le vent se mit à souffler avec une extrême violence. De larges éclairs, fendant la nuée, jetaient à travers l'immensité de grandes lueurs d'incendie ; le tonnerre grondait, mêlant les bruits terribles de ses roulements lointains aux mugissements des vagues monstrueuses, qui sautaient en croupe les unes sur les autres. Ce n'était pas encore l'ouragan.

Il ne tarda pas à se déchaîner avec une telle fureur et si épouvantable qu'on n'en voit pas un semblable en vingt ans dans ces parages.

En un instant, le navire eut ses vergues, ses haubans, sa dunette, ses voiles carguées, tous ses cordages emportés, son gouvernail brisé, ses mâts tordus, rompus. Enveloppé soudain dans une trombe, il tournoyait, bondissait sur les crêtes des plus hautes vagues, dans une course vertigineuse.

À bord, c'était une scène de désolation indescriptible ; on sentait qu'on était perdu. On s'appelait sans s'entendre, on hurlait. Aux lamentations, aux cris de terreur et de désespoir des uns, se mêlaient les imprécations, les exclamations, les cris de fureur des autres. On s'était précipité par les écoutilles pour ne pas être balayé sur le pont. C'était un effarement, un affolement général. La voix des chefs recommandant le calme se perdait dans les sifflements de la tempête. La mer, battant les flancs du vaisseau, faisait craquer sa carène jusqu'à la cale. Aucun ordre ne pouvait être donné puisqu'il était impossible de l'exécuter. Le malheureux navire s'abandonnait à la fureur du vent et des flots, sans pouvoir même essayer de lutter contre eux. C'était l'épouvantable dans ce qu'il y a de plus horrible.

Tout à coup, un effroyable craquement se fit entendre de l'avant à l'arrière. Le *Téméraire* venait d'être jeté sur des récifs. Soulevé aussitôt par une lame énorme, il retomba de nouveau sur la chaîne de rochers. Cette fois, au milieu du craquement de la carène dans toutes ses jointures, il se fit à l'intérieur du bâtiment comme une explosion formidable. C'était fini. Le *Téméraire* venait de s'ouvrir dans toute sa longueur. Une seconde lame, plus forte que la première, le souleva encore ; mais il s'en alla de travers, couché sur bâbord, comme un albatros qui vient d'avoir l'aile gauche cassée.

Des voix étranglées crièrent : « Nous coulons !... »

En un clin d'œil l'eau avait rempli la carène. On s'était élancé vers les chaloupes de sauvetage : mais on n'eut pas même le temps de les détacher des flancs du navire. Le *Téméraire* s'enfonça et disparut sous les vagues écumantes.

Pendant un instant, on avait vu des têtes se dresser, des bras s'agiter, puis plus rien. L'Océan roulait des cadavres dans ses sombres profondeurs.

En nageant, en se débattant au milieu des flots, les deux matelots sauvés avaient eu le bonheur inespéré de rencontrer la bouée de sauvetage ; ils s'y étaient accrochés avec l'énergie du désespoir et ils lui avaient dû leur salut.

Ce n'est qu'au bout de cinquante-quatre heures que les pauvres naufragés avaient été recueillis par l'équipage du navire anglais. Il était temps. Épuisés, à bout de forces, mourant de faim et de soif, les deux malheureux n'avaient probablement plus que quelques heures à vivre.

— Le doute n'est plus possible, murmura le baron, quand il eut lu jusqu'à la fin le récit du naufrage, mon frère est mort ! Son corps gît au fond de l'Océan, à moins qu'il n'ait trouvé un cercueil dans le ventre d'un requin ou d'une baleine.

Un sourire atroce crispa ses lèvres.

Il se dressa, les yeux pleins de lueurs fauves, et se mit à marcher à grands pas. Le sang lui montait à la tête, il se sentait comme pris de vertige, il avait besoin de mouvement.

— À moi les millions, à moi les millions ! disait-il.

Et il riait, le misérable, il riait comme un démon qui grince des dents.

Mais, dans le tumulte de ses abominables pensées, il lui en vint une qui calma subitement son ignoble joie. Il pâlit, son front s'assombrit, la flamme de son regard s'éteignit.

Si le marquis n'était pas mort ! N'avait-il pas pu être sauvé, lui aussi, par miracle, comme les deux matelots ? Et puis, qui sait, il s'était peut-être embarqué sur un autre navire que le *Téméraire* ? D'un moment à l'autre il pouvait arriver. Il fallait ne pas aller trop vite, il devait se contenir encore. Après avoir tant fait, si bien joué son rôle, ce serait trop bête, vraiment, de se perdre par une imprudence. Il ne fallait rien risquer. Il était patient, il l'avait prouvé. Eh bien, il patienterait. Après tout, il pouvait bien attendre, mettre pour un temps encore un frein à toutes ses convoitises ; plus tard, il n'en savourerait que mieux toutes les jouissances. Oui, oui, pour mettre bas le masque, il attendrait que le moment fût venu, qu'il n'eût plus rien à redouter.

En pensant à tous les plaisirs qu'il se promettait, aux nuits joyeuses, aux débauches fiévreuses, aux folles ivresses, le baron sentait un frémissement dans tout son être, il éprouvait toutes sortes de sensations voluptueuses.

Il s'arrêta au milieu de la chambre, brusquement, et resta immobile pendant un instant, la main appuyée sur son front brûlant. Il réfléchissait :

— Vivre ainsi longtemps encore serait intolérable, prononça-t-il d'une voix sourde, en rejetant sa tête en arrière ; il faut faire cesser toute incertitude, il faut que je sache à quoi m'en tenir.

Aussitôt sa physionomie changea d'expression. Il se regarda dans une glace et parut satisfait.

Ses traits, tout à l'heure tourmentés, ne révélaient plus, maintenant, l'agitation de son âme ; ses prunelles luisantes ne reflétaient plus ses hideuses pensées ; en lui, pourtant, les passions enchaînées par sa volonté étaient en pleine révolte.

Tenant à ce que la marquise ne fût pas instruite encore du naufrage du Téméraire, non certes point par pitié pour la malheureuse, mais par calcul, il fit rapidement disparaître les journaux. Il jeta un nouveau regard sur la glace et, prenant un air contrit, il se rendit près de sa belle-sœur.

XXVIII

LE MATELOT DU TÉMÉRAIRE

Lucy, très pâle, était assise sur son ottomane, dans son attitude habituelle, languissante, immobile, les mains jointes sur ses genoux, le regard fixe, égaré dans le noir, la pensée envolée, errante.

Au bruit que fit la porte en s'ouvrant, elle tressaillit comme arrachée à un rêve, et, lentement, se retourna.

— Bonjour, ma sœur, dit le baron de sa voix mielleuse.

Elle répondit par un léger mouvement de tête. Puis ses yeux, qu'une lueur subite éclaira, se fixèrent anxieusement interrogateurs, sur ceux de son beau-frère.

Le baron secoua tristement la tête.

Lucy laissa échapper une plainte sourde.

— Toujours pas de nouvelles ! dit Léon.

— Rien, rien, toujours rien ! gémit la jeune femme.

Et son visage, peut-être encore plus beau avec sa pâleur, prit une expression de douleur intraduisible.

— Ma sœur, reprit le baron, cherchant à paraître très attristé, je n'ose plus essayer de vous rassurer, après vous avoir dit tant de fois : « Il ne lui est rien arrivé, prenez patience, attendons... » Hélas ! les jours se succèdent et rien. À mon tour, je ne peux plus rester calme, des pensées tristes m'assiègent, et, en dépit de mes efforts pour la repousser, l'inquiétude commence à pénétrer en moi.

Lucy fit entendre une nouvelle plainte.

— Pourtant, ma sœur, croyez-le, je ne cesse pas d'espérer.

— Je n'espère plus, moi ! murmura la pauvre désolée.

501/599

— Ah ! je vous en prie, répliqua vivement Léon, espérez encore ; jusqu'à la dernière minute nous devons conserver l'espoir : dans notre cruelle attente, l'espoir est notre unique refuge :

Lucy secoua la tête avec découragement. Il y eut un assez long silence.

— Ma sœur, reprit le baron, je viens prendre congé de vous ; je vais m'absenter pour trois ou quatre jours.

Le regard de la jeune femme redevint interrogateur.

— Chaque jour, vous le savez, continua le baron, je me rends à Paris, comptant toujours apprendre quelque chose ; mais c'est en vain que je passe mon temps dans les bureaux des compagnies d'assurances maritimes, en vain que je lis tous les journaux de la première à la dernière ligne ; je reviens ici le soir sans être mieux instruit que le matin, et chaque jour de plus en plus perplexe. Les journaux ne me renseignent point. Les gens que j'interroge restent muets ; ou ils ne savent rien, ou ils ne veulent rien me dire.

» Eh bien, ma sœur, malgré ce qu'il m'en coûte de m'éloigner de vous, j'ai pris la résolution de me rendre au Havre ; là, sûrement, je saurai quelque chose. Le *Téméraire*, sur lequel s'est embarqué mon frère, est un navire marchand, qui appartient à un armateur du Havre. Or, j'ai pensé que le meilleur et le plus sûr moyen d'être vite renseigné était de m'adresser directement à l'armateur propriétaire du *Téméraire*. J'aurais pu lui écrire, car je sais qu'il se nomme Desprez, mais je préfère me rendre au Havre et le voir moi-même. Nul mieux que lui ne peut me renseigner, car il sait, certainement, où se trouve en ce moment son navire et pour quelle cause il n'est pas encore rentré dans le port du Havre. Approuvez-vous mon idée d'aller au Havre, ma sœur ?

La jeune femme se dressa sur ses jambes, une lueur dans le regard.

— Oui, oui, répondit-elle avec une certaine force dans la voix, allez au Havre, mon frère, et sachez la vérité ! Ah ! depuis quinze jours je ne vis plus, je me sens mourir ! Chaque heure qui s'écoule me paraît longue comme un siècle ! Je veux savoir, je veux savoir... Allez, allez, mon frère, courez au Havre et revenez vite. Quelle qu'elle soit, bonne ou mauvaise, apportez-moi la nouvelle... Si je dois encore espérer, je rouvrirai mon cœur à l'espérance, en remerciant le ciel !... Si tout est fini pour moi, si je ne dois plus revoir mon Paul bien-aimé, ne me le cachez point, non, ne me le cachez point. Le coup sera terrible, foudroyant, il me tuera... Qu'importe ! n'en ayez ni effroi, ni chagrin, mon frère... La mort me sera douce. La mort est le repos pour toujours. S'il n'existe plus, lui, mon Paul, il faut bien que je meure pour que mon âme puisse aller retrouver la sienne.

Déjà épuisée par l'effort qu'elle avait fait pour parler, Lucy retomba lourdement sur l'ottomane.

– Courage, ma sœur, courage ! s'écria le baron, je vous apporterai une bonne nouvelle.

Elle tourna vers lui ses yeux alanguis et ébaucha un pâle sourire.

– Ma sœur, reprit le fourbe, vous croyez à ma sincère affection, n'est-ce pas ?

– Oui.

– À mon dévouement ?

– Oui.

– Ayez donc confiance en moi ; à mon retour vous saurez la vérité, quelle qu'elle soit. Si la mort nous a pris, à vous votre mari, à moi mon frère, nous le pleurerons ensemble... Mais non, mais non, le marquis de Chamarande n'est pas mort, espérez encore ; il y a en moi quelque chose qui me dit que je reviendrai avec une nouvelle rassurante, que je vous annoncerai la prochaine arrivée de mon frère.

Les yeux de la jeune femme reprirent un peu de l'éclat qu'ils avaient perdu.

– Vous ne serez absent que quatre jours ? dit-elle.

– Oui, quatre jours au plus, je vous le promets.

– Eh bien, pour échapper à mes douloureuses pensées, pendant quatre jours je veux espérer encore. Vous voyez, mon frère, combien est grande ma confiance en vous, ajouta-t-elle en tendant à Léon sa petite main blanche.

Le baron prit la main et la porta à ses lèvres, en s'inclinant.

– Vous partez aujourd'hui ? demanda Lucy.

– Dans une heure. Je vous dis à revoir.

503/599

– À bientôt, mon frère !

– À bientôt !

– N'oubliez pas, là-bas, que Lucy attend votre retour avec impatience, afin de savoir si elle doit vivre ou mourir.

– Je ne perdrai pas une minute.

La jeune femme fit de la main et de la tête un signe d'adieu.

Le baron sortit du boudoir.

Il donna l'ordre au cocher d'atteler immédiatement un cheval au coupé afin de le conduire à Paris. Ensuite il se fit servir à déjeuner. Il mangea rapidement, en homme très pressé, puis il passa dans sa chambre pour se vêtir à la hâte d'un costume de voyage. Il mit du linge dans une valise de cuir de Russie, facile à porter à la main. Cela fait, il s'assura que sa porte était bien fermée, que nul ne pouvait le voir, ni l'entendre, et il ouvrit un vieux meuble de Boule, en faisant jouer des ressorts secrets, invisibles. Ses yeux étincelèrent et son front s'irradia.

Sur une des tablettes du meuble, des liasses de billets de banque étaient entassées, billets de mille francs, de cinq cents, de deux cents, de cent francs. Le deuxième rayon ployait sous un amoncellement de rouleaux d'or. Sur les autres étaient placés, empilés, serrés, mais en ordre parfait, de nombreux titres de rente sur l'État, des actions de la Banque de France, de la compagnie du Gaz, toutes sortes d'autres valeurs mobilières de premier ordre. Tous ces titres divers étaient au porteur et représentaient plus de deux millions. L'or et les billets de banque, formant ensemble une somme d'au moins un million, il y avait là, dans ce meuble, plus de trois millions.

L'autre partie de la fortune du marquis de Chamarande, près de trois millions encore en excellentes valeurs au porteur, était toujours en dépôt à la banque de France.

C'est cette fortune merveilleuse du marquis de Chamarande que convoitait le baron de Simaise ; c'est de ce trésor confié à sa loyauté, à son honneur, qui, son frère mort, appartenait à la marquise, c'est de cette richesse qu'il songeait maintenant à devenir le possesseur, le maître absolu.

Il méditait froidement l'acte de spoliation, cherchant dans sa tête ouverte à toutes les pensées mauvaises, le moyen d'accomplir le crime. Dénué de sens moral, le misérable avait su si bien assouplir sa conscience, qu'aucune voix intérieure ne lui criait : voleur !

Six millions ! six millions ! Avec une pareille fortune, ce n'était pas seulement Paris, c'est le monde entier qui serait à lui ! On comprend qu'il avait hâte de s'assurer, d'être convaincu que son frère avait trouvé la mort au milieu des vagues furieuses de l'Océan.

Il restait debout devant le meuble, immobile, frémissant, ne se lassant point de contempler les rouleaux d'or, les billets de banque, les valeurs, les caressant d'un regard où éclatait la tendresse folle d'un avare.

— Heureusement, pensait-il, nul ne sait que j'ai ici cette fortune ; je n'ai pas à redouter les voleurs ; d'ailleurs la propriété est bien gardée. Quant aux domestiques, bien que je ne sois sûr d'aucun d'eux, en supposant qu'ils soupçonnent ce que contient ce meuble, il leur serait impossible de l'ouvrir. Le bois est muet ; ce n'est pas lui qui dira comment il faut appuyer là, des cinq doigts de la main, pour mettre en mouvement le mécanisme qui ouvre cette porte bardée de fer. Non, je n'ai rien, absolument rien à craindre ; je peux partir tranquille. Il n'y a que le feu...

Il ne put s'empêcher de frissonner.

— Ah ! oui, grommela-t-il avec un rictus grimaçant, ce serait une belle proie pour un incendie. Des flammes jaunes, rouges, bleues, de toutes les couleurs, un magnifique feu de bengale... Des millions en l'air, en cendres, en fumée !

» Ah ! ça, voyons, est-ce que je suis fou pour avoir une idée pareille ? Suis-je bête ! Le feu ! pourquoi prendrait-il ici ? C'est ridicule, c'est insensé. Je vois constamment des dangers où il n'en existe aucun.

Et il se remit à rire comme pour se moquer de lui-même.

Depuis un instant on entendait le cheval piaffer au bas du perron de la maison.

— Le cheval s'impatiente, se dit-il. Allons, dépêchons-nous et ne perdons pas de temps, car je ne veux pas, à Paris, manquer l'heure du départ.

Il glissa un rouleau d'or dans sa poche, mit une liasse de billets de banque dans son portefeuille, jeta un dernier et long regard sur les rayons du meuble de sûreté transformé en contrefort et poussa la porte, qui tourna sans bruit sur ses pivots d'acier poli et s'enfonça elle-même dans son encadrement.

Aussitôt une sorte de craquement se fit entendre.

— Fermée ! murmura le baron.

Il mit son chapeau sur sa tête, son pardessus sur son bras et prit sa canne de gandin. Il n'oublia pas, en sortant, de fermer la porte de sa chambre à double tour et de mettre la clef dans sa poche.

M. le baron de Simaise ne croyait à l'honnêteté de personne et il savait que les domestiques sont généralement curieux et indiscrets. Et puis il était de ceux qui pensent qu'on ne prend jamais trop de précautions.

Le cocher, ayant peine à tenir en place le pur sang anglais, attendait son maître, installé sur son siège. Le valet de pied se tenait debout, immobile, comme en faction, à côté de la grille ouverte, prêt à la refermer.

— Me voici, partons, dit le baron, paraissant sur le perron, suivi du valet de chambre portant sa valise.

Le cheval, fatigué par le mors, manifesta sa joie par un petit hennissement.

Le baron se jeta dans le coupé et un instant après l'attelage disparaissait sur la route dans un nuage de poussière.

Le baron ne s'arrêta à Paris que le temps nécessaire pour faire une visite à un de ses amis, le marquis de Presle, nouvellement marié. Léon avait résolu, voulant faire peau neuve, de ne plus fréquenter, ni même revoir aucun de ses anciens amis ; mais il faisait exception pour le marquis de Presle ; il tenait, au contraire, à entretenir avec lui des relations d'amitié plus intimes encore.

C'était un autre calcul, car chez le baron de Simaise tout était calcul. Le marquis avait une grande fortune, qui venait d'être triplée par la magnifique dot de sa femme. Homme du monde, spirituel, distingué, très répandu, très recherché, toutes les maisons, tous les salons lui étaient ouverts. Or, le baron comptait, le moment venu, sur l'amitié du marquis pour lui ouvrir les portes des salons à la mode, l'introduire dans le grand monde, où il était inconnu et qui devait être – il l'avait décidé – le théâtre de ses exploits.

Il arriva au Havre à une heure avancée de la nuit. Au lieu de se rendre à l'hôtel *Frascati* où il était connu, il préféra aller se loger à l'hôtel des *Voyageurs*, se disant le fils d'un négociant de Paris, venant au Havre pour traiter d'importants achats de produits des deux Amériques.

Bien qu'il fût très agité, il dormit jusqu'à huit heures du matin. Ce fut le bruit des lourds camions chargés, passant dans la rue et faisant résonner les vitres, qui le réveilla. Il y avait du soleil plein la chambre.

— Diable, diable, se dit-il en regardant sa montre et en constatant qu'il était huit heures et quelques minutes, j'ai dormi longtemps ; il est vrai que je suis arrivé ici harassé.

Il se tourna, se retourna sur les matelas un peu durs, peu épais, s'étira les bras, bâilla, se frotta les yeux et, finalement, sauta à bas du lit.

Il s'habilla, sonna le garçon, se fit apporter un bol de café au lait, déjeuna debout devant la Croisée, regardant dans la rue, puis il prit sa canne et sortit.

Il se rendit aussitôt sur le quai du port où tout était en mouvement, de même que sur les navires alignés les uns contre les autres.

On déchargeait des caisses énormes, de nombreuses balles de coton, de la canne à sucre, des bois des îles, de l'étain et du cuivre en lingots, etc., etc... Les voitures emportant tout cela roulaient sur le pavé sec, faisant grand bruit.

Au milieu de cette animation, de cette foule d'hommes à l'ouvrage, de ce brouhaha, de ce va-et-vient continuel, qui montraient l'activité et révélaient la richesse et la vie puissante de la ville maritime, le baron cherchait un homme, de préférence un marin, avec lequel il pût entamer une conversation.

Au bout d'un instant il avisa un vieux matelot, qui mâchait mélancoliquement sa chique, assis sur des câbles enroulés, tout en ayant l'air de surveiller le travail de nettoyage à grande eau, qui se faisait à bord d'un trois-mâts.

— Joli, élégant, très coquet ce navire, n'est-ce pas, monsieur ? dit le baron, interpellant le matelot.

Celui-ci regarda l'inconnu qui lui adressait la parole et sourit.

— Oui, pas mal, répondit-il en faisant rouler sa chique de gauche à droite ; c'est léger, ça file bien par bon vent ; mais que vienne une bourrasque, va-t'en voir : ça saute, ça danse, ça tourne, ça ne tient plus. Cabotage oui, long cours non.

– À qui appartient-il, ce navire ?

– À monsieur Desprez.

– Ah ! monsieur Desprez, l'armateur du *Téméraire* ?

– Oui, le *Téméraire* était à lui. Vous êtes du Havre, monsieur ?

– Non, je suis de Paris.

– On parle donc à Paris du *Téméraire* !

– Dans toute la France, mon brave, dans le monde entier.

– Ah !

– Le récit du naufrage du *Téméraire*, tel qu'il a été fait par les deux braves marins de l'équipage, qui ont échappé à la mort, a été lu déjà dans tous les journaux.

– Vraiment ? fit le marin dont les yeux parurent s'enflammer. Alors c'est en lisant les gazettes que vous avez appris la perte du pauvre *Téméraire* ?

– Oui.

– Moi, monsieur, je ne sais pas lire, reprit le matelot en hochant la tête ; malgré cela, je sais mieux que personne ce qui s'est passé à bord du *Téméraire* avant la catastrophe finale.

– Je comprends, on vous a raconté les péripéties du naufrage.

– On ne m'a rien raconté, répliqua le marin en secouant tristement la tête, j'ai vu, j'étais là.

– Quoi ! s'écria le baron en tressaillant, vous seriez...

– Je suis Gendron, l'un des deux marins recueillis en mer par les Anglais.

– Ah ! mon brave, que je vous serre la main !

– Vous me faites trop d'honneur, monsieur.

– L'honneur ! mais c'est moi, mon brave, c'est moi qui suis honoré de serrer votre main dans la mienne.

Le matelot se leva.

– Vous voyez tous ces bâtiments, dit-il, eh bien ! il n'y en a pas un seul parmi eux qui aurait pu rivaliser avec le *Téméraire*. C'était le meilleur, le plus fin voilier du port du Havre. Quand nous revenions après des mois d'absence, et que nous entrions dans le port avec nos mâts pavoisés comme aux jours de grandes fêtes, la ville entière accourait pour nous saluer et nous souhaiter la bienvenue. On criait : « C'est le *Téméraire* ! » Les mouchoirs s'agitaient en l'air, on battait des mains. « Bravo ! bravo ! Vive le *Téméraire* ! vive l'équipage ! » Ah ! on l'aimait le *Téméraire* ! C'est que, voyez-vous, c'était un fier navire ! Aujourd'hui, il n'existe plus ; éventré, ouvert, broyé, brisé, il est en train de pourrir au fond de l'Océan. Là, où naguère encore les joyeux matelots chantaient, les crabes noirs se promènent comme chez eux ; là, les troupes de harengs se réfugient pour échapper aux dents des requins voraces. Pauvre *Téméraire* ! Le capitaine, son second, le comptable, morts ! Et les camarades, morts aussi tous, tous ! Nous étions trente hommes d'équipage, nous sommes revenus deux, rien que deux, mon camarade Baudry et moi, Prosper Gendron. Voilà ce qui reste du *Téméraire* et de son équipage. Un souvenir, puis rien, rien !

Le brave homme était vivement ému. Il essuya deux grosses larmes avec la manche de sa vareuse.

– C'est triste, bien triste ! murmura le baron.

– Oh ! oui, allez, monsieur, c'est triste, épouvantable ! Mais ce n'est rien de dire, il faut avoir passé par là.

– Je suis heureux de vous avoir rencontré ; en cela le hasard m'a servi à souhait. Je suis venu au Havre pour affaires, mais je ne serais point parti sans vous avoir vu, vous ou votre camarade Baudry.

– Ah ! Et pourquoi ?

– Un renseignement à vous demander et que peut-être vous pourrez me donner.

– Ça ne se refuse jamais, un renseignement, je suis à vos ordres.

– Est-ce que vous êtes forcé de rester ici ?

– Nullement. Bien que je sois toujours au service de M. Desprez, je suis libre de mon temps jusqu'à nouvel ordre, c'est-à-dire jusqu'à la formation de l'équipage de la *Vaillante*, une goélette qui est encore sur les chantiers de construction. Baudry et moi nous en avons vu de dures, et je ne suis pas encore bien solide sur mes jambes. À la maison je m'ennuie, voyez-vous ; je viens ici pour passer le temps, voir les camarades qui s'en vont et ceux qui reviennent ; je cause avec l'un, avec l'autre, cela me distrait. Nous autres, monsieur, il faut toujours que nous sentions l'eau de la mer et l'odeur du goudron.

– Du moment que rien ne vous retient à cette place, nous entrerons, si vous le voulez, dans ce restaurant, et nous viderons ensemble, en trinquant à votre santé et à celle de votre camarade Baudry, une bouteille de vieux bordeaux.

– Comme il vous plaira, monsieur.

Le marin cracha sa chique et suivit le baron dans une salle du restaurant où ils s'assirent à une table de marbre en face l'un de l'autre.

Le garçon apporta la bouteille.

– C'est du vieux et du bon, fit le matelot en faisant claquer sa langue.

– Buvons-le, répondit le baron en riant.

XXIX

CERTITUDE

— Mon brave Gendron, dit le baron, entre le premier et le second verre, je ne suis pas personnellement intéressé à vous demander le renseignement en question ; je vous interroge pour répondre au désir d'une personne que je connais, une vieille dame amie de ma famille.

— Ça ne fait rien, monsieur, ça ne fait rien.

— Quand le vaisseau le *Téméraire* a été assailli par cette effroyable tempête qui l'a jeté sur les récifs, vous veniez d'Océanie, des îles de la Sonde ?

— Oui, monsieur, de Batavia, île de Java, en Malaisie.

— Directement ?

— Directement. Nous avions pris à Batavia notre chargement complet.

— Vous ne vous êtes arrêté nulle part dans la mer des Indes ?

— Nulle part. Nous étions en mer depuis huit mois et nous avions hâte de revenir au Havre. D'ailleurs nous avions de l'eau et des vivres autant et plus qu'il ne nous en fallait.

— N'y avait-il pas avec vous, sur le *Téméraire*, des passagers ?

— Un seul, monsieur.

— D'où venait-il ?

— De Batavia, je suppose, puisque c'est là qu'il s'est embarqué.

— Son nom, le savez-vous ?

— Non, monsieur ; je sais seulement que c'était un Français. Notre commandant avait pour lui les plus grands égards. Ah ! tenez, je me souviens maintenant que le capitaine l'appelait monsieur le marquis. Il avait bien, en effet, l'air d'un grand seigneur. Seulement il n'était pas fier du tout : il causait avec les matelots et leur serrait la main comme un bon camarade. Cela nous flattait, nous autres. Ça fait toujours plaisir, voyez-vous, monsieur, quand on voit un homme distingué, instruit, riche, faire des amitiés à de pauvres diables.

» Comme nous tous, il avait hâte de revoir la France. Souvent il était triste, songeur. Debout sur le pont, appuyé au bastingage et tourné vers l'Occident, il restait des heures entières immobile comme un mât, le regard perdu dans les nuages. Alors, sans doute, il pensait à ceux qui l'attendaient, à sa femme s'il était marié, à ses enfants. Ils l'attendent et il ne reviendra plus !

– Ainsi, ce passager, que votre commandant appelait M. le marquis, a péri, lui aussi, au milieu des flots ? demanda le baron d'une voix vibrante d'émotion.

– Mort comme les autres, monsieur ; tous engloutis sous les vagues.

– Qui dit que ce passager n'a pas été comme vous, Prosper Gendron, miraculeusement sauvé ?

– Il est mort, répliqua le marin, se secouant la tête.

– Vous en êtes donc bien sûr pour l'affirmer ainsi ?

– Oui.

– Écoutez, mon brave, c'est précisément au sujet de ce passager que je vous interroge ; ce sont des paroles sérieuses, un renseignement certain que je dois rapporter à la personne qui m'a chargé de prendre des informations. Si vous n'étiez pas sûr, absolument sûr...

– Le passager est mort comme sont morts les marins du *Téméraire*, répondit le vieux matelot avec assurance et d'une voix ferme.

– Hélas ! je vous crois, mon ami, je vous crois.

– Si la vieille dame est la mère, vous pouvez lui dire, de la part de Prosper Gendron, qu'elle peut portée le deuil de son fils.

– Pourtant elle espère toujours.

– Qu'elle cesse d'espérer !

– Oh ! la pauvre femme !

– Est ce la mère ?

– Oui.

– Elle pleurera. Ici aussi il y a des mères qui pleurent leurs fils, des veuves qui pleurent un mari, des orphelins qui pleurent un père ! Quand je vais les voir je pleure avec eux. On est ce qu'on est, dur à cuire tant qu'on voudra ; mais, tonnerre de Brest ! on a tout de même le cœur sensible, et quand ça vous prend là, la larme vient vite à l'œil.

» Tenez, si ça peut la consoler un peu, la vieille dame, la mère, vous lui direz que son fils ne l'a pas oubliée au moment de sa mort. À l'instant où le *Téméraire* s'est coulé, nous étions tous sur le pont ; je me trouvais près du passager.

» – Adieu ! adieu ! cria-t-il tombant à genoux : adieu, toi que j'aime ! Adieu, toi pour qui j'aurais voulu vivre !

» L'eau montait, montait, faisait un bruit d'enfer dans l'intérieur du navire ; nous la sentions gronder sous nos pieds, comme bouillante, pendant que les lames déferlaient autour de nous, sur le pont. Nous étions tous silencieux ; on ne jurait plus, on priait. Quelques-uns pleuraient, d'autres se frappaient à grands coups la poitrine, mais pas un ne tremblait : le vrai marin n'a pas peur de la mort !

» Le passager se releva ; je le vis à plusieurs reprises appuyer ses doigts sur ses lèvres et envoyer des baisers aussitôt emportés par le vent.

» Le *Téméraire* disparut ; nous étions au milieu des flots. Une dizaine d'entre nous ne furent pas immédiatement engloutis ; le passager était de ce nombre ; nous nagions, luttant contre la fureur des vagues. Un, deux, trois, quatre furent roulés, tordus dans le brisement des lames, puis ce fut le tour des autres ; je les vis disparaître tous. Seuls, Baudry et moi, nous fûmes vainqueurs des flots, grâce à la bouée de sauvetage que nous eûmes le bonheur de saisir au passage.

Le baron remplit de nouveau les verres.

– Mon brave, dit-il, une fois encore à votre bonne santé et à celle de votre ami Baudry, les deux heureux survivants de l'épouvantable naufrage du *Téméraire*.

– Je le veux bien, monsieur ; moi, je bois à la mémoire de ceux qui sont morts.

Ces paroles étaient un reproche indirect, innocemment mais vertement adressé au frère du marquis. Léon pâlit légèrement et se mordit les lèvres.

La bouteille était vide.

Le baron appela le garçon.

– Combien la bouteille ?

– Trois francs.

– En voilà cinq, le reste est pour vous.

Il tira deux louis de sa poche et les mit dans la main du matelot.

Celui-ci ne voulait pas accepter.

– Si, prenez, prenez ; c'est pour boire, en compagnie de votre ami Baudry et de vos autres camarades, à la mémoire de ceux qui ne sont plus.

Il remercia le vieux marin, lui souhaita bonne chance et ils se séparèrent.

Léon rentra à l'hôtel, se fit servir dans sa chambre un excellent déjeuner et mangea avec un appétit superbe. Quand il eut pris son café et bu, à petit coups, un petit verre de vieux cognac, il alluma un cigare blond de la Havane et s'étendit sur le canapé afin de digérer tranquillement dans un doux farniente.

Mais le corps au repos donnait une activité plus grande à la pensée. Celle-ci n'était pas oisive ; elle se livrait à un travail laborieux dans un cerveau en ébullition.

Couché sur le dos, les yeux au plafond, que léchait la fumée du cigare, montant en spirales bleuâtres, Léon examinait ce qu'il y avait de bon et d'imparfait dans la trame de ses précédentes combinaisons.

– Maintenant, se disait-il, je n'ai plus un seul doute, mais la certitude la plus entière, la plus complète : mon frère est mort, bien mort. Allons, j'ai bien fait de venir au Havre. Je sais ce que je voulais savoir. Rien à redouter, plus de craintes chimériques, je puis agir. Des gens s'étonneront, sans doute. Mais à ceux qui seront assez hardis pour me questionner, je saurai quoi répondre. J'avais un frère, le marquis de Chamarande ; mon frère est mort après avoir fait fortune en Malaisie ; j'hérite de lui, rien de plus naturel. D'ailleurs, n'ai-je pas sa procuration, ses pouvoirs ? En admettant qu'on veuille me chicaner sur la prise de possession immédiate de la fortune de mon frère, j'en suis de droit l'administrateur pendant cinq ans, d'abord. Mais, bast, nul ne se permettra de regarder de trop près dans mes affaires. Je serai riche : avec de l'or on bouche les oreilles de ceux qui écoutent, on ferme la bouche de ceux qui parlent, on met un bandeau sur les yeux de ceux qui veulent voir ; avec de l'or, on rend aveugle la justice elle-même. Aujourd'hui avec de l'or, beaucoup d'or, on est un dieu... Il n'y a que l'or, l'or est tout ; il est le conquérant, le grand dominateur du monde !

Ainsi raisonnait le baron de Simaise.

Dans tout cela, cependant, il existait un point noir, à peine visible, d'abord, mais qui s'agrandissait peu à peu. En face de son audacieux et criminel projet, Léon voyait se dresser un obstacle, un seul, mais sérieux, la marquise.

Dans son aveugle confiance, le marquis avait livré sa fortune à son frère ; le baron tenait les millions entre ses mains ; oui, mais la marquise était là avec ses droits, prête à les faire valoir. La déposséder ! Était-ce possible ? Cette interrogation tombait comme une douche d'eau glacée sur le crâne brûlant du baron et calmait pour un instant son effervescence, ses ardeurs.

Il pouvait laisser à Lucy la moitié de la fortune du marquis ; sa part, à lui, serait encore fort belle. Plus d'une fois déjà cette pensée lui était venue ; mais il l'avait repoussée avec une sorte de fureur. Il en était arrivé à ce point de ne pouvoir admettre le partage ; il voulait tout. Il s'était habitué à manier les millions et cela l'avait grisé comme un vin capiteux.

Il en voulait à son frère de l'avoir mis dans un pareil embarras. Qu'avait-il besoin de se marier, d'épouser cette Anglaise, qui, dans deux mois, allait mettre un enfant au monde ? Un enfant ! Un autre héritier, le vrai, celui-là ! Nouvel embarras ! Décidément, plus Léon songeait à tout cela, plus il trouvait sa situation difficile. Ses idées s'embrouillaient, le fil de ses machinations lui échappait, et toutes ses savantes combinaisons, longuement méditées, roulaient, enchevêtrées, dans un chaos inextricable.

Oh ! cette Lucy, cette Lucy !

Et pourtant, chose étrange, il n'éprouvait aucune haine pour sa belle-sœur ; il sentait, au contraire, qu'il s'était glissé dans son cœur, peu à peu, une sorte d'affection pour la jeune femme. Et maintenant, en pensant à elle, il voyait son image gracieuse lui apparaître au milieu d'un nuage de fumée, son suave et doux visage éclairé par un rayon de soleil, qui lui mettait sur le front comme une lumineuse auréole.

Était-ce un rêve ? Oui, sans doute, ou une hallucination. Lucy était devant lui ; elle le regardait, ses grands beaux yeux caressants, plein de langueur, et lui souriait tristement. Il voyait remuer ses lèvres, et il lui semblait entendre le timbre mélodieux de sa voix fraîche et suave et doucement vibrante comme le son d'une lyre aérienne.

Il avait fermé les yeux.

Soudain, il sursauta, comme sortant brusquement d'un lourd sommeil, jeta son cigare, qui s'était éteint entre ses doigts, et bondit sur ses jambes. Sa figure s'était largement épanouie et ses yeux rayonnaient.

Une idée venait de jaillir de son cerveau.

Cette idée faisait disparaître l'obstacle dressé devant lui, tranchait d'un seul coup toutes les difficultés. Comment ne lui était-elle pas venue déjà ? Il s'en étonnait, naïvement, ne comprenant pas que, si audacieuses que fussent ses pensées, elles avaient été maintenues jusqu'alors par le respect que lui inspirait et lui imposait la femme de son frère.

Enfin, il avait trouvé, il était hors d'embarras, la marquise ne le gênait plus.

Il n'avait plus rien à faire au Havre. Il partit le soir, arriva à Paris un peu avant minuit et alla coucher chez lui, ne voulant pas faire la nuit le trajet de Paris à Port-Marly.

D'ailleurs, avant de se présenter devant sa belle-sœur, il avait besoin de ré-fléchir encore, afin de bien arrêter ce qu'il devait lui dire. C'est une dernière scène de haute comédie qu'il allait jouer ; de son habileté, de son adresse dépen-dait le succès ; il fallait qu'il fût éloquent, persuasif.

Le lendemain, dans la matinée, il alla voir son agent de change et lui don-na quelques ordres. Il déjeuna au café Anglais. À midi un quart, après avoir acheté les journaux du matin, il prit une voiture de remise, et, à deux heures, il arrivait à Port-Marly.

En entendant le bruit d'une voiture, la marquise s'était levée et approchée de la fenêtre. Elle vit le baron mettre pied à terre et entrer par la porte de service. Elle remarqua qu'il n'avait point la mine affligée d'un homme qui apporte une mauvaise nouvelle. Elle poussa un soupir de soulagement en levant ses yeux vers le ciel. Elle se sentait moins oppressée ; son cœur se dilatait. Mais elle n'osait pas encore trop espérer.

Elle resta debout, l'oreille tendue, attendant. Son cœur battait violemment, elle était haletante.

Des pas légers retentirent dans l'antichambre.

– Mon Dieu... mon Dieu !... murmura-t-elle.

Dans son impatience elle ouvrit la porte du boudoir.

C'était sa femme de chambre.

– Monsieur le baron vient d'arriver, dit la domestique.

– Je le sais, je l'ai vu entrer. Pourquoi n'est-il pas venu immédiatement ?

– Je ne sais pas. Il m'a donné l'ordre de prévenir madame.

– Où est-il ?

– Dans sa chambre ?

– C'est bien, je l'attends !

La femme de chambre se retira.

M. le baron avait cru devoir changer de vêtement. Il avait aussi pris le temps de jeter un coup d'œil sur les rayons du fameux meuble de Boule. Vingt minutes s'étaient écoulées lorsqu'il parut. La marquise était toujours debout, immobile comme une statue.

Léon entra dans le boudoir, la tête baissée, les yeux mornes, la mine brisé, anéanti, son visage reflétant une douleur profonde. Quel changement ! Mais Lucy ne se souvenait déjà plus de la remarque qu'elle avait faite un instant auparavant. Elle comprit qu'elle devait renoncer à tout espoir.

Son pâle visage prit subitement une teinte terreuse et la lumière de son regard s'éteignit ; elle appuya fiévreusement ses deux mains sur son cœur, poussa un cri rauque et chancela.

Le baron n'eut que le temps de se précipiter. Il reçut la malheureuse dans ses bras et la porta jusque sur l'ottomane. La marquise n'avait pas perdu connaissance. C'était un coup terrible qu'elle venait de recevoir ; mais, en même temps que son cœur avait cessé de battre, elle avait senti tressaillir l'enfant qu'elle portait dans son sein, et la mère s'était aussitôt raidie contre la faiblesse de l'épouse. Des sanglots noués dans sa gorge s'échappèrent, sa poitrine se souleva avec violence ; maintenant elle respirait. Elle aurait voulu pleurer, elle ne pouvait pas. Ses yeux, brûlants comme du feu, restaient secs, comme si elle n'eût plus eu de larmes.

À genoux devant elle, Léon tenait ses mains glacées et les couvrait de baisers. Il pleurait, lui ; il le fallait ; c'était dans son rôle.

XXX

ELLE EST FOLLE

Au bout d'un instant, la marquise se sentit soulagée et presque forte. Le sang, après avoir un moment cessé de circuler, bouillonnait maintenant dans les artères ; il se précipitait vers la tête, battant les tempes, sonnant dans les oreilles.

Lucy s'aperçut enfin que son beau-frère était à ses pieds, qu'il tenait ses mains, les embrassait.

Elle éprouva une sensation étrange, comme un sentiment de répulsion.

— Que faites-vous donc ? lui dit-elle d'un ton sec, en retirant ses mains vivement.

Le baron se releva.

— Pourquoi gardez-vous le silence ? reprit-elle d'une voix saccadée ; est-ce que vous n'avez rien à m'apprendre ?

— Je vous ai promis de ne rien vous cacher, de vous dire la vérité.

— Dites, dites donc.

— Je crains...

— Qu'est ce que vous craignez ? Ne voyez-vous pas que je suis forte, que je puis tout entendre ? Ah ! j'ai déjà lu dans vos yeux ce que vous avez à me dire.

— Hélas ! je n'ai pas pu vous cacher ma douleur.

— Vous deviez ne me rien cacher.

— C'est vrai.

— Eh bien, parlez, parlez !

519/599

Sa parole était brève ; sa voix secouée, nerveuse, avait des intonations sourdes. Ses yeux grands ouverts s'injectaient de sang, avaient des lueurs rapides, farouches, et luisaient avec un pétillement de feu ; les paupières restaient immobiles, comme collées sous l'os frontal ; les prunelles semblaient se dilater.

Le baron laissa enfin tomber de ses lèvres ces mots terribles :

— Mon pauvre frère est mort !

— Mort ! mort ! répéta-t-elle comme un écho, d'une voix étranglée.

— Ainsi qu'il nous l'a écrit, continua Léon, il s'est embarqué sur le navire le *Téméraire*.

» Le bâtiment avait fait déjà plus des deux tiers de sa traversée, lorsqu'il fut surpris par une épouvantable tempête et jeté sur des récifs où il s'est perdu corps et biens. Deux hommes seulement, deux matelots de l'équipage, ont été sauvés par miracle. Recueillis en pleine mer, deux jours après le sinistre, par des marins anglais, ils sont maintenant revenus au Havre. J'ai vu l'un deux, et cet homme, qui se nomme Prosper Gendron, m'a fait le récit navrant, horrible de ce qui s'est passé à bord du *Téméraire*, au moment où il s'est coulé. Ce marin se trouvait près de mon frère, sur le pont du navire, et l'a entendu s'écrier :

» — Léon, Léon, je te recommande Lucy, ma chère Lucy, et mon enfant, qui n'ont plus que toi seul au monde pour les protéger et les aimer !

» Hélas ! ce furent ses dernières paroles. Le marin le vit un instant se débattre au milieu des flots de l'océan furieux, puis disparaître, englouti au fond de l'abîme. Sauf les deux matelots sauvés par les Anglais, comme je viens de vous le dire, tout l'équipage du *Téméraire* a péri.

Il tira des journaux de sa poche.

— Tenez, ma sœur, dit-il, ces journaux contiennent le récit du naufrage du *Téméraire* : vous le ferez traduire en anglais et vous pourrez le lire.

La jeune femme prit les journaux machinalement, les froissa entre ses mains crispées et les laissa tomber sur le tapis.

À chaque instant, des spasmes nerveux secouaient tout son corps.

— Ma sœur, ma sœur chérie ! murmura le baron.

Elle eut une nouvelle commotion plus violente encore que les autres, et ses yeux écarquillés, toujours luisants, toujours pleins de lueurs farouches se fixèrent sur ceux du baron avec une expression étrange.

Il y eut un assez long silence.

Léon avait pris un siège et s'était assis en face de Lucy. La malheureuse était comme pétrifiée ; on aurait dit qu'il n'y avait plus rien de vivant en elle que son regard d'une effrayante fixité.

— Ma sœur, reprit le baron, simulant une émotion profonde, vous avez confiance en moi, je le sais, et vous croyez à mon affection sincère, à mon dévouement. Ah ! vous ne savez pas encore combien je vous aime, jusqu'où peut aller mon dévouement pour vous ! Un grand, un irréparable malheur nous a frappés tous les deux ; à quoi servirait de nous révolter ? Nous devons nous résigner et pleurer ensemble celui qui n'est plus. À son dernier moment, c'est à vous, à l'enfant qui va naître bientôt et à moi qu'il a pensé. Pauvre Paul ! il n'avait que sa femme, son enfant et son frère à aimer en ce monde !

» C'est une sorte de consolation pour moi que ses dernières paroles aient été recueillies ; n'est-ce pas, dites, Lucy, n'est-ce pas une volonté divine qui a voulu qu'elles fussent entendues par l'un des deux hommes qui allaient échapper à la mort, afin de m'être rapportées ?

» C'est à moi que mon frère s'adressait comme si j'eusse pu l'entendre ; mais n'était-il pas par la pensée, à cet instant suprême, près de moi, près de nous ? Il vous a recommandée à moi, Lucy ; il m'a chargé de veiller sur vous, de vous protéger ; il m'a ordonné de vous aimer !... Oh ! oui, je vous aimerai ! Vous verrez, Lucy, chère Lucy, les trésors de tendresse amassés pour vous dans mon cœur !

» Veiller sur vous, vous aider, vous soutenir, vous éviter les soucis, les ennuis, toute peine ; écarter de votre chemin les épines, les ronces, les cailloux aigus ; embellir pour vous la route de la vie, y semer continuellement des fleurs sous vos pas, voilà ce que je dois faire, ce qui m'est ordonné : voilà la volonté de mon frère. Eh bien, je ferai cela, oui, cela, et plus encore !...

» C'est le soin de votre bonheur qui m'est confié ; oh ! vous rendre heureuse, quelle douce mission à remplir ! Et comme je la trouverai facile !

» Sans doute, vous ne l'oublierez pas, lui ; mais je parviendrai, j'espère, à adoucir vos regrets ; vous verrez. Et puis, il y aura près de vous votre enfant, il m'aidera à vous consoler. Vous retrouverez toute la tendresse, tout l'amour de celui qui n'est plus, dans le cœur de son frère, qui ne vivra que pour vous.

» Vous m'écoutez, n'est-ce pas, Lucy, vous m'écoutez ?

La jeune femme le regardait toujours fixement sans faire un mouvement.

Il continua :

— Nous porterons le deuil de mon pauvre frère pendant un an, deux ans si vous le voulez. Alors le temps ayant un peu calmé notre douleur, pour que j'aie entièrement le droit de vous protéger, de vous rendre heureuse, je vous donnerai mon nom ; une seconde marquise de Chamarande deviendra baronne de Simaise. Oh ! s'appartenir, être l'un à l'autre ! Vous serez ma femme bien-aimée, la douce et chère compagne de ma vie. L'enfant de mon frère ne sera pas orphelin, il aura retrouvé un père !

» Rassurée sur votre sort, sur votre avenir, satisfaite, heureuse, l'âme de celui que nous pleurons aujourd'hui nous enverra du haut du ciel ses plus doux sourires.

» Pourquoi douter ? Pourquoi ne pas croire au bonheur, aux félicités terrestres ? S'il y a des jours sombres dans la vie, il y a aussi des jours de lumière. La foudre a grondé, l'orage passe, le calme succède. Non, non, ne doutons pas, car douter c'est blasphémer Dieu ; croyons, au contraire, aux joies qui viennent après les larmes, et tournons nos yeux vers l'espérance !... Nous sommes jeunes tous les deux, un avenir rayonnant, superbe s'ouvre devant nous avec ses vastes horizons ensoleillés !

Certes, en un pareil moment. M. le baron de Simaise parlait à sa belle-sœur d'une singulière façon. S'il avait une certaine habileté, de la finesse, l'esprit astucieux, en revanche il ne possédait aucune des délicatesses du cœur ; il ne sentait pas ce qu'il y avait d'inconvenant, de répugnant même dans son langage. Encouragé par le silence de Lucy, qui avait l'air de l'écouter avec attention, il avait débité son boniment, tranquillement, jusqu'au bout, comme la chose la plus naturelle du monde.

Lucy l'avait écouté comme on écoute un bruit éloigné, indistinct, qu'on cherche à s'expliquer ; le son de la voix seul frappait aux parois de ses oreilles bourdonnantes. Dans le trouble de son cerveau, d'où la pensée s'enfuyait, elle n'avait certainement pu saisir le sens des paroles de Léon.

Lui ne voyait pas la contraction des traits de la jeune femme, la crispation de ses lèvres, le mouvement singulier de ses yeux, l'égarement de son regard : il ne voyait rien, il ne se doutait de rien. Elle restait silencieuse, le regardant toujours ; elle l'avait laissé parler, ne lui avait pas d'un mot fermé la bouche, elle l'approuvait donc ? Elle consentait ? Mais, qui sait, elle l'aimait peut-être ! Pourquoi non ? Il était beau, élégant, distingué comme son frère et, plus jeune que le marquis, il lui ressemblait beaucoup par les traits du visage. Il se souvenait que Lucy avait eu pour lui, depuis le départ de son mari, de tendres regards, de doux sourires.

C'était assez, plus qu'il ne fallait pour enflammer le baron qui, ayant eu des succès auprès de certaines femmes faciles, se croyait irrésistible.

Il était lancé. Pourquoi s'arrêter ? L'attitude de Lucy ne semblait-elle pas lui dire qu'il avait le droit de tout oser ? Oubliant toute retenue, devenant plus audacieux encore, il glissa de son siège et se trouva à genoux devant la jeune femme.

— Chère Lucy, chère Lucy ! prononça-t-il avec un tremblement dans la voix qui devait, pensait-il, produire un effet merveilleux.

La jeune femme laissa échapper un soupir.

C'était une réponse cela. Que de choses dans ce soupir !

Il passa ses bras autour de la taille de Lucy en se serrant contre elle.

La tête de la marquise, congestionnée, lourde, s'inclina vers lui.

Il se méprit encore. Décidément, il était aveuglé, le malheureux.

La tête de la jeune femme s'inclina davantage. Il leva la sienne, se haussa, allongeant le cou. Les frisons soyeux de la chevelure brune caressèrent son front : il sentait courir sur son visage un souffle tiède. Ses yeux étincelèrent, son regard devint flamboyant et un sourire satanique glissa sur ses lèvres. Il laissait tomber son masque.

Les yeux de la marquise, dardant leur flamme sur ceux du baron, semblèrent s'agrandir encore.

— Lucy, je vous aime, je t'aime, je t'aime ! s'écria-t-il avec une sorte d'exaltation passionnée.

Et, la serrant avec force, il lui mit un baiser sur les lèvres.

Elle se jeta en arrière, en poussant un cri aigu, comme si elle venait de sentir une brûlure ou une morsure ; puis se dégageant par un mouvement brusque, elle se dressa d'un bond, frémissante, livide, des éclairs dans le regard, effrayante, terrible.

Debout devant elle, étonné, inquiet, le baron la regardait, se demandant ce que cela signifiait. Il ne comprenait pas encore ; mais, sous ce regard de feu, qui ne le quittait pas, qui pesait lourdement sur lui et était comme rivé sur ses yeux, il se sentait troublé, gêné. Il commençait à trembler, à avoir peur. Pressentant une scène violente, il se redressa plein d'audace, prêt à tenir tête à l'orage.

D'ailleurs, sérieusement, qu'avait-il à redouter ? Cette malheureuse, qui n'avait en France personne pour la protéger, la défendre, qui ne connaissait même pas la langue française, n'était-elle pas complètement en sa puissance ? Faible, isolée, n'étant connue de personne, que pouvait-elle ? Rien. Ah ! maintenant qu'il n'avait plus son frère à tromper, il n'était plus forcé de se contraindre ; en présence de sa belle-sœur, écrasée par le malheur, il pouvait lever haut la tête, lui faire comprendre qu'elle devait subir la domination d'un maître.

Et de fait, en ce moment, il se montrait bien tel qu'il était ; il avait décidément mis bas le masque et jeté loin de lui ses oripeaux de comédien.

Après être restée un instant immobile, la marquise fit un pas en avant, puis un second, puis un troisième, s'approchant lentement du baron. Arrivée près de lui, le touchant presque, elle reprit son immobilité ; mais de sombres éclairs sillonnaient son regard ; ils passaient rapides, multipliés, avec des reflets étranges. Soudain, elle leva ses mains à la hauteur des épaules du baron et violemment, avec une énergie sauvage, elle le repoussa de toute sa force, en lui jetant à la face, d'une voix stridente, ce mot deux fois répété :

– Misérable ! misérable !

Au milieu de l'épouvantable effondrement de ses facultés mentales, comme si, avant de s'éteindre, la dernière lueur de sa raison avait donné à son esprit cette faculté puissante, surnaturelle, la seconde vue, qui est une des merveilles du magnétisme, elle avait lu dans les yeux du baron ses plus secrètes pensées.

Léon s'attendait à une avalanche de reproches, à des paroles d'indignation, à des menaces, à un flagellement quelconque. Il n'en fut rien. L'explosion avait eu lieu. Lucy l'avait appelé misérable ! C'était tout.

Elle s'éloigna calme, laissant, toujours gracieuse, aller son corps et sa tête dans un doux balancement.

Son regard s'était subitement radouci ; plus rien de farouche, la flamme éteinte, l'intraduisible expression de langueur et de tristesse revenue.

Elle regardait autour d'elle tout étonnée, comme curieuse ; il semblait qu'elle ne reconnaissait plus, dans ce petit salon, où tant de doux baisers s'étaient échangés naguère, les objets qui lui étaient familiers.

Elle ne faisait plus attention à Léon qui, stupéfié, retiré dans un angle de la pièce, l'examinait avec une inquiétude mal définie ; peut-être même ne le voyait-elle pas. Hélas ! elle ne se souvenait déjà plus de ce qui venait de se passer.

Elle appuya fortement ses deux mains sur son front.

— Oh ! fit-elle.

D'un pas inégal, fiévreux, elle fit plusieurs fois le tour du salon, jetant à chaque instant, en variant les intonations, l'exclamation : « Oh ! » On aurait dit qu'elle essayait les notes basses de la gamme.

Elle s'arrêta devant la fenêtre et l'ouvrit brusquement. Un vent de bise, aigre, glacial, s'engouffra dans la pièce avec un sifflement lugubre ; elle avança la tête au dehors, appuyant ses mains délicates sur la barre d'appui. Le vent faisait voltiger les boucles de ses cheveux fins, détruisant l'harmonie de sa coiffure.

Tout à coup, les yeux fixés sur les hautes branches du plus grand orme, elle s'écria :

— Ah ! ah ! le voilà, l'oiseau noir, le voilà, le voilà !

Le baron ne put s'empêcher de tressaillir. Il marcha vers la fenêtre d'un pas léger et vint se placer derrière la jeune femme. Il voulait voir. Il suivit la direction des yeux de Lucy, mais il ne vit rien.

— Oh ! le vilain oiseau noir ! reprit-elle.

Et, imitant le croassement du corbeau et de la corneille, elle se mit à crier d'un ton guttural :

– Coâque, coâque, coâque !

Elle frissonna, saisie par le froid.

– Brr... Oh ! il fait bien froid, bien froid, je ne pourrai pas, aujourd'hui, mettre ma robe blanche pour aller cueillir des fleurs. Je les aime, les fleurs, surtout les roses, les belles roses odorantes, qui causent la nuit avec les étoiles et le matin avec les papillons bleus. Je voudrais pourtant bien en faire un gros bouquet ; je l'ai promis à mon père pour sa fête. Ah ! comment s'appelle-t-il donc, mon père ?

Elle chercha un instant dans sa mémoire.

– Je ne sais plus, je ne sais plus ! fit-elle tristement.

» Il reste toujours là, continua-t-elle en s'animant ; pourquoi me regarde-t-il ainsi ? Oh ! comme il a les yeux méchants, l'oiseau noir ! Va-t'en, va-t'en ! Coâque, coâque !

Le baron, terrifié, se rejeta en arrière. Il comprenait enfin.

– Folle ! murmura-t-il d'une voix étranglée, elle est folle !

La malheureuse était toute grelottante, ses dents claquaient.

Un coup de vent, une sorte de rafale avec grésil, la força à quitter la fenêtre. Elle recula jusqu'à l'ottomane sur laquelle elle s'affaissa et se pelotonna frileusement.

Le baron s'empressa de refermer la fenêtre ; puis s'approchant de la jeune femme :

– Lucy, Lucy ! l'appela-t-il doucement.

Elle le regarda, peureuse.

– Silence, silence, fit-elle, ne parlez pas ; l'oiseau noir me cherche... Il est méchant, l'oiseau noir, il me fait peur, je me cache !...

Et prise soudain d'un rire nerveux, effrayant, battant des mains :

– Je suis cachée, bien cachée, il ne me trouvera pas dit-elle.

Se faisant petite, elle se blottit, couvrant sa tête avec les coussins.

Léon, les cheveux hérissés, blême, éperdu, frappé d'épouvante, s'élança hors du salon.

La femme de chambre se trouva sur son passage et ne put retenir un cri d'effroi.

— Courez vite près de votre maîtresse, lui dit-il ; elle a besoin de vos soins ; je ne sais ce qui se passe, mais je crois bien qu'elle a tout à coup perdu la raison.

Et pendant que l'Anglaise affolée se précipitait vers le boudoir, M. de Simaise courait s'enfermer dans sa chambre pour rendre, d'abord, le calme à son esprit troublé et réfléchir ensuite à ce qu'il devait faire, maintenant, en présence de cette complication nouvelle et inattendue. Mais il eut beau chercher, entasser les idées, il voyait la situation de plus en plus difficile et embarrassante, sans trouver aucun moyen pratique d'en sortir. Il finit par reconnaître son impuissance.

Alors, il se souvint qu'un jour le marquis de Presle lui avait parlé d'un homme appelé Blaireau, personnage étrange, unique dans son genre, donnant des conseils, agissant même pour le compte des autres, pourvu qu'on le payât bien, faisant tout, pouvant tout, adroit, audacieux, sans scrupule, une puissance mystérieuse, enfin, terrible, qui ne connaissait aucune difficulté, ne s'arrêtait devant aucun obstacle, pour qui le mot impossible était inconnu.

— Je verrai cet individu, se dit le baron. Je ne sais pas où il demeure, mais le marquis qui s'est, m'a-t-il dit, servi de lui, ne refusera pas de me donner son adresse et même de le prévenir de ma visite. Si ce Blaireau est bien tel que le marquis me l'a dépeint, c'est l'homme dont j'ai besoin, l'homme qu'il me faut. Il m'aidera à sortir d'embarras. Ce que je n'oserais faire, moi, il le fera.

Le misérable avait, en ce moment, une pensée sinistre, que révélait le sombre éclair de son regard.

— Sans scrupule, audacieux, capable de tout, continua-t-il, Blaireau se charge de n'importe quelle besogne... pourvu qu'on le paye bien. Soit, on le payera bien. Oui, il faut que je le voie, le plus tôt possible.

» Capable de tout ! ajouta-t-il lentement, d'une voix sourde.

Et un hideux sourire crispa ses lèvres. Après un court silence :

– Ah ! mais, je m'ennuie ici, j'étouffe. Décidément, j'en ai assez, j'en ai de trop de cette existence de solitaire.

Il jeta les yeux sur la pendule.

– Bon, fit-il, dans dix minutes l'omnibus de Saint-Germain va passer.

Il sortit de sa chambre, son chapeau sur la tête, sa canne à la main. Il trouva les domestiques réunis dans l'antichambre : tous avaient l'air consterné. La femme de chambre venait de leur apprendre que la marquise avait perdu la raison.

– Ah ! monsieur le baron, quel malheur ! s'écrièrent-ils tous ensemble.

– Oui, mes amis, c'est affreux ! répondit hypocritement Léon. Aussi, à peine arrivé, je me vois forcé de retourner à Paris.

– Faut-il atteler ? demanda le cocher.

– Non, car je ne rentrerai probablement pas ce soir. Je vais prendre la voiture, qui passera dans un instant.

– Monsieur le baron ramènera un médecin ? hasarda la femme de chambre.

– Je ne sais pas encore ce qu'il convient de faire dans une situation aussi douloureuse. Je consulterai nos plus savants médecins aliénistes ; ce qu'ils me diront de faire, je le ferai. Je n'ai pas besoin, n'est-ce pas, de vous recommander à tous votre maîtresse ? Vous, Jenny, ne la quittez pas d'une minute.

Sur ces mots, le baron s'éloigna.

– Ouf ! fit-il, quand il eut fermé derrière lui la porte de l'enclos.

Et il respira à pleins poumons.

XXXI

CHEZ BLAIREAU

Enveloppé dans sa longue robe de chambre crasseuse, déteinte, couverte de taches d'encre, usée, rapiécée, montrant toujours des trous et des déchirures, Blaireau était seul dans son cabinet, assis devant son bureau chargé de paperasses. Il tenait ses jambes courtes allongées devant un feu vif, clair, flambant, et parcourait des yeux, rapidement, de nombreuses lettres éparpillées devant lui, et portant des dates déjà anciennes.

Quand il eut fini, ses épais sourcils se hérissèrent et il ne put réprimer un mouvement de dépit, presque de colère. Évidemment il n'avait point trouvé ce qu'il cherchait dans sa volumineuse correspondance.

– Rien, rien, grommela-t-il entre ses dents. Ah ! ça, est-ce que le monde est changé ? Toutes les passions humaines seraient-elles endormies ? N'y a-t-il plus sur la terre d'êtres corrompus ? Allons-nous voir arriver le règne de la sagesse universelle ? Si le génie du bien triomphe, le diable n'a plus qu'à se faire ermite.

Un petit rire sec, aigu, éclata entre ses lèvres lippues.

– Non, non, reprit-il, cela ne peut pas marcher ainsi : calme plat, les affaires ne vont plus... Et j'ai autour de moi des gaillards qu'on ne paie pas en monnaie de singe, chiens hurlants toujours prêts à devenir enragés, s'ils n'ont pas un os à ronger. Ils sont bien muselés, c'est vrai ! mais quelle exigence ! Il faut les gaver... Cela coûte. Et rien, rien à faire ! Il faudra changer de métier, trouver le moyen de faire autre chose. En attendant, c'est leur pâtée qu'il faut à mes loups. Quelques billets de mille vont encore y passer. Tonnerre ! ça ne peut pas aller comme cela... Dans trois mois je serais à sec, ruiné !... Où sont-ils les millions que j'ai rêvés ? Et pourtant, ajouta-t-il en se frappant le front, j'ai quelque chose là !

Il prit les lettres à pleines mains, les froissa avec une sorte de rage et les jeta sur les tisons.

– Voilà ce que ça vaut, grogna-t-il : une flamme, un peu de fumée, des cendres !

Et il asséna sur le bureau un formidable coup de poing.

Blaireau était furieux. Il en voulait aux hommes, qui ne lui donnaient rien à faire, il en voulait à l'humanité entière. Mais qu'il fût calme ou colère, qu'il eût le sourire sur les lèvres ou l'éclair fauve dans le regard, Blaireau était toujours, un homme terrible.

On frappa d'une certaine façon à la porte du cabinet.

Blaireau se redressa.

— Entrez, cria-t-il.

La porte s'ouvrit, livrant passage à une vieille femme vêtue comme une pauvresse. C'était la gouvernante de l'homme d'affaires. Elle tenait une lettre à la main.

— Encore un qui hurle, je parie, pensa Blaireau.

Il arracha la lettre des mains de la vieille qui se retira en murmurant :

— Ça va mal, c'est toujours de pire en pire.

— Tiens, tiens, fit Blaireau, reconnaissant l'écriture sur l'enveloppe, c'est du marquis de Presle ; est-ce qu'il aurait besoin de mes services ? C'est peu probable, car il est, paraît-il, très amoureux de sa jeune femme. Voyons ce qu'il me veut.

Il déchira l'enveloppe, ouvrit la lettre et lut.

L'expression de sa physionomie changea comme par enchantement. Son front se dérida, ses petits yeux félins étincelèrent et un joyeux sourire s'épanouit sur ses lèvres pendant que ses narines, largement ouvertes, frémissaient comme le mufle d'un carnassier à l'odeur du sang.

Le marquis le prévenait que le jour même, entre dix et onze heures, un de ses amis, le baron de Simaise, lui ferait une visite, ayant à réclamer ses bons offices au sujet d'une affaire qui devait être d'une certaine importance.

Blaireau regarda l'heure à sa montre. Il était neuf heures et demie.

– Dans une heure je saurai de quoi il s'agit, se dit-il ; attendons ce nouveau client.

Il glissa la lettre du marquis dans un tiroir et s'occupa, pour tuer le temps, à ranger, à mettre en ordre les dossiers et autres paperasses jetés pêle-mêle sur le bureau.

À dix heures un quart la vieille domestique annonça M. le baron de Simaise.

– Bien, fit Blaireau, grave comme un véritable homme d'affaires ; faites entrer M. le baron et qu'on ne nous dérange pas.

– S'il vient quelqu'un ?

– Je n'y suis pour personne.

– Monsieur le baron peut entrer, cria la vieille d'une voix grêle, sur le seuil de la porte.

La tête enfoncée dans les épaules, Blaireau s'était incliné sur un dossier ouvert devant lui, en se donnant l'air d'un homme absorbé, écrasé de travail.

Le baron entré, la vieille avait refermé la porte.

Blaireau attendit que le jeune homme fût arrivé près de lui pour lever la tête. Les regards se croisèrent. Déjà Blaireau avait jugé son homme. Léon sentait comme un frisson courir dans ses membres. Quelque chose lui disait qu'il se trouvait en présence d'un dominateur.

– Voilà un fauteuil, monsieur, asseyez-vous, dit Blaireau. Vous êtes monsieur le baron de… de… pardon, on vient de vous annoncer, mais votre nom m'échappe ; le travail m'absorbe tellement…

– Je suis le baron de Simaise.

– De Simaise… votre nom ne m'est pas inconnu, monsieur le baron. À quoi dois-je l'honneur de votre visite ? Est-ce un château que vous désirez acheter ou une propriété que vous voulez vendre ? Peut-être avez-vous besoin d'un régisseur pour l'administration de vos domaines ? justement, j'ai en ce moment, sous la main, un homme sûr.

Le baron secoua la tête.

— C'est pour une affaire toute différente que je viens vous trouver, monsieur Blaireau, répondit-il d'une voix mal assurée ; la chose est d'une nature délicate, exceptionnelle. Enfin, j'ai besoin de vos conseils, de votre intervention, de votre aide.

— Je ne refuse jamais mes conseils, répliqua Blaireau en souriant ; quant à mon intervention, c'est-à-dire mon concours, c'est différent ; nous verrons.

— N'avez-vous pas reçu une lettre du marquis de Presle vous annonçant ma visite ?

— Mais oui, j'ai reçu un billet de M. de Presle ; quand donc ? hier soir ou ce matin. Je l'ai lu avec distraction, je suis tellement occupé... Je me souviens, M. de Presle m'annonce, en effet, votre visite. Ainsi, vous connaissez le marquis de Presle ?

— Je suis un de ses amis ; c'est lui qui m'a parlé de vous.

— J'ai pu rendre quelques services au marquis ; il ne vous a pas dit de mal de moi, hein ?

— Au contraire, monsieur Blaireau ; j'ai su par lui que vous êtes un homme en qui on peut avoir une entière confiance.

— C'est vrai.

— Vous l'avez tiré, m'a-t-il dit, d'un sérieux embarras.

— Hé, hé, tirer les autres d'embarras, c'est un peu ma spécialité.

— Sans doute, puisque vous vous occupez d'affaires.

— C'est mon métier.

— De... toutes sortes d'affaires.

— Oui, monsieur le baron, de toutes sortes d'affaires ; seulement, je ne les prends pas toutes ; je choisis dans le nombre celles qui me conviennent. Maintenant, si vous le voulez bien, nous allons parler de la vôtre.

– Il est bien entendu, monsieur Blaireau, que si, pour une cause ou pour une autre, vous ne m'accordiez pas votre concours, ce que je vais vous dire ne sera jamais répété.

– Ne savez-vous pas qu'on peut avoir en moi une entière confiance ? Vous êtes ici comme dans un confessionnal, monsieur.

– Oh ! ne trouvez pas mauvais…

– Que vous preniez certaines précautions ? Nullement. Prudence est mère de sûreté. Mais vous pouvez parler sans crainte, nous sommes seuls et nul autre que moi ne peut vous entendre.

– En vérité, balbutia Léon, je ne sais comment vous dire…

– Oh ! oh ! pensa Blaireau, la chose est grave, donc l'affaire est bonne.

Et regardant fixement le baron, les yeux dans les yeux :

– Moi, dit-il, je suis rond en affaires, tout d'une pièce, et j'aime la franchise chez les autres. Vous voilà prévenu. Pourquoi êtes-vous ici ? Parce que vous avez besoin de moi. Pourtant, si vous craignez quelque chose, si vous manquez de confiance, vous ne m'avez rien dit encore, vous pouvez vous retirer.

– Mais je ne crains rien et j'ai pleine confiance ! s'écria le baron, dont le regard s'éclaira d'une lueur fauve.

– Parlez donc, alors. Mais pas de demi-tour à droite ni à gauche, pas de faux-fuyants, pas de réticences ; au fait, brutalement. Maintenant, monsieur le baron, allez, je vous écoute.

– Il faut que vous sachiez d'abord que ma mère, mariée en secondes noces au baron de Simaise, mon père, avait un fils de son premier mari. Ce fils, mon frère, fut emmené, jeune encore, en Malaisie, à Batavia, où il fit fortune. Il est revenu en France cette année, au mois de juin, pour s'y fixer. Un événement imprévu, la mort d'un parent avec lequel il s'était associé, l'obligea à retourner en Malaisie. Ayant terminé ses affaires, il prit passage à bord d'un navire marchand du Havre pour revenir en France. Ce bâtiment fit naufrage et mon frère a péri.

– Ah ! fit Blaireau.

– Avant de partir, il m'a laissé ses pleins pouvoirs pour gérer sa fortune, qui est tout entière en argent et en valeurs mobilières au porteur, achetées par moi.

– Quel est le chiffre de cette fortune ?

– Un peu plus de deux millions, répondit Léon, se gardant bien de dire la vérité.

– C'est assez joli, monsieur le baron ; ces deux millions, ajoutés à votre fortune personnelle, vous font une situation superbe.

– Je n'ai pas de fortune personnelle, monsieur Blaireau. Mon père, avant de mourir, était à peu près ruiné ; le reste de sa fortune, je l'ai dissipé ; vous savez, quand on est jeune...

– On s'amuse. À Paris les femmes sont si jolies ! Ah ! elles coûtent cher, les femmes, n'est-ce pas, monsieur le baron ? Mais n'importe, vous n'êtes pas bien à plaindre. Deux millions, un peu plus même, c'est cent bonnes mille livres de rente. Avec cela, on peut tenir un rang dans le monde et mener joyeusement la vie, à grandes guides même.

– Mais cette fortune, que je tiens entre mes mains, cette fortune n'est pas à moi ! s'écria le baron.

– Hein, comment cela ? N'êtes-vous pas l'héritier de votre frère ?

– Mon frère était marié.

– Oh ! alors, je comprends. La fortune est entre vos mains, en dépôt ; vous voudriez la garder ; mais la femme de votre frère, votre belle-sœur est là, avec ses droits, contre lesquels vous ne pouvez rien.

– Eh bien, oui, vous avez deviné, répliqua le baron les yeux étincelants ; j'ai peur de la misère, entendez-vous ! Et quand je puis être riche, quand je tiens une fortune...

– Vous ne voulez pas la lâcher, c'est dit. Voyons, pourquoi, avec l'argent et les valeurs dans une valise solide, bien fermée, ne filez-vous pas en Amérique ou ailleurs ?

– Pour plusieurs raisons. D'abord...

– C'est bien, je sais : vous voulez prendre et ne pas être pris à votre tour ; et puis, en admettant qu'on ne cours pas après vous, ce serait toujours l'exil, une sorte de déportation. Enfin, véritable Parisien, vous aimez Paris, ses boulevards, ses joyeuses nuits d'amour, et le reste, tout ce qu'on ne trouve que dans une seule ville, Paris. Mais croyez-vous sérieusement, monsieur le baron, qu'il vous soit possible de dépouiller la femme de votre frère ?

– Oui, je le crois.

– Le moyen ?

– Je suis venu chez vous pour que nous le trouvions ensemble.

– Oh ! oh !

– Rien ne vous est impossible.

– Vous croyez cela ?

– Oui, et mon ami de Presle le croit aussi.

– Vous me faites, l'un et l'autre, beaucoup d'honneur.

– Monsieur Blaireau, voulez-vous m'aider ?

– Je ne dis pas non, mais je ne dis pas oui ; hé, hé, je suis comme le Normand : avant de m'engager, il faut voir. Vous prétendez que la chose est possible ; je puis, moi, penser le contraire. Comme dans tout, il y a le pour et le contre. Examinons d'abord.

– Soit, examinons.

– Vous me permettez de vous adresser quelques questions ?

– Certainement.

Blaireau appuya son coude sur la table et, son menton dans sa main :

– Quel est le nom de votre frère ? demanda-t-il, en regardant sournoisement le baron.

– Marquis de Chamarande.

– Un vieux et beau nom.

– Complètement oublié en France.

– Votre frère devait y avoir des amis, quoique s'étant expatrié fort jeune ?

– Aucun ami.

– Et vous êtes son unique parent ?

– Oui.

– Vous êtes sûr qu'il est mort en mer ?

– Absolument sûr.

– Quelle preuve en avez-vous ?

– Le témoignage de deux marins sauvés du naufrage.

– On peut, pour le moment, se contenter de cela. Où est maintenant votre belle-sœur ?

– À Port-Marly.

– Elle est Française ?

– Non, c'est une créole anglaise ; elle est née au Bengale et ne connaît pas dix mots de notre langue.

– Cela veut dire que, seule, elle serait embarrassée pour revendiquer ses droits. Mais elle a une famille ?

– Elle n'a plus aucun parent.

– Ah !... Elle est jeune ?

– Pas encore vingt ans.

– Jolie ?

– Une beauté incomparable, idéale.

— Hé, bé, fit Blaireau souriant et avec une légère pointe d'ironie, il me vient une idée : votre belle-sœur étant veuve, monsieur le baron, pourquoi ne l'épousez-vous pas ? Cela simplifierait beaucoup les choses.

— J'ai eu cette pensée.

— Ah ! vraiment, malgré la difficulté de vous procurer l'acte de décès du défunt ?

— Oui, malgré cela.

— Enfin, l'idée est bonne, puisqu'elle m'est venue, à moi aussi. Et vous y avez renoncé ?

— Oui.

— Pourquoi ?

— On n'épouse pas une folle.

— Une folle !

— Il y a trois jours, en apprenant la mort de son mari elle a subitement perdu la raison.

— Hum, hum ! fit Blaireau, dont le regard eut un peu de lumière étrange.

Mais toujours prudent, froidement réservé, ne laissant jamais rien voir de ce qu'il pensait et méditait avant d'avoir complètement sondé la pensée des autres, il reprit après un court silence :

— En ce cas, monsieur le baron, vous n'avez qu'à faire enfermer votre belle-sœur dans une maison d'aliénées.

— Non, répliqua de Simaise, il faudrait dire d'où elle vient, qui elle est.

— Forcément.

— C'est ce que je ne veux pas. Et puis on peut la guérir.

— Dame, cela arrive quelquefois. Et vous ne voulez pas cela non plus. Je comprends : folle, votre belle-sœur est moins à craindre que si elle se trouvait en pleine possession de toutes ses facultés. Un fou ne compte plus dans la société, il est mis en tutelle ; on peut encore lui reconnaître certains droits, mais on ne lui permet pas de les revendiquer. Ma foi, monsieur le baron, je ne vous vois point dans une situation trop difficile. Mandataire de votre frère, maître de sa fortune, puisqu'elle en vos mains, n'ayant pas à redouter un séquestre, vous pouvez faire largement ce qu'il vous plaira et jouir bien à votre aise des deux millions.

– Malheureusement, monsieur Blaireau, il y a autre chose.

– Quoi donc ?

– Dans deux mois, au plus tard, ma belle-sœur mettra un enfant au monde.

– Diable, diable, je ne m'attendais pas à cela ; l'affaire se complique d'une singulière façon.

XXXII

UN HOMME TERRIBLE

Il y eut un assez long silence.

Toujours dans la même position, ses petits yeux vifs, clignotants, fixés sur ceux du baron, scrutant sa pensée, Blaireau avait l'air de réfléchir profondément.

— Enfin, monsieur le baron, dit-il brusquement, arrivons au fait. Votre belle-sœur vous gêne, vous voudriez vous en débarrasser, la faire disparaître n'importe comment, et c'est pour cela, n'est-ce pas, que vous êtes venu me trouver ?

— C'est pour cela, répondit de Simaise sans hésiter.

— Chose grave, monsieur le baron, chose excessivement grave ; on ne fait pas disparaître ainsi une femme, un enfant comme un glaçon qu'on fait fondre au soleil ou un fétu de paille qu'on jette au feu. Dans certains pays où il n'y a ni gendarmes, ni agents de police, ni magistrats, ni cours de justice, ce serait un jeu d'enfant, une bagatelle, mais ici, en France, ou nous avons tout cela, ce n'est pas du tout la même chose.

» L'enfant, quant à présent, n'est pas bien gênant, continua Blaireau avec son froid sourire, mais il le deviendra. Cependant, ne nous occupons que de la mère en ce moment. On la fait disparaître ; cela se peut, en agissant prudemment, en prenant certaines précautions. Mais si l'on vous la réclame, que répondrez-vous ?

— Personne ne me demandera ce qu'elle est devenue, attendu que, n'ayant été présentée nulle part, elle ne connaît personne. On ignore absolument à Paris qu'il existe une marquise de Chamarande.

— Votre ami, le marquis de Presle, ne sait donc pas ?...

— Il sait seulement que j'ai perdu mon frère.

— Ainsi vous n'avez dit à personne que le marquis votre frère, était marié ?

– À personne.

– C'est de l'adresse, cela. Hé, hé, vous êtes un malin, monsieur le baron. À Paris, vous voilà tranquille. Et à Port-Marly ?

– C'est à peu près la même chose. On a pu voir ma belle-sœur, la rencontrer se promenant à pied ou en voiture ; mais on ne la connaît pas autrement ; très indifférents d'ailleurs, les gens du pays ne s'occupent guère d'elle. Ne connaissant pas la langue française, comme je vous l'ai dit, la marquise n'a pu parler à personne et a toujours vécu très isolée.

– Il y a les domestiques.

– Oui, il y a les domestiques ; mais on peut acheter leur silence.

– Mauvais moyen, monsieur le baron ; payer le silence de quelqu'un, c'est se mettre à sa discrétion et lui donner la démangeaison de parler ; si vos domestiques devenaient ainsi vos complices, vous seriez, tôt ou tard, trahi par eux. Nous trouverons autre chose. Pendant son court séjour en France, votre frère a dû voir quelques personne ?

– Non : il est constamment resté à Port-Marly. Paris était alors inhabitable, en pleine insurrection, on se battait dans les rues.

– Ce mandat, dont vous m'avez parlé, et que votre frère vous a laissé en partant, est un acte notarié ?

– Parfaitement.

– Y est-il parlé de la marquise ?

– En aucune façon.

– Bien. Que pouvez-vous avoir à redouter du côté de Batavia ?

– Mais je... je ne vois pas, balbutia le baron, c'est si loin !...

– En effet, c'est loin.

– Mon frère n'avait là qu'un seul parent et il n'existe plus. Ma belle-sœur y est aussi inconnue qu'à Paris et à Port-Marly. Cependant elle y a une amie.

– Un danger, monsieur le baron.

– Je ne crois pas.

– Qu'est-ce que c'est que cette amie ?

– Oh ! une pauvre indoue, fille d'un paria, recueillie autrefois par le père de ma belle-sœur et mariée aujourd'hui à un simple employé d'une factorerie.

– Ce ne sont pas là, en effet, des gens bien redoutables. C'est égal, monsieur le baron, il n'y a si petite voix qui ne puisse se faire entendre ; il sera bon de regarder de temps à autre du côté de Batavia. Maintenant, résumons : il y a à Port-Marly une pauvre folle à qui personne ne s'intéresse, la veuve d'un homme qui a presque constamment vécu en Océanie et dont le nom est oublié en France, une marquise, enfin, dont on ne soupçonne même pas l'existence.

» Je comprends, monsieur le baron, que vous vouliez exploiter à votre profit une pareille situation. Complètement ruiné, à bout de tout, comme on dit, prêt à crever de misère ou obligé de vivre d'expédient, vous deviez avoir la pensée hardie de vous approprier la fortune de votre frère qui, en somme, serait bien à vous s'il n'avait pas fait la sottise de se marier. Vous avez faim, vous tenez le gâteau, et ce serait triste, vraiment, d'en sentir seulement l'odeur alléchante.

» Oui, en prenant certaines précautions, on peut faire disparaître votre belle-sœur. Elle est folle, elle ne peut rester à Port-Marly, et comme personne ne viendra vous demander compte de vos actes, vous pouvez la conduire où il vous plaira, la placer ou la cacher, si vous préférez ce dernier mot, dans un endroit perdu, sauvage, inconnu ; car vous ne pouvez pas, monsieur le baron, quant à présent, du moins, vous débarrasser complètement de votre belle-sœur. Non, vous ne le pouvez pas, vous ne le devez pas. D'ailleurs, ce serait difficile et il y aurait de trop grands risques à courir. Quand on joue une partie comme celle que vous avez en mains, il faut se garder à toutes cartes ; il faut prévoir même les choses qui paraissent inadmissibles ou invraisemblables.

» Votre belle-sœur n'a plus aucun parent, vous le croyez, vous en êtes sûr ; mais il en peut surgir un tout à coup, venant on ne sait d'où pour vous crier, menaçant : « Où est votre belle-sœur ? Qu'avez-vous fait de la marquise de Chamarande ? » Eh bien ! il faut qu'à celui-là ou à un autre vous puissiez répondre immédiatement, et, si besoin, si on l'exige, montrer la marquise.

» Une autre supposition. Les journaux ont raconté la perte du navire sur lequel votre frère s'était embarqué ! deux marins sauvés du naufrage vous ont donné l'assurance que votre frère avait péri ; mais vous n'avez pas vu de vos yeux, ni touché de vos mains son cadavre. Rien ne vous prouve d'une façon absolue qu'il ait été englouti au fond de l'Océan. Vous avez, le témoignage des deux marins ; cela n'est pas suffisant. Ils ont bien été sauvés, eux, pourquoi votre frère n'aurait-il pas eu le même bonheur ? Le voyez-vous dans six mois, dans un an, disons même au bout de plusieurs années, au moment où vous vous y attendrez le moins, reparaître devant vous comme un spectre sorti de sa tombe !

Le baron était devenu livide ; de grosses gouttes de sueur perlaient sur son front.

— Ce n'est qu'une supposition, monsieur le baron ; comme vous, je crois que votre frère est mort, bien mort ; mais je tiens à vous faire bien saisir qu'il y a nécessité pour vous de tout prévoir ; vous devez être constamment prêt à parer tous les coups qui pourraient vous être portés.

» Donc, à mon avis, monsieur le baron, vous ne devez vous considérer, pendant quelques années, disons cinq ans, que comme le dépositaire de la fortune de votre frère ; vous pouvez l'administrer en vertu du mandat que vous possédez et en jouir avec modération, c'est-à-dire sans attaquer le capital.

» Si, dans l'espace de cinq années, aucune réclamation ne s'est produite, si votre frère n'a pas donné signe de vie, si votre belle-sœur est toujours dans le même état, n'ayant plus rien alors à redouter ni d'un côté ni d'un autre, vous pourrez faire ce que vous voudrez, agir au gré de votre fantaisie. Par un moyen quelconque, que vous trouverez facilement, vous vous débarrasserez de la folle, et tout sera dit.

— Et l'enfant ? vous ne parlez pas de l'enfant !

— C'est vrai ; mais il est moins gênant pour vous, aujourd'hui, qu'il n'a pas encore vu le jour, qu'il ne le sera plus tard. D'abord, dans la situation où se trouve la mère, il peut ne pas être viable. Si, malgré tout, il vient au monde bien portant, rien de plus facile de le déclarer, à l'état civil, né de père et mère inconnus.

— C'est possible ?

— Très possible, monsieur le baron. Ah ! dame, nos lois sont loin d'être parfaites, et il en existe une qui permet cela. On s'en sert, et souvent même. Aussi y en a-t-il sur la terre de ces misérables déshérités ! D'ailleurs, on peut encore ne pas déclarer du tout la naissance de l'enfant, si l'on y est forcé par une mesure de prudence ; c'est toujours possible à la suite d'un accouchement clandestin. Dans ce cas, on garde l'enfant pendant un temps, puis un beau jour, quand on veut finalement s'en débarrasser, on l'abandonne dans un endroit quelconque, au coin d'une borne, au bord d'une route, sous le porche d'une église où il est recueilli par la charité publique. D'où vient-il ? Qui est-il ? Cherche. C'est un enfant perdu ! et ceux qui ont eu intérêt à s'en débarrasser n'en entendront plus jamais parler. Vous en rencontrez comme cela des milliers.

» Mais revenons à la chose capitale, monsieur le baron ; je vous ai parlé comme j'ai cru devoir le faire, vous disant, dans votre intérêt, ce qu'il était utile de vous dire.

— Aussi vous ai-je parfaitement compris, monsieur Blaireau. Mais, jusqu'ici, vous ne m'avez donné que des conseils.

— N'est-ce pas déjà quelque chose ?

— Oh ! certainement.

— Vous trouvez que ce n'est pas assez ?

— Je trouve et vois clairement que j'ai eu mille fois raison de venir à vous. Votre aide m'est nécessaire, puis-je compter sur vous ?

— Êtes-vous disposé à payer largement ?

— Oui.

— En ce cas, vous avez mon concours. Cela coûtera cher, je vous en préviens : avec les gaillards dont je me sers, les billets de mille ne font que paraître et disparaître. Et puis, c'est une femme, une folle et un enfant, probablement, à garder pendant des années : il y aura à payer le logement, une femme que je placerai près de la marquise, un ou plusieurs autres gardiens, si c'est nécessaire, leur nourriture, leur entretien, et plus tard une gratification à donner, proportionnée aux services rendus par chacun. Cela montera haut. Je vous ferai ma petite note. Quelle somme avez-vous sur vous, en portefeuille ?

— Une vingtaine de mille francs.

— Heu, c'est peu. N'importe, donnez toujours. Mes hommes, voyez-vous, ne travaillent que l'argent en poche. Toujours des avances. Vos vingt mille francs couvriront les premiers frais.

Le baron tira son portefeuille et étala devant Blaireau, dont les yeux de chat étincelaient, vingt billets de banque de mille francs.

L'homme d'affaires les prit, les palpa, les compta et les glissa dans un des tiroirs du bureau.

M. de Simaise attendait un reçu. Blaireau le comprit.

— Monsieur le baron, dit-il en souriant, tout se fait ici de confiance. Je travaille, on me paye. Le service que je rends est le reçu de l'argent qu'on me donne. Les paroles s'envolent, les écrits restent. J'écris le plus rarement possible et je ne livre jamais ma signature. Rien qui puisse compromettre moi ou mes clients ne sort de mon cabinet.

— C'est bien, je comprends, monsieur Blaireau : vous n'aviez pas à me donner cette explication.

— Nous entrons en relations, il est bon que vous sachiez dès aujourd'hui comment je procède.

— Ainsi, vous allez agir ?

— Sans tarder. Le temps de prévenir les hommes dont j'ai besoin, de leur donner mes instructions. Quand je me charge d'une affaire, si difficile qu'elle soit, je n'aime pas à la voir traîner. Il faut, avec moi, que la besogne marche vite et bien. Tout en causant avec vous, je bâtissais mon plan ; il est déjà là.

Et il tapota son large front carré du bout de ses doigts.

M. de Simaise le regarda avec une sorte d'admiration.

— Ainsi, demanda-t-il, vous savez déjà où vous allez conduire ma belle-sœur ?

— Oui. Mais en cela il n'y a pas grand mérite. J'ai l'endroit sous la main, et merveilleusement choisi, comme exprès. Il est vrai qu'il avait été destiné à un usage à peu près semblable. C'est un vieux château en ruine, abandonné depuis longtemps, perdu dans un coin de la France, au milieu de montagnes sauvages, que j'ai fait louer il y a quelques mois. Trois ans de bail, on le renouvellera, si c'est nécessaire. Qui a loué ? Un inconnu. Moi, monsieur le baron, je me montre le moins possible. Quand je donne de ma personne, c'est qu'il le faut absolument. Mais, alors, je ne suis plus l'agent d'affaires Blaireau ; je change de peau, je me transforme, je deviens l'homme que je veux être. Je me rajeunis ou me vieillis à volonté. Dans trois ou quatre jours vous me verrez à Port-Marly ; je serai médecin-aliéniste.

» J'ai une police à mes ordres, des esclaves dont je suis le maître. Et c'est ainsi qu'ils m'appellent « Maître », quand je parais parmi eux ; deux ou trois seulement reconnaissent Blaireau ; ce sont mes chefs de file ; ceux-là me sont dévoués comme le chien l'est à celui qui l'a élevé et le nourrit ; même sous le couteau de la guillotine, ils ne me trahiraient point.

— Oh ! vous êtes un homme terrible, monsieur Blaireau ; vous me faites frissonner. Je sens votre force et je comprends pourquoi tout vous est possible. Il faut s'incliner devant votre puissance.

— Ma puissance, c'est mon génie ! répliqua Blaireau d'un ton superbe, l'œil flamboyant d'orgueil.

XXXIII

L'UN VAUT L'AUTRE

– Quel homme, quel homme ! pensait le baron.

Et les yeux écarquillés, la bouche ouverte, ahuri, il le contemplait, en extase, ébloui comme devant une lumière trop éclatante.

Il lui semblait que ce petit homme trapu, chauve, laid, au regard de vautour, emmitouflé dans une robe de chambre crasseuse, avait la taille d'un géant.

Ce que lui inspirait Blaireau était une sorte de respect mêlé à une impression de terreur.

Blaireau examinait son nouveau client d'un air goguenard ; il se donna, pendant un instant, le plaisir de jouir de l'effet qu'il venait de produire.

– Quelle drôle de figure vous faites, monsieur le baron ! dit-il, dissimulant mal son ironie ; pourquoi me regardez-vous ainsi ?

– Je vous admire, monsieur Blaireau ; énergique, fort dans votre volonté, vous êtes superbe !

– Chez l'homme, répliqua Blaireau gravement, la volonté est tout ; sans elle plus de force, il n'y a que faiblesse.

– C'est vrai.

– Mais revenons à notre affaire, monsieur le baron.

– Déjà, m'avez-vous dit, vous avez tout combiné, tout arrêté.

– Oui, sauf ce que l'imprévu pourrait m'obliger à changer dans mon plan.

– Ce plan, pouvez-vous me le faire connaître ?

– C'est inutile : vous en verrez l'exécution, puisque cela se passera sous vos yeux... Une fois votre belle-sœur en lieu sûr, vous n'aurez plus à vous occuper d'elle ; elle appartiendra à ceux à qui je l'aurai confiée. Oh ! je fais bien les choses, moi. Avec moi, monsieur le baron, on en a toujours pour son argent : mieux on paye, mieux on est servi. Je vous dirai comment j'aurai arrangé l'existence de la folle ; elle ne manquera de rien, sera bien soignée et surtout bien gardée. Je vous verrai de temps à autre et vous tiendrai au courant de la situation ; d'ailleurs rien ne sera fait plus tard sans votre assentiment ou votre approbation.

– Pour le moment, que vais-je avoir à faire ?

– Peu de chose. Dans un instant nous allons nous quitter ; vous retourne-rez aussitôt à Port-Marly où je vous consigne, vous entendez ? Vous ne devez plus vous éloigner de votre belle-sœur. Vous-même vous veillerez sur elle. Personne ne doit la voir. Combien y a-t-il de domestiques ?

– Quatre.

– Leur avez-vous donné leur compte ?

– Pas encore ; mais ils s'attendent à être congédiés.

– C'est ce que vous ferez dès aujourd'hui, en leur donnant à chacun une gratification convenable, à titre d'indemnité.

– Devront-ils partir immédiatement ?

Blaireau resta silencieux, il réfléchissait.

– Monsieur le baron, dit-il au bout d'un instant, je pense à une chose ; les domestiques de votre belle-sœur n'ont pas assisté à son mariage ?

– Cela leur eût été difficile, répondit de Simaise, étonné de la question.

– L'un ou l'autre pourrait-il affirmer, ayant vu, par exemple, l'acte de mariage, que votre belle-sœur... Comment s'appelait-elle quand votre frère l'a connue ?

– Lucy Glandas.

– Pourrait-il affirmer que Lucy Glandas, légitimement mariée, est mar-quise de Chamarande ?

– Non, certes. Mon frère a négligé d'apporter en France son acte de mariage ; moi-même je n'ai du mariage que des preuves morales.

– Parfait. Eh bien ! monsieur le baron, pourquoi ne diriez-vous pas aux domestiques – et cela de manière à les en convaincre – que celle qu'ils ont servie et qu'ils appelaient madame la marquise, n'est pas marquise du tout, mais était simplement la maîtresse de votre frère ? Follement éprise du marquis, elle a tout abandonné là-bas pour le suivre à Paris.

– Sans doute, je peux dire cela, mais dans quel but ?

– Vous allez voir. Vous ajouteriez que Lucy Glandas a des parents en Angleterre, un oncle à qui vous avez écrit, l'informant de la triste situation dans laquelle se trouve sa nièce. Naturellement, n'étant pas marquise de Chamarande, et par conséquent votre belle-sœur, Lucy Glandas appartient à ses proches ; n'ayant aucun droit sur elle, vous ne pouvez prendre aucune décision la concernant.

» Vous avez écrit à l'oncle d'Angleterre aussitôt après avoir appris la mort de votre frère et vous lui avez écrit une seconde lettre pour lui annoncer que sa nièce venait d'être subitement frappée d'aliénation mentale. Vous attendez sa réponse, qui ne saurait tarder à arriver.

– Mais qui ne viendra pas.

– Erreur, monsieur le baron, vous aurez cette réponse, pas demain, mais après-demain dans la matinée. Et il se passera sous les yeux des domestiques une petite scène intéressante, qui ne leur laissera aucun doute sur ce que vous leur aurez dit.

» Voilà donc comment vous devez parler à vos serviteurs en réglant leur compte. Vous les prierez, toutefois, de vouloir bien rester près de vous pendant quelques jours encore. Vous m'avez compris, n'est-ce pas ?

– Parfaitement.

– Alors la chose est entendue.

– Mais le but, monsieur Blaireau, le but ?

– Voici : les domestiques sont tous les mêmes, cancaniers, bavards, médisants : à peine leur aurez-vous fait votre petit discours, qu'ils iront répéter vos paroles aux gens du pays qu'ils connaissent, principalement aux fournisseurs ;

ceux-ci s'empresseront d'instruire leurs amis ; les commères seront aux anges : c'est si agréable d'avoir à s'égayer aux dépens d'autrui, c'est si doux de pouvoir faire aller sa langue, d'avoir un petit scandale à exploiter ! Bref, en moins de vingt-quatre heures tout le monde saura, à Port-Marly, que celle qu'on croyait marquise n'était qu'une fille entretenue, comme il y en a tant. Dès lors, nul ne s'intéressera plus à votre belle-sœur, et après son enlèvement de Port-Marly et sa disparition, nul ne gardera le souvenir de son court séjour dans la localité. D'un autre côté, les domestiques diront, partout où ils se replaceront, s'ils parlent de leur ancienne maîtresse, qu'elle n'était pas mariée.

» On peut chercher à savoir ce qu'est devenue une épouse légitime, surtout quand elle a le titre de marquise, mais d'une fille entretenue, même par un marquis, le monde dans lequel vous vivez s'en soucie comme d'une guigne.

» Enfin, monsieur le baron, grâce à ce petit truc – en réalité, ce n'est que cela – que de questions plus ou moins indiscrètes, plus ou moins malveillantes, mais toutes embarrassantes, vous vous évitez dans l'avenir ; car, ne vous y trompez pas, il arrivera tôt ou tard aux oreilles de quelques-unes des personnes qui vous connaissent, qu'une femme, portant le nom de votre frère, a habité Port-Marly pendant quelques mois. Mais vous ne serez pas pris à l'improviste. À ceux qui vous interrogeront vous répondrez sans hésiter, sans trouble ni embarras, négligemment : « En effet, mon frère avait amené en France une jeune fille fort jolie, qui a quitté les Indes, sa famille, pour le suivre. Ne voulant pas qu'on sût qu'il avait une maîtresse, le marquis l'avait installe à Port-Marly, dans une charmante propriété, un vrai nid d'amoureux... Les gens du pays l'appelaient madame la marquise. Elle vécut là pendant quelque temps, puis, tout à coup, elle devint folle. Mon frère n'était plus. La malheureuse jeune femme fut réclamée par sa famille ; on vint la chercher, pour l'emmener en Angleterre, et depuis je n'en ai plus entendu parler, j'ignore ce qu'elle est devenue. Eh bien, monsieur le baron, comprenez-vous, maintenant ?

– Oui, oui, je comprends. Ah ! décidément, vous êtes un homme merveilleux ! Vous voyez tout, vous pensez à tout.

– Il faut cela. Je ne m'embarque jamais dans une aventure sans prendre les plus minutieuses précautions.

Les deux coquins, si bien faits pour s'entendre, causèrent encore pendant quelques minutes, Blaireau complétant ses instructions afin que le rôle qu'allait jouer le baron à Port-Marly ne laissât rien à désirer.

Tout ayant été dit, M. de Simaise se leva. Blaireau le reconduisit jusqu'à sa porte, dérogeant ainsi à ses habitudes, et ils se séparèrent sur ce mot de l'homme terrible :

– À bientôt.

Blaireau rentra dans son cabinet, le rictus grimaçant, ayant dans le regard comme un jaillissement d'étincelles.

– Enfin, murmura-t-il, la fortune me sourit de nouveau. Allons, j'avais tort de me plaindre, de désespérer. Le diable, mon patron, est toujours là pour me protéger. Mille tonnerres ! on ne jette pas ainsi le manche après la cognée ! Non, non, le monde n'est pas changé, les hommes sont et resteront toujours les mêmes ! Oh ! les passions humaines ! Quelle mine riche, inépuisable à exploiter !... Il me plaît, ce petit baron ; il a la marque de l'audace sur le front, dans le regard quelque chose de prédestiné !

» Hé ! hé ! fit-il en ricanant, il ira loin, très loin, s'il ne se casse pas les reins au beau milieu du chemin. Il a hâte de mordre au gâteau... Deux millions, et probablement deux autres dont il n'a point parlé ! Morceau friand, dont nous aurons une croûte, moi et mes loups ; mais à moi la part du lion, aux loups ce qu'ils pourront m'arracher avec leurs dents !

» M. le baron est généreux, cela se comprend : il a des écus qui ne lui coûtent guère, comme dit la vieille chanson : il payera bien, sans marchander, rubis sur l'ongle. Excellente affaire, affaire superbe !... Vous serez servi comme un empereur, mon gentil baron, et pendant des années je vous tiendrai entre mes serres !

Et il se mit à rire, d'un rire strident, convulsif, le buste en arrière, les poings serrés, regardant insolemment le ciel, comme si, ne reconnaissant aucune puissance supérieure à la sienne, sûr de sa destinée, il eût jeté un défi à Dieu.

– Maintenant, à l'œuvre, à l'œuvre ! exclama-t-il.

Lestement il se débarrassa de sa robe de chambre, qu'il jeta sur un fauteuil, et entra dans son cabinet de toilette.

Quand il reparut, au bout d'un quart d'heure, il était métamorphosé. Après la chrysalide, le papillon. L'œil le plus exercé aurait eu de la peine à le reconnaître. Une perruque sur son crâne chauve, une barbe postiche changeaient complètement sa physionomie, en la rajeunissant. Vêtu à la dernière mode : pantalon noir, tombant sur des bottines vernies, gilet ouvert sur une chemise à plis fins, redingote boutonnée, tenant son chapeau d'une main, sa canne de l'autre, il avait tout à fait l'extérieur d'un héros de salon qui se dispose à aller faire des visites mondaines.

Il se plaça devant une glace, se trouva bien, sourit, puis sortit d'un pas léger, se dressant, se carrant, se dandinant, la tête haute, l'œil fier, hautain, toisant les passants avec dédain, ayant l'air vainqueur d'un Céladon qui court à un rendez-vous d'amour longtemps attendu. Mais Blaireau n'allait point pirouetter dans le salon d'une femme à la mode ou roucouler des mots langoureux dans le boudoir réservé de madame ; il n'en était plus à ce jeu qui consiste à se pâmer aux genoux d'une Dalila quelconque, et il avait un profond mépris pour les mièvreries des galantins.

De l'or, de l'or ! Un monceau... Un piédestal d'or massif, le seul digne de lui, pour se dresser superbe, majestueux ! Sa fortune commencée, il voulait l'achever. Il lui fallait des millions !

Blaireau entrait en campagne ; il se rendait près de ses loups, ainsi qu'il appelait ses agents, afin de leur donner ses instructions, de dicter à chacun son rôle ; et ceux-ci allaient aiguiser leurs dents, pour être prêts à bondir sur les proies nouvelles qu'on leur donnerait à dévorer.

XXXIV

MONSIEUR LE DOCTEUR

En sortant de la maison où demeurait Blaireau, rue du Roi-de-Sicile, le baron de Simaise était très pâle, et il sentait sous le poids de son corps ses jambes peu solides. Malgré son audace, sa perversité précoce, en un mot sa gredinerie, il était fort troublé. Il ne songeait pas sans effroi à ce qu'il allait faire, ayant pour complice cet homme qu'il venait de voir, ce génie du mal incarné, capable de tout. Et, frissonnant, il se demandait si l'acte monstrueux qu'il allait commettre n'aurait pas pour lui, plus tard, des conséquences terribles.

Mais cette immense fortune dont il voulait s'emparer, pouvait-il y renoncer ? Non, mille fois non ! Il était sur la pente raide ; impossible de remonter, il fallait descendre, dût-il rouler au fond d'un abîme !

En arpentant rapidement le trottoir, son agitation se calma peu à peu et il parvint à se rassurer, en se disant :

— Elle est folle, personne ne la connaît, on ignore qu'il existe une marquise de Chamarande ; d'ailleurs, je peux compter sur Blaireau. Quel homme ! Il fera bien les choses ; il est prudent et, il me l'a dit, il ne s'embarque jamais dans une aventure sans avoir pris les plus minutieuses précautions. Allons, allons, avec mes craintes puériles, je suis ridicule. Si Blaireau savait que je tremblais tout à l'heure en le quittant, il se moquerait de moi, et il aurait raison. Tout sera prévu, rien à craindre...

» Lucy Glandas doit disparaître, il le faut ; les millions sont à moi. À moi les millions, à moi, à moi !

Il arrivait sur la place de l'Hôtel-de-Ville où l'attendait sa voiture.

— Nous retournons directement à Port-Marly, dit-il au cocher, qui se morfondait depuis plus d'une heure, battant la semelle sur le pavé pour réchauffer ses pieds.

Le baron n'avait oublié aucune des recommandations de Blaireau. Aussitôt arrivé à Port-Marly, ayant le front soucieux et l'air affligé, ainsi que la circonstance l'exigeait, il fit venir les domestiques dans sa chambre.

– *Comment va votre maîtresse ?* demanda-t-il à la femme de chambre anglaise.

– *Hélas ! monsieur,* répondit-elle, *c'est toujours la même chose. Plus de mémoire, tout le passé est perdu dans les ténèbres. Elle ne sait pas où elle est, ne se rappelle même plus son nom. Je lui parle, elle m'écoute, mais ne m'entend pas ou ne me comprend point : c'est à croire que l'anglais est pour elle, maintenant, une langue étrangère ; et pourtant, elle se fait à elle-même de longs discours que j'écoute et également sans comprendre, car tout ce qu'elle dit est incohérent et si bizarre... On dirait qu'elle appartient à un autre monde que le nôtre.*

– *Triste, triste !* soupira le baron.

Conformément aux instructions de Blaireau, il dit alors aux domestiques que dans la situation difficile et pénible où il se trouvait, il était forcé de les remercier. Il ajouta :

– *À partir de ce moment, vous êtes libres ; toutefois, je vous prie de vouloir bien rester ici, avec moi, pendant quelques jours encore jusqu'à ce qu'une décision ait été prise au sujet de notre pauvre malade. Tous vous avez été de bons, de fidèles serviteurs, et je dois, au nom de mon malheureux frère, m'inspirant de ses sentiments, faire aujourd'hui pour vous ce qu'il ferait s'il était là : vous témoigner ma reconnaissance de votre bon service. Le mois courant vous sera naturellement payé – c'est de droit – de plus, ne voulant faire aucune différence entre vous, vous recevrez chacun, à titre d'indemnité, une gratification de mille francs.*

Les domestiques ne furent nullement étonnés de leur renvoi ; ils s'attendaient à être congédiés, ayant parfaitement compris que leur service dans la maison allait devenir inutile. Mais les dernières paroles de l'astucieux baron produisirent l'effet qu'il attendait.

Les domestiques s'inclinèrent humblement devant lui, ne dissimulant point leur satisfaction, leur vénération pour l'homme généreux qui savait si bien récompenser.

– *Ah ! monsieur le baron. Monsieur le baron est bien bon ! Tous les maîtres devraient ressembler à monsieur le baron ! C'est en pleurant que nous quitterons monsieur le baron !*

Exclamations sur tous les tons, protestations de dévouement, toutes les platitudes ordinaires des valets.

Le baron comprit qu'il ne pouvait choisir un meilleur moment pour lancer sa bombe. Après s'être recueilli un instant, il parla ainsi qu'il avait été convenu entre lui et Blaireau.

Possédant à un haut degré l'art de tromper, ses paroles, dites avec un grand accent de vérité, furent pénétrantes. Il fallait convaincre. Succès complet.

Admirablement disposés en faveur du baron, ses auditeurs ne doutèrent point que la révélation inattendue qui leur était faite ne fût vraie.

Cette fois, l'étonnement et la stupéfaction se peignirent sur tous les visages. L'Anglaise était devenue rouge comme du feu.

— Aôôh ! shocking !... Improper !... exclama-t-elle, faisant des gestes et prenant des poses d'un haut comique.

La jeune fille d'Albion se trouvait offensée, blessée dans sa dignité de miss pudique.

— Par exemple, reprit-elle indignée, si j'eusse appris cela plus tôt, je ne serais certainement pas restée au service de cette... demoiselle.

— Alors, miss Jenny, répliqua le baron, vous m'en voulez de vous avoir caché la vérité aussi longtemps ?

— Non, monsieur le baron, je ne vous en veux pas ; je sais bien que les Français sont moins rigides que nous ne le sommes en Angleterre ; mais c'est égal, si j'avais su...

Le baron ouvrit un tiroir dans lequel il y avait de l'or et des billets de banque.

L'Anglaise se calma aussitôt et un sourire glissa sur ses lèvres. Elle n'avait plus sa mine effarouchée.

Le baron paya les gages du mois, mit dans la main de chaque domestique un billet de mille francs et ils se retirèrent en se confondant en remerciements.

— Décidément, se dit le baron, tout marche à merveille. La petite histoire imaginée par Blaireau a passé comme une lettre à la poste ; l'Anglaise, elle-même, dont j'avais peur, je l'avoue, a avalé cela comme un verre de sirop.

» Ah ! ah ! la gratification a fait son effet. Oh ! l'argent ! Allons, la chose prend une excellente tournure, tout ira bien jusqu'au bout. Maintenant je n'ai plus qu'à attendre, non pas tranquillement, mais patiemment, les surprises que Blaireau me ménage.

Le surlendemain, à dix heures du matin, un coupé, qui paraissait être une voiture de maître, s'arrêta devant la grille de la villa. Le cocher, ayant un chapeau galonné avec cocarde et aigrette, portait, sur sa tunique de drap vert-pomme, un manteau garni de fourrures. Le cheval était un fier normand de belle encolure, aux jarrets solides.

Un homme, qui paraissait avoir soixante-cinq ou soixante-dix ans, descendit du coupé et sonna à la petite porte de la villa. Ce vieillard était de petite taille, obèse ; il semblait marcher difficilement, quoique s'appuyant sur un jonc à pomme d'or. Ses cheveux blancs tombaient, bouclés, sur le col de velours de son pardessus de gros drap marron, qui descendait, serré sur le ventre rond, jusqu'au bas des mollets ; ses longs et épais favoris, également d'une blancheur de neige, encadraient son visage calme, austère de sexagénaire. Son chapeau était de forme déjà ancienne : un cône tronqué, à larges bords. Il était parfaitement ganté et portait une cravate blanche, montrant, sous le menton, son nœud irréprochable.

— Monsieur le baron de Simaise est-il visible ? demanda-t-il au domestique qui vint lui ouvrir.

— Monsieur le baron est ici, et je pense qu'il pourra recevoir monsieur.

— Vous lui remettrez ma carte, que voilà.

Le domestique prit le carré de bristol, sur lequel il jeta les yeux et lut :

DOCTEUR CHARRONNEAU
médecin aliéniste.

Il précéda le visiteur dans la maison, remit la carte à Jenny, lui disant de la porter à M. le baron, et, revenant à la porte, il attendit le docteur pour l'introduire dans le salon.

Le baron parut presque aussitôt, étonné, inquiet.

La porte du salon étant restée ouverte, on pouvait voir l'Anglaise et le valet de pied dans l'antichambre, tendant l'oreille. Le baron allait fermer la porte.

— Ne vous donnez point cette peine, monsieur le baron, dit le médecin, on peut entendre ce que je vais avoir l'honneur de vous dire. D'abord, veuillez ne pas vous étonner de ma présence ici, n'y ayant pas été appelé. Ma carte, qu'on vous a remise, vous a fait connaître mon nom et ma qualité. Médecin aliéniste, vieux praticien, connu dans toute l'Europe, surtout en Angleterre, j'ai à Auteuil une maison de santé.

» Vous avez écrit à M. Eddison, de la maison Collins, Eddison, Capper et compagnie, de Liverpool, au sujet d'une jeune femme, la nièce de M. Eddison, qui a subitement perdu la raison ?

Ces paroles ouvrirent enfin les yeux au baron : il reconnut Blaireau, qui n'avait plus ni la même figure, ni la même voix.

— C'est vrai, monsieur, répondit-il.

— Vous avez écrit deux lettres à M. Eddison ?...

— Oui, deux lettres.

— M. Eddison se disposait à répondre à votre première lettre, lorsque la seconde lui est parvenue. Votre première lettre, monsieur le baron, informait M. Eddison, de la mort inattendue de M. le marquis, votre frère, lui faisant connaître aussi dans quelle situation cruelle se trouvait Mᴵˡᵉ Lucy Glandas, sa nièce, l'unique enfant d'une sœur qu'il a beaucoup aimée. M. Eddison, que je n'ai pas l'honneur de connaître, est, paraît-il, un très excellent homme.

» D'après cette lettre, continua Blaireau, tirant, en effet, une lettre de sa poche, M. Eddison, oubliant le passé, le chagrin que lui avait causé sa nièce, était prêt à lui pardonner sa faute et à l'appeler près de lui. Malheureusement, l'affreuse maladie dont sa nièce est atteinte, l'oblige à prendre une autre décision. Il ne peut plus lui ouvrir sa maison ; mais il a pardonné et il désire l'avoir près de lui, néanmoins, afin de pouvoir surveiller les soins qui lui seront donnés et que réclame le triste état dans lequel elle se trouve. Il veut donc, espérant qu'on parviendra à la guérir, la placer dans une maison de santé près de Liverpool. Cette maison est dirigée par le célèbre docteur Husson, mon confrère et mon ami.

» Au reçu de votre seconde lettre, monsieur le baron, M. Eddison s'est rendu chez le docteur Husson, et ces messieurs ont décidé que Lucy Glandas serait amenée le plus vite possible en Angleterre. Du reste, monsieur le baron, voyez ce que m'écrit à ce sujet le docteur Husson ; cette lettre est de lui, veuillez lire.

Le baron ouvrit le papier et le parcourut rapidement des yeux.

— Je n'ai aucune objection à faire, monsieur, dit-il.

— En ce cas, monsieur le baron, je pourrai remplir exactement, sans empêchement de votre part, la mission que me confie mon confrère, le docteur Husson ?

— Mon Dieu, monsieur, je n'ai, moi, aucun droit ; je ne peux que me soumettre à la volonté de l'oncle de Lucy Glandas, son unique parent, je crois.

— En ce cas, monsieur le baron, je ferai ainsi que me le demande le docteur Husson.

M. de Simaise s'inclina.

— Ce soir, reprit le faux docteur, j'enverrai ici une femme de ma maison, choisie parmi celles qui savent le mieux soigner mes malades. Demain ou après-demain, je reviendrai et j'emmènerai chez moi, à Auteuil, la pauvre jeune femme ; car c'est chez moi que le docteur Husson viendra la prendre pour la conduire lui-même à sa maison de santé, près de Liverpool. Comme vous l'avez lu, monsieur le baron, le docteur ne me fixe pas le jour où il arrivera en France ; il peut se faire que j'aie à garder notre malade pendant quinze jours, trois semaines ou un mois. Inutile de vous dire qu'elle sera, dans mon établissement, l'objet des plus grands soins. La femme que je vous enverrai dans la soirée sera spécialement attachée à sa personne pendant tout le temps qu'elle restera à Auteuil.

— Je suis persuadé, monsieur le docteur, répondit M. de Simaise, que Lucy Glandas sera traitée chez vous avec douceur, avec tous les égards dus à son malheur.

— Maintenant, monsieur le baron, puis-je voir la malade ?

— Sans doute. Veuillez me suivre, monsieur le docteur.

Jenny et le valet de pied n'avaient pas perdu un mot de la conversation. À peine le baron et le faux docteur étaient-il sortis du salon, que Jenny était déjà près de la cuisinière et le valet de pied près du cocher pour répéter ce qu'ils venaient d'entendre.

Lucy, assise sur l'ottomane, jouait avec ses doigts, comme un enfant. L'entrée des deux hommes dans le boudoir l'arracha à son occupation. Elle se leva, regarda autour d'elle, craintivement, et s'approchant de Blaireau, avec un air de mystère :

— Avez-vous vu l'oiseau noir ? lui demanda-t-elle.

— Elle vous demande si vous avez vu l'oiseau noir, dit le baron, traduisant les mots anglais. L'oiseau noir ! Elle parle constamment de l'oiseau noir... J'ai eu beau chercher, je ne suis pas parvenu à comprendre.

— Ne lui dites pas que je suis ici, reprit Lucy ; il me cherche, mais il ne me trouvera pas. Ah ! ah ! ah ! il ne me trouvera pas ! répéta-t-elle en chantant.

Et elle se remit à jouer avec ses doigts.

— C'est dommage, vraiment, fit Blaireau, oui, dommage... Une si ravissante créature !

— Jamais plus de bruit que cela, dit le baron, s'amusant d'un rien, comme en ce moment avec ses doigts. Folie douce, comme vous voyez.

Blaireau hocha la tête.

— La folie calme est souvent plus terrible que la folie furieuse, répondit Blaireau. Nous pouvons aller de l'avant, monsieur le baron, sans crainte, elle ne retrouvera jamais la raison.

La marquise leur avait tourné le dos ; elle marchait lentement, courbée, comme si elle cherchait sur le tapis quelque chose qu'elle eût perdu. Elle ramassa une mouche engourdie par le froid, mourante, n'ayant plus que le mouvement des pattes et un frémissement des ailes. Elle plaça l'insecte dans le creux de sa main et chercha à le réchauffer, à lui rendre l'usage de ses ailes, la vie sous le souffle tiède de son haleine.

— Que fait-elle donc ? demanda Blaireau à voix basse.

— Elle a trouvé sur le tapis une mouche expirante et elle cherche à la ranimer, espérant, sans doute, que dans un instant elle reprendra son vol. C'est un de ses amusements. En voilà pour une heure au moins, peut-être pour plus longtemps, jusqu'à ce qu'une autre futilité quelconque vienne captiver son attention.

— D'après ce que vous me dites et ce que je vois, monsieur le baron, elle ne sera pas difficile à garder.

Les deux misérables se retirèrent, laissant la pauvre folle continuer son œuvre de résurrection.

XXXV

COLOMBE ET VAUTOURS

Le baron conduisit Blaireau dans sa chambre ; il ferma soigneusement la porte sur laquelle, par surcroît de précautions, il tira une lourde tapisserie.

Blaireau se laissa tomber sur un canapé, se renversa en arrière, allongea ses jambes et se mit à rire.

— Eh bien, monsieur le baron, ai-je joué convenablement mon rôle de vieux médecin aliéniste ?

— Dans la perfection. Savez-vous que j'ai eu un moment d'inquiétude ! Je ne vous reconnaissais point.

— Vrai ?

— Parole d'honneur ! Écoutez donc, j'ignorais que vous eussiez le talent de vous grimer comme M. Prévost ou M. Samson de la Comédie-Française ; et puis ces cheveux et ces favoris blancs, cet abdomen arrondi, ce costume, cet air grave, jusqu'à votre voix changée... Je crois, monsieur le docteur, que d'autres que moi s'y seraient laissé prendre.

— Avez-vous fait ce qui était convenu ?

— Exactement.

— Comment ont-ils avalé la couleuvre ?

— On ne peut mieux.

— Bien.

— J'ai même été étonné de voir avec quelle facilité ils se sont laissé convaincre.

Blaireau retrouva son sourire diabolique.

560/599

— Mon cher monsieur, répondit-il, voilà les hommes, voilà le monde : on croit au mal plus facilement qu'au bien ; et quand il s'agit d'autrui, on apprend avec plus de plaisir ce qui est l'un que ce qui est l'autre. Tous les mêmes, les hommes : envieux, jaloux, égoïstes, méchants, aimant à se dénigrer ; allez, je les connais, je les ai étudiés, je les vois à l'œuvre ; le meilleur ne vaut pas grand chose. Le mal ! monsieur le baron, il domine partout.

» Vos domestiques sont devenus vos auxiliaires ; de ce côté nous pouvons être tranquilles ; si, après ce que vous leur avez dit, il leur restait un doute, ils ne l'ont plus. Pendant que nous causions dans le salon, deux nous écoutaient ; les deux autres savent déjà tout ce que nous avons dit. Tel était le but de ma visite. J'en profiterai cependant, monsieur le baron, pour placer sous vos yeux la note dont je vous ai parlé.

Et Blaireau, tirant une pancarte de la poche de sa redingote, la tendit au baron.

Celui-ci ne put s'empêcher de faire une grimace quand ses yeux tombèrent sur les chiffres de l'addition.

Deux cent mille francs ! Sur la feuille un détail fantaisiste de dépenses forcées. La dernière ligne, gratifications : soixante mille francs. Oh ! ce chapitre des gratifications, Blaireau ne l'oubliait jamais.

Le coquin, toujours souriant, regardait son client, lisant sur son visage, l'une après l'autre, toutes ses impressions.

— Eh bien, monsieur le baron ? fit-il.

— Je regarde, monsieur Blaireau.

— Vous trouvez peut-être la somme un peu forte ?

— En effet, je ne croyais pas...

— Hé, hé, monsieur le baron, tout se paye ; et en proportion toujours du service rendu. Il ne s'agit pas ici d'une marchandise à prix fixe, qu'on achète, ni d'une valeur cotée à la Bourse. Plus une affaire est difficile, plus elle demande de soins, plus elle présente de risques, mieux doivent être rétribués ceux qu'on emploie pour la faire réussir. Mais nous ne discutons point les chiffres, n'est-ce pas ? Discuter en matière d'argent, fi donc ! Avec moi cela ne se fait jamais. Je dis : « Voilà ! » Et c'est à prendre ou à laisser. Donc, monsieur le baron, il en est temps encore, prenez ou laissez.

— Je prends, monsieur Blaireau.

— Et vous devez vous trouver satisfait : j'ai été modéré, très modéré.

Le baron eut un sourire que Blaireau surprit, mais dont il n'eut garde de se montrer offensé.

— Vous avez dû remarquer, monsieur le baron, que je ne parle point sur ce papier de la somme que vous aurez à payer chaque année pendant tout le temps que votre belle-sœur sera sous notre protection. Pour ce, vous porterez vingt-cinq mille francs à votre budget ; ce n'est pas trop, mais on s'arrangera pour que cela soit suffisant. Il y aura près de la folle, ne la quittant pas d'un instant, une femme, celle qui sera ici ce soir. C'est à des années de réclusion que cette femme est condamnée. Elle a accepté. C'est du dévouement, cela, monsieur le baron. Naturellement, un pareil dévouement doit être récompensé. J'aurai là un homme sûr, un gardien fidèle, un autre Cerbère, grognant, montrant les dents, toujours prêt à mordre. Celui-ci a dû partir hier soir ou ce matin pour prendre possession de sa niche. Comme vous le voyez, je n'ai pas perdu une minute. Dans quelques jours on aura tout préparé là-bas pour recevoir la pensionnaire.

» Après-demain, le docteur Charronneau viendra la prendre ici ; il ne la conduira pas à Auteuil, mais chez un de ses fidèles, qui demeure dans un petit village, à vingt-cinq lieues d'ici, sur la route de Paris à Strasbourg. On la gardera là un jour ou deux, le temps de lui faire prendre un repos nécessaire, puis on fera une deuxième étape, et ainsi de suite jusqu'à ce qu'elle arrive à destination. J'opère ainsi, monsieur le baron, par mesure de prudence. Vous devez comprendre que, dans la circonstance, nous ne pouvons nous servir des voitures publiques. Il faut que votre belle-sœur arrive à sa demeure secrètement, et que sa présence dans le pays ne soit pas même soupçonnée. Je me défie des gens curieux.

» L'enfant viendra au monde. S'il meurt, nous le mettrons dans un trou profond, et tout sera dit. S'il vit, nous verrons ; vous déciderez de son sort, monsieur le baron.

» Voyons, ai-je autre chose à vous dire ? Oui. Arrangez-vous pour que les domestiques restent ici jusqu'à l'heure du départ de leur maîtresse. Après cela, vous n'aurez plus à vous occuper de rien ; vous pourrez fermer les portes de la villa, si cela vous convient, et rentrer à Paris où, j'en suis certain, vous êtes impatient de vous retrouver au milieu de vos amis et des agréables plaisirs de votre âge, dont vous êtes sevré depuis de longs mois.

Le baron rougit et se mordit les lèvres.

Blaireau l'avait deviné ; profond observateur, il lisait jusqu'au fond de sa pensée ; rien ne lui échappait. Sous tous les rapports, cet homme était son maître.

— Il y a votre note, monsieur Blaireau, reprit-il.

— Gardez-la. Inutile de vous recommander de ne pas la laisser traîner. Je vous conseille même, puisque vous savez ce qu'elle contient, de la détruire.

— Vous avez raison.

Et le baron jeta le papier dans les flammes du foyer.

— Cela vaut mieux, fit Blaireau.

— Quand dois-je vous remettre la somme ?

— Oh ! je ne suis pas si pressé que ça ; nous nous reverrons. J'ai déjà reçu vingt mille francs : avec cela on fait un bon bout de chemin.

— Pour les vingt-cinq mille francs, à payer chaque année, j'aurai à vous faire une reconnaissance.

— Nullement, monsieur le baron, pas d'écrit, jamais d'écrit, vous savez... Confiance réciproque, entière, illimitée. Je puis mourir, monsieur le baron ; il ne faut pas qu'on trouve chez moi rien de compromettant pour personne. Prudence ! prudence ! D'ailleurs, monsieur le baron, ajouta-t-il avec son inimitable sourire, en auriez-vous l'intention, vous ne pourriez vous soustraire à votre engagement.

De Simaise sentit le coup de boutoir. Brutalement, Blaireau venait de lui dire : Je vous tiens, vous êtes en ma puissance !

Le faux docteur se leva, et reprenant aussitôt son air austère :

— Monsieur le baron, dit-il, vous allez, s'il vous, plaît, me reconduire jusqu'à ma voiture, avec la politesse et les égards que vous devez à mon caractère, à mon âge, à l'homme de science, à un membre illustre de la faculté.

Le ventre en avant, s'appuyant sur sa canne, il passa gravement devant les domestiques, qui s'inclinèrent respectueusement devant le vénérable docteur.

Vers trois heures de l'après-midi, la femme annoncée par Blaireau arriva. Elle paraissait avoir trente-cinq ans ; elle était mise simplement, avait l'air réservé, modeste, honnête d'une personne réellement attachée à une maison de santé, où, pour soigner les pauvres malades, il faut tant de douceur, de patience et de bonté.

Hommes ou femmes, Blaireau savait choisir ses agents ; il ne confiait à aucun une mission avant de l'avoir mis sérieusement et longuement à l'épreuve. Il n'attachait à sa fortune que des personnages tout à fait dignes de lui.

Aussitôt après avoir vu M. de Simaise, Mme Birette – c'est sous ce nom que la femme s'était fait annoncer – Mme Birette prit près de la marquise la place de la femme de chambre.

– Vous êtes maintenant absolument libre, dit le baron à cette dernière ; mais comme il est convenu avec vos camarades qu'ils ne partiront pas avant que le docteur ne soit venu chercher votre maîtresse, vous me ferez plaisir si vous voulez bien rester encore.

– Je n'ai rien à refuser à monsieur le baron, répondit l'anglaise, souriant aussi gracieusement qu'elle le pouvait.

Dans la soirée, sur l'ordre du baron et sous ses yeux, on enferma dans des malles le linge, les effets et les autres choses à l'usage de la marquise.

Le lendemain il donna campos aux domestiques pour toute la journée. Ceux-ci, profitant de la permission qui leur était donnée de courir la prétantaine, s'en allèrent tous ensemble en partie de plaisir à Saint-Germain. Il ne leur vint pas à l'idée que M. le baron avait tout simplement voulu se débarrasser de leur présence.

N'avait-il pas, lui aussi, à préparer son déménagement ? Et certes, ce n'était pas une petite affaire. On ne transporte pas des millions comme un colis ordinaire. Il passa la journée à peu près entière à clouer solidement des caisses, dans lesquelles il avait entassé l'or, les billets de banque, les valeurs mobilières, et, sans honte ni scrupule, les bijoux donnés par son frère à sa femme.

Il est vrai, hélas ! que la pauvre Lucy n'avait plus besoin de ces parures de perles, de diamants, de rubis, d'émeraudes. Ces objets de luxe, que tant de femmes désirent, envient, étaient devenus pour elle sans attraits comme sans valeur.

Enfin le moment impatiemment attendu parle baron arriva.

Comme l'avant-veille, une voiture s'arrêta devant la grille de la villa. Ce n'était plus le coupé du docteur, mais une berline de voyage large, solide et légère en même temps. Le cocher était le même ; seulement, au lieu d'un cheval, il en conduisait deux, deux magnifiques percherons, évidemment excellents trotteurs.

Les domestiques coururent au-devant du bon docteur Charronneau et l'escortèrent jusqu'au seuil de la maison, où l'attendait M. de Simaise.

— Monsieur le docteur, dit le baron, vous n'avez pas à attendre, tout est prêt. Votre pensionnaire a mangé il y a une heure, avec appétit, et elle est chaudement habillée.

— Bon, bon, très bien, monsieur le baron.

Celui-ci donna un ordre.

Aussitôt les domestiques enlevèrent les malles, qui furent portées sur la berline, sous une bâche.

Un instant après, la marquise parut donnant le bras à la femme qui allait remplir près d'elle les fonctions de servante, de geôlière et bientôt celles d'accoucheuse. On la vit s'avancer calme, la douceur dans le regard, ayant l'air imposant et majestueux d'une jeune reine nouvellement couronnée.

Docile à la voix pateline de la dame Birette, elle se laissait conduire comme un enfant à qui l'on a promis un joujou depuis longtemps demandé.

En passant devant le baron, le faux docteur et ceux qui avaient été ses serviteurs, elle s'arrêta, les regarda sans les reconnaître, salua d'un mouvement de tête machinal et sourit. Mais il y avait dans ce sourire quelque chose de si triste, de si douloureux, sa physionomie eut, à ce moment, une expression d'angoisse si profonde, que le baron, les domestiques et Blaireau lui-même se sentirent vivement impressionnés.

On aurait dit que la malheureuse, devinant le sort qui l'attendait, demandait grâce à ses bourreaux. Hélas ! sa destinée devait s'accomplir. La colombe était entre les serres des vautours.

Elle passa. Les autres la suivirent silencieusement. Quand elle sentit l'air vif sur son visage, au grand jour, dans le reflet pâle du soleil couchant, elle se rejeta en arrière avec une sorte d'effroi. On put croire un instant à une résistance. Il n'en fut rien. Jenny ayant pris son autre bras, elle marcha jusqu'à la voiture. Machinalement encore, et sans qu'on eût besoin de l'aider beaucoup, elle prit place dans la berline. La Birette s'assit à côté d'elle et Blaireau sur le siège de devant, leur faisant face. La portière fermée, Blaireau baissa les stores des deux côtés.

Le cocher piqua légèrement les flancs des chevaux et l'attelage partit à fond de train.

Au delà de Rueil, le jour commença à baisser. La route était solitaire. Lestement, le cocher de la berline se débarrassa de son chapeau galonné et de son manteau fourré, qu'il jeta dans le coffre de son siège ; il remplaça le chapeau par une casquette de peau de loutre et le manteau par une humble limousine de roulier.

Deux heures après l'enlèvement de la marquise de Chamarande, la villa était déserte. Les portes et toutes les fenêtres, croisées et persiennes, étaient fermées.

Le valet de pied, la cuisinière et l'anglaise étaient partis les premiers. Le baron et le cocher les suivirent de près. Ce dernier avait attelé les deux chevaux à la calèche. M. de Simaise emportait les millions. Et aucune voix, pas même celle de sa conscience, ne cria : « Au voleur ! »

À Port-Marly, le lendemain, les commères disaient :

— Vous savez, la villa est fermée, plus personne.

— Un grand médecin de Paris est venu chercher la folle ; mais ce n'est pas à la Salpêtrière ni dans une maison de santé de Paris qu'on va l'enfermer ; elle a, paraît-il, un oncle en Angleterre qui la réclame.

— Le baron s'est très bien conduit ; il a été pour cette fille d'une bonté... L'aimait-il son frère, celui-là ! Les domestiques l'ont vu pleurer, sangloter. Quel brave, quel excellent jeune homme !

— Comme on est trompé tout de même ; je la croyais mariée, j'en aurais mis ma main au feu... Et pas du tout. Ne nous fions jamais aux apparences.

— Ah ! c'en était une effrontée, celle-là ; ces femmes-là ne doutent de rien, se moquent de tout ; elles ont une audace... Se faire appeler madame la marquise, quel toupet !...

– Voilà où nous en sommes aujourd'hui : la cocotte tient le haut du pavé, elle, a l'équipage, hôtel à Paris, château à la campagne ; elle s'appelle baronne, comtesse, marquise, duchesse parfois, et monte même jusqu'au titre de princesse. Bah ! quand on prend du galon on n'en saurait trop prendre. Le maire de son village lui rend hommage... Il est vrai que la cocotte, baronne, comtesse ou marquise, a fait don à la commune d'un tuyau de cheminée pour la mairie, d'une carte géographique pour l'école des garçons et pour l'école des filles d'un volume intitulé : « Comment on comprend la morale et la dignité dans notre pays », et d'un autre volume portant ce titre : « Traité de vertu. » Eh bien, voilà quelles sont nos mœurs.

– Elles sont propres, nos mœurs !

– Des fils de famille, des hommes mariés même se ruinent pour ces créatures-là.

– Sont-ils bêtes, les hommes !

– Ah ! oui, ils le sont !

– Puisque c'est comme cela, il faut s'y faire. Hier c'était une marquise pour rire qui nous éblouissait par son luxe insolent ; demain ce sera une baronne ou une comtesse du même tonneau. Ce sont ces filles impures qui nous éclaboussent en passant, nous autres honnêtes femmes.

Voilà quels étaient les propos tenus, les réflexions faites au sujet de la pauvre Lucy. Comme on le voit, les paroles du baron, répétées par les domestiques, avaient porté leurs fruits.

La marquise fut, pendant quelques jours, l'objet de toutes les conversations. Des paroles indignées, du dédain, du mépris... Pas un mot de pitié. Le courant n'y était pas. Elle était folle. Qu'importe ? On fut impitoyable.

Mais tout passe, tout s'oublie : on ne pensait déjà plus, au bout de deux semaines, à la pauvre Lucy, Marquise de Chamarande.

XXXVI

COMMENT CLÉMENTINE DE VAUCOURT DEVINT BARONNE DE SIMAISE

Le baron de Simaise avait acheté un hôtel avenue des Champs-Élysées et meublé somptueusement ses appartements. Toutefois, il ne se pressait point de monter sa maison. Il n'avait encore que trois domestiques et se contentait, pour le moment, des deux chevaux et des voitures achetés par le marquis.

Il recevait peu, quelques amis seulement, des amis choisis. Il se montrait réservé, sa parole était celle d'un sage. Il portait ostensiblement le deuil de son frère, affectait une grande tristesse, une douleur vraie ; il édifiait le monde. Rien à dire sur sa conduite, il semblait avoir renoncé pour toujours à toutes les folies qui le faisaient acclamer autrefois par les viveurs de Paris.

Il suivait les conseils de Blaireau. Celui-ci lui avait dit :

— Pour commencer, monsieur le baron, pas de bruit pas d'éclat ; veillez sur vous, prenez garde !

Si grande hâte qu'il eut de jouir complètement de sa fortune, iniquement acquise, il se modérait, mettait un frein à ses ardeurs. C'est le monde, maintenant, qu'il fallait tromper, il y réussit. Il s'arrangea de façon à ne pas attirer trop l'attention sur lui, et, il n'eut qu'à se féliciter des conseils de Blaireau, car on s'étonna à peine du changement survenu dans sa fortune. En effet, ceci passa à peu près inaperçu, comme tant de choses dans la grande ville.

Le baron n'en continuait pas moins à être prudent ; il ne faisait un pas en avant qu'après s'être bien assuré qu'il posait le pied sur un terrain solide ; constamment il se tenait sur la défensive.

Malgré tout, sa conscience n'était pas tranquille ; il lui semblait entendre autour de lui comme une rumeur menaçante, et il sentait qu'il faudrait peu de chose pour qu'il fût englouti dans un effroyable effondrement.

Voilà pourquoi sa conduite, en apparence du moins, était exemplaire, pourquoi il se montrait modeste, réservé, parlant peu, s'observant, évitant avec soin qu'on fît du bruit autour de son nom.

Trompés eux aussi, ses anciens amis, les viveurs, le dédaignèrent, l'abandonnèrent ; ils ne le trouvaient plus digne d'occuper une place parmi eux. C'est ce que voulait le baron. En revanche, du côté des honnêtes gens, il s'acquit de nombreuses sympathies ; c'est ce qu'il voulait aussi.

Ami du marquis de Presle, présenté par lui dans les salons du meilleur monde et les mieux fréquentés, il fut très bien accueilli partout.

Beau garçon, élégant, distingué, esprit subtil, parlant peu, mais bien et juste ; l'air un peu timide, un peu embarrassé, empressé auprès des dames, des vieilles surtout, il devint vite leur favori et elles eurent pour lui d'aimables minauderies, d'adorables prévenances.

Le baron continuait à jouer délicieusement la comédie.

On se disait et on se reflétait à l'oreille :

— C'est le baron de Simaise ; il est fort bien, ce jeune homme ; vous avez peut-être connu son père, qui a fait beaucoup parler de lui dans un temps ; c'était un joueur, un débauché ; il a dévoré sa fortune. Son fils serait obligé, aujourd'hui, de travailler pour vivre, s'il n'avait eu un frère aîné, lequel était allé faire sa fortune en pays étranger ; il est mort il y a quelques mois, laissant tout ce qu'il possédait au jeune baron, quelque chose comme deux ou trois millions, dit-on. C'est joli.

» Jeune, bien posé, beau garçon, bon enfant, excellente conduite, riche, un beau nom, le baron n'est pas un parti à dédaigner, surtout en ce temps-ci, où nos jeunes filles trouvent si difficilement à se marier. Eh bien, nous marierons le baron ; du reste, il ne demande pas mieux. C'est toujours amusant de marier les autres.

Un jour, la duchesse douairière de Corgimon dit au baron :

— Monsieur de Simaise, voulez-vous vous marier ? Ne riez pas, monsieur, c'est sérieux, très sérieux.

— En ce cas, soyons graves, madame la duchesse ; mon Dieu, je me marierais volontiers ; mais il faudrait pour cela qu'une jeune fille me plût, d'abord, et qu'elle voulût de moi ensuite.

— Croyez-vous cela impossible, baron ?

— Non, sans doute ; mais jusqu'à présent...

– Vous connaissez Mlle de Vaucourt ?

– J'ai eu l'honneur de danser deux ou trois fois avec elle, chez vous, madame la duchesse.

– Est-ce qu'elle ne vous plaît pas ?

– Je serais bien difficile : Mlle de Vaucourt est charmante sous tous les rapports.

– Eh bien, voulez-vous l'épouser ?

– Pardon, madame la duchesse, mais...

– Quoi ?

– Est-ce que vous croyez que Mlle de Vaucourt...

– Vous acceptera ? Oui, je le crois. Écoutez : Clémentine de Vaucourt est orpheline, sans famille, comme vous, et sa fortune est à peu près égale à la vôtre. C'est une bonne et excellente enfant, douce, aimante, nature exquise ; je ne lui connais pas un défaut, et je vois en elle les qualités les plus rares et les meilleures. Inutile de vous parler de ses avantages physiques, vous l'avez vue, vous la connaissez. Elle a été élevée, dans un pensionnat de premier ordre et elle est fort instruite.

» Son tuteur, un vieillard, qui n'est même pas son parent, désire vivement la marier, car il craint de s'en aller d'un moment à l'autre. Actuellement, l'avenir de sa pupille l'inquiète. D'autre part, Clémentine ne se plaît pas beaucoup dans ce milieu froid, sévère, triste, où elle est forcée de vivre ; elle s'ennuie. Qu'un mari se présente, et elle le prendra aussitôt ; pourvu, cependant, qu'il lui plaise et qu'il soit digne d'elle.

» Baron, vous êtes le mari qui convient à Clémentine de Vaucourt.

– Vous pensez cela, madame la duchesse, répliqua de Simaise en souriant. Mlle de Vaucourt ne partage peut-être point votre bonne opinion sur ma personne ?

– C'est ce que nous verrons. Voulez-vous, oui ou non, que je m'occupe de votre mariage ?

– En vérité, madame la duchesse, je ne saurais être trop sensible à l'intérêt que vous me portez.

– Vous le méritez, baron. Ainsi, c'est dit ?

– Oui, madame la duchesse.

– Dès demain je verrai Clémentine et son vieux tuteur.

Les choses marchèrent vite. Il n'est telle qu'une vieille femme pour mener rondement une affaire matrimoniale, arrêter les « mais » et briser les empêchements qui pourraient se présenter.

Sachant que son tuteur tenait à la marier, désireuse de sortir de l'atmosphère lourde, soporifique, dans laquelle elle vivait, séduite d'ailleurs par l'extérieur agréable du baron, dont on ne cessait de lui dire le plus grand bien, Mlle de Vaucourt l'accepta en fermant un peu trop les yeux.

Six semaines plus tard ils étaient mariés. La lune de miel fut délicieuse. Le baron, se contraignant encore, était le modèle des époux, et Clémentine, pensant que cela durerait toujours, envisageait l'avenir sous les plus riantes couleurs. Le mariage de convenance était devenu pour elle, désormais, un mariage d'amour. Elle aimait son mari, ne se doutant guère, la pauvre jeune femme, que le baron, être dépravé, manquant de sens moral, et profondément égoïste, n'avait jamais aimé que sa personne et le plaisir.

Tout alla assez bien jusqu'à la naissance du premier-né, que la baronne mit au monde neuf mois et quelques jours après son mariage.

Alors, tout à coup, chez le baron, le changement fut complet, radical. Loin de lui imposer de nouveaux devoirs, la naissance de son fils sembla, au contraire, l'affranchir de tous les autres. Il ne connut plus d'entraves. Trop longtemps il s'était dompté ; il ne pouvait plus se contenir. C'était un torrent de passions, prêt à déborder, sautant par-dessus toutes les digues. Le volcan grondait sourdement, annonçant une éruption violente, terrible.

– Vous n'avez plus rien à craindre, maintenant, lui avait dit Blaireau ; vous vous êtes créé des relations puissantes, nul ne songera désormais à vous chicaner sur n'importe quoi. Tout vous est permis. La fortune de votre femme empêchera qu'on regarde de trop près dans la vôtre. Clémentine de Vaucourt vous couvre de son égide. Vous êtes riche, vivez en homme riche. Recevez, donnez des fêtes ; vous avez le droit d'avoir le train de maison qui vous plaira et de jouir de la vie en jouissant de la fortune.

Le baron n'avait plus la bride au cou ; il se lança à corps perdu dans le tourbillon, sans mesure, sans retenue, faisant danser les louis d'or, les billets de mille. Ce fut un vertige, un ouragan d'extravagances.

Dix domestiques obéissaient à ses ordres. Il avait quinze chevaux dans son écurie et des voitures de tous les modèles. On parlait partout de ses merveilleux attelages. Au bois il faisait sensation. Il laissait loin derrière lui les équipages du vieux faubourg. Les gros financiers n'essayaient pas de lutter de luxe avec lui. Il éclipsait les hauts personnages le plus en vue.

Membre du Jockey-club, il faisait courir ; on citait ses paris. Il était l'homme du jour, un lion de Paris, lion à tous crins.

Il ne se contenta pas d'une maîtresse, il en eut plusieurs. Où allait-il les chercher ? Partout où l'on trouve ces Circés parisiennes : à l'Opéra, au foyer de la danse, dans les antres du monde interlope, dans certaines salles publiques tapageuses, dans les coulisses des théâtres, jusque sur l'asphalte des boulevards.

D'abord, par un reste de pudeur, il ne se montra pas en public avec ces femmes qu'il couvrait de soie, de bijoux, gorgeait d'or, payant cher leurs caresses excitantes ; mais cela manquait à sa sotte vanité et il finit par se moquer du qu'en dira-t-on, par jeter au vent de la honte le dernier lambeau de sa dignité d'homme du monde.

Dès lors, on le vit s'afficher publiquement, au bois, aux courses, au théâtre, partout, tantôt avec une courtisane, tantôt avec une autre, mais disant toutes ce qu'elles étaient et ce qu'elles valaient par leur tenue, leurs regards effrontés, leurs toilettes tapageuses, la forme provocante de leurs chapeaux, leurs poses lascives.

Il s'amusait de cela, le misérable, ne voyant pas avec quel dégoût se détournaient de lui certaines personnes qui, naguère encore, lui tendaient la main.

À grands fracas il descendait les Champs-Élysées, insultant ainsi sa femme, en passant sous ses fenêtres.

Abandonnée, méprisée, grossièrement offensée, lâchement insultée, la baronne gémissait et, en secret, fuyant les regards de ses serviteurs, qui la plaignaient, elle dévorait ses larmes.

Après Raoul, Henriette était née. Clémentine n'avait plus que ses enfants à aimer au monde ; descendue du faîte où ses rêves, aux premiers jours de son mariage, l'avaient placée, n'ayant plus et ne pouvant plus avoir du côté de son mari aucune illusion, toute sa vitalité se concentra dans l'amour maternel : les deux chers petits êtres étaient sa consolation ; ils calmaient ses révoltes intérieures ; pour eux, à cause d'eux, elle restait sous le toit conjugal, souffrait sans se plaindre, ne jetait pas violemment à la tête de l'indigne son mépris et son dégoût. Près de ses enfants elle puisait la résignation et la force de supporter les outrages.

XXXVII

CHARLES CHEVRY ET ZÉLIMA

On avait appris le naufrage du *Téméraire* à Batavia, un mois environ après l'épouvantable catastrophe.

« Le bâtiment s'est coulé, disait-on, et sauf deux matelots, qu'on a eu le bonheur de recueillir en mer, l'équipage tout entier a péri. »

En proie à une douleur facile à comprendre, car il avait pour le marquis de Chamarande, son protecteur, son ami, une affection sincère, un dévouement absolu, Charles Chevry écrivit aussitôt au baron de Simaise, lui demandant si l'affreuse nouvelle arrivée jusqu'à lui était exacte ; si, enfin, M. le marquis de Chamarande, passager à bord du *Téméraire*, avait trouvé la mort dans les flots de l'Océan. Zélima, de son côté, et en même temps, avait adressé à Lucy une lettre émue, pleine de tendresse.

Charles Chevry reçut, dans le délai voulu, datée de Paris, la réponse du baron. Celui-ci lui confirmait la perte du *Téméraire* et lui annonçait que, en effet, et malheureusement, son pauvre frère était au nombre des morts.

Charles Chevry le savait déjà par les journaux de France qu'on recevait à Batavia. Mais ce qui l'étonna singulièrement, c'est que M. de Simaise ne disait rien dans sa lettre concernant la marquise.

Cependant, après réflexion, il se dit :

— Il n'a pas cru devoir me donner des nouvelles de sa belle-sœur, Mme la marquise ayant à répondre à la lettre de Zélima.

Charles et Zélima attendirent anxieusement la lettre de la marquise, qui ne vint pas.

Après deux mois écoulés, très inquiet, las d'attendre, Charles Chevry écrivit de nouveau au baron de Simaise.

Cette fois pas de réponse.

Il écrivit une seconde lettre, puis une troisième.

Toujours pas de réponse.

— Qu'est-ce que cela signifie ? se demandait Cherry ; je ne comprends pas.

— Il est arrivé malheur à ma chère, à ma bonne Lucy... Ah ! peut-être est-elle morte aussi ! disait Zélima en pleurant.

— Si cela était, répondait Charles, s'efforçant de rassurer sa femme, nous le saurions. M. le baron de Simaise aurait été plus empressé à nous écrire, à répondre à mes lettres.

En réalité, Charles Cherry ne sait que penser ni quoi imaginer.

— Voilà, se disait-il, nous sommes de petites gens nous. On nous dédaigne, on ne veut plus même se donner la peine de nous écrire. Et pourtant, ici, mandataire de M. le marquis, j'ai à m'occuper des intérêts de Mme la marquise.

Le baron ne savait pas cela ; il ignorait absolument que sa belle sœur avait encore des millions à Batavia, participant aux fructueuses opérations d'une importante maison de commerce. Son frère, avant de s'embarquer sur le Téméraire, avait négligé de l'instruire exactement de ses affaires, et Charles Cherry, dans ses lettres, n'avait pas cru devoir mêler les choses d'argent avec celles du cœur.

— Pourtant, se disait encore le brave Cherry, Mme la marquise aimait beaucoup Zélima ; pourquoi l'aurait-elle si vite et si complètement oubliée ? Eh bien, non, je ne comprends pas !... Il y a là quelque chose que je ne puis deviner ; oui, il y a quelque chose.

Il aurait pu écrire, en France, à un des correspondants de la maison pour le prier de prendre des informations et de les lui transmettre. Le moyen était facile à employer. Il ne voulut pas s'en servir. Cela lui répugnait. On agit ainsi quand on a un doute sur quelqu'un, quand on veut s'assurer, par exemple, qu'il est solvable ; c'est une sorte d'enquête peu flatteuse pour celui qui en est l'objet.

— Plus tard, nous verrons, se dit Cherry.

Au commencement de l'année 1850, les associés de l'ancienne maison Philippe de Villiers et Cie, dont les affaires étaient de plus en plus brillantes et prospères, créèrent une succursale au Bengale, à Calcutta, voulant étendre encore leurs opérations, et offrirent à Charles Cherry la gérance du nouveau comptoir.

Le jeune homme accepta avec plaisir. Outre les avantages qu'il allait trouver dans sa nouvelle position, sa part dans les bénéfices devenant plus forte, il y avait la joie, le bonheur de Zélima, retournant dans sa belle patrie où naissent, sous un ciel pur et les chaudes caresses du soleil, les plus belles fleurs du monde.

Pendant trois ans et demi, Charles Chevry dirigea la maison de Calcutta avec une prudence, une activité, une aptitude, une entente des affaires, qui lui donnèrent vite un renom et une prospérité qui rivalisait avec celle de la maison mère. Les associés n'eurent qu'à s'applaudir de leur création et surtout d'avoir choisi Charles Chevry pour les représenter, Charles Chevry à qui ils devaient certainement d'avoir réussi dans leur entreprise.

Aussi furent-ils surpris et même peinés, lorsque le gérant leur annonça son intention de se retirer, en les priant de lui donner un successeur.

Après avoir été trop longtemps oublié dans les bureaux, Charles Chevry était enfin sorti de l'impasse, grâce à la main que le marquis de Chamarande lui avait tendue. Depuis, il avait travaillé plus encore qu'auparavant ; mais le succès était venu le récompenser ; il avait récolté les fruits de son travail et de son intelligence.

Il possédait cinq cent mille francs.

— Avec cela, dit-il à Zélima, on peut vivre très à son aise dans n'importe quelle contrée du monde, même à Paris, la ville où l'on dépense le plus. D'ailleurs, plus tard, si cela me convient, comme je suis jeune encore et que j'ai besoin d'activité, je ferai quelque chose. J'ai suffisamment prouvé que je m'entends aux affaires commerciales pour trouver facilement en France une association. Car, ma douce Zélima, nous allons quitter ton pays ; c'est en France, dans ma patrie à moi, que je vais te conduire. Ah ! j'ai hâte de la revoir, ma belle France, de la revoir et de te la faire connaître, ma Zélima. Tu es contente, n'est-ce pas ?

— Oui, Charles, oui ; partout où tu vas, je vais ; partout où tu voudras aller, j'irai. Je veux te suivre partout, ne te quitter jamais, jamais.

» La France, la France, continua-t-elle, laissant échapper un soupir, j'y suis souvent par la pensée.

— Moi aussi, Zélima ; tous deux nous pensons à ta bienfaitrice, à l'enfant qu'elle a mis au monde. Allons, bientôt tu reverras ta chère Lucy.

Le successeur était arrivé, avait pris possession du comptoir. Charles et Zélima étaient prêts à quitter Calcutta : ils attendaient, pour s'embarquer, le premier navire en partance.

Mandataire du marquis de Chamarande, Cherry avait réglé les comptes de son mandant avec les associés et successeurs de Philippe de Villiers. Ceux-ci, le terme échu, avaient versé quatre millions et demi entre les mains de Cherry, contre quittance. Cette somme énorme avait été remise immédiatement par le mandataire dans la caisse de la banque de Batavia, succursale importante de la grande et célèbre maison de banque Van Ossen et fils d'Amsterdam.

Charles Cherry et sa femme prirent passage à bord d'un bâtiment de la compagnie des Indes qui devait faire escale dans un port de Hollande. Le jeune homme avait choisi ce navire de préférence à un autre parce qu'il désirait se rendre tout d'abord à Amsterdam, afin d'avoir un entretien avec M. Van Ossen au sujet du capital versé par lui à la banque de Batavia.

On arriva en Hollande sans avoir eu trop à souffrir de la mer. Bien qu'elle fût enceinte de plusieurs mois, Zélima supporta très bien la fatigue de la longue traversée.

Le vieux banquier Van Ossen, qui avait connu le marquis de Chamarande, ayant été l'ami intime de Philippe de Villiers, reçut cordialement le visiteur, lui disant que le capital encaissé à Batavia serait à sa disposition aussitôt qu'il le voudrait.

— Ainsi, demanda Cherry, cette somme ne vous a pas encore été réclamée par Mᵐᵉ la marquise de Chamarande ?

— La marquise ? fit le banquier très surpris.

Il ignorait que le marquis se fût marié.

Charles Cherry lui apprit comment Paul de Chamarande avait épousé, à Batavia, Lucy Glandas, créole anglaise et pupille de Philippe de Villiers ; il apprit également au banquier le départ du marquis et de la marquise pour la France ; le retour du marquis à Batavia, après la mort de M. de Villiers ; les arrangements pris avec les associés, ceux-ci l'acceptant, lui, Cherry, pour mandataire du marquis.

— Où est maintenant la marquise ? demanda le banquier.

— Je l'ignore absolument ; elle habite à Paris, je suppose.

Le banquier secoua la tête.

— Cela m'étonnerait, répondit-il ; je vais souvent à Paris, j'y reste des mois, je connais à peu près toutes les personnes qui ont un nom, un titre, une fortune, et je n'ai jamais entendu dire qu'il y eût à Paris une marquise de Chamarande. Mais comment se fait-il que, ayant en mains, à Batavia, les intérêts de la veuve, vous n'ayez pas été en correspondance avec elle ?

— Ma femme, dont madame la marquise a été pendant des années la protectrice, ma femme et moi avons écrit plusieurs lettres. Ma femme n'a reçu qu'une seule réponse, antérieure à la mort de M. le marquis. Mᵐᵉ la marquise lui annonçait qu'elle serait bientôt mère, lui parlait de son bonheur et lui faisait la description de l'habitation qu'elle occupait près de Paris, à Port-Marly. J'ai reçu également une seule réponse, me disant, ce que je savais déjà, que M. le marquis avait péri en mer. Depuis, plus rien. Voyant cela, ma femme et moi nous avons cessé d'écrire.

— C'est bien singulier.

— Oui, monsieur, c'est étrange ; et depuis longtemps je suis assailli par toutes sortes de craintes. Et pourtant, si Mᵐᵉ la marquise était morte, son beau-frère, qui a répondu à ma première lettre, aurait pris la peine, je pense, de m'instruire de ce nouveau malheur.

— Ah ! Paul de Chamarande avait un frère ?

— De mère seulement. La mère de M. le marquis s'était remariée.

— Comment appelez-vous ce frère ?

— Le baron de Simaise.

— Le baron de Simaise ! exclama le banquier.

— Vous le connaissez ?

— Oh ! pas intimement. Je crois l'avoir vu une ou deux fois. Il est connu, très connu, le baron de Simaise ; il se fait à Paris un grand bruit autour de son nom : tout le monde parle de lui, de son train de maison, de ses chevaux, de ses équipages, de ses maîtresses...

— Ce baron de Simaise ne peut pas être le frère de M. le marquis de Chamarande, monsieur.

— Pourtant, répliqua le banquier en souriant, je ne crois pas qu'il puisse y avoir à Paris deux barons portant le même nom.

— Le père du baron de Simaise, frère de M. le marquis, avait mangé toute sa fortune ou à peu près, son fils était pauvre.

— Vous êtes sûr de cela ?

— Absolument sûr, monsieur.

— Ah ! fit le banquier, fronçant ses épais sourcils gris.

— Je vous, en prie, monsieur, ne me cachez pas votre pensée, dit Charles Chevry, visiblement ému.

— Mon Dieu, je ne sais que vous dire... Le baron de Simaise a épousé une femme charmante et riche, qu'il ne rend pas heureuse. Heureuse, elle ne saurait l'être, vu la conduite dissipée – pour ne pas dire plus – de son mari. Mais avant son mariage, c'est-à-dire quelques mois après la mort du marquis de Chamarande, il était déjà puissamment riche. Il avait acheté cinq ou six cent mille francs et fait meubler splendidement son hôtel de l'avenue des Champs-Élysées.

— Oh ! fit Charles Chevry, se frappant le front sous lequel venait de jaillir une idée subite.

Il était devenu très pâle et tremblait nerveusement.

— Eh bien, monsieur Charles Chevry ? interrogea le banquier.

— Vos paroles viennent de m'éclairer, monsieur. Je comprends enfin pourquoi mes lettres et celles de ma femme sont restées sans réponse. Mme la marquise de Chamarande a été victime de quelque noire infamie.

— Monsieur Chevry, je pense comme vous : si le baron de Simaise était réellement sans fortune lors de la mort de son frère, il s'est emparé, par fraude ou par violence, des deniers de la veuve et de l'orphelin. Mais nous n'avons pas le droit de porter un jugement téméraire. Avant tout, il faut savoir.

— Je saurai, monsieur, je saurai, je vous le jure !

L'entretien se prolongea encore un instant, et il fut convenu, entre Charles Chevry et le banquier, que le capital resterait dans les caisses de la banque, participant à toutes les opérations financières, jusqu'à ce qu'il soit réclamé directement par la marquise de Chamarande.

— Autrement, monsieur Chevry, ajouta M. Van Ossen, je ne remettrais la somme, augmentée des bénéfices de participation capitalisés, qu'en vos mains propres ; car en définitive, monsieur Chevry, dans cette affaire, je ne connais que vous.

» Dès aujourd'hui, je vais ouvrir au grand livre de la banque le compte Chamarande-Chevry, J'écrirai de ma main, sur le livre cerclé d'or, ce qui vient d'être arrêté entre nous, monsieur, et nous le signerons mon fils et moi. Ce livre, dont je vous parle, monsieur Chevry, et que voilà, seul, dans son casier, est le mémorial de notre maison ; ce sont les archives d'honneur des Van Ossen, qui sont écrites sur ces pages. Ici, les engagements pris se transmettent comme l'honneur, de père en fils, depuis bientôt deux siècles.

» Je puis mourir bientôt, car je touche à ma quatre vingt huitième année ; mon fils, mon successeur désigné, a soixante quatre ans, c'est presque un vieillard ; mais le jour où il prendra ma place, son fils aîné aura la sienne. Il en est toujours ainsi : le fils succède au père et continue la tradition, et les engagements pris par ceux qui ont disparu sont remplis scrupuleusement par ceux qui restent. C'est assez vous dire, n'est-ce pas, que, serait-ce dans dix ans, dans vingt ans, nos conventions seront exécutées dans leurs termes précis.

» Vous rendez-vous directement en France, monsieur Charles Chevry ?

— Non, monsieur, pas directement : je vais d'abord passer à Londres, mais je compte bien être à Paris dans huit ou dix jours.

— Vous ne tarderez pas à me donner des nouvelles ?

— Aussitôt que j'aurai appris quelque chose de certain au sujet de madame la marquise de Chamarande, je m'empresserai de vous écrire.

— Je n'ai pas besoin de vous recommander d'être prudent, monsieur Chevry ; vous vous chargez d'une tâche difficile, extrêmement délicate ; prenez bien vos précautions ; cherchez à savoir, mais n'allez pas trop vite, ne brusquez rien ; évitez surtout de vous heurter à une force qui pourrait vous briser. Il me paraît clair comme le jour, qu'afin de pouvoir s'emparer de la fortune du marquis, le baron de Simaise a fait disparaître la marquise. Par quel moyen ? Comment a-t-il pu réussir ? Je ne puis le deviner. Mais vous découvrirez la vérité, je l'espère.

— Qui sait si cet homme n'a pas tué sa belle-sœur ?

— Tout est possible, monsieur. Toutefois, je ne puis admettre l'hypothèse d'un pareil crime. On ne tue pas si facilement que cela en France. Non, le baron de Simaise a pris un autre moyen pour se débarrasser de sa belle-sœur. Il la tient cachée, enfermée quelque part, peut-être dans une maison d'aliénées. On a vu cela plus d'une fois, monsieur Cherry.

— Mais l'enfant, monsieur ?

— Si l'enfant existe, vous aurez à le chercher comme la mère ; je vous le répète, vous allez entreprendre une tâche difficile et je ne saurais trop vous recommander la prudence. Ne vous occupez pas trop de l'enfant, d'abord ; commencez par chercher la mère. Quand vous saurez ce qu'elle est devenue, où elle se trouve, vous pourrez demander hardiment au baron : « Où est l'enfant ? »

» À Port-Marly, où la jeune femme a demeuré, on vous donnera peut-être des renseignements ; dans tous les cas, on vous apprendra quelque chose de ce qui s'y est passé.

— Ne me conseillez-vous pas de m'adresser immédiatement au préfet de police ?

— Non. Ce serait dénoncer le baron de Simaise, l'accuser d'un crime monstrueux.

— Eh ! qu'importe ?

— Assurément, il ne mérite aucune pitié, mais il y a près de lui une noble jeune femme, deux enfants, trois innocents !... Commencez par chercher, monsieur Cherry, discrètement, adroitement, avec patience. Si, après avoir tout fait, vous ne trouvez pas, si le terrain vous manque, alors, alors seulement, y étant forcé, vous réclamerez la marquise aux magistrats du parquet de Paris.

— Vous avez raison, monsieur, il y a la mère et ses enfants, trois innocents !... Je suivrai vos conseils.

Les deux hommes n'avaient plus rien à se dire. M. Van Ossen reconduisit Charles Cherry jusqu'à la grille de son hôtel.

– Allons, bon courage, et bonne chance, dit le vieillard ; j'attendrai impatiemment votre première lettre.

Ils se serrèrent la main et se séparèrent.

Trois jours après, Charles Chevry et Zélima étaient à Londres. Ils y restèrent deux jours seulement, le temps de visiter la ville, et de placer leur petite fortune chez un banquier de la compagnie des Indes, que Charles Chevry avait connu à Calcutta et avec lequel il était en relations d'amitié.

Ils prirent le paquebot à London-Bridge, firent rapidement la traversée de la Manche et arrivèrent enfin à Paris, où ils descendirent à l'hôtel du Havre.

XXXVIII

VISITE À LA VILLA DE PORT-MARLY

Charles Cherry s'était juré à lui-même de ne pas prendre un jour, un instant de repos, avant d'avoir découvert ce qu'était devenue la femme de son bienfaiteur. Ainsi fit-il.

Le lendemain de son arrivée à Paris, il se leva au premier bruit qu'il entendit dans l'hôtel, c'est-à-dire vers sept heures du matin. Tout en s'habillant, il sonna le garçon et le pria de lui trouver immédiatement une voiture de remise attelée d'un bon cheval.

Vingt minutes après, le garçon vint prévenir le voyageur que la voiture l'attendait à la porte de l'hôtel.

Zélima, fatiguée, courbaturée, était restée couchée.

Charles l'embrassa, en lui disant :

— Je serai, je pense, de retour avant midi ; repose-toi bien en m'attendant. Si tu te sens assez forte dans l'après-midi quand nous aurons bien déjeuné, nous ferons une première promenade en voiture dans la ville.

Il sortit.

— Où allons-nous, bourgeois ? lui demanda le cocher.

— À Port-Marly. Vous connaissez le chemin ?

— Bien sûr, que je le connais. L'avenue des Champs-Élysées, l'avenue de Neuilly et toujours tout droit par Courbevoie, Nanterre, Rueil et Bougival.

Le cheval, jeune encore, était bon coureur. Il fit le trajet en moins de deux heures.

Charles Cherry descendit de voiture au bord de la Seine, devant la boutique d'un pêcheur marchand de vin. Une femme s'avança sur le seuil de la porte.

— Madame, lui dit-il, je vous serais obligé de vouloir bien m'indiquer la villa des Ormes.

La débitante sortit de la maison.

— La villa est plus loin, monsieur, toujours en suivant le bord de l'eau. Vous voyez devant vous ces grands arbres ?

— Parfaitement.

— Eh bien, ce sont les ormes de la villa.

— Est-elle habitée en ce moment ?

— Non, monsieur. Les personnes qui demeurent aux Ormes l'été retournent à Paris à la fin de septembre. Cependant, si ce n'est pas M. et Mᵐᵉ Legrand que vous voulez voir, vous trouverez à la villa le jardinier et sa femme qui, peut-être, pourront vous répondre.

Chevry remercia l'obligeante cabaretière et se rendit pédestrement à la villa.

Il avait encore dans la mémoire la description de l'habitation et du jardin faite par Lucy dans l'unique lettre qu'elle avait écrite à Zélima. Il reconnut facilement la maison ; il vit les grandes pelouses, les bosquets, la serre, la source jaillissante, la petite rivière anglaise. Il sonna à la porte de service. Ce fut le jardinier qui vint lui ouvrir.

— Mon brave homme, dit Chevry, je m'adresse à vous dans l'espoir que vous pourrez, me donner certains renseignements.

— Si je le peux, monsieur, je suis tout à votre service.

— Y a-t-il longtemps que vous êtes le jardinier de cette belle propriété ?

— Je suis ici depuis deux ans.

— Ah ! depuis deux ans seulement. Les renseignements que je désire concernent des personnes qui ont habité ici, en 1848, pendant une partie, de l'année.

— Je vois, je vois... il s'agit d'une certaine, marquise.

— Précisément.

– J'ai entendu parler de ça, monsieur, mais si vaguement... Je ne pourrais certainement pas répondre à vos questions... Voyez-vous, pour être bien renseigné, il faudrait vous adresser à l'ancien jardinier, celui qui était ici du temps de la fameuse marquise.

Ce mot « fameuse », prononcé avec un accent dédaigneux, perça l'oreille de Chevry comme un coup de poinçon. Pourtant, se rappelant les recommandations de M. Van Ossen, il se contint.

– On le trouver, ce jardinier ? demanda-t-il.

– Il est toujours à Port-Marly. Bien qu'il ne soit plus en maison, il n'a pas quitté le métier ; il fait des jardins pour les uns, pour les autres. Dame, vous savez, monsieur, quand on n'a pas de rentes, il faut qu'on travaille.

– C'est juste. Maintenant, mon brave homme, je vous prie de m'indiquer la demeure de l'ancien jardinier.

– Le père Vincent reste assez loin d'ici, en montant vers Marly-le-Roi ; il habite une petite maison au milieu des champs ; c'est difficile à trouver, quand on ne connaît pas. Mais, au fait, si vous le voulez, je l'enverrai chercher.

– Ce serait fort gracieux de votre part.

Le jardinier appela un gamin d'une dizaine d'années, qui jouait dans l'allée, sur le sable, avec un gros chien de Terre-Neuve. L'enfant laissa l'animal et accourut près de son père.

– Tu sais où reste le père Vincent, le vieux jardinier ?

– Oui, papa.

– Tu le trouveras probablement chez lui, car en ce moment il n'est guère occupé. Tu lui diras qu'un monsieur le demande et tu reviendras ici avec lui. Surtout, ne t'amuse pas à gaminer sur ton chemin.

– Non, papa.

Le gamin partit en courant. Il revint au bout de vingt minutes, amenant le vieux jardinier.

Quand Charles Chevry lui eut dit ce qu'il attendait de lui, le père Vincent prit la parole.

Il parla de ses anciens maîtres en homme qui les avait bien connus. Le marquis était très froid, il n'adressait, presque jamais la parole à un domestique ; c'est dans le jardin, avec lui, le père Vincent, qu'il causait, un peu.

D'ailleurs il ne s'occupait de rien dans la maison, pas plus que la dame, qui ne parlait pas le français. C'est M. le baron de Simaise qui commandait, ordonnait. Il était tout. On ne connaissait que lui, on n'obéissait qu'à lui, il était le maître. Mais quel bon, quel excellent maître !

Le frère Vincent fit longuement l'éloge du baron, sans remarquer le front assombri et les mouvements d'impatience de son auditeur. Enfin il raconta comment, tout à coup, on avait appris à la villa, après la mort du marquis, que la dame était devenue folle – il évitait de dire la marquise. Il parla ensuite du grand médecin, envoyé par l'oncle de la dame, qui est Anglais et demeure à Liverpool ; de la stupéfaction, de la surprise des autres domestiques en apprenant que la dame n'était pas mariée. Il dit comment la folle, qui n'était pas plus marquise que lui le père Vincent était marquis, avait été emmenée par le célèbre médecin pour être conduite en Angleterre. Il était là, présent, bien qu'il eut été congédié plusieurs jours auparavant ; il avait vu partir la folle.

On comprend combien durent être douloureuses les impressions de Charles Chevry en écoutant cet homme, racontant simplement, naïvement, avec conviction, ces choses monstrueuses qu'il croyait vraies, et quels efforts il dut faire sur lui-même pour ne pas laisser éclater son indignation, la colère qui grondait sourdement en lui. Pâle, frémissant, les dents serrées, il eut la force et le courage d'écouter jusqu'au bout, sans interrompre. D'ailleurs, ce récit l'instruisait. Il avait voulu savoir, il savait. Le doute n'était plus possible. Le baron de Simaise était un voleur, et, pour voler, il n'avait pas reculé devant un autre crime, un crime horrible ! La trame ourdie contre la malheureuse marquise, pour la faire disparaître, était dévoilée.

Au bout d'un instant, faisant appel à sa volonté, se raidissant, il parvint à calmer son agitation.

– N'était-elle pas enceinte ? demanda-t-il.

– Oui, monsieur, et tout près d'accoucher.

– Et elle était folle ?

– Oui, monsieur, folle !

– Êtes-vous bien sûr de cela ?

– Dame, monsieur, il faut bien le croire, puisque le médecin des fous a déclaré qu'elle devait être enfermée.

– Et vous croyez qu'on l'a emmenée en Angleterre ?

– Oui, monsieur, près de son oncle ; je savais le nom de cet oncle ; mais, depuis le temps, je l'ai oublié.

– Et le nom du médecin ?

– Je l'ai oublié aussi ; mais je crois me rappeler qu'il a une maison de santé à Auteuil ; c'est là, d'abord, que la dame a été enfermée avant de partir pour l'Angleterre.

– Savez-vous encore autre chose ?

– Je vous ai dit, monsieur, tout ce que je sais.

Charles Chevry comprit qu'il n'en apprendrait pas davantage à Port-Marly, et qu'il perdrait un temps précieux à interroger d'autres personnes.

Il remercia les deux jardiniers, leur mettant un louis dans la main, appela le petit garçon, à qui il donna une pièce de cinq francs, rejoignit sa voiture et reprit aussitôt la route de Paris.

» Oh ! le misérable, l'infâme ! se disait-il ; est-il possible qu'il y ait sur la terre de pareils scélérats et que Dieu les laisse vivre !... Mais, je le tiens, il ne m'échappera pas ! De gré ou de force, il faudra bien qu'il me dise où est la marquise de Chamarande, où est son enfant ! M. Van Ossen m'a recommandé d'être prudent, patient, de ne rien brusquer ; soit, j'agirai ainsi qu'il me l'a conseillé... En France, la justice est sévère ; c'est au bagne que je puis envoyer le baron de Simaise ; pour cela je n'ai que quelques paroles à dire. Mais il y a une femme, des enfants. Dois-je frapper ces têtes innocentes en même temps que celle du criminel ? Oh ! non, non, ce serait cruel, ce serait un acte odieux, une affreuse cruauté. Ah ! baron de Simaise, vous êtes bien heureux aujourd'hui d'avoir une femme, des enfants pour vous protéger contre moi !

Pendant huit jours, Chevry fit des recherches à Auteuil d'abord, ensuite dans Paris et dans toute la banlieue. Partout, prudemment, adroitement, il prenait des informations. Il était persuadé que la marquise, si elle existait encore, avait été enfermée, séquestrée à Paris même ou dans les environs. Mais il finit par comprendre qu'il perdait absolument son temps. Autant chercher une épingle dans l'herbe haute et drue d'une prairie. Seul, il ne pouvait rien. Continuer ses recherches dans les mêmes conditions était illusoire. Il pouvait chercher ainsi inutilement pendant des années.

Il savait la conduite que menait le baron de Simaise. Toutes les personnes qu'il interrogeait au sujet de la baronne lui en disaient le plus grand bien. Les paroles abondaient, ne tarissaient point quand on faisait son éloge. C'était une noble et digne jeune femme, ayant le cœur haut placé, douce, bonne, dévouée, adorant ses enfants. Son mari avait tous les vices, elle toutes les vertus. Elle souffrait, elle était malheureuse, on la plaignait.

Avant de frapper le coup terrible qu'il réservait au baron, Charles Chevry résolut de voir la baronne. Sans doute elle ne savait rien, mais il l'instruirait ; et si elle était bien telle qu'on la lui avait dépeinte, elle deviendrait aussitôt son alliée. Cédant à la menace, voulant échapper au châtiment, le baron dirait où il tenait la marquise cachée. S'il le fallait, on lui laisserait les millions volés. Certes, dans de telles conditions, il n'hésiterait pas à faire amende honorable. Il éviterait le scandale, la prison, la cour d'assises, le bagne ; son nom ne serait pas déshonoré, son infamie ne retomberait point sur les innocents en larges éclaboussures.

Tout cela était bien pensé.

Zélima, consultée, approuva la démarche que voulait faire son mari. Celui-ci se rendit chez la baronne.

Nous savons quel fut le résultat de l'entrevue ; scène violente, terrible, entre Clémentine, et le baron, où celui-ci nia tout effrontément, avec une audace révoltante. Mais la baronne ne pouvait être trompée : elle avait vu et tenu dans ses mains l'acte de mariage du marquis de Chamarande et de Lucy Glandas. Les dénégations du baron lui firent même voir encore à quelle espèce de misérable elle avait eu le malheur d'unir sa destinée.

Elle se souvint de certaines visites mystérieuses faites de temps à autre à son mari par un inconnu. Nous savons également comment, interrogeant sa mémoire, elle se rappela des paroles, alors incompréhensibles pour elle, entendues un jour, par hasard : « Blaincourt, vieux château, la folle, l'enfant... »

C'était une vive clarté jetée dans la nuit. Ainsi, c'était à quelques lieues seulement de Vaucourt, où elle allait chaque année passer la belle saison, c'était à Blaincourt, dans un vieux manoir en ruines, que la marquise et son enfant, malheureuses victimes de la cupidité de son mari, étaient enfermés, séquestrés.

Elle avait promis à Charles Chevry d'être son alliée, de l'aider par tous les moyens possibles à retrouver la marquise de Chamarande. Pouvait-elle faire moins ? Non. elle devait, en présence d'une telle iniquité, réparer, dans les limites du possible, le mal qui avait été fait. À tout prix, il fallait conjurer l'épouvantable malheur qui menaçait ses enfants et elle-même. Pour elle, pour ses chers enfants, Chevry avait promis de se taire, de ne rien révéler encore à la justice ; elle pouvait donc éviter l'opprobre, la honte, le déshonneur !

Alors elle écrivit cette lettre fatale qui allait livrer au sinistre Blaireau deux nouvelles victimes.

Confiée à un domestique, la lettre, au lieu d'être portée immédiatement à Charles Chevry, fut remise au baron de Simaise par le valet infidèle.

Déjà, sentant qu'il avait tout à redouter de sa femme, le baron avait eu le temps de l'entourer d'espions.

Sans la moindre hésitation, le misérable décacheta la lettre et lut.

» Quoi ! ce que Blaireau et lui croyaient si bien caché, la baronne le savait !

Un instant il se crut perdu. Il sentait ses cheveux se hérisser sur sa tête, une sueur abondante et froide inondait son front et ses tempes. Il se vit dans une glace : il lui sembla qu'en quelques minutes il avait vieilli de dix ans. Il était livide, avait les traits affreusement contractés. Il poussa une sorte de rugissement, en pressant fiévreusement son front dans ses mains. Il voyait le gouffre sous ses pieds, il allait tomber. Quel écroulement ! Quelle chute horrible !

Que faire ? Que faire ? Il ne pouvait rien, lui, rien, rien... Et ce Charles Chevry et sa femme devenaient de plus en plus menaçants ! Blaireau seul pouvait le sauver, si le sauvetage était possible. Cela lui coûterait cher, mais qu'importe ! Oh ! la prison, la cour d'assises, les juges !... Ses dents claquaient, il tremblait, grelottait comme s'il eût eu la fièvre.

Il n'avait plus d'espoir qu'en Blaireau ; il courut rue du Roi-de-Sicile. Blaireau était chez lui. L'homme du mal devina, d'un coup d'œil, la gravité de la situation.

– Lisez, lisez vite, lui dit le baron, en lui tendant la lettre.

En lisant, la figure de Blaireau changea trois ou quatre fois d'expression.

– Hum, hum ! fit-il, les sourcils froncés, le front plissé.

Et il se gratta le menton, ce qui était chez lui l'indice d'une violente émotion.

– Eh bien ? interrogea le baron avec l'anxiété d'un homme placé entre la vie et la mort.

– C'est grave, c'est excessivement grave, répondit Blaireau d'une voix creuse.

– Aussi n'ai-je pas perdu un instant pour venir vous trouver.

– Vous avez bien fait. Ah ! monsieur le baron, je vous ai toujours dit : « Ne cessez pas de regarder du côté de Batavia. » Comme j'avais raison ! Oui, quelque chose me disait que, si nous étions un jour inquiétés, le danger viendrait de là. Et il est venu, et il est près de nous, menaçant, terrible.

– N'y a-t-il donc rien à faire ? demanda le baron accablé.

– Il y a toujours à faire, monsieur le baron. Donc, cet homme a vu Mme de Simaise ?

– Oui.

– Que s'est-il passé entre eux ?

– Il a montré à ma femme l'acte de mariage, et la baronne, comme vous le voyez par cette lettre, a pris l'engagement de l'aider dans ses recherches.

– Et quand Mme de Simaise vous a parlé de votre belle-sœur, qu'avez-vous répondu ?

– Que l'acte de mariage était faux, que Lucy Glandas n'était que la maîtresse de mon frère ; qu'elle avait, après la mort du marquis, quitté Port-Marly, et que j'ignorais absolument ce qu'elle était devenue.

– Bien. Mais comment votre femme a-t-elle pu savoir ce qu'elle révèle dans cette lettre ?

— Je ne saurais le dire. Pourtant je crois pouvoir supposer qu'elle a un jour surpris notre conversation.

— Oui, oui, c'est cela, monsieur le baron ; je me souviens d'avoir entendu un jour, au commencement de cette année, un bruit de pas et le froissement d'une robe de soie derrière l'une des portes de votre chambre.

» Cette lettre, monsieur le baron, m'effraye et me rassure en même temps ; elle m'effraye parce que nous avons tout à redouter, elle me rassure parce que le péril n'est pas imminent. Nous avons le temps d'aviser. Pour le moment et jusqu'à nouvel ordre, votre femme et vos enfants sont notre sauvegarde. Certes, il est heureux pour nous que Charles Cherry ait eu l'idée de voir Mme de Simaise avant de s'adresser à la justice. C'est pour vous sauver que Mme de Simaise devient l'alliée de votre ennemi ; comprenez-vous cela ?

— Oui, je comprends.

— Monsieur le baron, vous avez bien fait de vous marier et mieux fait encore d'avoir des enfants.

Blaireau resta un instant silencieux, la tête dans ses mains. Quand il se redressa, un éclair sillonna son regard.

— Monsieur le baron, prononça-t-il lentement et d'une voix sourde, quand un obstacle se dresse devant moi, je le brise ; quand un danger me menace, je l'arrête : il faut que ce Charles Cherry meure !

La physionomie de Blaireau avait pris une expression si terrible, que le baron se sentit frissonner jusque dans la moelle des os.

— Mais la baronne sait... balbutia-t-il.

Blaireau eut un petit rire sec, aigre. Puis, hochant la tête :

— Oui, répliqua-t-il, Mme de Simaise sait ; mais elle se taira... Elle se taira, monsieur le baron, non point par amour pour vous — ceci soit dit sans vous offenser — mais à cause de ses enfants. Une mère ne peut rien, rien, contre le père de ses enfants.

— Enfin, qu'allez-vous faire ?

— Je vous l'ai dit : nous débarrasser de notre ennemi.

591/599

– Comment ?

– Cet homme nous menace, il peut nous envoyé au bagne ; je l'ai condamné, il mourra.

– Prenez garde, Blaireau.

– Oh ! vous n'avez pas besoin de me recommander la prudence. D'abord, cette lettre.

Blaireau la glissa dans une enveloppe blanche, sur laquelle il écrivit l'adresse de Charles Chevry, imitant avec une merveilleuse habileté de faussaire l'écriture de la baronne. Cela fait, il détacha adroitement le cachet de cire de la première enveloppe, et à l'aide d'une composition de cire liquide, prenant sur le papier comme de la colle, il l'adapta sur le revers de l'autre enveloppe.

Le baron le regardait faire, ébahi.

– Voyez, lui dit Blaireau, en lui mettant la lettre dans la main.

– Oui, c'est bien l'écriture de la baronne, et il est impossible de reconnaître que cette enveloppe a été substituée à une autre.

– Aussitôt rentré chez vous, vous rendrez cette lettre au domestique qui vous l'a remise et il la portera immédiatement à son adresse.

– Comment, vous voulez...

– Je veux que Charles Chevry se mettre en route pour Blaincourt ; seulement, je prendrai certaines dispositions pour l'empêcher d'arriver au but de son voyage.

XXXIX

QU'EST-ELLE DEVENUE ?

Une heure plus tard, un homme, envoyé par Blaireau, était en observation devant l'hôtel du Havre. C'était Princet.

À peu près certain que Charles Chevry n'attendrait pas au lendemain pour prendre la route des Vosges, Blaireau était prêt à partir.

Princet devait reconnaître facilement l'étranger lorsqu'il sortirait de l'hôtel pour se rendre à la gare de l'Est. Il le suivrait. Blaireau serait à la gare, attendant, vingt minutes avant le départ du train-poste. C'était évidemment ce train, et non un autre, que prendrait Charles Chevry, s'il se mettait en route le jour même.

Blaireau ne s'était pas trompé dans ses prévisions.

Un quart d'heure avant le départ du train, Princet le rejoignit à la gare.

– Où est-il ? demanda Blaireau.

– Le voilà : c'est ce grand brun qui est en ce moment devant le guichet. Il prend deux billets.

– Deux billets ? Pourquoi ?

– Il emmène sa femme.

– Diable, diable ! fit Blaireau, la femme va nous gêner.

– Elle ne parle pas le français.

– Comment le sais-tu ?

– J'ai pu causer avec un garçon de l'hôtel.

– C'est égal, c'est bigrement embêtant. Cela détruit mes premières combinaisons ; il faudra chercher et trouver autre chose.

593/599

Charles Chevry, ayant pris ses billets, revint près de Zélima et ils entrèrent dans la salle d'attente.

Blaireau se précipita au guichet et se fit donner deux billets.

Nous avons dit que Charles Chevry et sa femme, celle-ci s'étant trouvée fatiguée, un peu malade, avaient été forcés de s'arrêter en route. Cela permit à Blaireau et à Princet de les devancer à Varnejols, après avoir endossé, à Remiremont, le costume des paysans des Vosges.

Ayant dû abandonner son premier projet, que la présence de Zélima rendait difficile, sinon impossible à exécuter, Blaireau avait vite conçu et tracé un nouveau plan dans lequel, avec ses trois places d'intérieur, la voiture du courrier de Verzéville devait jouer son rôle. En effet, il fallait d'abord faire connaissance avec Charles Chevry et l'amener à lier conversation ; or, pour cela, il n'est rien de tel qu'une voiture publique. La conversation entamée, il fallait ensuite amadouer le voyageur naïf et manœuvrer de façon à gagner sa confiance.

Nous avons vu avec quelle facilité, quelle aisance et quelle bonhomie l'audacieux Blaireau joua son rôle de paysan des Vosges.

Certes, un autre, plus expérimenté que Charles Chevry, s'y serait laissé prendre.

Comment se douter que ce brave homme si complaisant, si obligeant, tendait un piège ?

Ce fut avec intention que Blaireau défigura la vérité, en racontant sa fable d'une jeune fille de grande maison enfermée par sa famille dans le vieux château de Blaincourt. Il fallait impressionner le trop confiant jeune homme, l'exciter, l'encourager et poursuivre son œuvre, l'attirer enfin dans le guet-apens où il devait perdre la vie.

# # # # #

En ourdissant sa trame, en dressant ses batteries, Blaireau n'avait pas mis hors de cause la femme de Charles Chevry. Il y aurait aussi nécessité à se débarrasser d'elle, ou tout au moins de la mettre dans l'impossibilité de nuire, c'est-à-dire de faire certaines révélations pouvant mettre sur la piste des assassins de son mari, en remontant à la cause : le baron de Simaise. Mais il n'y avait pas urgence. Un long temps se passerait avant que Zélima eût pu apprendre suffisamment le français pour dire ou faire seulement comprendre dans quel but elle et son mari s'étaient rendus à Blaincourt.

Blaireau pouvait donc attendre et choisir, sans se presser, le moyen qui conviendrait le mieux, le plus sûr moyen de frapper la jeune femme à son tour.

La mort inattendue, imprévue de Zélima vint le délivrer des préoccupations, des inquiétudes qu'il pouvait avoir de ce côté.

Le misérable se frotta les mains de satisfaction.

Décidément, tout lui réussissait au delà même de ses désirs. Le mal était toujours et partout triomphant !

Toutefois, la mort de Zélima n'éloignait pas tout danger. Charles Chevry avait laissé à l'hôtel des papiers importants, entre autres l'acte de mariage du marquis et de la marquise de Chamarande et la lettre de la baronne de Simaise. Au bout d'un certain temps, le maître de l'hôtel pouvait remettre le tout entre les mains d'un commissaire de police. Alors le danger reparaissait : une fois qu'ils auraient mis le nez dans l'affaire, les magistrats voudraient tout savoir ; ils ne s'arrêteraient point, ils iraient jusqu'au fond des choses. Il fallait donc s'emparer, à tout prix, de ces papiers compromettants, terribles.

C'est ce que fit Blaireau avec cette habileté et cette audace qui le rendaient si redoutable.

Pendant que les gendarmes des cantons de l'arrondissement de Remiremont battaient la campagne, cherchaient inutilement partout les meurtriers du malheureux Charles Chevry, Blaireau, tranquillement assis dans son cabinet, devant un bon feu flambant, examinait avec un soin minutieux les papiers de la victime.

Il ne les lisait pas tous, parce que plusieurs étaient écrits en hollandais, d'autres en anglais, et que Blaireau ne connaissait qu'une seule langue : La sienne.

Toutefois, prenant les pièces l'une après l'autre, il les tournait longtemps entre ses doigts avant de se décider à les jeter dans la flamme du foyer.

Au feu l'acte de mariage du marquis et de la marquise. Au feu l'acte de mariage de Charles Chevry et de Zélima. Au feu les lettres de Paul de Chamarande adressées à Charles Chevry. Au feu la lettre de Lucy à Zélima. Au feu le passeport de Charles Chevry, voyageant avec sa femme, délivré par la chancellerie de l'ambassade de France à Londres. Au feu tous les papiers en langues étrangères.

Non, pas tous, deux restaient sur le bureau, mis de côté par l'impitoyable brûleur.

Il les reprit, et, l'un dans sa main droite, l'autre dans sa main gauche, tous deux sous ses yeux, il les regarda longuement, pensif, avec des crispations nerveuses, les enveloppant de lueurs fauves.

Il faisait, évidemment, de violents et inutiles efforts pour deviner les mots, lire les syllabes.

En vérité, on aurait dit qu'il espérait, à force de les regarder, que les deux papiers lui livreraient leur secret.

Ils avaient, l'un et l'autre, la forme ordinaire d'un reçu ; d'ailleurs, le mot « banque », le seul que Blaireau pût lire et traduire, ne lui laissait aucun doute à ce sujet.

C'étaient deux reçus, en effet, l'un, des millions versés à la banque de Batavia, rédigé en hollandais ; l'autre, de la somme confiée au banquier de la compagnie des Indes, écrit en anglais.

Blaireau sentait, devinait, avec son flair habituel, qu'il tenait entre ses doigts deux documents précieux, extrêmement intéressants.

Ah ! s'il avait pu lire ?

— Tonnerre ! grogna-t-il, impossible de déchiffrer ce grimoire ; maudites pattes de mouches !... Je pourrais les faire traduire, alors je saurais... Oui, mais... je n'ai personne de sûr sous la main. Je peux, sorti d'un danger, me fourrer dans un autre. Pas si sot ! Prudence est mère de sûreté !... Pourtant, j'en suis sûr, il y aurait quelque chose à faire avec cela. Au diable les gens qui écrivent dans leur bête de langue ! Est-ce qu'on ne devrait pas partout écrire et parler le français ?

Pendant un instant encore, tout songeur, ses yeux restèrent fixés sur les deux reçus ; puis, pris d'une sorte de rage subite, grinçant des dents, il déchira les papiers, les roula entre ses mains, et, finalement, lança la boulette dans les flammes.

— Comme cela, murmura-t-il, je n'aurai pas de dangereuses tentations, je n'y penserai plus.

Maintenant, tout était en cendres ; l'autodafé était complet.

— Quant à cela, grommela Blaireau, jetant les yeux sur les bijoux, d'ailleurs de peu de valeur, de Zélima, et sur les deux caisses bondées de linge et de belles et riches étoffes de l'Inde, j'en ferai un de ces jours la distribution.

* * * * *

Blaireau était exactement renseigné sur ce qui se passait à Blaincourt par la femme chargée de veiller sur la marquise. Tout ce qu'on disait dans le pays lui était rapporté ; il n'ignorait rien, il savait que l'enquête faite par les magistrats n'avait amené aucune découverte : que Charles Chevry et sa femme étaient restés inconnus et que, las de se livrer à des recherches inutiles, on avait dû renoncer à mettre la main sur les auteurs du crime de Blaincourt.

La Birette trouvait que le maître la laissait bien longtemps en compagnie d'une folle dans ce vieux château, dont il lui était défendu de sortir sous aucun prétexte. Cela n'était pas gai du tout, elle s'ennuyait à mourir. Certainement, si elle avait su, elle n'aurait pas accepté une pareille mission. Vraiment, c'était trop exiger de ses forces : elle était à bout de courage, elle n'en pouvait plus ; elle voulait revenir à Paris. À grands cris elle réclamait sa délivrance. Si on ne la délivrait pas bien vite, elle sentait qu'elle deviendrait folle aussi.

D'ailleurs, après ce qui venait de se passer, n'était-il pas dangereux de garder la folle plus longtemps dans le vieux château ? Il y avait nécessité de la transporter ailleurs. Pourquoi, puisqu'on voulait la laisser vivre, ne pas la mettre dans une maison de fous ? On n'avait rien à craindre ; elle ne se souvenait absolument de rien du passé et jamais, jamais elle ne guérirait ; elle resterait folle toute sa vie.

Blaireau se rendit à ces raisons. En effet, laisser la marquise plus longtemps au château de Blaincourt présentait des dangers.

Il vit le baron de Simaise et il fut décidé entre eux qu'on se débarrasserait complètement de la malheureuse jeune femme.

Chez elle rien de changé : sa situation était la même depuis cinq ans, ni meilleure, ni pire. Elle était devenue mère sans en avoir conscience ; pendant quelques jours elle s'était amusée avec son enfant comme avec un autre objet quelconque ; on le lui avait enlevé sans qu'elle manifestât la moindre émotion :

c'était un jouet qu'on lui retirait, voilà tout. Insensibilité complète. Comme le cerveau, le cœur était paralysé. Oubli absolu des choses et des événements passés. Anéantissement de toutes les facultés morales. L'être devenu machine.

Donc, le baron n'avait rien à redouter. On pouvait maintenant, sans danger, livrer la marquise aux hasards de la vie. Qu'importe quel serait son sort !

Quant à l'enfant, pendant quelque temps encore, on pouvait le garder. Il n'était guère gênant. Plus tard, quand le moment serait venu, on s'en débarrasserait, comme de la mère. Ce serait facile : on n'aurait qu'à le conduire dans un pays éloigné, et à l'abandonner là, sur un chemin solitaire.

À Blaincourt et dans les environs, l'émotion causée par la mort des deux inconnus s'était calmée.

Blaireau pouvait s'aventurer de nouveau dans le pays. D'ailleurs, il arriverait au vieux château au milieu de \a nuit.

Nous savons par le récit de Grappier, son gardien, comment la marquise fut enlevée du château où elle était emprisonnée depuis cinq ans.

La Birette l'avait revêtue d'un costume complet de paysanne presque neuf. Souliers ferrés aux pieds, chemise de grosse toile sans marque, robe épaisse, laine et coton, bas de laine bleue, bonnet de linge rond, tuyauté, et sur les épaules, enveloppant la tête, le dos et la poitrine, un grand capuchon d'une espèce de drap marron.

La voiture alla bon train jusqu'au lever du soleil. On était depuis longtemps hors du département des Vosges et déjà on avait traversé une partie de celui de la Haute-Saône. La route suivie était celle indiquée par Blaireau.

On arriva à un petit village et on s'y arrêta dans une auberge. D'abord, il fallait laisser reposer les chevaux ; et puis, pour plus de sûreté, Blaireau ne voulait voyager que la nuit.

Le soir, une heure avant le coucher du soleil, on se remit en route. On marcha toute la nuit. On fit deux haltes seulement de vingt minutes chacune, temps nécessaire pour faire manger l'avoine aux chevaux. Comme la veille, on s'arrêta dans une auberge de village, où on passa la journée.

La troisième nuit, à deux heures du matin, on avait dépassé Tonnerre ; on s'était, à dessein, éloigné de la grande route de Bourgogne, et on se dirigeait vers Joigny par un chemin de communication départementale. Un peu ayant six heures, le jour commençant à poindre, Blaireau donna l'ordre au cocher d'arrêter. La voiture traversait un bois.

— Inutile d'aller plus loin, murmura Blaireau : la route est déserte, une forêt, l'endroit est bien choisi. Il mit pied à terre le premier, la Birette le suivit, puis elle prit le bras de la marquise et l'aida à descendre. La pauvre folle, douce et docile, obéissait passivement.

Sur un signe de Blaireau, la Birette conduisit la marquise au bord du fossé du chemin et l'obligea à s'asseoir sur le talus.

Vite, Blaireau et la femme reprirent place dans la voiture, et les chevaux, piqués par la mèche du fouet, s'emportèrent dans un galop rapide.

C'était fait : la marquise de Chamarande était abandonnée.

Depuis, Blaireau et le baron de Simaise n'avaient point cherché à savoir à quelle destinée ils l'avaient condamnée.

Et des années s'étaient écoulées.

Pauvre Lucy !

Qu'était-elle devenue ?

FIN DE LA DEUXIÈME PARTIE.

Milton Keynes UK
Ingram Content Group UK Ltd.
UKHW031121280823
427620UK00010B/654

9 791041 833986